고등 수학의 **첫 걸음**

풍산자

수학 I

쉽고 정확한 개념 학습은 **자신감**으로
개념-문제 연계 학습은 **실력**으로 쌓이는 **풍산자**입니다.

시작은 그 일의 가장 중요한 부분이다.
- 플라톤 -

읽으면서 이해하는 개념 학습 비법서

풍산자

문제와 유기적으로
개념을 익히는
**예제와 유제 및
풍산자 비법**

주제별 짧은 흐름으로
이해하기 쉬운
**명쾌하고 간결한
개념 설명**

**교재 활용
로드맵**

개념 확인 및 응용을
익힐 수 있는
**필수
확인 문제**

실전형 문제를
2단계로 제시한
**실전
연습문제**

풍산자식으로
핵심 내용을 정리한
**중단원
마무리**

주제별 개념 정리와 명쾌한 추가 설명	풍산자만의 명료하고 유쾌한 개념 설명과 짜임새 있는 해설
개념 이해를 위해 엄선된 예제와 유제	문제 해결의 핵심을 개념과 문제를 연결하여 짚어주는 풍산자 日, 풍산자 비법
개념 확인과 응용 연습에 최적인 엄선된 문제	개념 확인과 응용, 시험 대비에 꼭 필요한 필수 확인 문제, 실전 연습문제

풍산자

수학I

머리말

수학 공부는 어떻게 해야 할까요?

먼저 개념을 익혀야 합니다.

개념 학습은 문제와 융합된 형태로 이루어져야 합니다.

풍산자는 개념과 문제를 유기적으로 결합하여

개념 공부가 문제 공부이고 문제 공부가 개념 공부인

시스템을 지향하며 만들었습니다.

개념과 문제를 하나의 흐름으로 공부하되

직관적인 그림과 비유를 통한 구어체 설명으로

개념은 좀 더 쉽고 빠르게 익히고,

문제 풀이는 단계별로 짧게 구성하여

어려운 문제도 명쾌하게 이해할 수 있도록 하였습니다.

골치 아픈 수학이지만 풍산자로 공부하면서

때로는 소설책을 읽는 듯한 재미와 통쾌함도 느끼고

고향 같은 푸근함도 느끼면서 수학의 기초를 든든하게

닦을 수 있기를 바랍니다.

풍산자수학연구소

구성과 특징

풍산자만의 매력

1 학습자의 눈높이에 맞는 개념서

개념 설명이 아무리 자세하더라도 여러분의 눈높이에 맞지 않다면 아무 소용이 없습니다. 풍산자는 궁금해 하는 부분만을 바로 옆에서 콕콕 짚어 설명해 주는 과외 선생님같은 개념서입니다.

2 지루하지 않고 재미있는 개념서

딱딱하고 어려운 용어 때문에 수학이 지루하고 재미없게 느껴졌나요? 풍산자 특유의 유쾌하고 명쾌한 설명으로 지루할 틈 없이 수학을 쉽고 재미있게 공부할 수 있습니다.

3 짧은 호흡으로 간결하게 읽는 개념서

많은 양의 개념을 한 번에 읽고 문제를 풀려면 그 개념을 문제에 어떻게 적용해야 할지 몰라 어렵게 느껴집니다. 풍산자는 개념 설명을 읽고 그 개념을 바로 문제에 적용하도록 구성하여 짧은 호흡으로 공부할 수 있습니다.

미니 단원

개념을 주제별로 나누어 짧은 호흡으로 익힐 수 있도록 구성하였습니다.

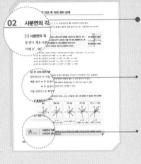

- **개념 설명**
  군살을 쏙 빼 명료하고 간결하게 설명하였습니다.
- **설명, 증명, 참고, 개념확인**
  개념의 원리를 쉽게 이해할 수 있도록 도와 줍니다.
- **大원칙** 개념의 핵심이 되는 한마디를 콕 짚어 줍니다.

- **예제와 유제**
  개념 이해에 꼭 필요한 문제들만 엄선하였습니다.
- **풍산자티** 문제를 풀기 위해 알아야 할 핵심 개념을 알려 줍니다.
- **풍산자 비법** 학습의 흐름에 따라 내용을 정리합니다.

필수 확인 문제

개념의 확인과 응용을 위해 스스로 풀어 볼 문제를 수록하였습니다.

- 더 많은 유형의 문제를 풀어 볼 수 있도록 풍산자필수유형의 관련 쪽수를 안내하였습니다.

중단원 마무리

단원별 핵심 내용을 한눈에 살펴볼 수 있도록 표로 정리하였습니다.

실전 연습문제

실전에 꼭 필요한 문제들을 2단계로 나누어 수록하였습니다.

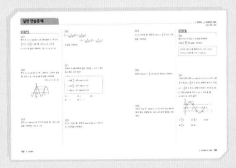

차례

CONTENTS

수열

I

← 지수함수와 로그함수 →

큰 수를 간단하게 표현할 수 없을까?

지구와 태양의 거리는 약 149600000 km

10의 거듭제곱으로 표시하면 1.496×10^8 km

길고 긴 이 숫자는 앞으로 배울 로그를 취하면

놀랍게도 8.×× 정도의 간단한 수가 된다.

또 우주 공간의 먼지입자의 크기는 대략 0.000000000001

10의 거듭제곱으로 표시하면 1×10^{-12}

로그를 취하면 간단하게 -12

그래서 매우 큰 수 또는 매우 작은 수를 계산하고

표현할 때 지수와 로그가 정말 유용하다.

로그는 주판, 아라비아 숫자, 소수점, 컴퓨터와 더불어

계산의 5대 발명 중의 하나로 꼽힌다.

지수와 로그는 결국 계산하는 방법이니

익숙해질 때까지 반복하여 연습해야 한다.

1

지수와 로그

수학사는 어느 정도 일반화의 역사.
기존의 지수법칙을 유지하면서 지수의 범위를 확장한다.
그리고 지수와 떼려야 뗄 수 없는 로그를 정의한다.

1 지수

2 로그

3 상용로그

$$a^x = b$$

$$x = \log_a b$$

$$\log N$$

1 지수

01 | 거듭제곱근

거듭제곱이란 거듭해서 곱한 것, 즉, x, x^2, x^3, $\cdots$, x^n을 의미한다.
거듭제곱근이란 방정식 $x^n = a$의 근을 의미한다.

> **거듭제곱근**
>
> a가 실수, n이 2 이상의 자연수일 때,
> n제곱하여 a가 되는 수, 즉 $x^n = a$를 만족시키는 x를 a의 **n제곱근**이라
> 한다.
> 이때 a의 제곱근, 세제곱근, 네제곱근, $\cdots$을 통틀어 a의 **거듭제곱근**이
> 라 한다.
>
>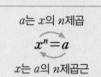
>
> **a의 n제곱근** ➡ **n제곱하여 a가 되는 수** ➡ **방정식 $x^n = a$의 n개의 근**

실수 a의 n제곱근, 즉 방정식 $x^n = a$의 근은 실근과 허근을 통틀어 n개가 있다. 이 중 실근
하나를 $\sqrt[n]{a}$로 나타내고 n 제곱근 a로 읽는다. 이때 n이 짝수이면 a의 값의 범위에 따라 실근
의 개수가 달라지고, n이 홀수이면 a의 값과 관계없이 실근은 1개 존재한다. 예를 들어,

8의 세제곱근 ➡ $x^3 = 8$에서 $x = 2$ 또는 $x = -1 \pm \sqrt{3}i$ 이 중 실수는 2 ➡ $\sqrt[3]{8} = 2$

16의 네제곱근 ➡ $x^4 = 16$에서 $x = \pm 2$ 또는 $x = \pm 2i$ 이 중 실수는 ± 2

$\qquad\qquad$ ➡ $\sqrt[4]{16} = 2$, $-\sqrt[4]{16} = -2$

-16의 네제곱근 ➡ 네제곱해서 -16이 되는 실수는 없다.

$\qquad\qquad$ ➡ $\sqrt[4]{-16}$ 은 실수에서 정의되지 않는다.

> **실수 a의 n제곱근 중 실수인 것, 즉 $x^n = a$의 실근**
>
> | n ＼ a | $a > 0$ | $a = 0$ | $a < 0$ |
> |---|---|---|---|
> | n이 짝수일 때 | $\sqrt[n]{a}$, $-\sqrt[n]{a}$ | 0 | 없다. |
> | n이 홀수일 때 | $\sqrt[n]{a}$ | 0 | $\sqrt[n]{a}$ |

| 설명 | a의 n제곱근과 n 제곱근 a는 엄연히 다르다.
a의 n제곱근은 방정식 $x^n = a$의 근으로 복소수 범위에서 n개가 존재한다.
n제곱근 a는 a의 n제곱근 중 a와 부호가 같은 실수로 많아야 1개이다.

한걸음 더

함수 $y=x^n$의 그래프와 거듭제곱근

실수 a의 n 제곱근, 즉 방정식 $x^n=a$의 근은 실근과 허근을 통틀어 n개가 있다. 이 중에서 실근은 몇 개일까? 놀랍게도 n개 중에서 실근은 많아야 2개뿐이다. 방정식 $x^n=a$의 실근은 함수 $y=x^n$의 그래프와 직선 $y=a$의 교점의 x좌표와 같다.

(1) n이 짝수일 때,

함수 $y=x^n$의 그래프는 오른쪽 그림과 같이 y축에 대하여 대칭인 U 자형의 그래프이다. 이 그래프와 직선 $y=a$의 교점의 개수는 a의 부호에 따라 달라진다.

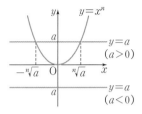

① $a>0$이면 함수 $y=x^n$의 그래프와 직선 $y=a$의 교점의 개수는 2 개이므로 방정식 $x^n=a$의 실근은 2개이다. 이 중 양수를 $\sqrt[n]{a}$, 음수를 $-\sqrt[n]{a}$로 나타낸다.

② $a=0$이면 방정식 $x^n=0$의 근은 0 하나뿐이다.

③ $a<0$이면 함수 $y=x^n$의 그래프와 직선 $y=a$는 만나지 않으므로 방정식 $x^n=a$의 실근은 없다.

(2) n이 홀수일 때,

함수 $y=x^n$의 그래프는 오른쪽 그림과 같이 원점에 대하여 대칭이고 계속 증가하는 모양이다. 이 그래프와 직선 $y=a$의 교점의 개수는 항상 하나뿐 이므로 $x^n=a$의 실근은 항상 하나뿐이다. 이것을 $\sqrt[n]{a}$로 나타낸다.

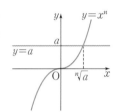

| 거듭제곱근의 정의 |

---

001 다음 거듭제곱근을 구하고, 그 중에서 실수인 것을 말하여라.

(1) -8의 세제곱근　　　　　　　　　　(2) 81의 네제곱근

풍산자王 a의 n제곱근이란 무엇인가? ➡ 방정식 $x^n=a$의 근!

▶ **풀이** (1) -8의 세제곱근은 방정식 $x^3=-8$의 근이므로 $x^3+8=0$, $(x+2)(x^2-2x+4)=0$

$\therefore x=-2$ 또는 $x=1\pm\sqrt{3}\,i$ ◀ -8의 세제곱근

이 중에서 실수인 것은 **-2**이다.

(2) 81의 네제곱근은 방정식 $x^4=81$의 근이므로 $x^4-81=0$, $(x^2-9)(x^2+9)=0$

$\therefore x=\pm 3$ 또는 $x=\pm 3i$ ◀ 81의 네제곱근

이 중에서 실수인 것은 **± 3**이다.

정답과 풀이 2쪽

유제 002 다음 거듭제곱근을 구하고, 그 중에서 실수인 것을 말하여라.

(1) -1의 세제곱근　　　　　　　　　　(2) 16의 네제곱근

02 | 거듭제곱근의 성질

$\sqrt{a}$의 계산은 중학교 때 배웠다. $\sqrt[n]{a}$에서도 유사한 공식이 성립한다.

> **거듭제곱근의 성질**
>
> $a>0$, $b>0$이고 m, n이 2 이상의 자연수일 때
>
> (1) $\sqrt[n]{a}\,\sqrt[n]{b}=\sqrt[n]{ab}$
>
> (2) $\dfrac{\sqrt[n]{a}}{\sqrt[n]{b}}=\sqrt[n]{\dfrac{a}{b}}$
>
> (3) $\left(\sqrt[n]{a}\right)^m=\sqrt[n]{a^m}$
>
> (4) $\sqrt[m]{\sqrt[n]{a}}=\sqrt[mn]{a}=\sqrt[n]{\sqrt[m]{a}}$
>
> (5) $\sqrt[np]{a^{mp}}=\sqrt[n]{a^m}$ (단, p는 자연수)

| 설명 | 거듭제곱근의 모든 계산을 처리해 주는 공식들. 쓱 감상해 보니, (1), (2), (3)은 익숙한 생김새. 근호 앞에 수가 있다는 걸 빼면 중학교 때 배운 제곱근 공식과 거의 같은 형태이다.

(4), (5)가 낯설다. 다음과 같이 암기하면 된다.

(4) $\sqrt[m]{\sqrt[n]{a}}=\sqrt[mn]{a}=\sqrt[n]{\sqrt[m]{a}}$ ➡ 근호 앞 수끼리는 곱할 수 있고 바꿀 수 있다. (단, $\sqrt{a}=\sqrt[2]{a}$)

(5) $\sqrt[np]{a^{mp}}=\sqrt[n]{a^m}$ ➡ 근호 앞 수와 지수는 약분할 수 있다.

| 거듭제곱근의 계산 (1) |

---

003 다음 값을 구하여라.

(1) $\sqrt[6]{64}$ (2) $\sqrt[5]{-32}$ (3) $-\sqrt[4]{\dfrac{1}{16}}$ (4) $\sqrt[3]{-0.008}$

풍산자티 $\sqrt[n]{a}$의 값을 구하려면 n제곱하여 a가 되는 수를 구한다.

➤ **풀이**

(1) $\sqrt[6]{64}=\sqrt[6]{2^6}=2$

(2) $\sqrt[5]{-32}=\sqrt[5]{(-2)^5}=-2$

(3) $-\sqrt[4]{\dfrac{1}{16}}=-\sqrt[4]{\left(\dfrac{1}{2}\right)^4}=-\dfrac{1}{2}$

(4) $\sqrt[3]{-0.008}=\sqrt[3]{(-0.2)^3}=-0.2$

정답과 풀이 **2**쪽

유제 **004** 다음 값을 구하여라.

(1) $\sqrt[4]{81}$ (2) $\sqrt[3]{-27}$

(3) $-\sqrt[6]{\dfrac{1}{64}}$ (4) $\sqrt[3]{-0.001}$

005 다음 식을 간단히 하여라.

(1) $\sqrt[4]{2} \times \sqrt[4]{8}$ (2) $\dfrac{\sqrt[3]{2}}{\sqrt[3]{54}}$ (3) $\left(\sqrt[6]{8}\right)^2$

풍산자曰 거듭제곱근의 성질을 이용하여 근호를 합친 후 $\sqrt[n]{a^n}$ 꼴로 고치면 된다.

▶풀이 (1) $\sqrt[4]{2} \times \sqrt[4]{8} = \sqrt[4]{2 \times 8} = \sqrt[4]{16} = \sqrt[4]{2^4} = \mathbf{2}$

(2) $\dfrac{\sqrt[3]{2}}{\sqrt[3]{54}} = \sqrt[3]{\dfrac{2}{54}} = \sqrt[3]{\dfrac{1}{27}} = \sqrt[3]{\left(\dfrac{1}{3}\right)^3} = \dfrac{\mathbf{1}}{\mathbf{3}}$

(3) $\left(\sqrt[6]{8}\right)^2 = \sqrt[6]{8^2} = \sqrt[6]{(2^3)^2} = \sqrt[6]{2^6} = \mathbf{2}$

정답과 풀이 **2**쪽

유제 006 다음 식을 간단히 하여라.

(1) $\sqrt[3]{9} \times \sqrt[3]{3}$ (2) $\dfrac{\sqrt[4]{32}}{\sqrt[4]{2}}$ (3) $\left(\sqrt[4]{4}\right)^2$

007 다음 식을 간단히 하여라.

(1) $\sqrt[4]{\sqrt[3]{16}} \times \sqrt{\sqrt[3]{16}}$ (2) $\sqrt[12]{5^4} \times \sqrt[9]{5^6}$

풍산자曰 근호 앞 수가 다르다. 일단 다음 성질을 이용하여 근호 앞 수를 같게 하고 본다.

(1) $\sqrt[m]{\sqrt[n]{a}} = \sqrt[mn]{a} = \sqrt[n]{\sqrt[m]{a}}$ ➡ 근호 앞 수끼리는 곱할 수 있고 바꿀 수 있다.

(2) $\sqrt[np]{a^{mp}} = \sqrt[n]{a^m}$ ➡ 근호 앞 수와 지수는 약분할 수 있다.

▶풀이 (1) $\sqrt[4]{\sqrt[3]{16}} \times \sqrt{\sqrt[3]{16}} = \sqrt[3]{\sqrt[4]{16}} \times \sqrt[3]{\sqrt{16}}$

$= \sqrt[3]{2} \times \sqrt[3]{4} = \sqrt[3]{8} = \sqrt[3]{2^3} = \mathbf{2}$

(2) $\sqrt[12]{5^4} \times \sqrt[9]{5^6} = \sqrt[3 \times 4]{5^{1 \times 4}} \times \sqrt[3 \times 3]{5^{2 \times 3}}$

$= \sqrt[3]{5} \times \sqrt[3]{5^2} = \sqrt[3]{5^3} = \mathbf{5}$

> 9와 6을 약분할 수 있다.
> $\sqrt[9]{5^6} = \sqrt[3]{5^2}$

정답과 풀이 **2**쪽

유제 008 다음 식을 간단히 하여라.

(1) $\sqrt{\sqrt[3]{81}} \times \sqrt[4]{\sqrt[3]{81}}$ (2) $\sqrt[8]{7^6} \times \sqrt[12]{7^3}$

009 다음 식을 간단히 하여라.

(1) $\sqrt[3]{\dfrac{\sqrt[4]{a}}{\sqrt{a}}} \times \sqrt{\dfrac{\sqrt[3]{a}}{\sqrt[6]{a}}}$ (단, $a>0$) (2) $\sqrt[4]{\dfrac{8^{10}+4^{10}}{8^4+4^{11}}}$

풍산자팁 (1) $\sqrt[n]{\dfrac{a}{b}} = \dfrac{\sqrt[n]{a}}{\sqrt[n]{b}}$ 를 쓴 후 $\sqrt[m]{\sqrt[n]{a}} = \sqrt[mn]{a}$ 를 이용하면 쿨하게 풀린다.

(2) 각 항의 밑을 2로 통일한 후 지수가 작은 항으로 묶어내면 된다.

▶ 풀이 (1) (주어진 식) $= \dfrac{\sqrt[3]{\sqrt[4]{a}}}{\sqrt[3]{\sqrt{a}}} \times \dfrac{\sqrt{\sqrt[3]{a}}}{\sqrt{\sqrt[6]{a}}} = \dfrac{\sqrt[12]{a}}{\sqrt[6]{a}} \times \dfrac{\sqrt[6]{a}}{\sqrt[12]{a}} = \mathbf{1}$

(2) (주어진 식) $= \sqrt[4]{\dfrac{(2^3)^{10}+(2^2)^{10}}{(2^3)^4+(2^2)^{11}}} = \sqrt[4]{\dfrac{2^{30}+2^{20}}{2^{12}+2^{22}}} = \sqrt[4]{\dfrac{2^{20}(2^{10}+1)}{2^{12}(1+2^{10})}} = \sqrt[4]{2^8} = \sqrt[4]{4^4} = \mathbf{4}$

정답과 풀이 **2**쪽

유제 **010** 다음 식을 간단히 하여라.

(1) $\sqrt{\dfrac{\sqrt[4]{a}}{\sqrt[3]{a}}} \times \sqrt[3]{\dfrac{\sqrt{a}}{\sqrt[4]{a}}} \times \sqrt[4]{\dfrac{\sqrt[3]{a}}{\sqrt{a}}}$ (단, $a>0$) (2) $\sqrt[4]{\dfrac{2^9+4^7}{2^5+4^5}}$

011 세 수 $\sqrt{3}$, $\sqrt[3]{4}$, $\sqrt[4]{10}$ 의 크기를 비교하여라.

풍산자팁 근호 앞 수가 2, 3, 4로 다르다. 일단 $\sqrt[n]{a^m} = \sqrt[np]{a^{mp}}$ 을 이용하여 2, 3, 4의 최소공배수인 12로 근호 앞 수를 통일하고 본다.

▶ 풀이 2, 3, 4의 최소공배수인 12로 근호 앞 수를 통일하면

$\sqrt{3} = \sqrt[12]{3^6} = \sqrt[12]{729}$

$\sqrt[3]{4} = \sqrt[12]{4^4} = \sqrt[12]{256}$

$\sqrt[4]{10} = \sqrt[12]{10^3} = \sqrt[12]{1000}$

이때 $\sqrt[12]{256} < \sqrt[12]{729} < \sqrt[12]{1000}$ 이므로

$\mathbf{\sqrt[3]{4} < \sqrt{3} < \sqrt[4]{10}}$

$$\sqrt[n]{a^m} = \sqrt[np]{a^{mp}}$$
근호 앞 수와 지수에
같은 수를 곱할 수 있다.

정답과 풀이 **2**쪽

유제 **012** 세 수 $\sqrt{2}$, $\sqrt[3]{3}$, $\sqrt[6]{6}$의 크기를 비교하여라.

풍산자 비법

• 'a의 n제곱근'과 'n제곱근 a ($=\sqrt[n]{a}$)'의 관계는 'a의 제곱근'과 '제곱근 a ($\sqrt{a}$)'의 관계.

• 계산할 때는 $\sqrt{} = \sqrt[2]{} \neq \sqrt[1]{}$ 임에 주의한다.

03 | 지수의 확장

지수란 무엇인가? 지수란 몇 번 곱하는지 지시하는 수.

$a \times a \times a = a^3$에서 a를 밑, 3을 지수라 한다.

지수란 거듭제곱에서 곱해진 문자의 개수. 개수이므로 당연히 지수는 자연수이어야 한다.

하지만 우리는 곧 지수를 아주 자연스럽게 정수, 유리수, 실수로 확장할 것이다.

중학교 때 배운 지수법칙을 복습하고 시작한다.

지수법칙

a, b가 실수, m, n이 자연수일 때, 다음 법칙이 성립한다.

(1) $a^m a^n = a^{m+n}$　　　　(2) $(a^m)^n = a^{mn}$　　　　(3) $(ab)^n = a^n b^n$

(4) $\left(\dfrac{a}{b}\right)^n = \dfrac{a^n}{b^n}$ (단, $b \neq 0$)　　(5) $a^m \div a^n = \begin{cases} a^{m-n} & (m > n\text{일 때}) \\ 1 & (m = n\text{일 때}) \\ \dfrac{1}{a^{n-m}} & (m < n\text{일 때}) \end{cases}$ (단, $a \neq 0$)

---

[1] 정수 지수로의 확장

지수법칙에 의하면 $a^2 \div a^2 = a^0 = ?$　　　한편, $a^2 \div a^2 = \dfrac{a^2}{a^2} = 1$

지수법칙에 의하면 $a^2 \div a^5 = a^{-3} = ?$　　　한편, $a^2 \div a^5 = \dfrac{a^2}{a^5} = \dfrac{1}{a^3}$

자연스럽게 다음과 같이 지수를 확장한다. 물론, 지수법칙을 유지하며!

---

0 또는 음의 정수인 지수의 정의

$a \neq 0$이고 n이 양의 정수일 때,

(1) $a^0 = 1$　　➡ 어떤 수를 0제곱하면 무조건 1이 된다.

(2) $a^{-n} = \dfrac{1}{a^n}$　　➡ 지수의 마이너스는 역수의 효과를 준다.

| 개념확인 |

1 다음 식을 간단히 하여라.

　(1) 2^0　　　　　(2) $(-3)^0$　　　　　(3) 2^{-1}　　　　　(4) 3^{-2}

2 다음 <보기>중 그 값이 0 또는 1이 <u>아닌</u> 것을 모두 골라라.

> ┌ 보기 ┐
> ㄱ. 0^0　　　　ㄴ. 0^3　　　　ㄷ. 0^{-3}　　　　ㄹ. $(-3)^0$　　　　ㅁ. -3^0

➤ 풀이　　**1**　(1) $2^0 = 1$　　(2) $(-3)^0 = 1$　　(3) $2^{-1} = \dfrac{1}{2}$　　(4) $3^{-2} = \left(\dfrac{1}{3}\right)^2 = \dfrac{1}{9}$

　　　　　　2　ㄱ. 0^0은 정의되지 않는다.　　ㄴ. $0^3 = 0 \times 0 \times 0 = 0$　　ㄷ. 0^{-3}은 정의되지 않는다.

　　　　　　　　ㄹ. $(-3)^0 = 1$　　　　ㅁ. $-3^0 = -(3^0) = -1$

　　　　　　　　따라서 정답은 ㄱ, ㄷ, ㅁ이다.

[2] 유리수 지수로의 확장

이번엔 정수에서 유리수로 지수를 확장할 것이다.

$(a^m)^3 = a$에서 지수법칙 $(a^m)^n = a^{mn}$을 떠올려 보면, $m = \dfrac{1}{3}$, 즉 $(a^{\frac{1}{3}})^3 = a$가 된다.

여기에서 다음과 같은 정의를 얻는다. 마찬가지로 지수법칙이 유지된다.

> ### 유리수인 지수의 정의
> $a > 0$이고 m, n이 정수이며 $n \geq 2$일 때,
> (1) $a^{\frac{1}{n}} = \sqrt[n]{a}$
> (2) $a^{\frac{m}{n}} = \sqrt[n]{a^m}$ ➡ 분수 지수는 거듭제곱근이 된다.

[3] 실수 지수로의 확장

실수 지수의 정교한 분석은 대학 과정에서 한다.

고등학교에서는 근삿값을 구하는 방법만 이해하고 지수법칙을 적용하면 된다.

> ### 지수법칙
> $a > 0$, $b > 0$이고 m, n이 실수일 때,
> (1) $a^m a^n = a^{m+n}$ (2) $(a^m)^n = a^{mn}$ (3) $(ab)^n = a^n b^n$
> (4) $\left(\dfrac{a}{b}\right)^n = \dfrac{a^n}{b^n}$ (5) $a^m \div a^n = a^{m-n}$

| 설명 | 실수 지수의 근삿값을 구하는 방법은?

지수가 무리수인 $2^{\sqrt{2}}$의 경우를 생각해 보자. 무리수 $\sqrt{2} = 1.414213\cdots$이므로 $\sqrt{2}$에 가까워지는 유리수 $1, 1.4, 1.41, 1.414, \cdots$를 지수로 갖는 수 $2^1, 2^{1.4}, 2^{1.41}, 2^{1.414}, \cdots$는 일정한 수에 한없이 가까워진다는 사실이 알려져 있다. 이 일정한 수를 $2^{\sqrt{2}}$으로 정의한다.

x	2^x
1	2
1.4	$2.639015\cdots$
1.41	$2.657371\cdots$
1.414	$2.664749\cdots$
$\vdots$	$\vdots$

지수를 유리수로, 실수로 확장해도 모든 지수법칙은 성립한다. 하지만 지수가 확장됨에 따라 밑은 점점 제한된다.

a^n에서 n의 값의 범위에 따라 지수법칙이 성립하는 a의 값의 범위를 정리하면 다음과 같다.

확장 ⟶

n의 값의 범위	자연수	정수	유리수	실수
a의 값의 범위	실수	0이 아닌 실수	양수	양수

제한 ⟶

밑이 양수이기만 하면 지수에 상관없이 마음 놓고 지수법칙을 쓸 수 있다.

밑이 음수라면? 유감스럽게도 밑이 음수이고 지수가 분수일 때는 지수법칙을 쓸 수 없다.

틀린 계산 ➡ $\{(-3)^2\}^{\frac{1}{2}} = (-3)^{2 \times \frac{1}{2}} = (-3)^1 = -3$

바른 계산 ➡ $\{(-3)^2\}^{\frac{1}{2}} = 9^{\frac{1}{2}} = 3^{2 \times \frac{1}{2}} = 3$

013 다음 식을 간단히 하여라.

(1) $\left\{\left(\dfrac{64}{9}\right)^{-\frac{5}{4}}\right\}^{\frac{2}{5}}$

(2) $18^{\frac{2}{3}} \div 24^{\frac{1}{3}} \times 16^{\frac{1}{3}}$

풍산자티 지수법칙을 이용하는 문제. 밑이 양수이기만 하면 지수에 상관없이 마음 놓고 지수법칙을 쓸 수 있다.

▶ 풀이

(1) (주어진 식) $= \left(\dfrac{64}{9}\right)^{-\frac{5}{4} \times \frac{2}{5}} = \left(\dfrac{64}{9}\right)^{-\frac{1}{2}}$

$= \left\{\left(\dfrac{8}{3}\right)^{2}\right\}^{-\frac{1}{2}} = \left(\dfrac{8}{3}\right)^{2 \times \left(-\frac{1}{2}\right)}$

$= \left(\dfrac{8}{3}\right)^{-1} = \dfrac{\mathbf{3}}{\mathbf{8}}$

(2) (주어진 식) $= (2 \times 3^2)^{\frac{2}{3}} \div (2^3 \times 3)^{\frac{1}{3}} \times (2^4)^{\frac{1}{3}}$

$= (2^{\frac{2}{3}} \times 3^{\frac{4}{3}}) \div (2^1 \times 3^{\frac{1}{3}}) \times 2^{\frac{4}{3}}$

$= 2^{\frac{2}{3} - 1 + \frac{4}{3}} \times 3^{\frac{4}{3} - \frac{1}{3}} = 2 \times 3 = \mathbf{6}$

정답과 풀이 **2**쪽

유제 014 다음 식을 간단히 하여라.

(1) $\left\{\left(\dfrac{9}{16}\right)^{-\frac{4}{3}}\right\}^{\frac{3}{8}}$

(2) $2^{\frac{3}{4}} \div 32^{\frac{1}{2}} \times 8^{\frac{1}{4}}$

015 다음 식을 a^n 꼴로 나타내어라. (단, $a > 0$)

(1) $\sqrt[3]{\sqrt{a} \times \dfrac{a^2}{\sqrt[4]{a}}}$

(2) $\sqrt[3]{a \sqrt[3]{a \sqrt[3]{a}}}$

풍산자티 근호 안에 근가 있는 문제. 먼저 $\sqrt[m]{\sqrt[n]{a}} = \sqrt[mn]{a}$를 이용하여 근호를 합친 후 근호를 분수 지수로 고치면 된다.

▶ 풀이

(1) (주어진 식) $= \sqrt[6]{a} \times \dfrac{\sqrt[3]{a^2}}{\sqrt[12]{a}} = a^{\frac{1}{6}} \times a^{\frac{2}{3}} \div a^{\frac{1}{12}}$

$= a^{\frac{1}{6} + \frac{2}{3} - \frac{1}{12}} = a^{\frac{3}{4}}$

(2) (주어진 식) $= \sqrt[3]{a} \times \sqrt[9]{a} \times \sqrt[27]{a} = a^{\frac{1}{3}} \times a^{\frac{1}{9}} \times a^{\frac{1}{27}}$

$= a^{\frac{1}{3} + \frac{1}{9} + \frac{1}{27}} = a^{\frac{13}{27}}$

정답과 풀이 **2**쪽

유제 016 다음 식을 a^n 꼴로 나타내어라. (단, $a > 0$)

(1) $\sqrt{\dfrac{a}{\sqrt{a}} \times \sqrt[3]{a}}$

(2) $\sqrt{a \sqrt{a \sqrt{a}}}$

017   다음 식을 간단히 하여라. (단, $a>0$, $b>0$)

(1) $(a^{\frac{1}{4}}-b^{\frac{1}{4}})(a^{\frac{1}{4}}+b^{\frac{1}{4}})(a^{\frac{1}{2}}+b^{\frac{1}{2}})$ (2) $(a^{\frac{1}{3}}-b^{\frac{1}{3}})(a^{\frac{2}{3}}+a^{\frac{1}{3}}b^{\frac{1}{3}}+b^{\frac{2}{3}})$

풍산자티 곱셈 공식과 분수 지수가 융합된 문제. 분수 지수가 끼어들어 어려운 척 하지만 다음 곱셈 공식 한 방이면 쿨하게 풀린다.

(1) $(A-B)(A+B)=A^2-B^2$

(2) $(A-B)(A^2+AB+B^2)=A^3-B^3$

➤ 풀이   (1) (주어진 식)$=\{(a^{\frac{1}{4}})^2-(b^{\frac{1}{4}})^2\}(a^{\frac{1}{2}}+b^{\frac{1}{2}})$

$=(a^{\frac{1}{2}}-b^{\frac{1}{2}})(a^{\frac{1}{2}}+b^{\frac{1}{2}})$

$=(a^{\frac{1}{2}})^2-(b^{\frac{1}{2}})^2=\boldsymbol{a-b}$

(2) (주어진 식)$=(a^{\frac{1}{3}})^3-(b^{\frac{1}{3}})^3=\boldsymbol{a-b}$

정답과 풀이 **2**쪽

유제 **018** 다음 식을 간단히 하여라. (단, $a>0$, $b>0$)

(1) $(a^{\frac{1}{2}}-a^{-\frac{1}{2}})(a^{\frac{1}{2}}+a^{-\frac{1}{2}})(a+a^{-1})$ (2) $(a^{\frac{1}{3}}+b^{\frac{1}{3}})(a^{\frac{2}{3}}-a^{\frac{1}{3}}b^{\frac{1}{3}}+b^{\frac{2}{3}})$

019 $(3^{\frac{1}{3}}+3^{-\frac{2}{3}})^3+(3^{\frac{1}{3}}-3^{-\frac{2}{3}})^3$을 간단히 하여라.

풍산자티 곱셈 공식 $(A\pm B)^3=A^3\pm3A^2B+3AB^2\pm B^3$ (복부호 동순)을 이용하여 전개하는 문제. 이때 공통부분을 한 문자로 치환하여 생각하면 몸과 마음이 한결 편하다.

➤ 풀이 $3^{\frac{1}{3}}=A$, $3^{-\frac{2}{3}}=B$로 놓으면

(주어진 식)$=(A+B)^3+(A-B)^3$

$=(A^3+3A^2B+3AB^2+B^3)+(A^3-3A^2B+3AB^2-B^3)$

$=2A^3+6AB^2$

$=2(3^{\frac{1}{3}})^3+6\cdot3^{\frac{1}{3}}\cdot3^{-\frac{4}{3}}$

$=2\cdot3+6\cdot3^{-1}=8$

정답과 풀이 **3**쪽

유제 **020** $(2^{\frac{3}{2}}+2^{-\frac{1}{2}})^2+(2^{\frac{3}{2}}-2^{-\frac{1}{2}})^2$을 간단히 하여라.

021 $a^{\frac{1}{2}}+a^{-\frac{1}{2}}=3$일 때, 다음 식의 값을 구하여라. (단, $a>0$)

(1) $a+a^{-1}$ (2) a^2+a^{-2} (3) $a^{\frac{3}{2}}+a^{-\frac{3}{2}}$

풍산자日 (1), (2) 주어진 식의 양변을 제곱하면 (1)이 구해지고, (1)을 제곱하면 (2)가 구해진다.

(3) 주어진 식의 양변을 세제곱하면 된다. 이때 다음 공식을 이용하자.

$$(A+B)^3=A^3+B^3+3AB(A+B)$$

▶ **풀이** (1) $a^{\frac{1}{2}}+a^{-\frac{1}{2}}=3$의 양변을 제곱하면 $a+2+a^{-1}=9$

$\therefore a+a^{-1}=\mathbf{7}$

(2) $a+a^{-1}=7$의 양변을 제곱하면 $a^2+2+a^{-2}=49$

$\therefore a^2+a^{-2}=\mathbf{47}$

(3) $a^{\frac{1}{2}}+a^{-\frac{1}{2}}=3$의 양변을 세제곱하면 $(a^{\frac{1}{2}})^3+(a^{-\frac{1}{2}})^3+3\cdot a^{\frac{1}{2}}\cdot a^{-\frac{1}{2}}(a^{\frac{1}{2}}+a^{-\frac{1}{2}})=27$

$a^{\frac{3}{2}}+a^{-\frac{3}{2}}+3\cdot1\cdot3=27$

$\therefore a^{\frac{3}{2}}+a^{-\frac{3}{2}}=\mathbf{18}$

정답과 풀이 **3**쪽

유제 022 $a^{\frac{1}{2}}-a^{-\frac{1}{2}}=3$일 때, 다음 식의 값을 구하여라. (단, $a>0$)

(1) $a+a^{-1}$ (2) a^2+a^{-2} (3) $a^{\frac{3}{2}}-a^{-\frac{3}{2}}$

023 $x=3^{\frac{1}{3}}+3^{-\frac{1}{3}}$일 때, $3x^3-9x$의 값을 구하여라.

풍산자日 $(A+B)^3=A^3+B^3+3AB(A+B)$를 이용하여 x^3을 계산하면 된다.

▶ **풀이** $x^3=(3^{\frac{1}{3}})^3+(3^{-\frac{1}{3}})^3+3\cdot3^{\frac{1}{3}}\cdot3^{-\frac{1}{3}}(3^{\frac{1}{3}}+3^{-\frac{1}{3}})$

$=3+3^{-1}+3\cdot1\cdot x$

$=3x+\dfrac{10}{3}$

따라서 $x^3-3x=\dfrac{10}{3}$이므로 $3x^3-9x=\mathbf{10}$

정답과 풀이 **3**쪽

유제 024 $x=2^{\frac{2}{3}}+2^{-\frac{2}{3}}$일 때, $2x^3-6x$의 값을 구하여라.

025 $2^x=81$일 때, $\left(\dfrac{1}{\sqrt{8}}\right)^{-\frac{x}{2}}$ 의 값을 구하여라.

풍산자 구해야 하는 식이 주어진 식을 포함하도록 변형한다. 즉, 2^x을 포함한 식으로 변형한다.

➡ 헷갈리는 마이너스 지수부터 처리하고 본다.

풀이 $\left(\dfrac{1}{\sqrt{8}}\right)^{-\frac{x}{2}}=(\sqrt{8})^{\frac{x}{2}}=(2^{\frac{3}{2}})^{\frac{x}{2}}=(2^x)^{\frac{3}{4}}$ ⬅ $2^x=81$을 대입

$=81^{\frac{3}{4}}=(3^4)^{\frac{3}{4}}=3^3=\textbf{27}$

정답과 풀이 3쪽

유제 026 $3^x=4$일 때, $\left(\dfrac{1}{27}\right)^{-\frac{x}{2}}$ 의 값을 구하여라.

027 $a^{2x}=3$일 때, 다음 식의 값을 구하여라. (단, $a>0$)

(1) $\dfrac{a^x-a^{-x}}{a^x+a^{-x}}$ (2) $\dfrac{a^{3x}-a^{-3x}}{a^x-a^{-x}}$

풍산자 a^{2x}을 포함한 식으로 변형한다. 즉, 분모, 분자에 각각 a^x을 곱한다.

풀이 (1) 분모, 분자에 각각 a^x을 곱하면

$(주어진 식)=\dfrac{a^{2x}-1}{a^{2x}+1}$ ⬅ $a^{2x}=3$을 대입

$=\dfrac{3-1}{3+1}=\dfrac{\textbf{1}}{\textbf{2}}$

(2) 분모, 분자에 각각 a^x을 곱하면

$(주어진 식)=\dfrac{a^{4x}-a^{-2x}}{a^{2x}-1}=\dfrac{(a^{2x})^2-\dfrac{1}{a^{2x}}}{a^{2x}-1}$ ⬅ $a^{2x}=3$을 대입

$=\dfrac{3^2-\dfrac{1}{3}}{3-1}=\dfrac{\textbf{13}}{\textbf{3}}$

정답과 풀이 3쪽

유제 028 $a^{-2}=3$일 때, 다음 식의 값을 구하여라. (단, $a>0$)

(1) $\dfrac{a-a^{-1}}{a+a^{-1}}$ (2) $\dfrac{a^3-a^{-3}}{a^3+a^{-3}}$

029 다음 물음에 답하여라.

(1) $5^x=81$, $45^y=243$일 때, $\dfrac{4}{x}-\dfrac{5}{y}$의 값을 구하여라.

(2) $2^x=3^y=6^z$일 때, $\dfrac{1}{x}+\dfrac{1}{y}-\dfrac{1}{z}$의 값을 구하여라. (단, $xyz\neq0$)

풍산자日 주어진 조건식의 밑이 다르면 조건식을 변형하여 밑을 통일한다.

(1) 조건식의 우변이 3의 거듭제곱꼴이므로 밑을 3인 식으로 변형한다.

(2) 주어진 조건식을 k로 놓고 밑이 k인 식으로 변형한다.

▶풀이 (1) $5^x=81$에서 $5=81^{\frac{1}{x}}=(3^4)^{\frac{1}{x}}=3^{\frac{4}{x}}$ ······ ㉠

$45^y=243$에서 $45=243^{\frac{1}{y}}=(3^5)^{\frac{1}{y}}=3^{\frac{5}{y}}$ ······ ㉡

㉠÷㉡을 하면 $\dfrac{5}{45}=3^{\frac{4}{x}}\div3^{\frac{5}{y}}$

$\dfrac{1}{9}=3^{\frac{4}{x}-\frac{5}{y}}$, $3^{-2}=3^{\frac{4}{x}-\frac{5}{y}}$

$\therefore \dfrac{4}{x}-\dfrac{5}{y}=-2$

(2) $2^x=3^y=6^z=k$로 놓으면 $k>0$이고, $xyz\neq0$에서 $k\neq1$이다.

$2^x=k$에서 $2=k^{\frac{1}{x}}$ ······ ㉠

$3^y=k$에서 $3=k^{\frac{1}{y}}$ ······ ㉡

$6^z=k$에서 $6=k^{\frac{1}{z}}$ ······ ㉢

㉠×㉡÷㉢을 하면 $\dfrac{2\cdot3}{6}=k^{\frac{1}{x}}\times k^{\frac{1}{y}}\div k^{\frac{1}{z}}$

$1=k^{\frac{1}{x}+\frac{1}{y}-\frac{1}{z}}$에서 $k>0$이고, $k\neq1$이므로

$\dfrac{1}{x}+\dfrac{1}{y}-\dfrac{1}{z}=\mathbf{0}$

정답과 풀이 **3**쪽

유제 030 다음 물음에 답하여라.

(1) $40^x=32$, $10^y=8$일 때, $\dfrac{5}{x}-\dfrac{3}{y}$의 값을 구하여라.

(2) $3^x=4^y=12^z$일 때, $\dfrac{1}{x}+\dfrac{1}{y}-\dfrac{1}{z}$의 값을 구하여라. (단, $xyz\neq0$)

풍산자 비법

밑이 양수일 땐 지수법칙을 마음껏 써도 좋다. 틀리는 것을 두려워 말고 많이 계산해 보고, 많이 변형해 보자. 연습이 중요하다.

* 더 많은 유형은 **풍산자필수유형 수학 I** 007쪽

정답과 풀이 3쪽

031

다음 중 옳은 것을 모두 고르면?

① 5의 다섯제곱근은 $\sqrt[5]{5}$뿐이다.

② -3의 세제곱근 중 실수인 것은 없다.

③ 4의 네제곱근 중 실수인 것은 두 개다.

④ n이 홀수일 때, n의 n제곱근 중 실수인 것은 한 개다.

⑤ n이 짝수일 때, $-n$의 n제곱근 중 실수인 것은 두 개다.

032

다음 중 식의 값이 가장 큰 것은?

① $\sqrt[3]{27}$ ② $\sqrt[4]{2}\sqrt[4]{8}$

③ $\sqrt{\sqrt{81}}$ ④ $\dfrac{\sqrt[3]{250}}{\sqrt[3]{2}}$

⑤ $(\sqrt[4]{9})^2$

033

다음 중 $A=\sqrt{3}$, $B=\sqrt[3]{5}$, $C=\sqrt{\sqrt[3]{15}}$의 대소 관계로 옳은 것은?

① $A<B<C$ ② $B<A<C$

③ $B<C<A$ ④ $C<A<B$

⑤ $C<B<A$

034

다음 식을 간단히 하여라.

(1) $\left\{\left(\dfrac{9}{25}\right)^{\frac{5}{4}}\right\}^{\frac{2}{5}} \times \left\{\left(\dfrac{1}{3}\right)^{-\frac{3}{2}}\right\}^{\frac{4}{3}}$

(2) $(1-5^{\frac{1}{4}})(1+5^{\frac{1}{4}})(1+5^{\frac{1}{2}})(1+5)(1+5^2)$

035

1이 아닌 양수 a에 대하여

$$a^{\frac{3}{2}} \times \sqrt[3]{a^4} \times \sqrt[3]{\sqrt{a}} \div a^{-\frac{3}{2}} = a^{\frac{n}{2}}$$

일 때, 자연수 n의 값을 구하여라.

036

$a^{2x}=5$일 때, $\dfrac{a^{3x}+a^{-3x}}{a^x+a^{-x}}$의 값은? (단, $a>0$)

① $\dfrac{9}{5}$ ② $\dfrac{12}{5}$ ③ 3

④ $\dfrac{18}{5}$ ⑤ $\dfrac{21}{5}$

2 로그

01 | 로그의 정의

중학교 때 배웠다. $ax=b$일 때, $x=\dfrac{b}{a}$

고등학교 때 배운다. $a^x=b$일 때, $x=?$

로그를 배우면 해결할 수 있다.

로그는 특히 정의가 중요하다. 정말 중요하다.

> **로그의 정의** 중요♥
>
> $a>0$, $a\neq1$이고 $b>0$일 때, $a^x=b$를 만족시키는 x를 a를 **밑**으로 하는 b의 **로그**라 하고, 기호로 $x=\log_a b$와 같이 나타낸다.
> 이때 b를 $\log_a b$의 **진수**라 한다.
> $$a^x=b \iff x=\log_a b$$

| **설명** | • 지수와 로그의 정의를 이용하여 등식 $2^3=8$을 다음과 같이 표현할 수 있다.
  ① $3=\log_2 8$ ➡ 3은 2를 밑으로 하는 8의 로그
  ② $8=2^3$ ➡ 8은 2의 세제곱
  ③ $2=\sqrt[3]{8}$ ➡ 2는 세제곱근 8
• 지수를 로그로 바꿀 때 밑이 움직인다. 밑이 밑으로 간다.
  지수의 밑이 로그의 밑이 된다. 마찬가지로 로그의 밑이 지수의 밑이 된다.

$$a^x=b \qquad x=\log_a b$$

$$2^x=3 \qquad x=\log_2 3$$

$$3^x=2 \qquad x=\log_3 2$$

| **개념확인** |

1 다음 등식을 로그를 사용하여 나타내어라.

  (1) $2^3=8$ (2) $5^1=5$ (3) $4^0=1$

2 다음 등식을 지수를 사용하여 나타내어라.

  (1) $\log_3 9=2$ (2) $\log_2 \dfrac{1}{2}=-1$ (3) $\log_3 1=0$

➤ 풀이

1 (1) $3=\log_2 8$ (2) $1=\log_5 5$ (3) $0=\log_4 1$

2 (1) $3^2=9$ (2) $2^{-1}=\dfrac{1}{2}$ (3) $3^0=1$

037 다음 등식을 만족시키는 실수 x의 값을 구하여라.

(1) $\log_3 x = 2$

(2) $\log_4 x = \dfrac{3}{2}$

(3) $\log_2 (\log_9 x) = -1$

풍산자티 로그의 밑이 지수의 밑이 된다. ➡ $\log_a x = n$이면 $x = a^n$

> 풀이

(1) $\log_3 x = 2$에서 $x = 3^2 = \mathbf{9}$

(2) $\log_4 x = \dfrac{3}{2}$에서 $x = 4^{\frac{3}{2}} = (2^2)^{\frac{3}{2}} = 2^3 = \mathbf{8}$

(3) $\log_2 (\log_9 x) = -1$에서 $\log_9 x = 2^{-1} = \dfrac{1}{2}$

$\therefore x = 9^{\frac{1}{2}} = (3^2)^{\frac{1}{2}} = \mathbf{3}$

정답과 풀이 **4**쪽

유제 038 다음 등식을 만족시키는 실수 x의 값을 구하여라.

(1) $\log_2 x = 1.5$

(2) $\log_{1000} x = \dfrac{2}{3}$

(3) $\log_3 \{\log_3 (\log_3 x)\} = 0$

039 다음 등식을 만족시키는 실수 x의 값을 구하여라.

(1) $\log_x 8 = 3$

(2) $\log_x 9 = \dfrac{2}{3}$

(3) $\log_x 81 = -\dfrac{4}{3}$

풍산자티 $x^{\frac{n}{m}} = a$ 꼴 문제 ➡ $\dfrac{n}{m} \times \dfrac{m}{n} = 1$임에 착안하여 양변에 $\dfrac{m}{n}$ 제곱을 한다.

> 풀이

(1) $\log_x 8 = 3$에서 $x^3 = 8$

양변에 $\dfrac{1}{3}$ 제곱을 하면 $(x^3)^{\frac{1}{3}} = 8^{\frac{1}{3}}$

$\therefore x = 8^{\frac{1}{3}} = (2^3)^{\frac{1}{3}} = \mathbf{2}$

(2) $\log_x 9 = \dfrac{2}{3}$에서 $x^{\frac{2}{3}} = 9$

양변에 $\dfrac{3}{2}$ 제곱을 하면 $(x^{\frac{2}{3}})^{\frac{3}{2}} = 9^{\frac{3}{2}}$

$\therefore x = 9^{\frac{3}{2}} = (3^2)^{\frac{3}{2}} = 3^3 = \mathbf{27}$

(3) $\log_x 81 = -\dfrac{4}{3}$에서 $x^{-\frac{4}{3}} = 81$

양변에 $-\dfrac{3}{4}$ 제곱을 하면 $(x^{-\frac{4}{3}})^{-\frac{3}{4}} = 81^{-\frac{3}{4}}$

$\therefore x = 81^{-\frac{3}{4}} = (3^4)^{-\frac{3}{4}} = 3^{-3} = \dfrac{\mathbf{1}}{\mathbf{27}}$

정답과 풀이 **4**쪽

유제 040 다음 등식을 만족시키는 실수 x의 값을 구하여라.

(1) $\log_x 3 = -3$

(2) $\log_x 27 = \dfrac{3}{2}$

(3) $\log_x 32 = -\dfrac{5}{2}$

02 | 로그의 밑과 진수의 조건

$\log_a b$의 값은 항상 존재할까?

$x=\log_a b$일 때, $a^x=b$이다. 즉, x는 이 식을 만족시키는 a의 지수.

예를 들어 $3^\square=-1$, $1^\square=3$에서 $\square$를 만족시키는 $\log_3(-1)$, $\log_1 3$이라는 수는 존재하지 않는다. 3^n은 n의 값에 관계없이 항상 양수이고, 1^m은 m의 값에 관계없이 항상 1이기 때문.

따라서 로그의 값이 존재하려면 다음과 같은 조건을 만족시켜야 한다.

> **로그의 밑과 진수의 조건** _{중요}
>
> $\log_a b$가 정의되기 위해서는 밑은 1이 아닌 양수이어야 하고, 진수는 양수이어야 한다.
>
> (1) 밑의 조건: $a>0$, $a\neq1$ (2) 진수의 조건: $b>0$

| 로그의 밑과 진수의 조건 |

---

041 다음 로그의 값이 정의되기 위한 실수 x의 값의 범위를 구하여라.

    (1) $\log_{x-1}(4-x)$ (2) $\log_{x-2}(-x^2+5x-4)$

풍산자 로그의 밑은 1이 아닌 양수이어야 하고, 진수는 양수이어야 한다.

    ➡ (밑)>0, (밑)$\neq1$, (진수)>0

▶풀이

(1) 밑의 조건에서 $x-1>0$, $x-1\neq1$ ∴ $x>1$, $x\neq2$ …… ㉠

    진수의 조건에서 $4-x>0$ ∴ $x<4$ …… ㉡

    ㉠, ㉡의 공통부분을 구하면 **$1<x<2$ 또는 $2<x<4$**

(2) 밑의 조건에서 $x-2>0$, $x-2\neq1$ ∴ $x>2$, $x\neq3$ …… ㉠

    진수의 조건에서 $-x^2+5x-4>0$, $x^2-5x+4<0$

    $(x-1)(x-4)<0$ ∴ $1<x<4$ …… ㉡

    ㉠, ㉡의 공통부분을 구하면 **$2<x<3$ 또는 $3<x<4$**

정답과 풀이 4쪽

유제 042 다음 로그의 값이 정의되기 위한 실수 x의 값의 범위를 구하여라.

    (1) $\log_{4-x}(x-1)$ (2) $\log_{x-3}(-x^2+10x-16)$

> **풍산자 비법**
>
> • 로그의 정의를 꼭 기억하자! $a^x=b \iff x=\log_a b$
>
> • 지수의 '밑'이 로그의 '밑'으로 간다.
>
> • 로그 문제에서는 다른 말이 없더라도 항상 밑과 진수부터 조건에 맞는지 본다.
>
>   ➡ 밑은 1이 아닌 양수! 진수는 양수!

03 | 로그의 기본 성질

지수에 지수법칙이 있다면 로그에는 로그의 기본 성질이 있다.

지수 계산 ➡ 지수법칙 이용

로그 계산 ➡ 로그의 기본 성질 이용

> **로그의 기본 성질**
>
> $a>0$, $a \neq 1$, $x>0$, $y>0$, n이 실수일 때,
>
> (1) $\log_a 1 = 0$, $\log_a a = 1$ ➡ 진수가 1인 로그는 0이고, 밑과 진수가 같은 로그는 1이다.
>
> (2) $\log_a xy = \log_a x + \log_a y$ ➡ 곱하기는 더하기로 찢는다.
>
> (3) $\log_a \dfrac{x}{y} = \log_a x - \log_a y$ ➡ 나누기는 빼기로 찢는다.
>
> (4) $\log_a x^n = n\log_a x$ ➡ 지수는 앞으로 튀어 나온다.

| 증명 |　(1) $a^0 = 1$, $a^1 = a$를 로그로 나타내면 $\log_a 1 = 0$, $\log_a a = 1$

(2) $\log_a x = m$, $\log_a y = n$으로 놓으면 $x = a^m$, $y = a^n$　　∴ $xy = a^m a^n = a^{m+n}$
　 로그의 정의에 의하여 $\log_a xy = m+n = \log_a x + \log_a y$

(3) $\log_a x = m$, $\log_a y = n$으로 놓으면 $x = a^m$, $y = a^n$　　∴ $\dfrac{x}{y} = \dfrac{a^m}{a^n} = a^{m-n}$

　 로그의 정의에 의하여 $\log_a \dfrac{x}{y} = m-n = \log_a x - \log_a y$

(4) $\log_a x = p$로 놓으면 $x = a^p$　　∴ $x^n = (a^p)^n = a^{np}$
　 로그의 정의에 의하여 $\log_a x^n = np = n\log_a x$

| 로그의 계산 (1) |

---

043 다음 식의 값을 구하여라.

(1) $\log_3 1$ 　　　　　　(2) $\log_3 \dfrac{1}{9}$ 　　　　　　(3) $\log_3 \sqrt{3}$

풍산자曰 밑이 3이므로 진수를 3^m꼴로 고친다.

❯ 풀이　(1) $\log_3 1 = \mathbf{0}$

(2) $\log_3 \dfrac{1}{9} = \log_3 3^{-2} = -2\log_3 3 = \mathbf{-2}$

(3) $\log_3 \sqrt{3} = \log_3 3^{\frac{1}{2}} = \dfrac{1}{2}\log_3 3 = \mathbf{1 \div 2}$

정답과 풀이 **5**쪽

유제 **044** 다음 식의 값을 구하여라.

(1) $\log_2 1$ 　　　　　　(2) $\log_2 16$ 　　　　　　(3) $\log_2 \dfrac{1}{8}$

045 다음 식의 값을 구하여라.

(1) $\log_{10} 25 + 2\log_{10} 2$　　(2) $2\log_2 6 - \log_2 9$　　(3) $\log_3 6 - \log_3 \dfrac{10}{3} + \log_3 5$

풍산자팁 로그 앞 수를 지수로 넣은 후, 더하기는 곱하기로, 빼기는 나누기로 합치면 된다.

▶ 풀이

(1) (주어진 식) $= \log_{10} 25 + \log_{10} 2^2 = \log_{10}(25 \times 4) = \log_{10} 100 = \log_{10} 10^2 = \mathbf{2}$

(2) (주어진 식) $= \log_2 6^2 - \log_2 9 = \log_2 \dfrac{36}{9} = \log_2 4 = \log_2 2^2 = \mathbf{2}$

(3) (주어진 식) $= \log_3 \left(6 \div \dfrac{10}{3} \times 5\right) = \log_3 \left(6 \times \dfrac{3}{10} \times 5\right) = \log_3 9 = \log_3 3^2 = \mathbf{2}$

▶ 참고 로그의 성질을 헷갈리지 않도록 한다. 착각은 자유다. 하지만 착각은 불행을 낳는다.

착각	안 착각
$\log_1 1 \neq 1$, $\log_1 1 \neq 0$	(밑) > 0, (밑) $\neq 1$
로그의 곱하기나 나누기를 찢는다. $\log_a x \log_a y \neq \log_a x + \log_a y$ $\dfrac{\log_a x}{\log_a y} \neq \log_a x - \log_a y$	진수의 곱하기나 나누기를 찢는다. $\log_a xy = \log_a x + \log_a y$ $\log_a \dfrac{x}{y} = \log_a x - \log_a y$
로그의 더하기나 빼기를 찢는다. $\log_a(x+y) \neq \log_a x + \log_a y$ $\log_a(x-y) \neq \log_a x - \log_a y$	진수의 더하기나 빼기는 못 찢는다.
로그 전체의 지수를 앞으로 내려 쓴다. $(\log_a x)^n \neq n\log_a x$	진수의 지수가 앞으로 튀어 나온다. $\log_a x^n = n\log_a x$

정답과 풀이 **5**쪽

유제 046 다음 식의 값을 구하여라.

(1) $3\log_{10} 2 + \log_{10} 125$

(2) $\dfrac{1}{2}\log_3 15 - \log_3 \sqrt{5}$

(3) $\log_{10} \dfrac{1}{4} - \log_{10} 9 - \log_{10} \dfrac{25}{9}$

풍산자 비법

로그 계산은 연습만이 살 길이다. 특히, 아래 성질을 이용하여 계산할 때 조심하자.

➡ $\log_a xy = \log_a x + \log_a y$

➡ $\log_a \dfrac{x}{y} = \log_a x - \log_a y$

04 | 밑 변환 공식과 로그 지수 공식

로그의 기본 성질을 배웠다.

진수의 곱하기는 각각의 더하기로, 진수의 나누기는 각각의 빼기로.

기본 성질은 진수를 건드리는 공식. 이번엔 밑을 건드리는 밑 변환 공식을 배운다.

밑 변환 공식을 이용하면 밑을 원하는 수로 바꿀 수 있다.

로그 계산을 할 땐 항상 일단 밑을 통일한 후 딴 생각을 한다.

밑 변환 공식

$a>0$, $a\neq1$, $b>0$일 때,

(1) $\log_a b = \dfrac{\log_c b}{\log_c a}$ (단, $c>0$, $c\neq1$) ➡ 밑은 분모로 가고 진수는 분자로 간다.

(2) $\log_a b = \dfrac{1}{\log_b a}$ (단, $b\neq1$) ➡ 밑과 진수를 바꾸면 역수가 된다.

(3) $\log_{a^m} b^n = \dfrac{n}{m}\log_a b$ (단, $m\neq0$이고, m, n은 실수) ➡ 밑의 지수는 역수로 튀어 나온다.

| 증명 | (1) $\log_a b = x$로 놓으면 로그의 정의에 의하여 $a^x = b$

양변에 밑이 $c(c>0,\ c\neq1)$인 로그를 취하면 $\log_c a^x = \log_c b$, $x\log_c a = \log_c b$

$x = \dfrac{\log_c b}{\log_c a}$ $\therefore \log_a b = \dfrac{\log_c b}{\log_c a}$

(2) $\log_a b$를 밑이 $b(b\neq1)$인 로그로 변환하면 $\log_a b = \dfrac{\log_b b}{\log_b a} = \dfrac{1}{\log_b a}$

(3) $\log_{a^m} b^n$을 밑이 $c(c>0,\ c\neq1)$인 로그로 변환하면

$\log_{a^m} b^n = \dfrac{\log_c b^n}{\log_c a^m} = \dfrac{n\log_c b}{m\log_c a} = \dfrac{n}{m}\cdot\dfrac{\log_c b}{\log_c a} = \dfrac{n}{m}\log_a b$

지수에 로그가 있는 경우는 어떻게 할까?

첫인상은 별로지만 사귈수록 정이 가는 괴물 같은 공식이 있다.

로그 지수 공식

$a>0$, $b>0$일 때,

(1) $a^{\log_c b} = b^{\log_c a}$ (단, $c>0$, $c\neq1$) ➡ 양끝의 수들은 바꿀 수 있다.

(2) $a^{\log_a b} = b$ (단, $a\neq1$) ➡ 밑이 같으면 지울 수 있다.

$$a^{\log_a b} = b$$
↑
지울 수 있다.

| 증명 | (1) 곱셈의 교환법칙에 의하여

$\log_c b \cdot \log_c a = \log_c a \cdot \log_c b$

$\therefore \log_c a^{\log_c b} = \log_c b^{\log_c a}$ $\therefore a^{\log_c b} = b^{\log_c a}$

(2) $a^{\log_a b} = b^{\log_a a} = b^1 = b$

---

047 다음 식의 값을 구하여라.

(1) $\log_3 5 \cdot \log_5 7 \cdot \log_7 9$ (2) $\dfrac{1}{\log_{18} 6} + \dfrac{1}{\log_2 6}$ (3) $\log_2 6 - 2\log_4 3$

(4) $\log_8 4$ (5) $\log_{\frac{1}{7}} 7\sqrt{7}$

풍산자팁 주어진 로그의 밑이 다르다. ➡ 일단 밑 변환 공식을 이용해 밑을 통일하고 본다.

밑 또는 진수가 거듭제곱꼴 ➡ 밑의 지수는 밑(분모)으로, 진수의 지수는 위(분자)로.

➤ 풀이 (1) (주어진 식) $= \dfrac{\log_{10} 5}{\log_{10} 3} \cdot \dfrac{\log_{10} 7}{\log_{10} 5} \cdot \dfrac{\log_{10} 9}{\log_{10} 7} = \dfrac{\log_{10} 9}{\log_{10} 3} = \dfrac{\log_{10} 3^2}{\log_{10} 3} = \dfrac{2\log_{10} 3}{\log_{10} 3} = \mathbf{2}$

(2) 밑과 진수를 바꾸면 역수가 된다.

    (주어진 식) $= \log_6 18 + \log_6 2 = \log_6 (18 \times 2) = \log_6 36 = \log_6 6^2 = \mathbf{2}$

(3) 밑이 모두 2의 거듭제곱임을 착안해 밑을 2로 통일한다.

    (주어진 식) $= \log_2 6 - 2\log_{2^2} 3 = \log_2 6 - \dfrac{2}{2}\log_2 3 = \log_2 6 - \log_2 3 = \log_2 \dfrac{6}{3}$

    $= \log_2 2 = \mathbf{1}$

(4) (주어진 식) $= \log_{2^3} 2^2 = \dfrac{2}{3}\log_2 2 = \mathbf{\dfrac{2}{3}}$

(5) (주어진 식) $= \log_{7^{-1}} 7^{\frac{3}{2}} = \dfrac{\frac{3}{2}}{-1}\log_7 7 = \mathbf{-\dfrac{3}{2}}$

정답과 풀이 5쪽

유제 048 다음 식의 값을 구하여라.

(1) $\log_2 3 \cdot \log_3 4 \cdot \log_4 2$ (2) $2\log_9 54 - \log_3 6$ (3) $\dfrac{1}{\log_{24} 2} - \dfrac{1}{\log_6 2}$

(4) $\log_{5\sqrt{5}} 25$ (5) $\log_9 \dfrac{1}{\sqrt{3}}$

049 다음 식의 값을 구하여라.

(1) $3^{\log_3 5}$ (2) $9^{\log_3 5}$ (3) $3^{2\log_3 5 + 3\log_3 2 - 2\log_3 10}$

풍산자팁 지수가 로그 형태이다. 생긴 것은 초특급 고난도 문제. 하지만 로그 지수 공식 한 방에 쿨하게 풀린다.

➤ 풀이 (1) $3^{\log_3 5} = 5^{\log_3 3} = \mathbf{5}$

(2) $9^{\log_3 5} = 5^{\log_3 9} = 5^{\log_3 3^2} = 5^{2\log_3 3} = 5^2 = \mathbf{25}$

(3) (지수) $= \log_3 5^2 + \log_3 2^3 - \log_3 10^2 = \log_3 \dfrac{5^2 \times 2^3}{10^2} = \log_3 2$

    $\therefore$ (주어진 식) $= 3^{\log_3 2} = 2^{\log_3 3} = \mathbf{2}$

정답과 풀이 5쪽

유제 050 다음 식의 값을 구하여라.

(1) $2^{\log_2 3}$ (2) $4^{\log_2 3}$ (3) $7^{2\log_7 4 - 3\log_7 2}$

051 $\log_{10} 2 = a$, $\log_{10} 3 = b$일 때, 다음을 a, b로 나타내어라.

(1) $\log_{10} 500$ (2) $\log_{10} 0.24$ (3) $\log_5 2$

풍산자티 진수를 소인수분해하면 된다. 이때 주어진 조건의 수인 2, 3, 10을 최대한 활용한다.

> **풀이** (1) $\log_{10} 500 = \log_{10} \dfrac{1000}{2} = \log_{10} 1000 - \log_{10} 2 = \log_{10} 10^3 - \log_{10} 2 = \boldsymbol{3-a}$

(2) $\log_{10} 0.24 = \log_{10} \dfrac{24}{100} = \log_{10} 24 - \log_{10} 100 = \log_{10} (2^3 \times 3) - \log_{10} 10^2$

$= \log_{10} 2^3 + \log_{10} 3 - \log_{10} 10^2 = 3 \log_{10} 2 + \log_{10} 3 - 2 = \boldsymbol{3a+b-2}$

(3) $\log_5 2 = \dfrac{\log_{10} 2}{\log_{10} 5} = \dfrac{\log_{10} 2}{\log_{10} \dfrac{10}{2}} = \dfrac{\log_{10} 2}{\log_{10} 10 - \log_{10} 2} = \boldsymbol{\dfrac{a}{1-a}}$

정답과 풀이 **5**쪽

유제 052 $\log_3 2 = a$, $\log_3 7 = b$일 때, 다음을 a, b로 나타내어라.

(1) $\log_3 18$ (2) $\log_3 42$ (3) $\log_{56} 6$

053 $\log_3 2 = a$, $\log_5 3 = b$일 때, $\log_{60} 180$을 a, b로 나타내어라.

풍산자티 모든 로그 계산에서는 일단 밑을 통일한 후 딴 생각을 한다.

> **풀이** [1단계] 주어진 조건식의 로그의 밑을 3으로 통일한다.

$$\log_5 3 = \dfrac{1}{\log_3 5} = b \qquad \therefore \log_3 5 = \dfrac{1}{b}$$

[2단계] 주어진 식의 로그의 밑을 3으로 통일한다.

$$\log_{60} 180 = \dfrac{\log_3 180}{\log_3 60} = \dfrac{\log_3 (2^2 \times 3^2 \times 5)}{\log_3 (2^2 \times 3 \times 5)}$$

$$= \dfrac{2\log_3 2 + 2\log_3 3 + \log_3 5}{2\log_3 2 + \log_3 3 + \log_3 5}$$

$$= \dfrac{2a + 2 + \dfrac{1}{b}}{2a + 1 + \dfrac{1}{b}} = \boldsymbol{\dfrac{2ab+2b+1}{2ab+b+1}}$$

정답과 풀이 **5**쪽

유제 054 $\log_3 2 = a$, $\log_7 3 = b$일 때, $\log_{84} 126$을 a, b로 나타내어라.

05 | 로그의 성질을 이용한 여러 가지 문제

| 지수형으로 관계식이 주어질 때 |

055 $3^x=a$, $3^y=b$, $3^z=c$일 때, $\log_{ab}\sqrt{c}$를 x, y, z로 나타내어라. (단, $x+y\neq0$)

풍산자티   로그의 정의를 이용하면 주어진 조건을 밑이 3인 로그로 바꿀 수 있다. 여기에서 착안하여 $\log_{ab}\sqrt{c}$를 밑이 3인 로그로 변환한다.

▶ 풀이 $3^x=a$, $3^y=b$, $3^z=c$에서

$$x=\log_3 a,\ y=\log_3 b,\ z=\log_3 c$$

$$\therefore \log_{ab}\sqrt{c}=\frac{\log_3\sqrt{c}}{\log_3 ab}=\frac{\frac{1}{2}\log_3 c}{\log_3 a+\log_3 b}=\frac{\frac{1}{2}z}{x+y}=\frac{z}{2(x+y)}$$

▶ 다른 풀이 $\log_{ab}\sqrt{c}=\log_{3^z\times3^y}\sqrt{3^z}=\log_{3^{x+y}}3^{\frac{z}{2}}=\dfrac{\frac{z}{2}}{x+y}\log_3 3=\dfrac{z}{2(x+y)}$

정답과 풀이 **6**쪽

유제 **056** $10^x=a$, $10^y=b$, $10^z=c$일 때, $\log_{ab}c^2$을 x, y, z로 나타내어라. (단, $x+y\neq0$)

| 조건을 이용하여 식의 값 구하기 (1) |

057   1이 아닌 두 양수 a, b에 대하여 $a^2b^3=1$일 때, $\log_a a^3b^2$의 값을 구하여라.

풍산자티   구해야 하는 식의 밑이 a이다. 일단 주어진 식의 양변에 밑이 a인 로그를 취하여 $\log_a b$의 값을 구하고 본다.

▶ 풀이 $a^2b^3=1$의 양변에 밑이 a인 로그를 취하면

$$\log_a a^2b^3=\log_a 1=0$$

$$\log_a a^2+\log_a b^3=0,\ 2+3\log_a b=0$$

$$\therefore \log_a b=-\frac{2}{3}$$

$$\therefore \log_a a^3b^2=\log_a a^3+\log_a b^2=3+2\log_a b$$

$$=3+2\cdot\left(-\frac{2}{3}\right)=\frac{5}{3}$$

정답과 풀이 **6**쪽

유제 **058**   1이 아닌 두 양수 a, b에 대하여 $a^4=b^5$일 때, $20\log_a b$의 값을 구하여라.

059 $45^x = 27$, $5^y = 81$일 때, $\dfrac{3}{x} - \dfrac{4}{y}$의 값을 구하여라.

풍산자팁 로그의 정의를 이용하면 주어진 조건에서 x, y의 값을 구할 수 있다. 이것을 대입하여 정리하면 된다.

▶ 풀이 $45^x = 27$, $5^y = 81$에서 $x = \log_{45} 27$, $y = \log_5 81$

$$\therefore \frac{3}{x} - \frac{4}{y} = \frac{3}{\log_{45} 27} - \frac{4}{\log_5 81} = \frac{3}{\log_{45} 3^3} - \frac{4}{\log_5 3^4}$$

$$= \frac{3}{3 \log_{45} 3} - \frac{4}{4 \log_5 3} = \frac{1}{\log_{45} 3} - \frac{1}{\log_5 3}$$

$$= \log_3 45 - \log_3 5 = \log_3 \frac{45}{5} = \log_3 9 = \log_3 3^2 = \mathbf{2}$$

▶ 다른 풀이 27과 81은 3의 거듭제곱 ➡ 주어진 조건의 양변에 밑이 3인 로그를 취한다.

(ⅰ) $\log_3 45^x = \log_3 27$에서 $x \log_3 45 = 3$ $\therefore \dfrac{3}{x} = \log_3 45$

(ⅱ) $\log_3 5^y = \log_3 81$에서 $y \log_3 5 = 4$ $\therefore \dfrac{4}{y} = \log_3 5$

$$\therefore \frac{3}{x} - \frac{4}{y} = \log_3 45 - \log_3 5 = \log_3 9 = \log_3 3^2 = 2$$

정답과 풀이 **6**쪽

유제 060 $7^x = 16$, $14^y = 8$일 때, $\dfrac{4}{x} - \dfrac{3}{y}$의 값을 구하여라.

061 이차방정식 $x^2 - 10x + 1 = 0$의 두 근을 α, β라 할 때, $\log_2 \left(\alpha + \dfrac{1}{\beta} \right) + \log_2 \left(\beta + \dfrac{1}{\alpha} \right)$의 값을 구하여라.

풍산자팁 이차방정식의 두 근이 어쩌고 하면 일단 이차방정식의 근과 계수의 관계를 이용하여 두 근의 합과 곱을 써놓고 본다.

▶ 풀이 이차방정식의 근과 계수의 관계에 의하여
$\alpha + \beta = 10$, $\alpha\beta = 1$

$$\therefore (\text{주어진 식}) = \log_2 \left(\alpha + \frac{1}{\beta} \right) \left(\beta + \frac{1}{\alpha} \right) = \log_2 \left(\alpha\beta + 1 + 1 + \frac{1}{\alpha\beta} \right)$$

$$= \log_2 (1 + 1 + 1 + 1) = \log_2 4 = \log_2 2^2 = \mathbf{2}$$

정답과 풀이 **6**쪽

유제 062 이차방정식 $x^2 - 6x + 2 = 0$의 두 근을 α, β라 할 때, $\log_3 (\alpha^{-1} + \beta^{-1})$의 값을 구하여라.

063 이차방정식 $x^2-8x+2=0$의 두 근이 $\log_3 a$, $\log_3 b$일 때, $\log_a b+\log_b a$의 값을 구하여라.

풍산자티 이차방정식의 두 근이 어쩌고 하면 일단 이차방정식의 근과 계수의 관계를 이용하여 두 근의 합과 곱을 써놓고 본다.

▶풀이 이차방정식의 근과 계수의 관계에 의하여

$\log_3 a+\log_3 b=8$, $\log_3 a\cdot\log_3 b=2$

$$\therefore \log_a b+\log_b a=\frac{\log_3 b}{\log_3 a}+\frac{\log_3 a}{\log_3 b}$$

$$=\frac{(\log_3 b)^2+(\log_3 a)^2}{\log_3 a\cdot\log_3 b}$$

$$=\frac{(\log_3 a+\log_3 b)^2-2\log_3 a\cdot\log_3 b}{\log_3 a\cdot\log_3 b}$$

$$=\frac{8^2-2\cdot2}{2}=30$$

정답과 풀이 **6**쪽

유제 **064** 이차방정식 $x^2-4x+1=0$의 두 근이 $\log_2 a$, $\log_2 b$일 때, $\log_a b+\log_b a$의 값을 구하여라.

🔮 풍산자 비법

• 밑 변환 공식 ➡ 밑 변환을 할 때에는 밑을 어떤 수로 택할 지가 중요하다.

$a>0$, $a\neq1$, $b>0$일 때,

(1) $\log_a b=\dfrac{\log_c b}{\log_c a}$ (단, $c>0$, $c\neq1$) ➡ 밑은 분모로 가고 진수는 분자로 간다.

(2) $\log_a b=\dfrac{1}{\log_b a}$ (단, $b\neq1$) ➡ 밑과 진수를 바꾸면 역수가 된다.

(3) $\log_{a^m} b^n=\dfrac{n}{m}\log_a b$ (단, $m\neq0$이고, m, n은 실수) ➡ 밑의 지수는 역수로 튀어 나온다.

• 로그 지수 공식 ➡ 공식의 꼴을 익혀서 바로 사용할 수 있어야 한다.

$a>0$, $b>0$일 때,

(1) $a^{\log_c b}=b^{\log_c a}$ (단, $c>0$, $c\neq1$) ➡ 양끝의 수들은 바꿀 수 있다.

(2) $a^{\log_a b}=b$ (단, $a\neq1$) ➡ 밑이 같으면 지울 수 있다.

$a^{\log_a b}=b$
↑
지울 수 있다.

065

다음 중 옳지 <u>않은</u> 것은?

① $\log_2 \dfrac{1}{8} = -3$　　② $\log_4 32 = \dfrac{5}{2}$

③ $\log_{\sqrt{2}} 4 = 8$　　④ $\log_8 \sqrt{2} = \dfrac{1}{6}$

⑤ $\log_{\frac{1}{25}} \dfrac{1}{5} = \dfrac{1}{2}$

066

$\log_2 \{ \log_3 (\log_4 x) \} = \log_4 \{ \log_3 (\log_2 y) \} = 0$
일 때, $x+y$의 값을 구하여라.

067

다음 식의 값을 구하여라.

(1) $\log_2 \dfrac{72}{5} + \log_{\frac{1}{2}} \dfrac{3}{80} - \log_4 \dfrac{9}{16}$

(2) $3^{2\log_3 4 + \log_3 5 - 3\log_3 2}$

068

등식 $\dfrac{1}{\log_3 2} + \dfrac{1}{\log_5 2} + \dfrac{1}{\log_6 2} = \dfrac{1}{\log_k 2}$이 성립
하도록 하는 k의 값을 구하여라.

069

$10^a = 2$, $10^b = 3$일 때, $\log_5 6$을 a, b로 나타내어라.

070

이차방정식 $x^2 - 5x + 3 = 0$의 두 근을 α, β라 할
때, $3^\alpha \cdot 3^\beta + \log_3 \alpha + \log_3 \beta$의 값을 구하여라.

3 | 상용로그

01 | 상용로그

상용로그란 일상에서 흔히 사용하는 로그. 일상에선 10의 거듭제곱 단위로 수를 사용한다.

> **상용로그의 뜻**
> 양수 N에 대하여 10을 밑으로 하는 로그, 즉 $\log_{10} N$을 **상용로그**라 하고 보통 밑을 생략하여 기호로 $\log N$과 같이 나타낸다.
> $$\log N = \log_{10} N \Rightarrow \text{밑이 없으면 밑에 10이 숨어 있는 것.}$$

| 참고 | 진수의 자릿수가 하나씩 증가할 때마다 상용로그의 값이 1씩 증가한다.
반대로, 진수의 자릿수가 하나씩 감소할 때마다 상용로그의 값은 1씩 감소한다.

$\log 10^n = \log_{10} 10^n = n$

$\log_{10} 1000 = \log_{10} 10^3 = 3$

$\log_{10} 100 = \log_{10} 10^2 = 2$

$\log_{10} 10 = 1$

$\log_{10} 1 = 0$

$\log_{10} 0.1 = \log_{10} 10^{-1} = -1$

$\log_{10} 0.01 = \log_{10} 10^{-2} = -2$

$\log_{10} 0.001 = \log_{10} 10^{-3} = -3$

$$\vdots$$
$$\log 100 = 2$$
$$\log 10 = 1$$
$$\log 1 = 0$$
$$\log 0.1 = -1$$
$$\log 0.01 = -2$$
$$\vdots$$

| 상용로그의 계산 (1) |

---

071 다음 상용로그의 값을 구하여라.

(1) $\log \dfrac{1}{1000}$ (2) $\log \dfrac{1}{\sqrt{10}}$

풍산자曰 진수를 10^n 꼴로 변형한 후 다음과 같이 계산하면 된다.

➡ $\log 10^n = \log_{10} 10^n = n$

▶풀이 (1) $\log \dfrac{1}{1000} = \log_{10} 10^{-3} = \mathbf{-3}$ (2) $\log \dfrac{1}{\sqrt{10}} = \log_{10} 10^{-\frac{1}{2}} = \mathbf{-\dfrac{1}{2}}$

정답과 풀이 **7**쪽

유제 072 다음 상용로그의 값을 구하여라.

(1) $\log 1$ (2) $\log \dfrac{1}{100}$ (3) $\log 0.1$ (4) $\log \sqrt{1000}$

073 log 2.34＝0.3692임을 이용하여 다음 상용로그의 값을 구하여라.

(1) log 23.4

(2) log 23400

(3) log 0.234

(4) log 0.0234

풍산자티 진수를 2.34×10^n꼴로 변형한 후 다음과 같이 계산하면 된다.

➡ $\log (a \times 10^n) = \log a + \log 10^n = \log a + n$

▶ 풀이

(1) $\log 23.4 = \log (2.34 \times 10) = \log 2.34 + \log 10 = 0.3692 + 1 = \mathbf{1.3692}$

(2) $\log 23400 = \log (2.34 \times 10^4) = \log 2.34 + \log 10^4 = 0.3692 + 4 = \mathbf{4.3692}$

(3) $\log 0.234 = \log (2.34 \times 10^{-1}) = \log 2.34 + \log 10^{-1} = 0.3692 - 1 = \mathbf{-0.6308}$

(4) $\log 0.0234 = \log (2.34 \times 10^{-2}) = \log 2.34 + \log 10^{-2} = 0.3692 - 2 = \mathbf{-1.6308}$

정답과 풀이 **7**쪽

유제 **074** log 3.45＝0.5378임을 이용하여 다음 상용로그의 값을 구하여라.

(1) log 345

(2) log 345000

(3) log 0.345

(4) log 0.00345

075 log 2＝0.3010, log 3＝0.4771일 때, 다음 값을 구하여라.

(1) log 4

(2) log 5

(3) log 6

풍산자티 구하는 $\log A$의 진수 A를 2, 3으로 나타내어 본다. 상용로그이므로 필요하다면 10도 활용한다.

▶ 풀이

(1) $\log 4 = \log 2^2 = 2 \log 2 = \mathbf{0.6020}$

(2) $\log 5 = \log \dfrac{10}{2} = \log 10 - \log 2 = 1 - 0.3010 = \mathbf{0.6990}$

(3) $\log 6 = \log (2 \times 3) = \log 2 + \log 3 = \mathbf{0.7781}$

정답과 풀이 **7**쪽

유제 **076** log 2＝0.3010, log 3＝0.4771일 때, 다음 값을 구하여라.

(1) log 8

(2) log 9

(3) log 12

1.00부터 9.99까지의 상용로그의 값은 똑똑한 수학자들이 쓰기 좋게 표로 만들어 두었다. 이를 이용하면 복잡한 수의 근삿값을 계산기 없이도 구할 수 있다.

상용로그표

상용로그표는 0.01의 간격으로 1.00에서 9.99까지의 수에 대한 상용로그의 값을 반올림하여 소수점 아래 넷째 자리까지 나타낸 것이다. 예를 들어, 상용로그표에서 $\log 8.86$의 값을 찾으려면 8.8의 행과 6의 열이 만나는 곳의 수를 찾으면 된다. 즉, $\log 8.86 = 0.9474$이다.

수	$\cdots$	5	6	7	$\cdots$
$\vdots$					
8.6		.9370	.9375	.9380	
8.7		.9420	.9425	.9430	
8.8		.9469	.9474	.9479	
$\vdots$					

| 상용로그표를 이용하여 값 구하기 |

077 어떤 박테리아의 개체 수가 매시간 16%씩 일정하게 증가할 때, 20시간 후에는 처음의 몇 배가 되는지 오른쪽 상용로그표를 이용하여 구하여라.

x	$\log x$
1.16	0.0645
1.29	0.1106
1.48	0.1703
1.95	0.2900

풍산자티 주어진 조건을 식으로 나타내어 본다. 일정 비율 증가 ➡ $(1+r)^n$을 곱한다.

▶ 풀이 [1단계] 처음 박테리아의 개체 수를 a라 하고, 20시간이 지난 후에 처음의 k배가 된다고 하면
$$a(1+0.16)^{20}=ka \quad \therefore k=1.16^{20} \quad \cdots\cdots \text{㉠}$$

[2단계] ㉠의 양변에 상용로그를 취하면 상용로그표에서 $\log 1.16 = 0.0645$이므로
$$\log k = 20 \log 1.16 = 20 \times 0.0645 = 1.2900$$
이때 상용로그표에서 $\log 1.95 = 0.2900$이므로
$$1.2900 = 1 + 0.2900 = \log 10 + \log 1.95$$
$$= \log 19.5 = \log k$$
즉, $\log k = \log 19.5$이므로 $k=19.5$
따라서 구하는 답은 **19.5**배다.

정답과 풀이 **7**쪽

유제 078 어느 도시의 인구가 일정한 비율로 증가하여 2019년 말 이 도시의 인구수는 15년 전인 2004년 말의 2배라고 한다. 2010년 말 이 도시의 인구수는 2004년 말보다 몇 % 증가하였는지 오른쪽 상용로그표를 이용하여 구하여라.

x	$\log x$
1.26	0.10
1.32	0.12
1.38	0.14
2.00	0.30

03 | 상용로그의 활용

기울 또는 감소율이 주어진 경우

079 인구 증가율이 매년 3%일 때, 인구가 현재의 2배 이상이 되는 것은 몇 년 후부터인지 구하여라. (단, $\log 1.03 = 0.0128$, $\log 2 = 0.3010$으로 계산한다.)

풍산자탑 주어진 조건을 식으로 나타내어 본다. 매년 일정 비율 증가 ➡ $(1+r)^n$을 곱한다.

▶ 풀이 현재의 인구수를 a라 하면 n년 후의 인구수는 $a(1+0.03)^n$
즉, $a(1+0.03)^n \geq 2a$를 만족하는 n을 구하라는 소리.
$1.03^n \geq 2$의 양변에 상용로그를 취하면 $\log 1.03^n \geq \log 2$
$n \log 1.03 \geq \log 2$, $n \times 0.0128 \geq 0.3010$ ∴ $n \geq 23.\times\times\times$
따라서 인구가 현재의 2배 이상이 되는 것은 **24년 후**부터이다.

정답과 풀이 **8쪽**

유제 **080** 어떤 국가의 국민 소득은 매년 7%씩 증가한다. 이 나라의 국민 소득이 현재의 2배 이상이 되는 것은 몇 년 후부터인지 구하여라. (단, $\log 1.07 = 0.0294$, $\log 2 = 0.3010$으로 계산한다.)

081 실험실에서 어떤 박테리아의 번식력을 측정하였더니 1시간마다 2배로 증가함을 관찰할 수 있었다. 최초로 관찰하였을 때 2마리였다면 총 1억 마리 이상이 되기까지 최소한 몇 시간이 걸리는지 구하여라. (단, $\log 2 = 0.3$으로 계산한다.)

풍산자탑 현재 a마리이고 배수가 r이면 ar^n ➡ n시간 후에는 2×2^n마리가 된다. 결국, $2^{n+1} \geq 10^8$을 만족하는 n을 구하라는 소리.

▶ 풀이 $2^{n+1} \geq 10^8$의 양변에 상용로그를 취하면 $(n+1) \log 2 \geq 8$, $0.3(n+1) \geq 8$
$n+1 \geq 26.\times\times\times$ ∴ $n \geq 25.\times\times\times$
따라서 최소한 **26시간**이 걸린다.

정답과 풀이 **8쪽**

유제 **082** 진현이와 슬기는 최근에 새로운 미생물을 발견하여 번식력을 측정하였더니 10분마다 2배로 증가함을 관찰할 수 있었다. 최초로 관찰하였을 때 10마리였다면 총 100억 마리가 되기까지 최소한 몇 시간이 걸리는지 구하여라. (단, $\log 2 = 0.3$으로 계산한다.)

083 실생활에서 소리의 크기를 말할 때 데시벨(dB)을 사용한다. 소리의 크기 D와 소리의 세기 I 사이에는 다음의 관계식이 성립한다고 한다.

$$D = 120 + 10 \log I$$

이때 크기가 60 dB인 소리의 세기는 크기가 30 dB인 소리의 세기의 몇 배인지 구하여라.

풍산자曰 관계식이 주어진 경우에는 조건에 맞게 숫자를 넣어서 식을 세워 본다.

▶ 풀이 크기가 60 dB인 소리의 세기를 I_{60}, 크기가 30 dB인 소리의 세기를 I_{30}이라 하면

$60 = 120 + 10 \log I_{60}$ ······ ㉠

$30 = 120 + 10 \log I_{30}$ ······ ㉡

㉠－㉡을 하면 $30 = 10(\log I_{60} - \log I_{30})$, $\log \dfrac{I_{60}}{I_{30}} = 3$

$$\therefore \frac{I_{60}}{I_{30}} = 10^3 = 1000$$

따라서 크기가 60 dB인 소리의 세기는 크기가 30 dB인 소리의 세기의 **1000배**이다.

정답과 풀이 **8쪽**

유제 **084** 어느 컵에 담긴 녹차의 처음 온도를 T_0 ℃, t분 후의 온도를 T ℃, 주위의 온도를 T_s ℃라 할 때, t와 T 사이에는

$$t = \frac{1}{k} \log_2 \frac{T - T_s}{T_0 - T_s} \ (k\text{는 상수})$$

인 관계가 성립한다고 한다. 주위의 온도가 20 ℃인 곳에 50 ℃의 녹차를 놓았더니 5분 후에 녹차의 온도가 35 ℃가 되었다. 이때 상수 k의 값을 구하여라.

(단, 주어진 조건 이외의 변수는 무시한다.)

🧙 풍산자 비법

밑이 없으면 10이 숨어 있는 것. 상용로그는 10의 거듭제곱과 연관되어 있다.

일상생활에서 10의 거듭제곱 단위로 수를 사용하기에 10^2과 10^3 같은 수들은 우리에게 친숙하다. $10^2(=100)$은 세 자리 수, $10^3(=1000)$은 네 자리 수. 지수가 1씩 증가할 때마다 자릿수가 하나씩 증가한다.

그럼 $10^{2.3}$은 몇 자리 수일까? $100=10^2<10^{2.3}<10^3=1000$이므로 세 자리 수!

여기서 $10^{2.3}$의 지수의 정수 부분인 2가 자릿수를 결정한다는 것을 알 수 있다.

그렇다면 소수 부분인 0.3으로는 무엇을 결정할 수 있을까?

$10^{3.3}$을 보자. 이 수 역시 지수의 소수 부분이 0.3이다.

$10^{3.3}=10^{2.3}\times10$이므로 자릿수만 $10^{2.3}$보다 하나 많을 뿐 숫자의 배열이 같다.

$$10^{2.3}=10^{0.3}\times10^2=1.9953\times10^2=199.53$$
$$10^{3.3}=10^{0.3}\times10^3=1.9953\times10^3=1995.3$$

즉, 소수 부분은 숫자의 배열을 결정한다는 것을 알 수 있다.

밑이 10인 수의 지수의 정수 부분과 소수 부분은 결국 상용로그를 취한 값의 정수 부분과 소수 부분이다. 즉, 상용로그를 취하면 그 숫자의 자릿수와 배열을 알 수 있다.

$$\log10^{2.3}=2.3=\underset{\substack{\text{정수 부분}\\(\text{자릿수})}}{2}+\underset{\substack{\text{소수 부분}\\(\text{배열})}}{0.3}$$

상용로그의 정수 부분과 소수 부분

(1) $\log x=n+\alpha$ (n은 정수, $0\leq\alpha<1$) 꼴로 분해하였을 때, n을 $\log x$의 정수 부분, α를 $\log x$의 소수 부분이라 한다.

(2) ($\log x$의 정수 부분)$=[\log x]$, ($\log x$의 소수 부분)$=\log x-[\log x]$

(단, $[x]$는 x보다 크지 않은 최대의 정수이다.)

상용로그의 정수 부분과 소수 부분의 성질

정수 부분	① 정수 부분이 0 또는 양수일 때, 즉 $\log x$의 정수 부분이 n일 때 ➡ x는 $(n+1)$자릿수이다. ② 정수 부분이 음수일 때, 즉 $\log x$의 정수 부분이 $-n$일 때 ➡ x는 소수점 아래 n째 자리에서 처음으로 0이 아닌 숫자가 나타난다.
소수 부분	$\log x$, $\log y$의 소수 부분이 같으면 x, y는 소수점의 위치만 다르고 숫자의 배열은 같다.

| 설명 | $\log 7000=3+0.8451$ 　　　　　　　　　　　$\log 0.007=-3+0.8451$
　　　　　 4자릿수　 양수　　　　　　　　　　　　　 소수 셋째 자리 음수

7000과 0.007은 소수점의 위치만 다르고 숫자의 배열이 같으므로 $\log 7000$과 $\log 0.007$의 소수 부분이 같다.

085 $\log 2 = 0.3010$, $\log 3 = 0.4771$일 때, 다음 물음에 답하여라.

(1) 6^{100}은 몇 자리의 정수인지 구하여라.

(2) $\left(\dfrac{2}{5}\right)^{10}$은 소수점 아래 몇째 자리에서 처음으로 0이 아닌 숫자가 나타나는지 구하여라.

(3) $2^{30} \times 3^{10}$은 몇 자리의 정수인지 구하여라.

풍산자티 상용로그의 값이 음수일 때의 정수 부분, 소수 부분 계산에 주의한다.

소수 부분은 0 또는 양의 소수$(0 \le \alpha < 1)$ ➡ 1을 빼고 더해 두 조각을 낸다.

▶ **풀이** (1) $\log 6^{100} = 100 \log 6 = 100(\log 2 + \log 3)$
$= 100 \times 0.7781 = 77.81$
정수 부분이 77이므로 **78자리 정수**이다.

(2) $\log \dfrac{2}{5} = \log \dfrac{4}{10} = \log 4 - \log 10 = 2 \log 2 - 1 = 2 \times 0.3010 - 1 = -0.3980$

$\therefore \log \left(\dfrac{2}{5}\right)^{10} = 10 \log \dfrac{2}{5} = -3.980 = -4 + 0.020$

정수 부분이 -4이므로 **소수점 아래 넷째 자리**에서 처음으로 0이 아닌 숫자가 나타난다.

(3) $\log(2^{30} \times 3^{10}) = \log 2^{30} + \log 3^{10} = 30 \log 2 + 10 \log 3$
$= 30 \times 0.3010 + 10 \times 0.4771 = 9.030 + 4.771 = 13.801$
정수 부분이 13이므로 **14자리 정수**이다.

▶ **참고** (2) 계산기로 계산해 보면 $\left(\dfrac{2}{5}\right)^{10} = 0.0001048576$

정답과 풀이 **8쪽**

유제 **086** $\log 2 = 0.3010$, $\log 3 = 0.4771$일 때, 다음 물음에 답하여라.

(1) 5^{100}은 몇 자리의 정수인지 구하여라.

(2) $\left(\dfrac{3}{5}\right)^{10}$은 소수점 아래 몇째 자리에서 처음으로 0이 아닌 숫자가 나타나는지 구하여라.

(3) $2^{20} \times 5^{10}$은 몇 자리의 정수인지 구하여라.

087 $\log 2=0.3010$, $\log 3=0.4771$일 때, 9^{10}의 최고 자리의 숫자를 구하여라.

풍산자日 총 자릿수는 정수 부분이 결정. but 자리에 들어갈 숫자들은 소수 부분이 결정한다.
➡ 소수 부분이 같은 수들은 자릿수만 다를 뿐, 숫자의 배열이 전부 같다.

▶ 풀이 $\log 9^{10}=\log (3^2)^{10}=20\log 3=20\times 0.4771=9.542$
이때 소수 부분은 0.542이고, 0.542는 $\log 3=0.4771$과 $\log 4=0.6020$ 사이의 수이므로
$\log 3<(소수\ 부분)<\log 4$
따라서 최고 자리의 숫자는 **3**이다.

▶ 참고 $\log x=0.542$라 하면 $\log 3<\log x<\log 4$에서 $3<x<4$이므로 $x=3.\times\times\times\cdots$
$\log x$와 $\log 9^{10}$의 소수 부분이 같으므로 x의 소수점을 뒤로 이동하면 9^{10}과 같다.
즉, $9^{10}=3\times\times\times\cdots$
계산기로 계산해 보면 $9^{10}=3486784401$

정답과 풀이 **8**쪽

유제 **088** $\log 2=0.3010$, $\log 3=0.4771$일 때, $\left(\dfrac{4}{3}\right)^{10}$의 최고 자리의 숫자를 구하여라.

089 $10\leq x<100$일 때, $\log x$와 $\log x^3$의 소수 부분이 같다. x의 값을 모두 구하여라.

풍산자日 $\log x$와 $\log y$의 소수 부분이 같다. ➡ $\log x-\log y=(정수)$

▶ 풀이 소수 부분이 같다. ➡ $\log x^3-\log x=(정수)$ ∴ $2\log x=(정수)$
$10\leq x<100$의 각 변에 상용로그를 취하면 $1\leq \log x<2$ ∴ $2\leq 2\log x<4$
$2\log x$는 정수이므로 $2\log x=2$ 또는 $2\log x=3$
$2\log x=2$일 때, $\log x=1$에서 $x=10$
$2\log x=3$일 때, $\log x=\dfrac{3}{2}$에서 $x=10^{\frac{3}{2}}=10\sqrt{10}$
∴ $x=\mathbf{10}$ 또는 $x=\mathbf{10\sqrt{10}}$

정답과 풀이 **8**쪽

유제 **090** $1\leq x<10$일 때, $\log x$와 $\log \dfrac{1}{x}$의 소수 부분이 같다. x의 값을 모두 구하여라.

풍산자 비법
상용로그의 정수 부분은 '자릿수', 소수 부분은 '숫자의 배열'을 알려준다.

＊더 많은 유형은 **풍산자필수유형 수학**Ⅰ 025쪽

정답과 풀이 9쪽

091

$\log 7 = 0.8451$일 때, 다음 등식을 만족하는 정수 n의 값을 구하여라.

(1) $\log 70 = n + 0.8451$

(2) $\log 0.7 = n + 0.8451$

(3) $\log 700 = n + 0.8451$

(4) $\log 0.07 = n + 0.8451$

092

$\log 7.62 = 0.8820$일 때, $\log x = 2.8820$을 만족시키는 x의 값을 구하여라.

093

어떤 골동품의 가격은 전년도에 비해 매년 $a\,\%$의 비율로 증가한다. 2005년 초에 100만 원에 구입한 이 골동품의 2019년 초의 가격이 173만 원일 때, 상수 a의 값을 구하여라.

(단, 다음 상용로그표를 이용한다.)

수	0	1	2	3	4	…
1.0	.000	.004	.009	.013	.017	…
1.1	.041	.045	.049	.053	.057	…
…	…	…	…	…	…	…
1.7	.230	.233	.236	.238	.241	…

094

오염된 물이 숯가루 여과기를 한 번 통과할 때마다 중금속의 농도가 9 %씩 감소한다. 중금속의 농도가 10 ppm인 물을 1 ppm 이하의 농도로 정수하여 음용하려면 숯가루 여과기에 적어도 몇 번 이상 통과시켜야 하는지 구하여라.

(단, $\log 9.1 = 0.9590$으로 계산한다.)

095

어느 지역에서 토네이도라 불리는 강한 회오리바람이 발생하였다. 토네이도 중심부의 바람의 속력을 $v\,\mathrm{km}$/시, 이동하는 거리를 $d\,\mathrm{km}$라 할 때, v와 d 사이에는 $v = 100 \log d + 75$인 관계가 성립한다고 한다. 토네이도 중심부의 바람의 속력이 $275\,\mathrm{km}$/시였다면 이 토네이도가 지속되는 동안 이동한 거리를 구하여라.

중단원 마무리

▶ 지수

정수 지수	$a \neq 0$이고 n이 양의 정수일 때, $a^0 = 1$, $a^{-n} = \dfrac{1}{a^n}$
유리수 지수	$a > 0$이고 m, n이 정수이며 $n \geq 2$일 때, $a^{\frac{1}{n}} = \sqrt[n]{a}$, $a^{\frac{m}{n}} = \sqrt[n]{a^m}$
지수법칙	$a > 0$, $b > 0$이고 m, n이 실수일 때, (1) $a^m a^n = a^{m+n}$ 　　(2) $(a^m)^n = a^{mn}$ 　　(3) $(ab)^n = a^n b^n$ (4) $\left(\dfrac{a}{b}\right)^n = \dfrac{a^n}{b^n}$ 　　(5) $a^m \div a^n = a^{m-n}$

▶ 로그

로그의 정의	$a > 0$, $a \neq 1$이고 $b > 0$일 때, $a^x = b \Leftrightarrow x = \log_a b$
로그의 성질	$a > 0$, $a \neq 1$, $x > 0$, $y > 0$, n이 실수일 때, (1) $\log_a 1 = 0$, $\log_a a = 1$ 　　(2) $\log_a xy = \log_a x + \log_a y$ (3) $\log_a \dfrac{x}{y} = \log_a x - \log_a y$ 　　(4) $\log_a x^n = n \log_a x$
로그 공식	$a > 0$, $a \neq 1$, $b > 0$일 때, (1) $\log_a b = \dfrac{\log_c b}{\log_c a}$ (단, $c > 0$, $c \neq 1$) (2) $\log_a b = \dfrac{1}{\log_b a}$ (단, $b \neq 1$) (3) $\log_{a^m} b^n = \dfrac{n}{m} \log_a b$ (단, $m \neq 0$이고 m, n은 실수) (4) $a^{\log_c b} = b^{\log_c a}$ (단, $c > 0$, $c \neq 1$) (5) $a^{\log_a b} = b$

▶ 상용로그

상용로그의 뜻	양수 N에 대하여 10을 밑으로 하는 로그를 상용로그라 하고, 보통 밑을 생략하여 $\log_{10} N = \log N$으로 나타낸다. ➡ 밑이 없으면 밑에 10이 숨어 있는 것.

실전 연습문제

STEP 1

096

-27의 세제곱근 중 실수인 것을 a, 10000의 네 제곱근 중 실수인 것을 b라 할 때, $a+b^2$의 값을 구하여라.

097

다음 중 $A=\sqrt{2\sqrt{2}}$, $B=\sqrt[3]{2\sqrt{3}}$, $C=\sqrt[4]{3\sqrt[3]{2}}$ 의 대소 관계로 옳은 것은?

① $A<B<C$ ② $B<A<C$

③ $B<C<A$ ④ $C<A<B$

⑤ $C<B<A$

098

다음 계산 과정에서 처음으로 등호가 성립하지 <u>않는</u> 부분은?

$$8 \overset{\text{(가)}}{=} 2^3 \overset{\text{(나)}}{=} 4^{\frac{3}{2}} \overset{\text{(다)}}{=} \{(-2)^2\}^{\frac{3}{2}} \overset{\text{(라)}}{=} (-2)^3 \overset{\text{(마)}}{=} -8$$

① (가)   ② (나)   ③ (다)

④ (라)   ⑤ (마)

099

$a>0$, $a \neq 1$일 때, $\sqrt{a^3\sqrt{a^4\sqrt{a}}}=a^{\frac{n}{m}}$을 만족시키는 m, n의 합 $m+n$의 값을 구하여라.

(단, m, n은 서로소인 자연수)

100

$a^{\frac{1}{2}}-a^{-\frac{1}{2}}=2$일 때, $\dfrac{a^2+a^{-2}-7}{a+a^{-1}-3}$의 값을 구하여라. (단, $a>0$)

101

$2^a=c$, $2^b=d$일 때, $\left(\dfrac{1}{4}\right)^{\frac{a}{2}-b}$과 같은 것은?

① $\dfrac{d^2}{c}$ ② $\dfrac{c^2}{d}$ ③ $\dfrac{1}{cd^2}$

④ $-c^2d$ ⑤ $-2cd^2$

102

$\log_a \dfrac{1}{16} = 4$, $\log_{\sqrt{2}} b = 8$일 때, 실수 a, b의 곱 ab의 값은?

① $\dfrac{1}{2}$　　　② 1　　　③ 2

④ 4　　　⑤ 8

103

모든 실수 x에 대하여 $\log_{(a-2)}(x^2 + ax + a)$의 값이 정의되도록 하는 a의 값의 범위를 구하여라.

104

다음 식의 값을 구하여라.

(1) $\log_2\left(1 - \dfrac{1}{2}\right) + \log_2\left(1 - \dfrac{1}{3}\right) + \log_2\left(1 - \dfrac{1}{4}\right) +$

$\cdots + \log_2\left(1 - \dfrac{1}{64}\right)$

(2) $\log_2 3 \cdot \log_3 4 \cdot \log_4 5 \cdot \log_5 6 \cdot \log_6 7 \cdot \log_7 8$

105

1이 아닌 양수 a에 대하여

$$x = \sqrt{a},\ y = \sqrt[3]{a},\ z = \sqrt[4]{a}$$

라 할 때, $\log_{xyz} a$의 값을 구하여라.

106

$20^x = 50^y = 100$일 때, $\dfrac{x+y}{xy}$의 값을 구하여라.

107

$\log_2 7$의 정수 부분을 a, 소수 부분을 b라 할 때, $3^a + 2^b$의 값을 구하여라.

STEP2

108

$f(x)=\dfrac{1+x+x^2+\cdots+x^{20}}{x^{-2}+x^{-3}+\cdots+x^{-22}}$일 때,

$f(\sqrt[44]{2})$의 값을 구하여라. (단, $x>0$)

109

$a^2+a^{-2}=3$일 때, a^3+a^{-3}의 값을 구하여라.

(단, $a>0$)

110

집합 $A=\{(x,\ \log_2 x)\,|\,x>0$인 실수$\}$에 대하여 <보기>에서 옳은 것만을 있는 대로 고른 것은?

┌─보기─
ㄱ. $(a,\ b)\in A$이면 $(2a,\ b+1)\in A$

ㄴ. $\left(\dfrac{a}{2},\ b\right)\in A$이면 $(a,\ b+1)\in A$

ㄷ. $(a,\ b)\in A,\ (c,\ d)\in A$이면
$\quad(a^2c,\ 2b+d)\in A$
└─

① ㄱ   ② ㄱ, ㄴ   ③ ㄱ, ㄷ
④ ㄴ, ㄷ   ⑤ ㄱ, ㄴ, ㄷ

111

어떤 알고리즘에서 N개의 자료를 처리할 때의 시간복잡도를 T라 하면 다음과 같은 관계식이 성립한다고 한다.

$$\frac{T}{N}=\log N$$

100개의 자료를 처리할 때의 시간복잡도를 T_1, 1000개의 자료를 처리할 때의 시간복잡도를 T_2라 할 때, $\dfrac{T_2}{T_1}$의 값은?

① 15   ② 20   ③ 25
④ 30   ⑤ 35

112

이차방정식 $x^2-8x+4=0$의 두 근을 $\log_2 a$, $\log_2 b$라 할 때, $\log_a 4$, $\log_b 4$를 두 근으로 하고 x^2의 계수가 1인 이차방정식은 $x^2-px+q=0$이다. 이때 상수 p, q의 곱 pq의 값은?

① 4   ② $\dfrac{9}{2}$ ③ 6
④ $\dfrac{15}{2}$ ⑤ 8

2

지수함수와 로그함수

지수와 로그의 정의와 성질을 모두 익혔다면
다음 단계로 지수함수와 로그함수의 그래프를 그려 보고
지수와 로그가 들어간 방정식, 부등식을 배워 본다.

1 지수함수

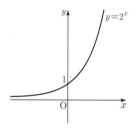

2 지수방정식과 지수부등식

$$9^x = 3^{x-2}$$

$$9^x > 3^{x-2}$$

3 로그함수

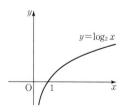

4 로그방정식과 로그부등식

$$\log_3 x = \log_9 (2x+3)$$

$$\log_3 x > \log_9 (2x+3)$$

1 지수함수

01 | 지수함수

중학교 때 시작한 함수의 육아 일기. 중 2때 일차함수, 중 3때 이차함수를 낳고 길렀다.
그리고 이제 셋째로 쌍둥이 함수인 지수함수와 로그함수를 길러 본다.

> **지수함수**
> 1이 아닌 양수 a에 대하여 x에 a^x을 대응시키는 함수 $\boldsymbol{y=a^x}$ $(a>0,\ a\neq1)$을 $\boldsymbol{a}$**를 밑으로 하는 지수함수**라 한다.

| 설명 | $y=2^x$, $y=\left(\dfrac{1}{3}\right)^x$, $y=(\sqrt{5}\,)^x$은 지수함수이고, $y=x^2$, $y=\left(\dfrac{1}{x}\right)^3$, $y=5x^{-2}$은 지수함수가 아니다.

함수의 심장은 그래프. 그래프를 그리기 위한 첫걸음은 대입이다.

함수 $y=2^x$은 x의 값이 1, 2, 3, …으로 커질 때 y의 값도 2, 4, 8, …로 커진다.

함수 $y=\left(\dfrac{1}{2}\right)^x$은 x의 값이 1, 2, 3, …으로 커질 때 y의 값은 $\dfrac{1}{2}$, $\dfrac{1}{4}$, $\dfrac{1}{8}$, …로 작아진다.

x	…	-1	0	1	2	…
$y=2^x$	…	$\dfrac{1}{2}$	1	2	4	…
$y=\left(\dfrac{1}{2}\right)^x$	…	2	1	$\dfrac{1}{2}$	$\dfrac{1}{4}$	…

즉, 지수함수의 그래프는 밑에 따라 그래프의 모양이 다르다.

> **지수함수 $y=a^x$의 그래프** 중요
> $a>0$, $a\neq1$일 때, 함수 $y=a^x$의 그래프는 밑 a의 값에 따라 그림과 같다.
>
>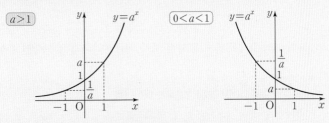
>
> (1) **정의역은 실수 전체의 집합**이고, **치역은 양의 실수 전체의 집합**이다.
> (2) (밑)>1 ➡ x의 값이 커지면 y의 값도 커진다.
>   　$0<$(밑)<1 ➡ x의 값이 커지면 y의 값은 작아진다.
> (3) 그래프는 점 $(0,\ 1)$을 지나고 x축을 점근선으로 갖는다.

| 참고 | $a>0$, $a\neq1$일 때, 지수함수 $y=a^x$와 $y=\left(\dfrac{1}{a}\right)^x$의 두 그래프는 y축에 대하여 서로 대칭이다.

| 설명 | 함수 $y=a^x$의 그래프를 a의 값에 따라 그리면 다음과 같다.

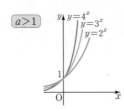

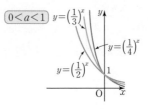

따라서 함수 $y=a^x$의 그래프는

$a>1$일 때 ┌(ⅰ) $x>0$에서는 a의 값이 클수록 y축에 가깝다.
└(ⅱ) $x<0$에서는 a의 값이 클수록 x축에 가깝다.

$0<a<1$일 때 ┌(ⅰ) $x>0$에서는 a의 값이 작을수록 x축에 가깝다.
└(ⅱ) $x<0$에서는 a의 값이 작을수록 y축에 가깝다.

| 개념확인 |

다음 함수의 그래프를 그려라.

(1) $y=2^x$

(2) $y=\left(\dfrac{1}{2}\right)^x$

➤ 풀이   (1)

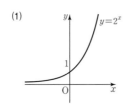

(2)

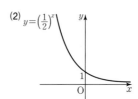

지수함수의 그래프를 이동시켜 보자. 잘 기억나지 않는다면 수학 Ⅲ단원을 참고한다.

지수함수의 그래프의 평행이동과 대칭이동

지수함수 $y=a^x$ $(a>0,\ a\neq1)$의 그래프를

(1) x축의 방향으로 m만큼, y축의 방향으로 n만큼 평행이동

➡ x 대신 $x-m$, y 대신 $y-n$ 대입 ➡ $\boldsymbol{y=a^{x-m}+n}$

(2) x축에 대하여 대칭이동 ➡ y 대신 $-y$ 대입 ➡ $\boldsymbol{y=-a^x}$

(3) y축에 대하여 대칭이동 ➡ x 대신 $-x$ 대입 ➡ $\boldsymbol{y=a^{-x}=\left(\dfrac{1}{a}\right)^x}$

(4) 원점에 대하여 대칭이동 ➡ x 대신 $-x$, y 대신 $-y$ 대입 ➡ $\boldsymbol{y=-a^{-x}=-\left(\dfrac{1}{a}\right)^x}$

113 다음 함수의 그래프를 그려라.

(1) $y=\left(\dfrac{1}{3}\right)^x$ (2) $y=-3^x$

(3) $y=3^{x+1}$ (4) $y=3^x-2$

풍산자티 $y=3^x$ 꼴에서 주어진 각 함수의 x, y가 어떻게 달라졌는지 살핀다.

▶ 풀이

(1) $y=\left(\dfrac{1}{3}\right)^x=3^{-x}$이므로 $y=\left(\dfrac{1}{3}\right)^x$의 그래프는 $y=3^x$의 그래프를 y축에 대하여 대칭이동한 것이다.

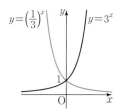

(2) $y=-3^x$에서 $-y=3^x$이므로 $y=-3^x$의 그래프는 $y=3^x$의 그래프를 x축에 대하여 대칭이동한 것이다.

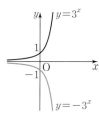

(3) $y=3^{x+1}$의 그래프는 $y=3^x$의 그래프를 x축의 방향으로 -1만큼 평행이동한 것이다.

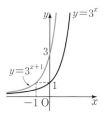

(4) $y=3^x-2$의 그래프는 $y=3^x$의 그래프를 y축의 방향으로 -2만큼 평행이동한 것이다.

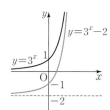

정답과 풀이 **12**쪽

유제 **114** 함수 $y=2^x$의 그래프를 이용하여 다음 함수의 그래프를 그려라.

(1) $y=\dfrac{1}{2^x}$ (2) $y=-2^x$

(3) $y=2^{x-2}$ (4) $y=2^x+3$

115 함수 $y=3^{x-2}+1$의 그래프를 그리고, 치역과 점근선의 방정식을 구하여라.

풍산자탑 지수함수의 기본 꼴은 언제나 $y=a^x$ $(a>0,\ a\neq1)$이다. 이 모양에서 어떻게 평행이동 또는 대칭이동했는지 찾는다. 치역은 y축의 방향으로 얼마만큼 평행이동했는지에 의해 결정된다.

▶ 풀이 $y=3^{x-2}+1$의 그래프는 $y=3^x$의 그래프를 x축의 방향으로 2만큼, y축의 방향으로 1만큼 평행이동한 것이므로 그림과 같다.
따라서 **치역은 $\{y\,|\,y>1\}$**이고 **점근선의 방정식은 $y=1$**이다.

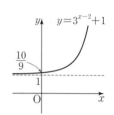

정답과 풀이 **12**쪽

유제 **116** 함수 $y=\left(\dfrac{1}{3}\right)^{x+1}-1$의 그래프를 그리고, 치역과 점근선의 방정식을 구하여라.

117 함수 $y=5^x$의 그래프를 x축의 방향으로 -1만큼, y축의 방향으로 2만큼 평행이동한 다음 x축에 대하여 대칭이동하였더니 함수 $y=a\cdot5^x+b$의 그래프와 일치하였다. 상수 a, b의 합 $a+b$의 값을 구하여라.

풍산자탑 x 대신 $x-(-1)=x+1$, y 대신 $y-2$를 대입한 후 y 대신 $-y$를 대입한다.

▶ 풀이 $y=5^x$의 그래프를 x축의 방향으로 -1만큼, y축의 방향으로 2만큼 평행이동한 그래프의 식은
$$y-2=5^{x+1} \qquad \therefore\ y=5^{x+1}+2$$
$y=5^{x+1}+2$의 그래프를 x축에 대하여 대칭이동한 그래프의 식은
$$-y=5^{x+1}+2 \qquad \therefore\ y=-5\cdot5^x-2$$
따라서 $a=-5$, $b=-2$이므로
$$a+b=\mathbf{-7}$$

정답과 풀이 **12**쪽

유제 **118** 함수 $y=\left(\dfrac{1}{2}\right)^x$의 그래프를 x축의 방향으로 m만큼, y축의 방향으로 n만큼 평행이동하였더니 함수 $y=4\cdot\left(\dfrac{1}{2}\right)^x-\dfrac{1}{2}$의 그래프와 일치하였다. 상수 m, n의 곱 mn의 값을 구하여라.

119 함수 $y=a^x$에 대한 설명 중 옳은 것을 <보기>에서 모두 골라라. (단, $a>0$, $a\neq1$)

┌─보기─
ㄱ. 정의역은 양의 실수 전체의 집합이다.

ㄴ. 그래프의 점근선의 방정식은 $y=0$이다.

ㄷ. $a=\dfrac{1}{3}$일 때, x의 값이 커지면 y의 값이 작아진다.

풍산자팁 지수함수의 성질은 그래프를 생각하면 쉽다.

▶풀이 ㄱ. 정의역은 실수 전체의 집합이다. (거짓)

ㄴ. 점근선은 x축, 즉 $y=0$이다. (참)

ㄷ. 함수 $y=\left(\dfrac{1}{3}\right)^x$은 밑이 1보다 작은 지수함수이므로 x의 값이 커지면 y의 값이 작아진다.

(참)

따라서 옳은 것은 ㄴ, ㄷ이다.

정답과 풀이 **13**쪽

유제 **120** 함수 $y=a^x$에 대한 설명 중 옳은 것을 <보기>에서 모두 골라라. (단, $a>0$, $a\neq1$)

┌─보기─
ㄱ. 치역은 양의 실수 전체의 집합이다.

ㄴ. 그래프가 점 $(1, 0)$을 지난다.

ㄷ. $a>1$일 때, x의 값이 커지면 y의 값도 커진다.

풍산자 비법

• 지수함수의 그래프는 기본형인 $y=a^x$ ($a>0$, $a\neq1$) 꼴을 찾아 이를 기준으로 삼아서 그린다.

• 함수 $y=a^x$ ($a>0$, $a\neq1$)에서 x의 값이 커질 때, (밑)$>$1이면 y의 값도 커지고, $0<$(밑)$<$1이면 y의 값은 작아진다.

• 평행이동과 대칭이동이 연달아 나올 때 반드시 주어진 순서대로 이동한다.

지수함수의 그래프는 밑에 따라 오른쪽 위를 향하거나 오른쪽 아래를 향하는 국자 모양의 그래프이다. 이 성질을 이용하면 거듭제곱근의 대소를 비교할 수 있다.

> **지수함수의 성질을 이용한 대소 비교**
> 지수함수 $y=a^x$ $(a>0,\ a\ne1)$에서
> (1) (밑)>1, 즉 $a>1$ ➡ x의 값이 커지면 y의 값도 커진다. ➡ $x_1<x_2$이면 $a^{x_1}<a^{x_2}$
> (2) $0<$(밑)<1, 즉 $0<a<1$ ➡ x의 값이 커지면 y의 값은 **작아진다**. ➡ $x_1<x_2$이면 $a^{x_1}>a^{x_2}$

| 설명 | 거듭제곱근의 대소를 비교할 때는 먼저 밑을 통일시키고 본다.

(ⅰ) (밑)>1이면 지수가 클수록 큰 수이다.

(ⅱ) $0<$(밑)<1이면 지수가 클수록 작은 수이다.

| 지수함수의 성질을 이용한 대소 비교 |

121 다음 세 수의 대소를 비교하여라.
$$\left(\frac{1}{2}\right)^{-2},\ 8^{\frac{1}{2}},\ \sqrt[6]{16}$$

풍산자티 [1단계] 지수법칙, 거듭제곱근의 성질을 이용하여 밑을 통일시킨다. 밑을 2로 통일

[2단계] 지수함수의 성질을 이용하여 대소를 비교한다.

➡ (밑)>1이므로 지수가 클수록 더 큰 수이다.

> **풀이** $\left(\frac{1}{2}\right)^{-2},\ 8^{\frac{1}{2}},\ \sqrt[6]{16}$을 밑이 2인 거듭제곱 꼴로 나타내면

$$\left(\frac{1}{2}\right)^{-2}=(2^{-1})^{-2}=2^2,\ 8^{\frac{1}{2}}=(2^3)^{\frac{1}{2}}=2^{\frac{3}{2}},\ \sqrt[6]{16}=\sqrt[6]{2^4}=2^{\frac{2}{3}}$$

$\frac{2}{3}<\frac{3}{2}<2$이고 $y=2^x$은 x의 값이 커질 때 y의 값도 커지므로

$$2^{\frac{2}{3}}<2^{\frac{3}{2}}<2^2 \qquad \therefore \sqrt[6]{16}<8^{\frac{1}{2}}<\left(\frac{1}{2}\right)^{-2}$$

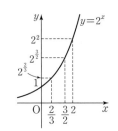

정답과 풀이 **13**쪽

유제 **122** 다음 세 수의 대소를 비교하여라.

(1) $\sqrt[5]{3},\ \left(\frac{1}{3}\right)^{0.5},\ \sqrt[4]{9}$

(2) $0.5^2,\ \sqrt[9]{0.5^{10}},\ \sqrt[6]{\dfrac{1}{16}}$

03 | 지수함수의 최대·최소

지수함수의 정의역이 제한되면 최댓값과 최솟값이 존재한다. 이때 최댓값과 최솟값은 양끝에서 발생한다.

> **지수함수의 최대·최소**
>
> 정의역이 $\{x \mid m \leq x \leq n\}$인 지수함수 $y=a^x$ $(a>0,\ a\neq1)$은
>
> (1) $a>1$이면 x의 값이 가장 작을 때 최솟값, 가장 클 때 최댓값을 갖는다.
> ➡ $x=m$일 때 최솟값 a^m, $x=n$일 때 최댓값 a^n을 갖는다.
>
> (2) $0<a<1$이면 x의 값이 가장 작을 때 최댓값, 가장 클 때 최솟값을 갖는다.
> ➡ $x=m$일 때 최댓값 a^m, $x=n$일 때 최솟값 a^n을 갖는다.

| 설명 | 지수함수 $y=a^x$ $(a>0,\ a\neq1)$의 그래프는 a의 값의 범위에 따라 다음 그림과 같다.

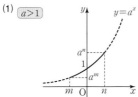

(1) $\boxed{a>1}$

정의역: $\{x \mid m \leq x \leq n\}$

치역: $\{y \mid a^m \leq y \leq a^n\}$
최솟값 최댓값

(2) $\boxed{0<a<1}$

정의역: $\{x \mid m \leq x \leq n\}$

치역: $\{y \mid a^n \leq y \leq a^m\}$
최솟값 최댓값

지수함수를 이용하여 최댓값과 최솟값을 구하는 문제는 다음과 같은 세 가지 방법으로 푼다.

> **최대·최소 구하는 방법**
>
> [유형 1] 지수가 이차식인 경우 먼저 지수인 이차식의 최대·최소를 구한다.
>
> $y=a^{f(x)}$에서
> ① $a>1$이면 $f(x)$가 최대일 때, $a^{f(x)}$도 최대이다.
> ② $0<a<1$이면 $f(x)$가 최소일 때, $a^{f(x)}$은 최대이다.
>
> [유형 2] a^x 꼴이 반복되는 경우 ➡ $a^x=t$ $(t>0)$로 치환한다.
>
> [유형 3] a^x+a^{-x} 꼴이 있는 경우 ➡ 산술평균과 기하평균의 대소 관계를 이용한다.
> $a>0,\ b>0$일 때, $a+b \geq 2\sqrt{ab}$ (단, 등호는 $a=b$일 때 성립)

| 설명 |
• 치환은 어려운 문제를 쉬운 문제로 바꾸는 도깨비 방망이!
공통부분을 치환할 때는 항상 범위에 주의해야 한다. $a^x=t$로 치환하면 $t>0$이다.
• 수학 Ⅳ단원에서 산술평균과 기하평균의 관계를 배웠다.

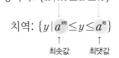

양수 a, b에 대하여 $\dfrac{a+b}{2} \geq \sqrt{ab}$ (단, 등호는 $a=b$일 때 성립)

산술평균과 기하평균을 이용하는 최대·최소 문제에는 다음과 같은 특징이 있다.
[특징 1] 양수 조건 하에 합이나 곱이 주어진다. **129**-(1)에서 확인한다.
[특징 2] 합이나 곱이 일정한 식의 최대 또는 최소를 묻는다. **129**-(2)에서 확인한다.

123 다음 함수의 최댓값과 최솟값을 구하여라.

    (1) $0 \leq x \leq 2$일 때, 함수 $y = 3^{x-1} + 1$ (2) $-1 \leq x \leq 3$일 때, 함수 $y = 2^x \cdot 3^{-x}$

풍산자티 지수함수 $y = a^x$의 최대·최소 ➡ 먼저 밑 a의 값의 크기를 확인한다.

    (1) (밑) > 1이면 x가 최대일 때, y도 최대이다.

        ➡ x가 가장 큰 값일 때 최댓값, x가 가장 작은 값일 때 최솟값을 갖는다.

    (2) $0 <$ (밑) < 1이면 x가 최소일 때, y는 최대이다.

        ➡ x가 가장 작은 값일 때 최댓값, x가 가장 큰 값일 때 최솟값을 갖는다.

▶풀이   (1) $y = 3^{x-1} + 1$에서 밑이 3이고 $3 > 1$이므로 $0 \leq x \leq 2$에서 함수 $y = 3^{x-1} + 1$은

        $x = 2$일 때 최대이고, **최댓값**은 $3^{2-1} + 1 = \mathbf{4}$

        $x = 0$일 때 최소이고, **최솟값**은 $3^{0-1} + 1 = \dfrac{\mathbf{4}}{\mathbf{3}}$

    (2) $y = 2^x \cdot 3^{-x} = \left(\dfrac{2}{3}\right)^x$에서 밑이 $\dfrac{2}{3}$이고 $0 < \dfrac{2}{3} < 1$이므로 $-1 \leq x \leq 3$에서 함수 $y = 2^x \cdot 3^{-x}$은

        $x = -1$일 때 최대이고, **최댓값**은 $\left(\dfrac{2}{3}\right)^{-1} = \dfrac{\mathbf{3}}{\mathbf{2}}$

        $x = 3$일 때 최소이고, **최솟값**은 $\left(\dfrac{2}{3}\right)^3 = \dfrac{\mathbf{8}}{\mathbf{27}}$

정답과 풀이 13쪽

유제 124 다음 함수의 최댓값과 최솟값을 구하여라.

    (1) $-2 \leq x \leq 1$일 때, 함수 $y = 2^{x+2} - 1$ (2) $-1 \leq x \leq 2$일 때, 함수 $y = \left(\dfrac{1}{3}\right)^{x-1} + 2$

125 $0 \leq x \leq 3$일 때, 함수 $y = 4^x - 2^{x+2} + 2$의 최댓값과 최솟값을 구하여라.

풍산자티 치환은 쉬운 문제로 바꾸는 도깨비 방망이! ➡ 치환할 때는 항상 범위에 주의한다.

▶풀이 $y = 4^x - 2^{x+2} + 2 = (2^x)^2 - 4 \cdot 2^x + 2$이므로

    $2^x = t \, (t > 0)$로 치환하면 $y = t^2 - 4t + 2 = (t-2)^2 - 2$

    이때 $0 \leq x \leq 3$에서 $2^0 \leq 2^x \leq 2^3$ ∴ $1 \leq t \leq 8$

    따라서 $1 \leq t \leq 8$에서 함수 $y = (t-2)^2 - 2$는

    $t = 8$일 때 최대이고, **최댓값**은 $(8-2)^2 - 2 = \mathbf{34}$

    $t = 2$일 때 최소이고, **최솟값**은 $(2-2)^2 - 2 = \mathbf{-2}$

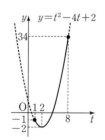

정답과 풀이 13쪽

유제 126 다음 함수의 최댓값과 최솟값을 구하여라.

    (1) $0 \leq x \leq 1$일 때, 함수 $y = 9^x - 2 \cdot 3^x - 3$

    (2) $-2 \leq x \leq -1$일 때, 함수 $y = \left(\dfrac{1}{4}\right)^x - \left(\dfrac{1}{2}\right)^{x-2} + 5$

127 함수 $y=5^{x^2-2x+3}$의 최댓값과 최솟값을 구하여라.

> (풍산자) 밑이 1보다 크다. ➡ 지수가 최대일 때 y도 최대, 지수가 최소일 때 y도 최소
> ➡ x^2-2x+3의 최대·최소를 구한다.

> ❭ 풀이　함수 $y=5^{x^2-2x+3}$에서 밑이 5이고 $5>1$이므로
> x^2-2x+3이 최대일 때 y도 최대, x^2-2x+3이 최소일 때 y도 최소가 된다.
> $x^2-2x+3=(x-1)^2+2$이므로 x^2-2x+3의 최댓값은 없고, $x=1$일 때 최솟값은 2이다.
> 따라서 함수 $y=5^{x^2-2x+3}$의 **최댓값은 없고, 최솟값은 $5^2=25$**

정답과 풀이 14쪽

유제 **128** 함수 $y=2^{-x^2+4x-7}$의 최댓값과 최솟값을 구하여라.

129 다음 물음에 답하여라.

(1) $x>0$, $y>0$이고 $x+y=4$일 때, 3^x+3^y의 최솟값을 구하여라.

(2) 함수 $y=2^{1+x}+2^{1-x}$의 최솟값을 구하여라.

> (풍산자) 양수이고 곱이 일정하다면 ➡ 산술·기하평균의 대소 관계 이용!

> ❭ 풀이　(1) $3^x>0$, $3^y>0$이므로 산술평균과 기하평균의 대소 관계에 의하여
> $3^x+3^y \geq 2\sqrt{3^x \cdot 3^y}=2\sqrt{3^{x+y}}=2\sqrt{3^4}=2\cdot 3^2=18$ (단, 등호는 $3^x=3^y$, 즉 $x=y$일 때 성립)
> 따라서 3^x+3^y의 최솟값은 **18**
> (2) $2^{1+x}>0$, $2^{1-x}>0$이므로 산술평균과 기하평균의 대소 관계에 의하여
> $2^{1+x}+2^{1-x} \geq 2\sqrt{2^{1+x} \cdot 2^{1-x}}=2\sqrt{2^2}=2\cdot 2=4$ (단, 등호는 $2^{1+x}=2^{1-x}$, 즉 $x=0$일 때 성립)
> 따라서 함수 $y=2^{1+x}+2^{1-x}$의 최솟값은 **4**

정답과 풀이 14쪽

유제 **130** 다음 물음에 답하여라.

(1) $x>0$, $y>0$이고 $2x+y=6$일 때, 4^x+2^y의 최솟값을 구하여라.

(2) 함수 $y=5^{a+x}+5^{a-x}$의 최솟값이 10일 때, 상수 a의 값을 구하여라.

🧙 풍산자 비법

지수함수 $y=a^{f(x)}$의 최대·최소 ➡ 밑, 즉 a의 값의 크기에 주의한다.

(ⅰ) $a>1$이면 $f(x)$가 최대일 때, $a^{f(x)}$도 최대이다.

(ⅱ) $0<a<1$이면 $f(x)$가 최소일 때, $a^{f(x)}$은 최대이다.

131

지수함수 $y=2^x$의 그래프를 평행이동 또는 대칭이동하여 포갤 수 있는 함수의 그래프의 식을 <보기>에서 모두 골라라.

┌ 보기 ┐

ㄱ. $y=\dfrac{1}{16}\cdot 2^x$

ㄴ. $y=2^{3x}$

ㄷ. $y=4(2^x-1)$

ㄹ. $y=\left(\dfrac{1}{2}\right)^{x+1}$

132

세 수 $A=0.5^{-\frac{1}{2}}$, $B=4^{\frac{5}{6}}$, $C=2^{1.5}$의 대소 관계로 옳은 것은?

① $A<B<C$ ② $A<C<B$

③ $B<A<C$ ④ $B<C<A$

⑤ $C<B<A$

133

함수 $f(x)=3^{x-1}+2$의 역함수를 $g(x)$라 할 때, $g(11)$의 값을 구하여라.

134

$-1\leq x\leq 0$에서 정의된 함수 $y=9^{-x}-4\cdot 3^{-x}+a$의 최솟값이 3일 때, 상수 a의 값과 y의 최댓값을 구하여라.

135

함수 $y=a^{-x^2+2x+3}$의 최댓값이 16일 때, 양수 a의 값을 구하여라.

2 지수방정식과 지수부등식

01 지수방정식

$3^x=9$, $2^{x-1}=16$, $4^x+2^x-2=0$과 같이 지수에 미지수가 있는 방정식을 **지수방정식**이라 한다.

지수방정식의 풀이

$a>0$, $a\neq1$, $b>0$, $b\neq1$이고,

(1) 밑을 같게 할 수 있는 경우

　[1단계] $a^{f(x)}=a^{g(x)}$ 꼴로 변형한다.

　[2단계] 방정식 $f(x)=g(x)$를 푼다.

(2) 밑에 미지수가 있는 경우

　① $x^{f(x)}=x^{g(x)}$ $(x>0)$ $\Longleftrightarrow$ $f(x)=g(x)$ 또는 $x=1$

　② $\{f(x)\}^x=\{g(x)\}^x$ $(f(x)>0,\ g(x)>0)$ $\Longleftrightarrow$ $f(x)=g(x)$ 또는 $x=0$

(3) a^x 꼴이 반복되는 경우

　[1단계] $a^x=t$ $(t>0)$로 치환한다.

　[2단계] t에 대한 방정식을 푼 다음 x의 값을 구한다.

(4) 지수가 같은 경우

　$a^{f(x)}=b^{f(x)}$ $\Longleftrightarrow$ $a=b$ 또는 $f(x)=0$

| 설명 | (2)에서

① $1^3=1^5=1$이므로 지수가 서로 달라도 밑이 1이면 등식이 성립한다.

　따라서 $x^{f(x)}=x^{g(x)}$ $(x>0)$의 해에는 $x=1$도 포함된다.

② $3^0=5^0=1$이므로 밑이 서로 달라도 지수가 0이면 등식이 성립한다.

　따라서 $\{f(x)\}^x=\{g(x)\}^x$ $(f(x)>0,\ g(x)>0)$의 해에는 $x=0$도 포함된다.

| 개념확인 | 다음 방정식을 풀어라.

(1) $2^x=\dfrac{1}{32}$　　　　　(2) $2^{3x-6}=3^{3x-6}$　　　　　(3) $2^{2x}-4\cdot2^x=0$

> 풀이　(1) 주어진 방정식의 밑을 2로 통일시키면

　　　　　$2^x=2^{-5}$　　$\therefore \boldsymbol{x=-5}$

　　　　(2) $3x-6=0$에서 $\boldsymbol{x=2}$

　　　　(3) $2^x=t$ $(t>0)$로 치환하면 주어진 방정식은

　　　　　$t^2-4t=0$, $t(t-4)=0$

　　　　　$\therefore t=0$ 또는 $t=4$

　　　　　이때 $t>0$이므로 $t=4$

　　　　　따라서 $2^x=4$이므로 $2^x=2^2$　　$\therefore \boldsymbol{x=2}$

136 다음 방정식을 풀어라.

(1) $9^x = 3^{x^2-2x}$

(2) $\left(\dfrac{3}{2}\right)^{x^2+3} = \left(\dfrac{2}{3}\right)^{5x+1}$

풍산자曰 일단 밑을 통일하여 $a^{f(x)} = a^{g(x)}$ 꼴로 변형한다.

➡ 밑이 1이 아니면서 서로 같으면 지수도 같아야 한다. 즉, $f(x) = g(x)$

▶ 풀이 (1) $9^x = 3^{x^2-2x}$에서 $3^{2x} = 3^{x^2-2x}$이므로

$2x = x^2 - 2x, \ x^2 - 4x = 0$

$x(x-4) = 0$ ∴ $x=0$ 또는 $x=4$

(2) $\left(\dfrac{3}{2}\right)^{x^2+3} = \left(\dfrac{2}{3}\right)^{5x+1}$에서 $\left(\dfrac{3}{2}\right)^{x^2+3} = \left(\dfrac{3}{2}\right)^{-(5x+1)}$이므로

$x^2+3 = -(5x+1), \ x^2+5x+4 = 0$

$(x+1)(x+4) = 0$ ∴ $x=-1$ 또는 $x=-4$

정답과 풀이 **15**쪽

유제 137 다음 방정식을 풀어라.

(1) $8^x = \dfrac{1}{\sqrt{2}}$

(2) $\left(\dfrac{3}{5}\right)^{2x} = \left(\dfrac{5}{3}\right)^{-5x+6}$

138 다음 방정식을 풀어라.

(1) $x^{x+3} = x^{13-x} \ (x>0)$

(2) $(x+3)^x = 5^x \ (x>-3)$

풍산자曰 (1) 밑이 x로 같다고 해서 두 지수 $x+3$과 $13-x$만 비교하면 안 된다. 밑이 1이 되는 경우도 생각해 준다.

(2) 지수가 x로 같다고 해서 두 밑 $x+3$과 5만 비교하면 안 된다. 지수가 0이 되는 경우도 생각해 준다.

▶ 풀이 (1) $x^{x+3} = x^{13-x}$에서 $x+3 = 13-x, \ 2x = 10$

∴ $x=5$

또 $x=1$이면 주어진 방정식은 $1^4 = 1^{12} = 1$로 등식이 성립한다.

∴ $x=1$ 또는 $x=5$

(2) $(x+3)^x = 5^x$에서 $x+3 = 5$ ∴ $x=2$

또 $x=0$이면 주어진 방정식은 $3^0 = 5^0 = 1$로 등식이 성립한다.

∴ $x=0$ 또는 $x=2$

정답과 풀이 **15**쪽

유제 139 다음 방정식을 풀어라.

(1) $x^{2x-1} = x^{x+3} \ (x>0)$

(2) $(x-2)^{x^2} = (x-2)^{5x} \ (x>2)$

(3) $(x+1)^x = 7^x \ (x>-1)$

(4) $(2x-1)^{x-2} = (3x-4)^{x-2} \left(x > \dfrac{4}{3}\right)$

140 다음 방정식을 풀어라.

(1) $4^x - 2^{x+2} - 32 = 0$ (2) $3^x + 3^{-x} = 2$

풍산자립 a^x 꼴이 공통으로 있는 경우 $a^x = t$로 치환한다. 이때 $t > 0$임에 주의한다.

▶ 풀이
(1) $4^x - 2^{x+2} - 32 = 0$에서 $(2^x)^2 - 4 \cdot 2^x - 32 = 0$
$2^x = t \ (t > 0)$로 치환하면 $t^2 - 4t - 32 = 0$
$(t+4)(t-8) = 0$ ∴ $t = -4$ 또는 $t = 8$
이때 $t > 0$이므로 $t = 8$
따라서 $2^x = 8$에서 $2^x = 2^3$이므로 **$x = 3$**

(2) $3^x + 3^{-x} = 2$에서 $3^x = t \ (t > 0)$로 치환하면 $t + \dfrac{1}{t} = 2$
양변에 t를 곱하여 정리하면 $t^2 - 2t + 1 = 0$
$(t-1)^2 = 0$ ∴ $t = 1$
따라서 $3^x = 1$이므로 **$x = 0$**

정답과 풀이 **15**쪽

유제 **141** 다음 방정식을 풀어라.

(1) $9^x - 2 \cdot 3^{x+1} - 27 = 0$ (2) $(2+\sqrt{3})^x + (2-\sqrt{3})^x = 4$

142 방정식 $9^x - 8 \cdot 3^x + 9 = 0$의 두 근을 α, β라 할 때, $\alpha + \beta$의 값을 구하여라.

풍산자립 이차방정식의 두 근이 어쩌고 하면 일단 근과 계수의 관계를 떠올린다.
➡ 이때 방정식 $9^x - 8 \cdot 3^x + 9 = 0$에서 바로 근과 계수의 관계를 쓰면 안 된다. 근과 계수의 관계는 이차방정식이랑만 논다.

▶ 풀이 $9^x - 8 \cdot 3^x + 9 = 0$에서 $(3^x)^2 - 8 \cdot 3^x + 9 = 0$
$3^x = t \ (t > 0)$로 치환하면 $t^2 - 8t + 9 = 0$ ⋯⋯ ㉠
방정식 $9^x - 8 \cdot 3^x + 9 = 0$의 두 근이 α, β이므로 ㉠의 두 근은 3^α, 3^β이다.
이제 이 문제는 이차방정식 $t^2 - 8t + 9 = 0$의 두 근이 3^α, 3^β일 때, $\alpha + \beta$의 값을 구하는 문제로 변신했다.
이차방정식의 근과 계수의 관계에 의하여
$3^\alpha \times 3^\beta = 9$, $3^{\alpha+\beta} = 3^2$ ∴ **$\alpha + \beta = 2$**

정답과 풀이 **15**쪽

유제 **143** 방정식 $4^x - 3 \cdot 2^{x+2} + 16 = 0$의 두 근을 α, β라 할 때, $2^{\alpha+\beta}$의 값을 구하여라.

144 1마리의 박테리아는 x시간 후에 a^x마리로 증식된다고 한다. 처음에 20마리였던 박테리아가 3시간 후에 2500마리가 되었을 때, 20마리였던 박테리아가 12500마리가 되는 것은 처음으로부터 몇 시간 후인지 구하여라. (단, $a>0$)

풍산자티 조건에 맞게 주어진 숫자를 대입하여 식을 세워 본다.

▶풀이 20마리의 박테리아가 3시간 후 2500마리가 되므로 $20a^3=2500$, $a^3=125=5^3$

$\therefore a=5$

따라서 한 마리의 박테리아가 x시간 후 5^x마리가 되므로 20마리였던 박테리아가 12500마리가 되려면

$20\cdot5^x=12500$

$5^x=625=5^4$

$\therefore x=4$

즉, 4시간 후에 12500마리가 된다.

정답과 풀이 **16**쪽

유제 **145** 방광 속에 기생하는 1마리의 대장균은 x분 후에 a^x마리로 증식된다고 한다. 처음 25마리였던 대장균이 20분 후에 150마리가 되었다면 25마리였던 대장균이 5400마리가 되는 것은 처음으로부터 몇 분 후인지 구하여라. (단, $a>0$)

풍산자 비법

지수방정식은

➡ 밑을 같게 하여 푼다.

➡ 밑에 미지수가 있는 경우에는 밑이 1이 되는 경우와 지수가 0이 되는 경우도 잊지 않는다.

➡ $a^x=t$ 꼴로 치환할 때는 $t>0$임에 주의!

02 | 지수부등식

$3^x > 9$, $2^{x-1} \leq 16$, $9^x + 3^x - 2 > 0$과 같이 지수에 미지수가 있는 부등식을 **지수부등식**이라 한다.

> **지수부등식의 풀이**
>
> (1) 밑을 같게 할 수 있는 경우
>   [1단계] $a^{f(x)} < a^{g(x)}$ $(a > 0,\ a \neq 1)$ 꼴로 변형한다.
>   [2단계] 밑의 크기에 따라 다음을 이용한다.
>   ① $a > 1$일 때, $a^{f(x)} < a^{g(x)} \Longleftrightarrow f(x) < g(x)$ ← 부등호 방향 그대로!
>   ② $0 < a < 1$일 때, $a^{f(x)} < a^{g(x)} \Longleftrightarrow f(x) > g(x)$ ← 부등호 방향 반대로!
> (2) 밑에 미지수가 있는 경우
> $x^{f(x)} < x^{g(x)}$ $(x > 0)$ 꼴 ➡ $x > 1$, $0 < x < 1$, $x = 1$인 경우로 나누어 푼다.
> (3) a^x 꼴이 반복되는 경우
>   [1단계] $a^x = t$ $(t > 0)$로 치환한다.
>   [2단계] t에 대한 부등식을 푼 다음 x의 값을 구한다.

| 설명 | 지수부등식에서 밑을 같게 한 후 지수를 비교할 때, 밑이 1보다 큰지 작은지에 주의해야 한다.
➡ 밑이 1보다 작을 때는 부등호의 방향이 바뀐다.

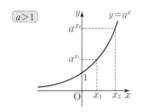

$a^{x_1} < a^{x_2} \Longleftrightarrow x_1 < x_2$
부등호 방향 그대로

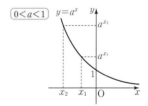

$a^{x_1} < a^{x_2} \Longleftrightarrow x_1 > x_2$
부등호 방향 반대로

| 개념확인 | 다음 부등식을 풀어라.

(1) $3^x > 9$
(2) $\left(\dfrac{1}{2}\right)^{-x+1} \leq \dfrac{1}{4}$
(3) $3^{2x} - 3^x - 6 \geq 0$

> **풀이**
> (1) $3^x > 3^2$에서 밑이 3이고 $3 > 1$이므로 부등호의 방향이 그대로이다. $\therefore\ \boldsymbol{x > 2}$
> (2) $\left(\dfrac{1}{2}\right)^{-x+1} \leq \left(\dfrac{1}{2}\right)^2$에서 밑이 $\dfrac{1}{2}$이고 $0 < \dfrac{1}{2} < 1$이므로 부등호의 방향이 바뀐다.
>   따라서 $-x+1 \geq 2$이므로 $\boldsymbol{x \leq -1}$
> (3) $3^x = t$ $(t > 0)$로 놓으면
> $t^2 - t - 6 \geq 0$, $(t+2)(t-3) \geq 0$ $\therefore\ t \leq -2$ 또는 $t \geq 3$
>   이때 $t > 0$이므로 $t \geq 3$ $\therefore\ 3^x \geq 3 = 3^1$
>   밑이 3이고 $3 > 1$이므로 부등호의 방향이 그대로이다. $\therefore\ \boldsymbol{x \geq 1}$

146 다음 부등식을 풀어라.

(1) $4^x > 2^{x-3}$

(2) $\left(\dfrac{1}{3}\right)^{3x-1} \leq \left(\dfrac{1}{9}\right)^{x^2}$

풍산자티 지수부등식에서는 밑의 크기에 주의한다.
(i) (밑) >1 ➡ 부등호 방향 그대로!
(ii) $0 <$ (밑) < 1 ➡ 부등호 방향 반대로!

▶ **풀이** (1) $4^x > 2^{x-3}$에서 $2^{2x} > 2^{x-3}$
밑이 2이고 $2 > 1$이므로 $2x > x - 3$ ⬅ 부등호 방향 그대로
$\therefore x > -3$

(2) $\left(\dfrac{1}{3}\right)^{3x-1} \leq \left(\dfrac{1}{9}\right)^{x^2}$에서 $\left(\dfrac{1}{3}\right)^{3x-1} \leq \left(\dfrac{1}{3}\right)^{2x^2}$

밑이 $\dfrac{1}{3}$이고 $0 < \dfrac{1}{3} < 1$이므로 $3x - 1 \geq 2x^2$ ⬅ 부등호 방향 반대로
$2x^2 - 3x + 1 \leq 0$, $(2x-1)(x-1) \leq 0$
$\therefore \dfrac{1}{2} \leq x \leq 1$

정답과 풀이 **16**쪽

유제 147 다음 부등식을 풀어라.

(1) $27^x < 3^{2x+5}$

(2) $\left(\dfrac{5}{7}\right)^{-2x^2+x} \leq \left(\dfrac{7}{5}\right)^{x^2-2x}$

(3) $\left(\dfrac{1}{2}\right)^{x+1} < 8 \leq \left(\dfrac{1}{4}\right)^x$

148 부등식 $x^{3-x} < x^{2x-15}$을 풀어라. (단, $x > 0$)

풍산자티 밑에 미지수가 있는 경우에는 (밑) > 1, $0 <$ (밑) < 1, (밑) $= 1$인 경우로 나누어 계산한다.
이때 (밑) $= 1$인 경우를 빠뜨리지 않도록 주의한다.

▶ **풀이** (i) $x > 1$일 때, 부등호의 방향이 그대로이므로
$3 - x < 2x - 15$, $3x > 18$ $\therefore x > 6$
그런데 $x > 1$이므로 $x > 6$

(ii) $0 < x < 1$일 때, 부등호의 방향이 바뀌므로
$3 - x > 2x - 15$, $3x < 18$ $\therefore x < 6$
그런데 $0 < x < 1$이므로 $0 < x < 1$

(iii) $x = 1$일 때, (좌변) $= 1^2 = 1$, (우변) $= 1^{-13} = 1$이므로 주어진 부등식이 성립하지 않는다.

(i), (ii), (iii)에서 $0 < x < 1$ 또는 $x > 6$

정답과 풀이 **16**쪽

유제 149 다음 부등식을 풀어라. (단, $x > 0$)

(1) $x^{2x-1} > x^{-x+5}$

(2) $x^{x^2-4} \leq x^{3x}$

150 다음 부등식을 풀어라.

(1) $9^x - 4 \cdot 3^{x+1} + 27 < 0$

(2) $\left(\dfrac{1}{4}\right)^x - 2 \cdot \left(\dfrac{1}{2}\right)^x - 8 \geq 0$

풍산자曰 a^x 꼴이 공통으로 있는 경우 $a^x = t$로 치환한다. 이때 $t > 0$임에 주의한다.

▶ **풀이** (1) $9^x - 4 \cdot 3^{x+1} + 27 < 0$에서 $(3^x)^2 - 12 \cdot 3^x + 27 < 0$

$3^x = t \ (t > 0)$로 치환하면

$t^2 - 12t + 27 < 0, \ (t-3)(t-9) < 0$

$\therefore 3 < t < 9$

따라서 $3 < 3^x < 9$이므로 $3^1 < 3^x < 3^2$

이때 밑이 3이고 $3 > 1$이므로 $\boldsymbol{1 < x < 2}$ ⬅ 부등호 방향 그대로

(2) $\left(\dfrac{1}{4}\right)^x - 2 \cdot \left(\dfrac{1}{2}\right)^x - 8 \geq 0$에서 $\left\{\left(\dfrac{1}{2}\right)^x\right\}^2 - 2 \cdot \left(\dfrac{1}{2}\right)^x - 8 \geq 0$

$\left(\dfrac{1}{2}\right)^x = t \ (t > 0)$로 치환하면

$t^2 - 2t - 8 \geq 0, \ (t+2)(t-4) \geq 0$

$\therefore t \leq -2$ 또는 $t \geq 4$

이때 $t > 0$이므로 $t \geq 4$

따라서 $\left(\dfrac{1}{2}\right)^x \geq 4$이므로 $\left(\dfrac{1}{2}\right)^x \geq \left(\dfrac{1}{2}\right)^{-2}$

밑이 $\dfrac{1}{2}$이고 $0 < \dfrac{1}{2} < 1$이므로 $\boldsymbol{x \leq -2}$ ⬅ 부등호 방향 반대로

정답과 풀이 **16**쪽

유제 **151** 다음 부등식을 풀어라.

(1) $\left(\dfrac{1}{25}\right)^x - 21 \cdot \left(\dfrac{1}{5}\right)^x - 100 \geq 0$

(2) $2 \cdot 4^x - 9 \cdot 2^x + 4 < 0$

(3) $\left(\dfrac{1}{3}\right)^{2x} + 8 \cdot \left(\dfrac{1}{3}\right)^{x-1} - 81 > 0$

(4) $3^x - 2 \cdot 3^{-x+1} - 1 \leq 0$

풍산자 비법

• 지수부등식도 밑을 같게 하여 푼다. 이때 밑의 값의 크기에 따라 부등호 방향이 달라진다.

(i) (밑) > 1 ➡ 지수끼리의 부등식에서 부등호 방향 그대로!

(ii) 0 < (밑) < 1 ➡ 지수끼리의 부등식에서 부등호 방향 반대로!

• 밑을 같게 할 수 없을 때는 밑의 값의 크기를 나누어 푼다.

• 지수방정식과 마찬가지로 $a^x = t$로 치환할 때는 $t > 0$임에 주의한다.

152

다음 방정식을 풀어라.

(1) $8^{x^2-3}=4^{x-2}$

(2) $27^x - 81 \cdot \left(\dfrac{1}{3}\right)^{x^2} = 0$

153

방정식 $(x^x)^5 = x^{2x} \cdot x^9$의 모든 근의 합을 구하여라. (단, $x>0$)

154

방정식 $25^x - 7 \cdot 5^{x+1} + k = 0$의 두 근의 합이 2일 때, 상수 k의 값을 구하여라.

155

다음 부등식을 풀어라.

(1) $0.25^{3x-1} \geq \left(\dfrac{1}{32}\right)^{x^2-x}$

(2) $\left(\dfrac{1}{5}\right)^{2x} < 5\sqrt{5} < 5^{-x+1}$

156

부등식 $\left(\dfrac{1}{27}\right)^{x^2-5} \geq \left(\dfrac{1}{9}\right)^{2x}$을 만족시키는 실수 x의 최댓값을 M, 최솟값을 m이라 할 때, Mm의 값을 구하여라.

157

부등식 $4^x - 18 \cdot 2^x + 32 < 0$을 만족시키는 모든 정수 x의 값의 합을 구하여라.

3 | 로그함수

01 | 로그함수

로그는 지수의 역연산. 로그함수는 지수함수의 역함수.

> **로그함수**
> 지수함수 $y=a^x$ $(a>0,\ a\neq1)$은 일대일대응이므로 역함수가 존재한다.
> $y=a^x$ $(a>0,\ a\neq1)$에서 로그의 정의로부터 $x=\log_a y$
> $x=\log_a y$에서 x와 y를 바꾸면 지수함수 $y=a^x$의 역함수는
> $$y=\log_a x\ (a>0,\ a\neq1)$$
> 이 함수를 a**를 밑으로 하는 로그함수**라 한다.

| 참고 | $y=\log_2 x$, $y=\log_3 x^2$, $y=\log_5 \dfrac{1}{x}$은 각각 밑이 2, 3, 5인 로그함수이다.

한편, $y=\log x^2$과 $y=2\log x$는 다른 함수이다. 왜냐? 정의역이 다르니까.

➡ $y=\log x^2$은 $y=2\log x$가 아니라 $y=2\log|x|$와 같은 함수이다.

함수	$y=\log x^2$	$y=2\log x$
정의역	$\{x\,|\,x\neq0$인 실수$\}$	$\{x\,|\,x>0$인 실수$\}$
예	$y=\log 10^2=2$, $y=\log(-10)^2=2$	$y=2\log 10=2$, $y=2\log(-10)=?$
그래프		

| 개념확인 | 같은 함수끼리 짝지어진 것을 <보기>에서 모두 골라라.

> ┌ 보기 ┐
> ㄱ. $\begin{cases} y=3\log_2 x \\ y=\log_2 x^3 \end{cases}$　　ㄴ. $\begin{cases} y=4\log_2 x \\ y=\log_2 x^4 \end{cases}$　　ㄷ. $\begin{cases} y=\dfrac{1}{2}\log_2 x \\ y=\log_2 \sqrt{x} \end{cases}$

> ▶ 풀이　ㄱ. 두 함수의 정의역이 $\{x\,|\,x>0\}$이고, 이 정의역에서 함숫값이 항상 같다.
> ㄴ. 함수 $y=4\log_2 x$의 정의역은 $\{x\,|\,x>0\}$이고, 함수 $y=\log_2 x^4$의 정의역은
> $\{x\,|\,x\neq0\}$인 실수이므로 두 함수는 다르다.
> ㄷ. 두 함수의 정의역이 $\{x\,|\,x>0\}$이고, 이 정의역에서 함숫값이 항상 같다.
> 따라서 같은 함수끼리 짝지어진 것은 ㄱ, ㄷ이다.

로그함수는 지수함수와 역함수 관계이므로 두 그래프는 직선 $y=x$에 대하여 서로 대칭이다.

로그함수의 그래프

로그함수 $y=\log_a x(a>0,\ a\neq1)$는 지수함수 $y=a^x$의 **역함수**이므로 이들의 그래프는 직선 $y=x$에 대하여 대칭이다.

따라서 로그함수 $y=\log_a x$의 그래프는 밑 a의 값의 크기에 따라 다음과 같다.

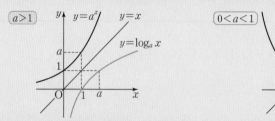

(1) 정의역은 양의 실수 전체의 집합이고, 치역은 실수 전체의 집합이다.

(2) **(밑)>1 ➡ x의 값이 커지면 y의 값도 커진다.**

　$0<$(밑)<1 ➡ x의 값이 커지면 y의 값은 작아진다.

(3) 그래프는 점 $(1,\ 0)$을 지나고 y축을 점근선으로 갖는다.

| **설명** | 함수 $y=\log_a x$의 그래프를 a의 값에 따라 그리면 다음과 같다.

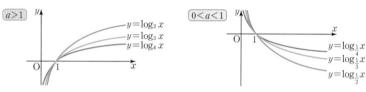

$a>1$일 때 $\begin{cases}\text{(i)}\ x>1\text{에서는 }a\text{의 값이 클수록 }x\text{축에 가깝다.}\\\text{(ii)}\ 0<x<1\text{에서는 }a\text{의 값이 클수록 }y\text{축에 가깝다.}\end{cases}$

$0<a<1$일 때 $\begin{cases}\text{(i)}\ x>1\text{에서는 }a\text{의 값이 작을수록 }x\text{축에 가깝다.}\\\text{(ii)}\ 0<x<1\text{에서는 }a\text{의 값이 작을수록 }y\text{축에 가깝다.}\end{cases}$

지수함수와 마찬가지로 평행이동과 대칭이동한 그래프를 살펴보자.

로그함수의 그래프의 평행이동과 대칭이동

로그함수 $y=\log_a x\ (a>0,\ a\neq1)$의 그래프를

(1) x축의 방향으로 m만큼, y축의 방향으로 n만큼 평행이동

　➡ x 대신 $x-m$, y 대신 $y-n$ 대입 ➡ $y=\log_a(x-m)+n$

(2) x축에 대하여 대칭이동 ➡ y 대신 $-y$ 대입 ➡ $y=-\log_a x$

(3) y축에 대하여 대칭이동 ➡ x 대신 $-x$ 대입 ➡ $y=\log_a(-x)$

(4) 원점에 대하여 대칭이동 ➡ x 대신 $-x$, y 대신 $-y$ 대입 ➡ $y=-\log_a(-x)$

(5) 직선 $y=x$에 대하여 대칭이동 ➡ x 대신 y, y 대신 x 대입 ➡ $y=a^x$

158 다음 함수의 역함수를 구하여라.

    (1) $y=3^{x-1}+2$ (2) $y=\log_2 (x+1)-1$

풍산자티 역함수를 구하는 문제 ➡ x 대신 y, y 대신 x를 대입한 후 $y=☆$ 꼴로 정리하면 끝!

➤ 풀이   (1) $y=3^{x-1}+2$에서 x 대신 y, y 대신 x를 대입하면

            $x=3^{y-1}+2,\ 3^{y-1}=x-2$

            $y-1=\log_3 (x-2)$ $\therefore\ \boldsymbol{y=\log_3 (x-2)+1}$

    (2) $y=\log_2 (x+1)-1$에서 x 대신 y, y 대신 x를 대입하면

            $x=\log_2 (y+1)-1,\ \log_2 (y+1)=x+1$

            $y+1=2^{x+1}$ $\therefore\ \boldsymbol{y=2^{x+1}-1}$

정답과 풀이 **18**쪽

유제 **159** 다음 함수의 역함수를 구하여라.

    (1) $y=2^{3-x}$ (2) $y=1-\log_{\frac{1}{3}} (1-x)$

160 다음 함수의 그래프를 그려라.

    (1) $y=\log_3 (x-1)$ (2) $y=\log_3 3x$

풍산자티 x축의 방향으로 m만큼, y축의 방향으로 n만큼 평행이동 ➡ x 대신 $x-m$, y 대신 $y-n$ 대입

➤ 풀이   (1) $y=\log_3 (x-1)$의 그래프는 $y=\log_3 x$의 그래프를 x축의
           방향으로 1만큼 평행이동한 것이다.
           따라서 $y=\log_3 (x-1)$의 그래프는 그림과 같다.

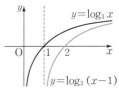

    (2) $y=\log_3 3x=\log_3 3+\log_3 x=1+\log_3 x$이므로
           $y=\log_3 3x$의 그래프는 $y=\log_3 x$의 그래프를 y축의 방향
           으로 1만큼 평행이동한 것이다.
           따라서 $y=\log_3 3x$의 그래프는 그림과 같다.

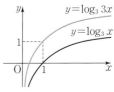

정답과 풀이 **18**쪽

유제 **161** 다음 함수의 그래프를 그려라.

    (1) $y=\log_{\frac{1}{2}} (x+2)$ (2) $y=\log_{\frac{1}{2}} 8x$

162 다음 함수의 그래프를 그려라.

(1) $y = \log_3 (-x)$　　　　　　　　(2) $y = \log_3 \dfrac{1}{x}$

풍산자目 $y = \log_3 x$ 꼴에서 주어진 각 함수의 x, y가 어떻게 달라졌는지 살핀다. 이때 다음 로그의 성질이 이용된다.

➡ $\log_a M^p = p \log_a M$, $\log_a MN = \log_a M + \log_a N$ (단, $a > 0$, $a \neq 1$, $M > 0$, $N > 0$)

▶ 풀이　(1) $y = \log_3 (-x)$의 그래프는 $y = \log_3 x$의 그래프를 y축에 대하여 대칭이동한 것이다.

따라서 $y = \log_3 (-x)$의 그래프는 그림과 같다.

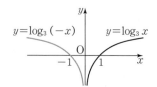

(2) $y = \log_3 \dfrac{1}{x} = \log_3 x^{-1} = -\log_3 x$이므로

$y = \log_3 \dfrac{1}{x}$의 그래프는 $y = \log_3 x$의 그래프를 x축에 대하여 대칭이동한 것이다.

따라서 $y = \log_3 \dfrac{1}{x}$의 그래프는 그림과 같다.

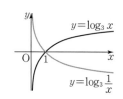

▶ 참고　네 함수 $y = 2^x$, $y = \left(\dfrac{1}{2}\right)^x$, $y = \log_2 x$, $y = \log_{\frac{1}{2}} x$의 그래프는 다음과 같은 관계가 있다.

(1) $\begin{cases} y=2^x \\ y=\left(\frac{1}{2}\right)^x \end{cases}$은 y축 대칭	(2) $\begin{cases} y=\log_2 x \\ y=\log_{\frac{1}{2}} x \end{cases}$는 x축 대칭	(3) $\begin{cases} y=2^x \\ y=\log_2 x \end{cases}$는 직선 $y=x$ 대칭
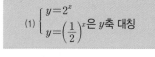	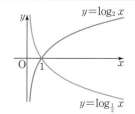	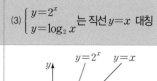

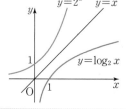

정답과 풀이 **18**쪽

유제 **163**　다음 함수의 그래프를 그려라.

(1) $y = \log_{\frac{1}{2}} (-x)$　　　　　　　　(2) $y = \log_{\frac{1}{2}} \dfrac{1}{x}$

164 다음 함수의 그래프를 그리고, 정의역과 점근선의 방정식을 구하여라.

(1) $y = \log_{\frac{1}{2}} (x-1) - 1$ (2) $y = \log_2 (2x+4)$

풍산자티 (2) x의 계수가 1이 아닐 때는 x의 계수로 묶은 다음 평행이동의 형태를 관찰해야 한다.

❯ 풀이 (1) $y = \log_{\frac{1}{2}} (x-1) - 1$의 그래프는 $y = \log_{\frac{1}{2}} x$의 그래프를 x축의 방향으로 1만큼, y축의 방향으로 -1만큼 평행이동한 것이므로 그림과 같다.

따라서 **정의역은 $\{x \mid x > 1\}$**이고 **점근선의 방정식은 $x = 1$**이다.

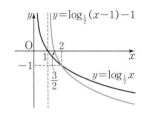

(2) $y = \log_2 (2x+4) = \log_2 2(x+2)$
$= \log_2 2 + \log_2 (x+2) = 1 + \log_2 (x+2)$

즉, $y = \log_2 (2x+4)$의 그래프는 $y = \log_2 x$의 그래프를 x축의 방향으로 -2만큼, y축의 방향으로 1만큼 평행이동한 것이므로 그림과 같다. 따라서 **정의역은 $\{x \mid x > -2\}$**이고 **점근선의 방정식은 $x = -2$**이다.

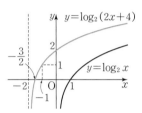

정답과 풀이 **18**쪽

유제 165 다음 함수의 그래프를 그리고, 정의역과 점근선의 방정식을 구하여라.

(1) $y = \log_{\frac{1}{3}} (x+1) - 1$ (2) $y = \log_3 (-x) - 1$

166 로그함수 $y = \log_3 x$의 그래프를 x축에 대하여 대칭이동한 다음 x축의 방향으로 1만큼, y축의 방향으로 -2만큼 평행이동한 그래프의 식을 구하여라.

풍산자티 먼저 y 대신 $-y$를 대입한 다음, x 대신 $x-1$, y 대신 $y+2$를 대입한다.

❯ 풀이 $y = \log_3 x$의 그래프를 x축에 대하여 대칭이동한 그래프의 식은

$-y = \log_3 x$ $\therefore y = -\log_3 x$

$y = -\log_3 x$의 그래프를 다시 x축의 방향으로 1만큼, y축의 방향으로 -2만큼 평행이동한 그래프의 식은

$y + 2 = -\log_3 (x-1)$ $\therefore \boldsymbol{y = -\log_3 (x-1) - 2}$

정답과 풀이 **18**쪽

유제 167 함수 $y = \log_{\frac{1}{2}} 2x$의 그래프를 x축의 방향으로 m만큼, y축의 방향으로 n만큼 평행이동하였더니 함수 $y = \log_{\frac{1}{2}} (4x-8)$의 그래프와 일치하였다. 상수 m, n의 합 $m+n$의 값을 구하여라.

168 그림은 두 함수 $y=x$와 $y=\log_2 x$의 그래프이다. 이때 mn의 값을 구하여라. (단, 점선은 x축 또는 y축에 평행하다.)

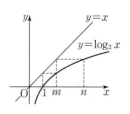

풍산자티 점 $(1,\ 0)$에서 출발하여 점선을 따라가면서 m, n의 값을 차례대로 구해 본다. 이때 직선 $y=x$ 위의 점은 x좌표와 y좌표가 같음을 이용한다.

▶ 풀이 그림에서 점 $\mathrm{A}(1,\ 1)$이므로 점 $\mathrm{B}(m,\ 1)$
점 B는 $y=\log_2 x$의 그래프 위의 점이므로
$1=\log_2 m$
$\therefore\ m=2$
따라서 점 $\mathrm{C}(2,\ 2)$이므로 점 $\mathrm{D}(n,\ 2)$
점 D는 $y=\log_2 x$의 그래프 위의 점이므로
$2=\log_2 n$
$\therefore\ n=2^2=4$
$m=2$, $n=4$이므로 $mn=8$

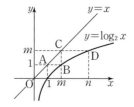

정답과 풀이 **19**쪽

유제 **169** 그림은 두 함수 $y=2^x$과 $y=\log_2 x$의 그래프이다. 이때 $p+q$의 값을 구하여라. (단, 점선은 x축 또는 y축에 평행하다.)

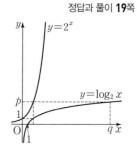

🧙 **풍산자 비법**

• 로그함수와 지수함수는 역함수 관계! ➡ 그래프가 직선 $y=x$에 대하여 대칭

• $y=\log_a x$에서 ➡ $a>1$일 때, x의 값이 커지면 y의 값도 커진다.

　　　➡ $0<a<1$일 때, x의 값이 커지면 y의 값은 작아진다.

• 로그함수의 그래프는 기본형인 $y=\log_a x\ (a>0,\ a\ne1)$ 꼴을 찾아 이를 기준으로 삼아서 그린다.

02 | 로그함수의 성질을 이용한 대소 비교

밑이 같은 로그의 대소를 비교하려면 진수만 비교하면 된다. 하지만 밑의 크기에 따라 비교하는 방법이 다르다. 왜냐? 그래프를 떠올리면 당연한 말씀.

> **로그함수의 성질을 이용한 대소 비교**
>
> 로그함수 $y=\log_a x\ (a>0,\ a\neq1)$에서
>
> (1) (밑)>1, 즉 $a>1$ ➡ x의 값이 **커지면** y의 값도 **커진다.**
>
> $\qquad\qquad$ ➡ $0<x_1<x_2$이면 $\log_a x_1<\log_a x_2$
>
> (2) $0<$(밑)<1, 즉 $0<a<1$ ➡ x의 값이 **커지면** y의 값은 **작아진다.**
>
> $\qquad\qquad$ ➡ $0<x_1<x_2$이면 $\log_a x_1>\log_a x_2$

| **설명** | 로그의 대소를 비교할 때는 먼저 밑을 통일시키고 본다.

(i) (밑)>1이면 진수가 클수록 큰 수이다.

(ii) $0<$(밑)<1이면 진수가 클수록 작은 수이다.

| 로그함수의 성질을 이용한 대소 비교 |

170 세 수 3, $\dfrac{1}{3}\log_2 125$, $\log_4 49$의 대소를 비교하여라.

> **풍산자日** 밑을 2로 통일시킨 후 진수끼리 대소를 비교한다. 이때 (밑)>1이므로 진수가 클수록 더 큰 수이다.

> ❯ **풀이**
> $3=\log_2 2^3=\log_2 8$
>
> $\dfrac{1}{3}\log_2 125=\dfrac{1}{3}\log_2 5^3=\log_2 5$
>
> $\log_4 49=\log_{2^2} 7^2=\log_2 7$
>
> $5<7<8$이고 로그함수 $y=\log_2 x$는 x의 값이 커질 때
> y의 값도 커지므로
>
> $\log_2 5<\log_2 7<\log_2 8$
>
> $\therefore\ \dfrac{1}{3}\log_2 125<\log_4 49<3$

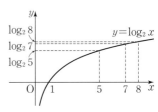

정답과 풀이 **19**쪽

유제 171 다음 세 수의 대소를 비교하여라.

(1) $\log_3 2$, $\log_{\frac{1}{3}} 0.2$, 1

(2) $2\log_{\frac{1}{2}} 3$, $\dfrac{1}{3}\log_{\frac{1}{2}} 27$, $3\log_{\frac{1}{2}} 2$

03 | 로그함수의 최대·최소

로그함수도 지수함수와 마찬가지로 정의역이 제한되면 최댓값과 최솟값이 발생한다.

> **로그함수의 최대·최소**
> 정의역이 $\{x|\ m\leq x\leq n\}$인 로그함수 $y=\log_a x\ (a>0,\ a\neq1)$는
> (1) $a>1$이면 x의 값이 작을 때 최솟값, 클 때 최댓값을 갖는다.
> → $x=m$일 때 최솟값 $\log_a m$, $x=n$일 때 최댓값 $\log_a n$을 갖는다.
> (2) $0<a<1$이면 x의 값이 작을 때 최댓값, 클 때 최솟값을 갖는다.
> → $x=m$일 때 최댓값 $\log_a m$, $x=n$일 때 최솟값 $\log_a n$을 갖는다.

| **설명** | 로그함수 $y=\log_a x\ (a>0,\ a\neq1)$의 그래프는 a의 값의 범위에 따라 다음 그림과 같다.

(1) $\boxed{a>1}$

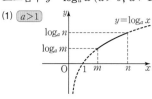

정의역: $\{x|m\leq x\leq n\}$

→ 치역: $\{y|\ \log_a m\leq y\leq\log_a n\}$
  (최솟값) (최댓값)

(2) $\boxed{0<a<1}$

정의역: $\{x|m\leq x\leq n\}$

→ 치역: $\{y|\ \log_a n\leq y\leq\log_a m\}$
  (최솟값) (최댓값)

로그함수를 이용하여 최댓값과 최솟값을 구하는 문제는 다음과 같은 네 가지 방법으로 푼다.

> **최대·최소를 구하는 방법**
> [유형 1] 진수가 이차식인 경우 먼저 진수인 이차식의 최대·최소를 구한다.
> $$y=\log_a f(x)\ (a>0,\ a\neq1)에서$$
> ① $a>1$이면 $f(x)$가 최대일 때, $\log_a f(x)$도 최대이다.
> ② $0<a<1$이면 $f(x)$가 최소일 때, $\log_a f(x)$는 최대이다.
> [유형 2] $\log_a x$ 꼴이 반복되는 경우 → $\log_a x=t$로 치환한다.
> [유형 3] 지수에 로그가 있는 경우 → 양변에 로그를 취한다.
> [유형 4] 합 또는 곱이 일정한 경우 → 산술평균과 기하평균의 대소 관계를 이용한다.
> $a>0,\ b>0$일 때, $a+b\geq2\sqrt{ab}$ (단, 등호는 $a=b$일 때 성립)

| **참고** | 치환은 어려운 문제를 쉬운 문제로 바꾸는 도깨비 방망이!
공통부분을 치환할 때는 항상 범위에 주의해야 한다. 그런데 지수함수에서 그랬듯이 $\log_a x=t$로 치환할 때 $t>0$이라 하면 큰일 난다. 왜냐고? $\log_a x$는 0도, 음수도 될 수 있으니까.

172 다음 함수의 최댓값과 최솟값을 구하여라.

(1) $3 \leq x \leq 5$일 때, 함수 $y = \log_2(x-1) + 2$

(2) $1 \leq x \leq 4$일 때, 함수 $y = \log_{\frac{1}{3}}(2x+1)$

풍산자TIP 로그함수의 최대·최소 역시 먼저 밑의 크기를 확인한다.

(1) (밑) > 1이면 ➡ x가 최대일 때, y도 최대이다.

　➡ x가 가장 큰 값일 때 최댓값, x가 가장 작은 값일 때 최솟값을 갖는다.

(2) $0 <$ (밑) < 1이면 ➡ x가 최소일 때, y는 최대이다.

　➡ x가 가장 작은 값일 때 최댓값, x가 가장 큰 값일 때 최솟값을 갖는다.

▶ 풀이

(1) $y = \log_2(x-1) + 2$에서 밑이 2이고 $2 > 1$이므로 $3 \leq x \leq 5$에서 함수

$y = \log_2(x-1) + 2$는

$x = 5$일 때 최대이고, **최댓값**은 $\log_2(5-1) + 2 = \log_2 4 + 2 = \log_2 2^2 + 2 = 2 + 2 = \mathbf{4}$

$x = 3$일 때 최소이고, **최솟값**은 $\log_2(3-1) + 2 = \log_2 2 + 2 = 1 + 2 = \mathbf{3}$

(2) $y = \log_{\frac{1}{3}}(2x+1)$에서 밑이 $\frac{1}{3}$이고 $0 < \frac{1}{3} < 1$이므로 $1 \leq x \leq 4$에서 함수

$y = \log_{\frac{1}{3}}(2x+1)$은

$x = 1$일 때 최대이고, **최댓값**은 $\log_{\frac{1}{3}}(2+1) = \log_{\frac{1}{3}} 3 = \log_{3^{-1}} 3 = \mathbf{-1}$

$x = 4$일 때 최소이고, **최솟값**은 $\log_{\frac{1}{3}}(8+1) = \log_{\frac{1}{3}} 9 = \log_{3^{-1}} 3^2 = \mathbf{-2}$

정답과 풀이 **19**쪽

유제 **173** 다음 함수의 최댓값과 최솟값을 구하여라.

(1) $-2 \leq x \leq 4$일 때, 함수 $y = \log_3(x+5)$　(2) $3 \leq x \leq 6$일 때, 함수 $y = \log_{\frac{1}{2}}(x-2) + 1$

174 $0 \leq x \leq 3$일 때, 함수 $y = \log_{\frac{1}{2}}(x^2 - 4x + 8)$의 최댓값과 최솟값을 구하여라.

풍산자TIP $0 <$ (밑) < 1이다. 진수가 최소일 때 y는 최대, 진수가 최대일 때 y는 최소이다.

➡ $x^2 - 4x + 8$의 최대·최소를 구한다.

▶ 풀이 함수 $y = \log_{\frac{1}{2}}(x^2 - 4x + 8)$에서 밑이 $\frac{1}{2}$이고 $0 < \frac{1}{2} < 1$이므로

$x^2 - 4x + 8$이 최소일 때 y는 최대, $x^2 - 4x + 8$이 최대일 때 y는 최소가 된다.

$x^2 - 4x + 8 = (x-2)^2 + 4$이므로 $0 \leq x \leq 3$일 때, $x^2 - 4x + 8$은

$x = 0$에서 최댓값 8, $x = 2$에서 최솟값 4를 갖는다.

따라서 함수 $y = \log_{\frac{1}{2}}(x^2 - 4x + 8)$의

최댓값은 $\log_{\frac{1}{2}} 4 = \log_{2^{-1}} 2^2 = \mathbf{-2}$

최솟값은 $\log_{\frac{1}{2}} 8 = \log_{2^{-1}} 2^3 = \mathbf{-3}$

정답과 풀이 **19**쪽

유제 **175** 함수 $y = \log_5(-x^2 + 6x + 16)$의 **최댓값**을 구하여라.

176 다음 함수의 최댓값과 최솟값을 구하여라.

(1) $1 \le x \le 8$일 때, 함수 $y = (\log_2 x)^2 - \log_2 x^2 + 3$

(2) $\dfrac{1}{3} \le x \le 9$일 때, 함수 $y = \log_3 x \cdot \log_3 \dfrac{9}{x}$

풍산자티 치환은 어려운 문제를 쉬운 문제로 바꾸는 도깨비 방망이!

➡ $\log_a x = t$로 치환할 때 $t > 0$이라 착각하면 큰일난다. t, 즉 $\log_a x$는 0이나 음수도 될 수 있으니까. 대신에 주어진 구간에서 t의 값의 범위를 구한다.

➤ 풀이

(1) $y = (\log_2 x)^2 - \log_2 x^2 + 3$

$\quad = (\log_2 x)^2 - 2\log_2 x + 3$

이므로 $\log_2 x = t$로 치환하면

$y = t^2 - 2t + 3 = (t-1)^2 + 2$

이때 $1 \le x \le 8$이고, $2 > 1$이므로

$\log_2 1 \le \log_2 x \le \log_2 8$

$\therefore 0 \le t \le 3$

따라서 $0 \le t \le 3$에서 함수 $y = (t-1)^2 + 2$는

$t = 3$일 때 최대이고, **최댓값**은 $(3-1)^2 + 2 = \mathbf{6}$

$t = 1$일 때 최소이고, **최솟값**은 $(1-1)^2 + 2 = \mathbf{2}$

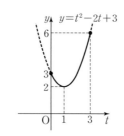

(2) $y = \log_3 x \cdot \log_3 \dfrac{9}{x} = \log_3 x \cdot (\log_3 9 - \log_3 x)$

$\quad = 2\log_3 x - (\log_3 x)^2$

이므로 $\log_3 x = t$로 치환하면

$y = -t^2 + 2t = -(t-1)^2 + 1$

이때 $\dfrac{1}{3} \le x \le 9$이고, $3 > 1$이므로

$\log_3 \dfrac{1}{3} \le \log_3 x \le \log_3 9$

$\therefore -1 \le t \le 2$

따라서 $-1 \le t \le 2$에서 함수 $y = -(t-1)^2 + 1$은

$t = 1$일 때 최대이고, **최댓값**은 $-(1-1)^2 + 1 = \mathbf{1}$

$t = -1$일 때 최소이고, **최솟값**은 $-(-1-1)^2 + 1 = \mathbf{-3}$

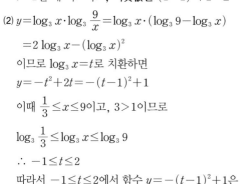
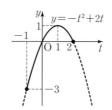

정답과 풀이 **19**쪽

유제 177 다음 함수의 최댓값과 최솟값을 구하여라.

(1) $3 \le x \le 27$일 때, 함수 $y = \left(\log_{\frac{1}{3}} x\right)^2 + 4\log_{\frac{1}{3}} \sqrt{x} + 2$

(2) $\dfrac{1}{25} \le x \le 5$일 때, 함수 $y = \log_5 x \cdot \log_{\frac{1}{5}} x - 2\log_5 x + 5$

178 함수 $y=10x^{2-\log x}$이 $x=a$에서 **최댓값** b를 가질 때, $\dfrac{b}{a}$의 값을 구하여라.

풍산자탑 양변에 상용로그를 취하여 정리한 후 $\log x=t$로 치환한다.

▶ 풀이 $y=10x^{2-\log x}$의 양변에 상용로그를 취하면

$\log y=\log 10x^{2-\log x}=\log 10+\log x^{2-\log x}=1+(2-\log x)\log x$
$\qquad =-(\log x)^2+2\log x+1$

$\log x=t$로 치환하면 $\log y=-t^2+2t+1=-(t-1)^2+2$

따라서 $t=1$일 때, $\log y$의 최댓값은 2이다.

즉, $x=10$일 때, y의 최댓값은 $10^2=100$이다.

$\therefore a=10,\ b=100$　　$\therefore \dfrac{b}{a}=\mathbf{10}$

정답과 풀이 **20**쪽

유제 **179** 함수 $y=x^{\log_2 x}\div 4x^2$이 $x=a$에서 **최솟값** b를 가질 때, ab의 값을 구하여라.

180 $a>0,\ b>0$일 때, $\log_3\left(a+\dfrac{1}{b}\right)+\log_3\left(b+\dfrac{4}{a}\right)$의 **최솟값**을 구하여라.

풍산자탑 $(A+B)(C+D)$ 꼴 ➡ 먼저 전개한 다음 산술평균과 기하평균의 대소 관계를 이용한다.

▶ 풀이 $\log_3\left(a+\dfrac{1}{b}\right)+\log_3\left(b+\dfrac{4}{a}\right)=\log_3\left(a+\dfrac{1}{b}\right)\left(b+\dfrac{4}{a}\right)$

$a>0,\ b>0$이므로 산술평균과 기하평균의 대소 관계에 의하여

$\left(a+\dfrac{1}{b}\right)\left(b+\dfrac{4}{a}\right)=ab+\dfrac{4}{ab}+5$

$\qquad\qquad\qquad\qquad \geq 2\sqrt{ab\cdot\dfrac{4}{ab}}+5=2\sqrt{4}+5=9\left(\text{단, 등호는 } ab=\dfrac{4}{ab},\ \text{즉 } ab=2\text{일 때 성립}\right)$

이때 $3>1$이므로

$\log_3\left(a+\dfrac{1}{b}\right)\left(b+\dfrac{4}{a}\right)\geq\log_3 9=\log_3 3^2=2$

따라서 구하는 최솟값은 2이다.

정답과 풀이 **20**쪽

유제 **181** $a>0,\ b>0$일 때, $\log_{\frac{1}{5}}(2a+b)+\log_{\frac{1}{5}}\left(\dfrac{8}{a}+\dfrac{1}{b}\right)$의 **최댓값**을 구하여라.

풍산자 비법

• 로그함수 $y=\log_a f(x)$의 최대·최소 ➡ 밑, 즉 a의 값의 크기에 주의한다.

(i) $a>1$이면 $f(x)$가 최대일 때, $\log_a f(x)$도 최대이다.

(ii) $0<a<1$이면 $f(x)$가 최소일 때, $\log_a f(x)$는 최대이다.

지수함수는 독특한 성질을 가지고 있어 함수방정식으로 자주 표현된다.

이는 모두 지수법칙에서 온 것. 익혀 두면 훗날 반드시 도움이 될 것이다.

지수함수의 함수방정식

두 지수함수 $f(x)=a^x$, $f(y)=a^y$에 대하여 다음 등식이 성립한다.

지수법칙	함수방정식
$a^x \times a^y = a^{x+y}$	$f(x) \times f(y) = f(x+y)$
$a^x \div a^y = a^{x-y}$	$f(x) \div f(y) = f(x-y)$
$(a^x)^y = a^{xy}$	$\{f(x)\}^y = f(xy)$

혹시나 길을 가다 $f(x) \times f(y) = f(x+y)$를 만나면 반갑게 인사한다.

"어이구, 이거 지수함수 아니신가. 쌍둥이 동생은 잘 있고?"

(지수함수의 쌍둥이 동생은 로그함수)

로그함수 역시 함수방정식으로 자주 표현된다.

이는 로그의 기본 성질에서 온 것.

지수함수의 함수방정식과 약간 다르게 생겼으니 구분해야 한다.

로그함수의 함수방정식

두 로그함수 $f(x)=\log_a x$, $f(y)=\log_a y$에 대하여 다음 등식이 성립한다.

로그의 기본 성질	함수방정식
$\log_a xy = \log_a x + \log_a y$	$f(xy) = f(x) + f(y)$
$\log_a \dfrac{x}{y} = \log_a x - \log_a y$	$f\left(\dfrac{x}{y}\right) = f(x) - f(y)$
$\log_a x^n = n \log_a x$	$f(x^n) = nf(x)$

혹시나 길을 가다 $f(xy) = f(x) + f(y)$를 만나면 반갑게 인사한다.

"어이구, 이거 로그함수 아니신가. 쌍둥이 형은 잘 있고?"

(로그함수의 쌍둥이 형은 지수함수)

*더 많은 유형은 **풍산자필수유형 수학Ⅰ** 044쪽

정답과 풀이 20쪽

182

함수 $y=10^{ax}$의 역함수가 $y=\dfrac{a}{100}\log x$일 때, 양수 a의 값을 구하여라.

183

다음 중 함수 $y=\log_3(x-2)+5$의 그래프에 대한 설명으로 옳지 <u>않은</u> 것은?

① 정의역은 $\{x\,|\,x>2\}$이다.

② x의 값이 커질 때 y의 값도 커진다.

③ 그래프는 점 $(3,\ 5)$를 지난다.

④ 점근선의 방정식은 $y=5$이다.

⑤ $y=\log_3 x$의 그래프를 x축의 방향으로 2만큼, y축의 방향으로 5만큼 평행이동한 것이다.

184

다음 함수의 그래프 중 지수함수 $y=2^x$의 그래프를 직선 $y=x$에 대하여 대칭이동한 다음 평행이동하였을 때, 완전히 포개어지는 함수의 그래프는?

① $y=\log_2(-x)$ ② $y=\log_2 x^2$

③ $y=\log_2 4x$ ④ $y=\log_2\dfrac{1}{x}$

⑤ $y=\log_4 2x$

185

함수 $f(x)=\log_3\dfrac{x}{x+1}$의 역함수 $f^{-1}(x)$에 대하여 $f^{-1}(-1)$의 값을 구하여라.

186

그림에서 $\square$ABCD는 한 변의 길이가 3인 정사각형이고, 두 점 A, E는 곡선 $y=\log_2 x$ 위의 점이다. 이때 $\overline{CE}$의 길이를 구하여라.

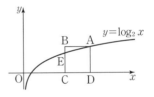

187

$2\leq x\leq 20$일 때, 함수 $y=\log_{\frac{1}{3}}(x+a)$의 최댓값이 -2이다. 이 함수의 최솟값을 구하여라.

4 로그방정식과 로그부등식

01 로그방정식

$\log_2 x = 3$, $\log_x 2 = 9$, $(\log x)^2 + \log x - 2 = 0$과 같이 로그의 진수 또는 밑에 미지수가 있는 방정식을 **로그방정식**이라 한다.

> **로그방정식의 풀이**
>
> $f(x) > 0$, $a > 0$, $a \neq 1$일 때
>
> (1) $\log_a f(x) = b$ 꼴인 경우
>
> ⇒ $\log_a f(x) = b \iff f(x) = a^b$임을 이용한다.
>
> (2) 밑을 같게 할 수 있는 경우
>
> [1단계] $\log_a f(x) = \log_a g(x)$ 꼴로 변형한다.
>
> [2단계] 방정식 $f(x) = g(x)$를 푼다.
>
> (3) $\log_a x$ 꼴이 반복되는 경우
>
> [1단계] $\log_a x = t$로 치환한다.
>
> [2단계] t에 대한 방정식을 푼 다음 x의 값을 구한다.
>
> (4) 지수에 로그가 있는 경우
>
> ⇒ 양변에 로그를 취한 후 푼다.
>
> (5) 진수가 같은 경우 $(b > 0,\ b \neq 1)$ ⇒ 밑이 같거나 진수가 1이다.
>
> $\log_a f(x) = \log_b f(x) \iff a = b$ 또는 $f(x) = 1$

| 설명 | 로그방정식을 풀 때는 구한 값이 밑 또는 진수 조건을 만족시키는지 반드시 확인해야 한다.

로그의 밑과 진수 조건 ⇒ 밑은 1이 아닌 양수이고, 진수는 양수이어야 한다.

(5)에서 $\log_2 1 = \log_3 1 = 0$이므로 밑이 서로 달라도 진수가 1이면 등식이 성립한다.

따라서 $\log_a f(x) = \log_b f(x)$의 해는 $a = b$ 또는 $f(x) = 1$이다.

| 개념확인 | 다음 방정식을 풀어라.

(1) $\log_2 (x-1) = 3$　　　(2) $\log_3 (2-x) = 2 \log_3 x$　　　(3) $\log_3 (2x-1) = \log_5 (2x-1)$

➤ 풀이　(1) 진수 조건에서 $x-1 > 0$　∴ $x > 1$

$\log_2 (x-1) = 3$에서 $x-1 = 2^3 = 8$　∴ $x = 9$

이때 $x = 9$는 진수 조건을 만족시킨다.　∴ **$x = 9$**

(2) 진수 조건에서 $2-x > 0$, $x > 0$　∴ $0 < x < 2$

$\log_3 (2-x) = 2 \log_3 x = \log_3 x^2$에서 $2-x = x^2$

$x^2 + x - 2 = 0$, $(x+2)(x-1) = 0$　∴ $x = -2$ 또는 $x = 1$

이때 $x = -2$는 진수 조건을 만족시키지 않는다.　∴ **$x = 1$**

(3) 진수가 같고 밑이 다르므로 등식이 성립하려면 $2x-1 = 1$　∴ **$x = 1$**

188 다음 방정식을 풀어라.

   (1) $\log_3 x = \log_9 (5x-4)$

   (2) $\log_2 x + \log_2 (x-2) = 3$

   (3) $\log (x^2+3) - \log (x-1) = \log 2x$

풍산자팁 (1) 밑을 같게 만들 수 있는 경우는 먼저 밑을 통일한다.

     ➡ (밑) >1 일 때는 밑이 큰 수, $0<$ (밑) <1 일 때는 밑이 작은 수로 통일!

     ➡ $\log_3 x = \log_{3^2} x^2 = \log_9 x^2$

  (3) 뺄셈은 이항하여 덧셈으로 만든다. ➡ $\log (x^2+3) = \log 2x + \log (x-1)$

  근을 구한 다음에는 반드시 진수 조건을 검토한다. ➡ (진수) >0

▶ 풀이 (1) 로그의 진수 조건에서 $x>0$, $5x-4>0$

     $\therefore x > \dfrac{4}{5}$ …… ㉠

     $\log_3 x = \log_9 (5x-4)$ 에서 $\log_9 x^2 = \log_9 (5x-4)$

     따라서 $x^2 = 5x-4$ 이므로 $x^2 - 5x + 4 = 0$

     $(x-1)(x-4) = 0$ $\therefore x=1$ 또는 $x=4$

     그런데 ㉠에서 $x > \dfrac{4}{5}$ 이므로 $\boldsymbol{x=1}$ **또는** $\boldsymbol{x=4}$

  (2) 로그의 진수 조건에서 $x>0$, $x-2>0$

     $\therefore x>2$ …… ㉠

     $\log_2 x + \log_2 (x-2) = 3$ 에서 $\log_2 x(x-2) = 3$

     따라서 $x(x-2) = 2^3 = 8$ 이므로 $x^2 - 2x - 8 = 0$

     $(x+2)(x-4) = 0$ $\therefore x=-2$ 또는 $x=4$

     그런데 ㉠에서 $x>2$ 이므로 $\boldsymbol{x=4}$

  (3) 로그의 진수 조건에서 $x^2+3>0$, $x-1>0$, $2x>0$

     $\therefore x>1$ …… ㉠

     $\log (x^2+3) - \log (x-1) = \log 2x$ 에서

     $\log (x^2+3) = \log 2x + \log (x-1)$

     $\log (x^2+3) = \log 2x(x-1)$

     따라서 $x^2+3 = 2x(x-1)$ 이므로 $x^2 - 2x - 3 = 0$

     $(x+1)(x-3) = 0$ $\therefore x=-1$ 또는 $x=3$

     그런데 ㉠에서 $x>1$ 이므로 $\boldsymbol{x=3}$

정답과 풀이 **21**쪽

유제 189 다음 방정식을 풀어라.

   (1) $\log_5 (3-x) = \log_{25} (x-1)$

   (2) $\log_{x-1} 9 = 2$

   (3) $\log_{\sqrt{3}} x - \log_3 (2x+3) = \log_3 (x-2)$

   (4) $\log_2 (x+3) = \dfrac{1}{2} \log_2 (x+6) + 1$

190 다음 방정식을 풀어라.

(1) $(\log_2 x)^2 - \log_2 x^5 + 4 = 0$ (2) $\log_3 x + \log_x 9 = 3$

풍산자팁 $\log_a x$ 꼴이 공통으로 있는 경우 ➡ $\log_a x = t$로 치환!

> **풀이** (1) 로그의 진수 조건에서 $x > 0$, $x^5 > 0$ $\therefore x > 0$ …… ㉠
주어진 방정식은 $(\log_2 x)^2 - 5\log_2 x + 4 = 0$이므로 $\log_2 x = t$로 치환하면
$t^2 - 5t + 4 = 0$, $(t-1)(t-4) = 0$ $\therefore t = 1$ 또는 $t = 4$
따라서 $\log_2 x = 1$ 또는 $\log_2 x = 4$이므로 **$x = 2$ 또는 $x = 16$** ⬅ 조건 ㉠ 만족
(2) 로그의 진수와 밑 조건에서 $x > 0$, $x \neq 1$ …… ㉠
$\therefore 0 < x < 1$ 또는 $x > 1$
주어진 방정식은 $\log_3 x + 2\log_x 3 = 3$이므로 $\log_3 x = t$로 치환하면 $t + \dfrac{2}{t} = 3$
양변에 t를 곱하여 정리하면 $t^2 - 3t + 2 = 0$
$(t-1)(t-2) = 0$ $\therefore t = 1$ 또는 $t = 2$
따라서 $\log_3 x = 1$ 또는 $\log_3 x = 2$이므로 **$x = 3$ 또는 $x = 9$** ⬅ 조건 ㉠ 만족

정답과 풀이 **21**쪽

유제 **191** 다음 방정식을 풀어라.

(1) $(\log_3 x)^2 + \log_3 x^2 - 8 = 0$ (2) $\log_2 x - \log_x 8 = 2$

(3) $\log_5 5x \cdot \log_5 \dfrac{x}{5} = 3$

192 방정식 $x^{\log x} = 1000x^2$을 풀어라.

풍산자팁 지수에 로그가 있는 경우 ➡ 양변에 로그를 취한 다음 치환하여 푼다.

> **풀이** 로그의 진수 조건에서 $x > 0$ …… ㉠
주어진 등식의 양변에 상용로그를 취하면 $\log x^{\log x} = \log 1000x^2$
$(\log x)^2 = \log 1000 + \log x^2$, $(\log x)^2 = 3 + 2\log x$
$\log x = t$로 치환하면 $t^2 - 2t - 3 = 0$
$(t+1)(t-3) = 0$ $\therefore t = -1$ 또는 $t = 3$
따라서 $\log x = -1$ 또는 $\log x = 3$에서 $x = \dfrac{1}{10}$ 또는 $x = 10^3$
㉠에서 $x > 0$이므로
$x = \dfrac{1}{10}$ 또는 $x = 1000$

정답과 풀이 **22**쪽

유제 **193** 다음 방정식을 풀어라.

(1) $x^{\log_3 x} = \dfrac{81}{x^3}$ (2) $2^{\log x} \cdot x^{\log 2} = 3(2^{\log x} + x^{\log 2}) - 8$

194 다음 물음에 답하여라.

(1) 이차방정식 $x^2 - 2x \log a + \log a + 2 = 0$이 중근을 가질 때, 모든 양수 a의 값을 구하여라.

(2) 방정식 $(\log_2 x)^2 - 3 \log_2 x - 4 = 0$의 두 근을 α, β라 할 때, $\alpha\beta$의 값을 구하여라.

풍산자티 (1) 이차방정식이 중근을 갖는다. ➡ (이차방정식의 판별식) = 0이다.

(2) 이차방정식의 두 근이 어쩌고 하면 일단 근과 계수의 관계를 떠올린다.

➡ 이때 방정식 $(\log_2 x)^2 - 3 \log_2 x - 4 = 0$에서 바로 근과 계수의 관계를 쓰면 안 된다. 근과 계수의 관계는 이차방정식이랑만 논다.

▶ 풀이 (1) 이차방정식 $x^2 - 2x \log a + \log a + 2 = 0$이 중근을 가지므로

이 이차방정식의 판별식을 D라 하면

$$\frac{D}{4} = (-\log a)^2 - (\log a + 2) = 0$$

$$(\log a)^2 - \log a - 2 = 0$$

$\log a = t$로 치환하면

$$t^2 - t - 2 = 0, \ (t+1)(t-2) = 0$$

$$\therefore \ t = -1 \ \text{또는} \ t = 2$$

따라서 $\log a = -1$ 또는 $\log a = 2$이므로

$$a = \frac{1}{10} \ \text{또는} \ a = 100$$

(2) $\log_2 x = t$로 치환하면 $t^2 - 3t - 4 = 0$ ...... ㉠

이때 방정식 $(\log_2 x)^2 - 3 \log_2 x - 4 = 0$의 두 근이 α, β이므로 ㉠의 두 근은 $\log_2 \alpha$, $\log_2 \beta$이다.

이제 이 문제는 이차방정식 $t^2 - 3t - 4 = 0$의 두 근이 $\log_2 \alpha$, $\log_2 \beta$일 때, $\alpha\beta$의 값을 구하는 문제로 변신했다.

이차방정식의 근과 계수의 관계에 의하여

$$\log_2 \alpha + \log_2 \beta = 3, \ \log_2 \alpha\beta = 3$$

$$\therefore \ \alpha\beta = 2^3 = 8$$

정답과 풀이 **22**쪽

유제 195 다음 물음에 답하여라.

(1) 이차방정식 $x^2 - 2x \log_2 a + 3 \log_2 a + 4 = 0$이 중근을 가질 때, 모든 양수 a의 값을 구하여라.

(2) 방정식 $(\log_3 x)^2 + 2 \log_3 x - 1 = 0$의 두 근을 α, β라 할 때, $\alpha\beta$의 값을 구하여라.

196 길이가 1 m인 진흙관에 원유를 통과시킬 때마다 공해 물질의 36 %씩 제거된다고 한다. 비행기의 연료의 질을 유지하기 위해 공해 물질의 양을 원유의 공해 물질 전체의 1 %만 남기려고 할 때, 필요한 진흙관의 개수를 구하여라. (단, $\log 2 = 0.3$으로 계산한다.)

풍산자팁 관계식을 직접 세워야 하는 문제이므로 상황을 정확히 이해하는 게 필요하다. 공해 물질 전체가 1 m 통과할 때마다 어떻게 변화되는지 이해한 후 식을 세운다.

> 풀이 원유를 길이가 1 m인 진흙관에 통과시킬 때마다 원유 속 공해 물질의 64 %가 진흙관을 통과하므로 n개 설치하면 공해 물질의 $\left(\dfrac{64}{100}\right)^n$이 진흙관을 통과한다.

공해 물질의 1 %만 남기려고 하면

$$\left(\frac{64}{100}\right)^n = \frac{1}{100}\,(=1\,\%)$$

이므로 양변에 상용로그를 취하면

$$n \log \frac{64}{100} = \log \frac{1}{100},\ n(\log 64 - \log 100) = -2$$

$$\therefore n = \frac{2}{\log 100 - \log 64} = \frac{2}{\log 10^2 - \log 2^6}$$

$$= \frac{2}{2 - 6\log 2} = \frac{2}{2 - 6 \times 0.3} = 10$$

따라서 진흙관의 길이가 1 m이므로 필요한 진흙관의 개수는 **10**이다.

정답과 풀이 **22**쪽

유제 **197** 같은 시기에 동일한 금액의 자본으로 사업을 시작한 두 회사 A, B가 있다. A회사의 자본이 매년 10 %, B회사의 자본이 매년 15 %씩 증가한다고 할 때, B회사의 자본이 A회사의 자본의 10배가 되는 것은 사업을 시작한지 몇 년 후인지 구하여라.

(단, $\log 1.1 = 0.04$, $\log 1.15 = 0.06$으로 계산한다.)

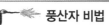

풍산자 비법

• 로그는 항상 밑과 진수 조건에 유의! 로그방정식을 풀 때에도 마찬가지.

• 로그는 $\log_a x = t$ 꼴로 치환한 후 밑 a와 x의 값의 범위에 따라 t의 값의 범위가 달라진다.

• 지수에 로그가 있을 때는 양변에 로그를 취한다.

$\log_3 x > 3$, $\log_x 2 < 9$, $(\log x)^2 + \log x - 2 \le 0$과 같이 로그의 진수 또는 밑에 미지수가 있는 부등식을 **로그부등식**이라 한다.

> **로그부등식의 풀이**
>
> $a > 0$, $a \ne 1$, $f(x) > 0$, $g(x) > 0$일 때,
>
> (1) 밑을 같게 할 수 있는 경우
>
> [1단계] $\log_a f(x) < \log_a g(x)$ 꼴로 변형한다.
>
> [2단계] 밑의 크기에 따라 다음을 이용한다.
>
> ① $a > 1$일 때, $\log_a f(x) < \log_a g(x) \iff 0 < f(x) < g(x)$ ◀ 부등호 방향 그대로!
>
> ② $0 < a < 1$일 때, $\log_a f(x) < \log_a g(x) \iff f(x) > g(x) > 0$ ◀ 부등호 방향 반대로!
>
> (2) $\log_a x$ 꼴이 반복되는 경우
>
> [1단계] $\log_a x = t$로 치환한다.
>
> [2단계] t에 대한 부등식을 푼 다음 x의 값을 구한다.
>
> (3) 지수에 로그가 있는 경우
>
> ➡ 양변에 로그를 취한 후 푼다. 이때 $0 < (밑) < 1$이면 부등호의 방향이 바뀐다.

| 설명 | 로그부등식에서 밑을 같게 한 후 진수를 비교할 때, 밑이 1보다 큰지 작은지에 주의해야 한다.

➡ 밑이 1보다 작을 때는 부등호의 방향이 바뀐다.

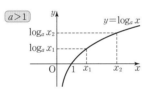

$$\log_a x_1 < \log_a x_2 \iff x_1 < x_2$$

부등호 방향 그대로!

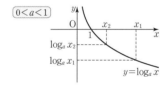

$$\log_a x_1 < \log_a x_2 \iff x_1 > x_2$$

부등호 방향 반대로!

| 개념확인 | 다음 부등식을 풀어라.

(1) $\log_2 (2x-1) < \log_2 (x+1)$ (2) $\log_{\frac{1}{2}} x > \log_{\frac{1}{2}} (2-x)$

> **풀이**   (1) 로그의 진수 조건에서 $2x-1 > 0$, $x+1 > 0$
>
> $\therefore x > \dfrac{1}{2}$ ······ ㉠   ← (i) 진수가 양수인 범위를 구한다.
>
> $\log_2 (2x-1) < \log_2 (x+1)$에서 밑이 2이고 $2 > 1$이므로 부등호의 방향이 그대로이다.
>
> 따라서 $2x-1 < x+1$이므로 $x < 2$ ······ ㉡   ← (ii) 부등식을 푼다.
>
> ㉠, ㉡의 공통 범위를 구하면 $\dfrac{1}{2} < x < 2$ ← (iii) 공통 범위를 구한다.
>
> (2) 로그의 진수 조건에서 $x > 0$, $2-x > 0$
>
> $\therefore 0 < x < 2$ ······ ㉠   ← (i) 진수가 양수인 범위를 구한다.
>
> $\log_{\frac{1}{2}} x > \log_{\frac{1}{2}} (2-x)$에서 밑이 $\dfrac{1}{2}$이고 $0 < \dfrac{1}{2} < 1$이므로 부등호의 방향이 바뀐다.
>
> 따라서 $x < 2-x$이므로 $x < 1$ ······ ㉡   ← (ii) 부등식을 푼다.
>
> ㉠, ㉡의 공통 범위를 구하면 $0 < x < 1$ ← (iii) 공통 범위를 구한다.

198 다음 부등식을 풀어라.

(1) $\log_2 x + \log_2 (6-x) > 3$ (2) $\log_3 x < \log_9 (3x-2)$

(3) $\log_{\frac{1}{2}} x + \log_{\frac{1}{2}} (x-3) \geq -2$ (4) $\log_x 4 < 2$

풍산자團 (i) (진수)>0인 범위를 구한다. ➡ (ii) 부등식을 푼다. ➡ (i), (ii)의 공통 범위를 구한다.

부등식에서 밑이 다른 경우 ➡ 밑을 같게 만들 수 있는 경우에는 밑을 통일시킨다.

➡ (2) $\log_3 x = \log_{3^2} x^2 = \log_9 x^2$

▶ 풀이 (1) 로그의 진수 조건에서 $x>0$, $6-x>0$ $\therefore 0<x<6$ …… ㉠

$\log_2 x + \log_2 (6-x) > 3$에서 $\log_2 x(6-x) > \log_2 8$

이때 밑이 2이고 $2>1$이므로 $x(6-x)>8$ ⬅ 부등호 방향 그대로

$x^2-6x+8<0$, $(x-2)(x-4)<0$ $\therefore 2<x<4$ …… ㉡

㉠, ㉡의 공통 범위를 구하면 **$2<x<4$**

(2) 로그의 진수 조건에서 $x>0$, $3x-2>0$ $\therefore x>\dfrac{2}{3}$ …… ㉠

$\log_3 x < \log_9 (3x-2)$에서 $\log_9 x^2 < \log_9 (3x-2)$

이때 밑이 9이고 $9>1$이므로 $x^2<3x-2$ ⬅ 부등호 방향 그대로

$x^2-3x+2<0$, $(x-1)(x-2)<0$ $\therefore 1<x<2$ …… ㉡

㉠, ㉡의 공통 범위를 구하면 **$1<x<2$**

(3) 로그의 진수 조건에서 $x>0$, $x-3>0$ $\therefore x>3$ …… ㉠

$\log_{\frac{1}{2}} x + \log_{\frac{1}{2}} (x-3) \geq -2$에서 $\log_{\frac{1}{2}} x(x-3) \geq \log_{\frac{1}{2}} 4$

이때 밑이 $\dfrac{1}{2}$이고 $0<\dfrac{1}{2}<1$이므로 $x(x-3) \leq 4$ ⬅ 부등호 방향 반대로

$x^2-3x-4 \leq 0$, $(x+1)(x-4) \leq 0$ $\therefore -1 \leq x \leq 4$ …… ㉡

㉠, ㉡의 공통 범위를 구하면 **$3<x \leq 4$**

(4) 로그의 밑 조건에서 $x>0$, $x \neq 1$ $\therefore 0<x<1$ 또는 $x>1$ …… ㉠

$\log_x 4 < 2$에서 $\log_x 4 < \log_x x^2$

(i) $x>1$이면, ㉠에서 (밑)>1이므로 $4<x^2$ ⬅ 부등호 방향 그대로

$(x+2)(x-2)>0$ $\therefore x<-2$ 또는 $x>2$ …… ㉡

㉠, ㉡의 공통 범위를 구하면 $x>2$

(ii) $0<x<1$이면, ㉠에서 $0<$ (밑) <1이므로 $4>x^2$ ⬅ 부등호 방향 반대로

$x^2-4<0$, $(x+2)(x-2)<0$ $\therefore -2<x<2$ …… ㉢

㉠, ㉢의 공통 범위를 구하면 $0<x<1$

(i), (ii)에서 **$0<x<1$ 또는 $x>2$**

정답과 풀이 **23**쪽

유제 199 다음 부등식을 풀어라.

(1) $\log_5 (x-2) - \log_5 (8-x) \leq 0$ (2) $2 \log_{0.5} (x+1) > \log_{0.5} (2x+5)$

(3) $\log x + \log (7-x) < 1$ (4) $\log_{\frac{1}{3}} (x-1) \geq \log_{\frac{1}{9}} (x+5)$

200 다음 부등식을 풀어라.

(1) $(\log_2 x)^2 - 5\log_2 x + 6 < 0$

(2) $\log_{\frac{1}{3}} x \cdot \log_{\frac{1}{3}} 3x \leq 2$

풍산자팁 $\log_a x$ 꼴이 반복되는 경우 ➡ $\log_a x = t$로 치환한다.

› 풀이

(1) 로그의 진수 조건에서 $x > 0$ ...... ㉠

$\log_2 x = t$로 치환하면 주어진 부등식은

$t^2 - 5t + 6 < 0$, $(t-2)(t-3) < 0$ ∴ $2 < t < 3$

따라서 $2 < \log_2 x < 3$이므로

$\log_2 2^2 < \log_2 x < \log_2 2^3$

이때 밑이 2이고 $2 > 1$이므로 $2^2 < x < 2^3$ ⬅ 부등호 방향 그대로

∴ $4 < x < 8$ ...... ㉡

㉠, ㉡의 공통 범위를 구하면 **$4 < x < 8$**

(2) 로그의 진수 조건에서 $x > 0$, $3x > 0$ ∴ $x > 0$ ...... ㉠

$\log_{\frac{1}{3}} x \cdot \log_{\frac{1}{3}} 3x \leq 2$에서 $\log_{\frac{1}{3}} x \left(\log_{\frac{1}{3}} 3 + \log_{\frac{1}{3}} x \right) \leq 2$

$\log_{\frac{1}{3}} x \left(-1 + \log_{\frac{1}{3}} x \right) \leq 2$

$\log_{\frac{1}{3}} x = t$로 치환하면 $t(-1+t) \leq 2$

$t^2 - t - 2 \leq 0$, $(t+1)(t-2) \leq 0$

∴ $-1 \leq t \leq 2$

따라서 $-1 \leq \log_{\frac{1}{3}} x \leq 2$이므로

$\log_{\frac{1}{3}} \left(\frac{1}{3} \right)^{-1} \leq \log_{\frac{1}{3}} x \leq \log_{\frac{1}{3}} \left(\frac{1}{3} \right)^2$

이때 밑이 $\frac{1}{3}$이고 $0 < \frac{1}{3} < 1$이므로 $\left(\frac{1}{3} \right)^2 \leq x \leq \left(\frac{1}{3} \right)^{-1}$ ⬅ 부등호 방향 반대로

∴ $\frac{1}{9} \leq x \leq 3$ ...... ㉡

㉠, ㉡의 공통 범위를 구하면 **$\frac{1}{9} \leq x \leq 3$**

정답과 풀이 **23**쪽

유제 201 다음 부등식을 풀어라.

(1) $(\log x)^2 + \log 100x^3 < 0$

(2) $(\log_3 x)^2 > \log_3 x^2$

(3) $(\log_{0.5} x)^2 - \log_{0.5} x - 2 \leq 0$

(4) $\log_2 2x \cdot \log_2 \dfrac{8}{x} \geq -5$

202 부등식 $x^{\log_3 x}<27x^2$을 풀어라.

풍산자팁 지수에 로그가 있는 경우 ➡ 양변에 로그를 취한 다음 치환하여 푼다.

▶ 풀이 로그의 진수 조건에서 $x>0$ ⋯⋯ ㉠

$x^{\log_3 x}<27x^2$의 양변에 밑이 3인 로그를 취하면 $3>1$이므로

$\log_3 x^{\log_3 x}<\log_3 27x^2$ ⬅ 부등호 방향 그대로

$(\log_3 x)^2<\log_3 27+\log_3 x^2$, $(\log_3 x)^2<3+2\log_3 x$

$\log_3 x=t$로 치환하면 $t^2<3+2t$, $t^2-2t-3<0$, $(t+1)(t-3)<0$ $\therefore -1<t<3$

따라서 $-1<\log_3 x<3$이므로 $\log_3 3^{-1}<\log_3 x<\log_3 3^3$

이때 밑이 3이고 $3>1$이므로 $3^{-1}<x<3^3$ ⬅ 부등호 방향 그대로

$\therefore \dfrac{1}{3}<x<27$ ⋯⋯ ㉡

㉠, ㉡의 공통 범위를 구하면 $\dfrac{1}{3}<x<27$

정답과 풀이 **24**쪽

유제 203 다음 부등식을 풀어라.

(1) $x^{\log x}<100x$ 　　　　　　　　　　　　　　(2) $x^{\log_{\frac{1}{2}} x}>\dfrac{x^2}{8}$

| 로그부등식의 활용 |

204 이차부등식 $x^2-2x\log_2 a-3+4\log_2 a>0$이 모든 실수 x에 대하여 항상 성립할 때, 양수 a의 값의 범위를 구하여라.

풍산자팁 이차부등식 $f(x)>0$이 항상 성립한다.

➡ 이차함수 $y=f(x)$의 그래프가 x축 위로 붕 뜬다. ➡ x축과 만나지 않는다.

➡ 이차방정식 $f(x)=0$의 판별식 $D<0$이다. ⟺ 실근을 갖지 않는다.

▶ 풀이 로그의 진수 조건에서 $a>0$ ⋯⋯ ㉠

주어진 부등식이 항상 성립하려면 이차방정식 $x^2-2x\log_2 a-3+4\log_2 a=0$의 판별식을 D라 할 때

$\dfrac{D}{4}=(-\log_2 a)^2-(-3+4\log_2 a)<0$, $(\log_2 a)^2-4\log_2 a+3<0$

$\log_2 a=t$로 치환하면 $t^2-4t+3<0$, $(t-1)(t-3)<0$ $\therefore 1<t<3$

따라서 $1<\log_2 a<3$이므로 $\log_2 2<\log_2 a<\log_2 2^3$

이때 밑이 2이고 $2>1$이므로 $2<a<8$ ⬅ 부등호 방향 그대로 ⋯⋯ ㉡

㉠, ㉡의 공통 범위를 구하면 $2<a<8$

정답과 풀이 **24**쪽

유제 205 $f(x)=x^2-2(1+\log a)x+3(1+\log a)$에 대하여 다음 물음에 답하여라.

(1) 이차방정식 $f(x)=0$이 실근을 가질 때, 양수 a의 값의 범위를 구하여라.

(2) 이차부등식 $f(x)\geq 0$이 모든 실수 x에 대하여 항상 성립할 때, 양수 a의 값의 범위를 구하여라.

206
어느 회사에서 개발한 운동기구가 큰 인기를 끌면서 이 상품의 매출액이 매년 18%씩 증가하고 있다. 이러한 추세가 계속된다고 할 때, 이 상품의 매출액이 처음으로 현재의 5배 이상이 되는 것은 몇 년 후인지 구하여라. (단, $\log 2 = 0.30$, $\log 1.18 = 0.07$로 계산한다.)

> **풍산자曰** 현재 매출액: a원 ➡ n년 후의 매출액: $a(1+0.18)^n$원
> 결국 $a(1+0.18)^n \geq 5a$를 만족시키는 n의 값을 구하라는 소리.

> **풀이** 현재 매출액을 a원이라 하면 n년 후의 매출액은 $a(1+0.18)^n$, 즉 $1.18^n\,a$원이므로 조건에 맞게 부등식을 세우면 $1.18^n\,a \geq 5a$
> $1.18^n \geq 5$이므로 양변에 상용로그를 취하면 밑이 10이고, $10 > 1$이므로
> $\log 1.18^n \geq \log 5$ ⬅ 부등호 방향 그대로
> $n \log 1.18 \geq \log \dfrac{10}{2}$, $n \log 1.18 \geq 1 - \log 2$
> 이때 $\log 1.18 = 0.07 > 0$이므로 $n \geq \dfrac{1-\log 2}{\log 1.18} = \dfrac{1-0.30}{0.07} = \dfrac{0.70}{0.07} = 10$
> 따라서 매출액이 처음으로 현재의 5배 이상이 되는 것은 **10년 후**이다.

정답과 풀이 25쪽

유제 207 생화학적 산소 요구량(BOD)은 물이 오염된 정도를 표시하는 지표로 사용된다. 어느 지역 하천의 수질을 나타내는 BOD가 8이라고 한다. 이 지역 주민들의 수질 개선 운동으로 이 하천의 BOD가 매년 20%씩 감소한다고 할 때, 이 하천의 BOD가 처음으로 1 이하가 되는 것은 몇 년 후인지 구하여라. (단, $\log 2 = 0.3$으로 계산한다.)

208
부등식 $0 \leq \log_2 (\log_3 x) < 1$을 풀어라.

> **풍산자曰** 로그가 많다고 겁먹을 것 없다. 바깥에 있는 로그부터 찬찬히 풀면 된다.

> **풀이** $0 \leq \log_2(\log_3 x) < 1$에서 $2^0 \leq \log_3 x < 2^1$ $\therefore 1 \leq \log_3 x < 2$
> 이때 밑이 3이고, $3 > 1$이므로 $3^1 \leq x < 3^2$ ⬅ 부등호 방향 그대로 $\therefore 3 \leq x < 9$

정답과 풀이 25쪽

유제 209 부등식 $0 \leq \log_3 (\log_2 x) < 1$을 풀어라.

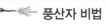

풍산자 비법

- 로그부등식에서도 지수부등식처럼 밑의 크기에 주의한다.
  (ⅰ) (밑)>1 ➡ 진수끼리의 부등호 방향 그대로! (ⅱ) $0<$ (밑) <1 ➡ 진수끼리의 부등호 방향 반대로!
- 로그는 항상 밑과 진수 조건에 유의! 로그부등식을 풀 때에도 마찬가지.

필수 확인 문제

*더 많은 유형은 **풍산자필수유형 수학**Ⅰ 051쪽

정답과 풀이 25쪽

210

다음 방정식을 풀어라.

(1) $\log_2 (x+2) = \log_4 (x-1) + 2$

(2) $\log_3 \dfrac{3}{x} \cdot \log_3 \dfrac{x}{9} = -6$

211

방정식 $\log_5 x - \log_x 25 = 1$의 두 근을 α, β라 할 때, $\alpha\beta$의 값을 구하여라.

212

방정식 $8x^{\log_2 x} = x^4$의 모든 근의 합을 구하여라.

213

방정식 $(\log_2 x)^2 - 2k \log_2 x + 8 = 0$의 두 근의 곱이 16일 때, 상수 k의 값을 구하여라.

214

부등식

$$\log_{\frac{1}{3}} (x^2 - 4) - \log_{\frac{1}{3}} (2-x) + 1 > 0$$

의 해가 $\alpha < x < \beta$일 때, $\alpha + \beta$의 값을 구하여라.

215

부등식 $\log_2 \{\log_3 (\log_4 x)\} < 0$을 만족시키는 정수 x의 개수를 구하여라.

216

x에 대한 이차방정식

$$x^2 - 2(1 - \log_3 a)x + 5 + \log_3 a = 0$$

이 실근을 갖지 않도록 하는 실수 a의 값의 범위를 구하여라.

중단원 마무리

▶ **지수함수와 로그함수** (단, $a>0$, $a\neq1$)

지수함수 $y=a^x$의 그래프	① 정의역은 실수 전체의 집합이고, 치역은 양의 실수 전체의 집합이다. ② $a>1$ ➡ x의 값이 커지면 y의 값도 커진다. $0<a<1$ ➡ x의 값이 커지면 y의 값은 작아진다. ③ 그래프는 점 $(0, 1)$을 지나고 x축을 점근선으로 갖는다.
로그함수 $y=\log_a x$의 그래프	① 지수함수 $y=a^x$의 역함수이다. ② 정의역은 양의 실수 전체의 집합이고, 치역은 실수 전체의 집합이다. ③ $a>1$ ➡ x의 값이 커지면 y의 값도 커진다. $0<a<1$ ➡ x의 값이 커지면 y의 값은 작아진다. ④ 그래프는 점 $(1, 0)$을 지나고 y축을 점근선으로 갖는다.

▶ **지수방정식과 지수부등식**

지수방정식과 지수부등식의 풀이	① 밑을 같게 할 수 있는 경우 ➡ 밑을 같게 만든다. ② 밑에 미지수가 있는 경우 ㉠ $x^{f(x)}=x^{g(x)}$ $(x>0)$ $\Longleftrightarrow$ $f(x)=g(x)$ 또는 $x=1$ ㉡ $\{f(x)\}^x=\{g(x)\}^x$ $(f(x)>0, g(x)>0)$ $\Longleftrightarrow$ $f(x)=g(x)$ 또는 $x=0$ ③ a^x 꼴이 반복되는 경우 ➡ $a^x=t$ $(t>0)$로 치환한다. ④ 지수부등식은 지수방정식과 같은 방식으로 풀고 밑의 크기에 따라 부등호의 방향에 주의한다. $x^{f(x)}<x^{g(x)}$ $(x>0)$ 꼴 ➡ $x>1$, $0<x<1$, $x=1$인 경우로 나누어 푼다.

▶ **로그방정식과 로그부등식**

로그방정식과 로그부등식의 풀이	① $\log_a f(x)=b$ 꼴인 경우 ➡ $\log_a f(x)=b \Longleftrightarrow f(x)=a^b$ $(f(x)>0)$임을 이용한다. ② 밑을 같게 할 수 있는 경우 ➡ 밑을 같게 만든다. ③ $\log_a x$ 꼴이 반복되는 경우 ➡ $\log_a x=t$로 치환한다. ④ 지수에 로그가 있는 경우 ➡ 양변에 로그를 취한다. ⑤ 진수가 같은 로그방정식은 밑이 같거나 진수가 1임을 이용한다. ⑥ 로그부등식은 로그방정식과 같은 방식으로 풀고 밑의 크기에 따라 부등호의 방향에 주의한다. 특히 지수에 로그가 있는 로그부등식의 $0<(밑)<1$이면 부등호 방향이 바뀐다.

실전 연습문제

217

다음 중 함수 $y=3^{1-x}-1$의 그래프에 대한 설명으로 옳지 <u>않은</u> 것은?

① 치역은 $\{y|y>-1\}$이다.

② 점 $(1, 0)$을 지나고, 점근선의 방정식은 $y=-1$이다.

③ x의 값이 증가하면 y의 값도 증가한다.

④ 제3사분면은 지나지 않는다.

⑤ 함수 $y=3^x$의 그래프를 y축에 대하여 대칭이동한 후 x축의 방향으로 1만큼, y축의 방향으로 -1만큼 평행이동한 것이다.

218

함수 $f(x)=\left(\dfrac{1}{5}\right)^{2-x}+3$의 역함수 $g(x)$가 $g(a)=2$, $g(8)=b$를 만족시킬 때, 실수 a, b의 합 $a+b$의 값을 구하여라.

219

정의역이 $\{x|-1\le x\le1\}$인 함수 $f(x)=3^{1-x}\cdot5^{x+1}+1$의 최댓값을 M, 최솟값을 m이라 할 때, $M-m$의 값을 구하여라.

220

함수 $y=4^x+4^{-x}-6(2^x+2^{-x})+5$의 최솟값을 구하여라.

221

방정식 $4^x-k\cdot2^{x+2}-3k+10=0$이 서로 다른 두 실근을 갖도록 하는 실수 k의 값의 범위를 구하여라.

222

모든 실수 x에 대하여 부등식 $9^x-2\cdot3^{x+1}+5k-6\ge0$이 성립하도록 하는 실수 k의 최솟값을 구하여라.

223

어느 회사가 6400만 원을 투자하여 기계 설비를 구입하였다. 이 기계 설비의 가치가 매년 25 %씩 하락한다고 할 때, 이 기계 설비의 가치가 처음으로 2700만 원 이하가 되는 것은 구입하고 몇 년 후인지 구하여라.

224

로그함수 $y=\log_2 x$의 그래프를 x축의 방향으로 m만큼 평행이동한 그래프가 함수 $y=\log x+n$의 그래프와 점 $(10, 3)$에서 만날 때, 상수 m, n의 곱 mn의 값을 구하여라.

225

$3<x<9$일 때, 세 수 $A=(\log_3 x)^2$, $B=\log_3(\log_3 x)$, $C=\log_3 x^2$의 대소 관계로 옳은 것은?

① $A<B<C$ ② $A<C<B$

③ $B<A<C$ ④ $B<C<A$

⑤ $C<A<B$

226

두 함수 $y=\log_2 x$와 $y=x$의 그래프가 그림과 같을 때, 다음 중 $\left(\dfrac{1}{2}\right)^{c-b}$의 값을 나타내는 것은?

(단, 점선은 x축 또는 y축에 평행하다.)

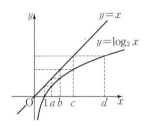

① $\dfrac{a}{b}$ ② $\dfrac{c}{b}$ ③ $\dfrac{b}{c}$

④ $\dfrac{d}{c}$ ⑤ $\dfrac{c}{d}$

227

연립방정식 $\begin{cases} \log_2 x+\log_3 y=5 \\ \log_2 x \cdot \log_3 y=4 \end{cases}$의 해가 $x=\alpha$, $y=\beta$일 때, $\alpha-\beta$의 값을 구하여라. (단, $\alpha>\beta$)

228

방정식 $\log_5 x \cdot \log_5 \dfrac{25}{x}=-1$의 두 근을 α, β라 할 때, $\log_\alpha 5+\log_\beta 5$의 값을 구하여라.

229

부등식 $(\log_3 x)^2+a\log_3 x+b<0$의 해가 $\dfrac{1}{9}<x<27$일 때, 상수 a, b의 곱 ab의 값을 구하여라.

230

x에 대한 이차방정식
$$x^2-2(1-\log a)x+1-(\log a)^2=0$$
의 근이 모두 양수가 되도록 하는 실수 a의 값의 범위를 구하여라.

STEP 2

231

함수 $y=f(x)$의 그래프가 그림과 같을 때, 다음 중 함수 $y=2^{f(x)}$의 그래프는?

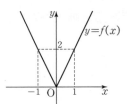

①

②

③

④

⑤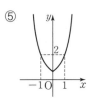

232

모든 실수 x, y에 대하여

$$f(x+y)=f(x)f(y), f(x)>0$$

인 관계가 성립할 때, <보기>에서 옳은 것만을 있는 대로 고른 것은?

┌─보기─────────────────────────┐
│ ㄱ. $f(0)=1$ ㄴ. $f(10)=\{f(1)\}^{10}$ │
│ ㄷ. $f(-x)=-f(x)$ │
└──────────────────────────────┘

① ㄱ   ② ㄴ   ③ ㄱ, ㄴ

④ ㄱ, ㄷ   ⑤ ㄱ, ㄴ, ㄷ

233

함수 $f(x)=x^2-3x-1$에 대하여 부등식

$$4^{f(x)}-3\cdot2^{1+f(x)}<16$$

을 만족시키는 정수 x의 개수를 구하여라.

234

두 함수 $f(x)=2^{x-2}+1$, $g(x)=\log_2(x-1)+2$에 대하여 <보기>에서 옳은 것만을 있는 대로 고른 것은?

┌─보기─────────────────────────┐
│ ㄱ. $f^{-1}(5)\cdot\{g(5)+1\}=20$ │
│ ㄴ. $y=f(x)$의 그래프와 $y=g(x)$의 그래프는 │
│   직선 $y=x$에 대하여 대칭이다.   │
│ ㄷ. $y=f(x)$의 그래프와 $y=g(x)$의 그래프는 │
│   만나지 않는다.   │
└──────────────────────────────┘

① ㄱ   ② ㄷ   ③ ㄱ, ㄴ

④ ㄴ, ㄷ   ⑤ ㄱ, ㄴ, ㄷ

235

오염된 물이 숯가루 여과기를 한 번 통과할 때마다 중금속의 농도가 9 %씩 감소한다. 중금속의 농도가 10 ppm인 물을 0.2 ppm 이하의 농도로 정수하여 음용하려면 숯가루 여과기에 적어도 몇 번 이상 통과시켜야 하는지 구하여라.

(단, $\log 2=0.3010$, $\log 9.1=0.9590$으로 계산한다.)

Ⅱ

← 삼각함수 →

소리와 파동, 모든 것은 **삼각함수**

조용한 수업시간에 들리는 맑고 청명한 소리.

꼬르르르륵~

특히, 3교시에 종종 들을 수 있다.

창피한 소리인데 왜 이렇게 크게 들릴까.

이는 배 근처에 있는 공기가 파르르 떨리며

소리를 전달하여 귀까지 전해 주기 때문이다.

이렇게 진동 소리가 전달되기 위해서는

일정하게 반복되는 주기가 필요하다.

프랑스의 학자 푸리에는

모든 소리와 음성, 지진과 같은 파동을

몇 가지 주기를 갖는 삼각함수의 합으로

나타낼 수 있다는 것을 알아내었다.

생소하지만 생각보다 가까이 있는 삼각함수에 대해 알아보자.

1

삼각함수의 뜻

직각삼각형에서 변의 비를 삼각비라 배웠다.
좌표평면의 도움을 받아 각을 확장하여 삼각함수를 정의한다.
삼각함수에서는 새롭게 정의된 호도법으로 각을 잰다.

1 삼각함수의 정의

2 삼각함수의 공식

$$\sin^2\theta + \cos^2\theta = 1$$

1 삼각함수의 정의

01 | 일반각

각이란 무엇인가?

시작점이 같은 두 반직선이 이루는 크기, 즉 회전량이다.

기준선에서 얼마나 회전했는가를 재는 양이다.

> **시초선과 동경**
> (1) 평면 위의 두 반직선 OX와 OP로 이루어진 도형을 ∠XOP라 한다.
>   ∠XOP의 크기는 고정된 반직선 OX의 위치에서 반직선 OP가 점 O를 중심으로 회전한 양으로 정의한다. 이때 반직선 OX를 **시초선**, 반직선 OP를 **동경**이라고 한다.
> (2) 동경 OP가 점 O를 중심으로 회전할 때, 시곗바늘이 도는 반대 방향을 양의 방향, 시곗바늘이 도는 방향을 음의 방향이라 하고, 음의 방향이면 음의 부호 −를 붙여서 나타낸다.

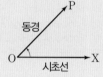

| 설명 | 예를 들어 $45°$, $420°$, $-100°$인 각을 그림으로 나타내면 다음과 같다.

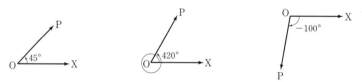

각의 크기가 주어지면 동경의 위치는 하나로 결정된다.

그러나 동경의 위치가 주어지면 그것이 나타내는 각의 크기는 동경의 회전 횟수와 방향에 따라 여러 가지로 나타낼 수 있다. 이 각들을 통틀어 **일반각**이라 한다.

> **일반각**
> ∠XOP에서 시초선 OX는 고정되어 있으므로 동경 OP가 나타내는 한 각의 크기를 $α°$라 하면 ∠XOP의 크기는 다음과 같이 나타낼 수 있다.
> $$360° \times n + α° \text{ (단, } n \text{은 정수)}$$
> 이것을 동경 OP가 나타내는 **일반각**이라 하고, 이때 $α°$는 보통 $0 \le α° < 360°$인 각을 택한다.

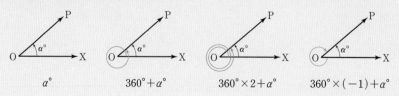

236 다음에서 $\overrightarrow{OX}$가 시초선일 때, 동경 OP가 나타내는 일반각과 그 그림 중 옳지 <u>않은</u> 것은?

(단, n은 정수)

① $360° \times n + 45°$

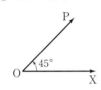

② $360° \times n + 90°$

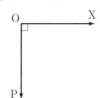

③ $360° \times n + 315°$

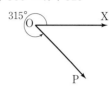

④ $360° \times n$

⑤ $360° \times n + 180°$

풍산자日 일반각은 $360° \times n + a°$ (단, n은 정수)로 나타내고, 이때 $a°$는 $0° \le a° < 360°$인 각을 택한다.

＞풀이 일반각을 구하려면 동경 OP가 나타내는 아무 각이나 하나만 구해 $360° \times n$을 더해 주기만 하면 된다.

① 동경 OP가 45°를 나타내므로 옳다.

② 동경 OP가 나타내는 각은 270° 또는 $-90°$이므로 각각에 대해 $360° \times n + 270°$ 또는 $360° \times n - 90°$라고 해야 한다.

③ 동경 OP가 315°를 나타내므로 옳다.

④ 동경 OP가 0°를 나타내므로 옳다.

⑤ 동경 OP가 180°를 나타내므로 옳다.

따라서 옳지 않은 것은 ②이다.

정답과 풀이 **31**쪽

유제 **237** 420°와 동경이 일치하는 각만을 ＜보기＞에서 있는 대로 골라라.

┌ 보기 ┐
ㄱ. 60°   ㄴ. $-60°$ ㄷ. 300°

ㄹ. $-300°$ ㅁ. 390°

[1] 사분면의 각

동경이 제k사분면($k=1,\ 2,\ 3,\ 4$)에 있으면 제k사분면의 각이라 한다.

이때 $0°$, $90°$, $180°$, $270°$는 동경이 좌표축 위에 있으므로 어느 사분면의 각도 아니다.

> **사분면의 각**
> 좌표평면 위의 원점 O에서 x축의 양의 방향을 시초선으로 잡을 때, 제1,
> 2, 3, 4사분면에 있는 동경 OP가 나타내는 각을 각각 **제1사분면의 각, 제**
> **2사분면의 각, 제3사분면의 각, 제4사분면의 각**이라 한다.
> 그림에서 동경 OP가 나타내는 각은 제2사분면의 각이다.

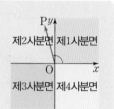

| **설명** | 각 θ를 나타내는 동경이 존재하는 사분면에 따른 θ의 범위는 다음과 같다. (단, n은 정수)

(1) θ가 제1사분면의 각 ➡ $360° \times n < \theta < 360° \times n + 90°$

(2) θ가 제2사분면의 각 ➡ $360° \times n + 90° < \theta < 360° \times n + 180°$

(3) θ가 제3사분면의 각 ➡ $360° \times n + 180° < \theta < 360° \times n + 270°$

(4) θ가 제4사분면의 각 ➡ $360° \times n + 270° < \theta < 360° \times n + 360°$

[2] 두 각의 위치 관계

일반적으로 두 각을 나타내는 동경이 대칭성을 가지면 두 각의 합이나 차가 일정하다.

예를 들어 ➡ 두 동경이 x축에 대하여 대칭일 때는 두 각의 합이 $0°$가 된다.

　　　　 ➡ 두 동경이 원점에 대하여 대칭일 때는 두 각의 차가 $180°$가 된다.

이를 일반각으로 확장하면 다음과 같이 정리할 수 있다.

> **두 동경의 위치 관계**
> 두 동경이 나타내는 각의 크기가 각각 α, $\beta(\alpha > \beta)$일 때, 정수 n에 대하여 두 동경의 위치 관계에
> 대하여 다음이 성립한다.

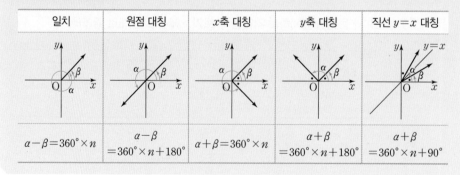

일치	원점 대칭	x축 대칭	y축 대칭	직선 $y=x$ 대칭
$\alpha - \beta = 360° \times n$	$\begin{aligned}&\alpha - \beta\\&=360° \times n + 180°\end{aligned}$	$\alpha + \beta = 360° \times n$	$\begin{aligned}&\alpha + \beta\\&=360° \times n + 180°\end{aligned}$	$\begin{aligned}&\alpha + \beta\\&=360° \times n + 90°\end{aligned}$

> **大** 원칙 ┆ 사분면의 각을 파악할 때 또는 두 동경의 위치 관계를 구할 때는 동경을 사분면에 그림으로
> 나타내어 생각하면 쉽다.

238 다음 각은 제 몇 사분면의 각인지 구하여라.

(1) $650°$ (2) $1140°$ (3) $-855°$

풍산자티 $360° \times n + a°$로 나타냈을 때, $a°$의 범위를 따진다.

▶ 풀이   (1) $650° = 360° \times 1 + 290°$ ➡ **제4사분면의 각**

            (2) $1140° = 360° \times 3 + 60°$ ➡ **제1사분면의 각**

            (3) $-855° = 360° \times (-3) + 225°$ ➡ **제3사분면의 각**

정답과 풀이 **31**쪽

유제 **239** 다음 각은 제 몇 사분면의 각인지 구하여라.

(1) $960°$ (2) $1400°$ (3) $-600°$

240 θ가 제1사분면의 각일 때, $\dfrac{\theta}{3}$를 나타내는 동경이 존재하는 사분면을 모두 구하여라.

풍산자티 θ가 제1사분면의 각 ➡ $360° \times n < \theta < 360° \times n + 90°$ (단, n은 정수)

▶ 풀이 θ가 제1사분면의 각이므로 $360° \times n < \theta < 360° \times n + 90°$ (단, n은 정수)

$$\therefore \ 120° \times n < \frac{\theta}{3} < 120° \times n + 30°$$

(i) $n = 0$일 때, $0° < \dfrac{\theta}{3} < 30°$ ➡ 제1사분면의 각

(ii) $n = 1$일 때, $120° < \dfrac{\theta}{3} < 120° + 30°$ ➡ 제2사분면의 각

(iii) $n = 2$일 때, $240° < \dfrac{\theta}{3} < 240° + 30°$ ➡ 제3사분면의 각

(iv) $n = 3$일 때, $360° < \dfrac{\theta}{3} < 360° + 30°$ ➡ $0° < \dfrac{\theta}{3} < 30°$ 제1사분면의 각

(v) $n = 4$일 때, $480° < \dfrac{\theta}{3} < 480° + 30°$ ➡ $120° < \dfrac{\theta}{3} < 120° + 30°$ 제2사분면의 각

(vi) $n = 5$일 때, $600° < \dfrac{\theta}{3} < 600° + 30°$ ➡ $240° < \dfrac{\theta}{3} < 240° + 30°$ 제3사분면의 각

$$\vdots$$

따라서 $\dfrac{\theta}{3}$를 나타내는 동경이 존재하는 사분면은 **제1, 2, 3사분면**이다.

정답과 풀이 **31**쪽

유제 **241** θ가 제3사분면의 각일 때, $\dfrac{\theta}{2}$를 나타내는 동경이 존재하는 사분면을 모두 구하여라.

242 다음 물음에 답하여라.

(1) 각 θ를 나타내는 동경과 각 6θ를 나타내는 동경이 일치한다. 이러한 각 θ 중 둔각을 구하여라.

(2) 각 2θ를 나타내는 동경과 각 4θ를 나타내는 동경이 직선 $y=x$에 대하여 대칭이다. 이러한 각 θ 중 예각을 구하여라.

풍산자曰 두 동경의 위치 관계는 그림으로 나타내어 생각하면 파악하기 쉽다.

▶ 풀이 (1) 각 θ를 나타내는 동경과 각 6θ를 나타내는 동경이 일치하므로

$6\theta-\theta=360°\times n$ (단, n은 정수)

$5\theta=360°\times n$

$\theta=72°\times n$

$\therefore \theta=72°,\ 144°,\ 216°,\ \cdots$

이 중에서 둔각은 **144°**이다.

(2) 각 2θ를 나타내는 동경과 각 4θ를 나타내는 동경이 직선 $y=x$에 대하여 대칭이므로

$2\theta+4\theta=360°\times n+90°$ (단, n은 정수)

$6\theta=360°\times n+90°$

$\theta=60°\times n+15°$

$\therefore \theta=15°,\ 75°,\ 135°,\ \cdots$

이 중에서 예각은 **15°, 75°**이다.

정답과 풀이 31쪽

유제 **243** 다음 물음에 답하여라.

(1) 각 θ를 나타내는 동경과 각 6θ를 나타내는 동경이 일직선 위에 있고 방향이 반대일 때, 각 θ의 크기를 구하여라. (단, $0°<\theta<90°$)

(2) 각 2θ를 나타내는 동경과 각 4θ를 나타내는 동경이 x축에 대하여 대칭일 때, 각 θ의 크기를 구하여라. (단, $90°<\theta<180°$)

풍산자 비법

동경의 위치가 주어지면 그것이 나타내는 각의 크기는 회전한 횟수($360°\times n$)와 방향에 따라 여러 가지로 나타낼 수 있다. 이것이 바로 일반각! ➡ $360°\times n+a°$ (단, n은 정수)

일반각으로 나타낼 때, $a°$는 일반적으로 $0°\leq a°<360°$로 나타낸다.

03 | 호도법

어떤 길이나 양을 재는 단위는 여러 가지가 있을 수 있다. 길이를 잴 때 한국은 'cm', 'km'라는 단위를 쓰지만 미국은 '인치'나 '마일'이라는 단위에 더 익숙하다.

마찬가지로 각을 재는 단위도 여러 가지가 있다.

초등학교 때 각도기는 다 써 봤을 거다. 각도기의 눈금은 모두 180개.

1°는 각도기의 한 눈금을 말하고 이것이 바로 육십분법이다.

육십분법과 더불어 앞으로 절친이 될 호도법을 소개한다.

육십분법과 호도법

(1) 육십분법

원의 둘레를 360등분하여 각 호에 대한 중심각의 크기를 1도(°), 1도의 $\frac{1}{60}$을 1분('), 1분의

$\frac{1}{60}$을 1초(")로 정의하여 각의 크기를 나타내는 방법을 **육십분법**이라 한다.

(2) 호도법

호의 길이가 반지름의 길이와 똑같을 때의 중심각의 크기를 **1라디안**이라 하고, 이것을 단위로 하여 각의 크기를 나타내는 것을 **호도법**이라 한다.

| 설명 |

- 1라디안은 몇 도(°)쯤일까? 정삼각형의 한 내각의 크기는 60°이다.
  1라디안은 정삼각형의 한 변을 약간 구부린 부채꼴의 중심각이다.
  직관적으로 60°보다 조금 작을 것임을 알 수 있다.
  계산해 보면 대략 57°쯤 된다.

- 반지름의 길이가 r인 원에서 길이가 r인 호에 대한 중심각의 크기를 $a°$라 하면 호의 길이는 중심각의 크기에 정비례하므로

$$r : 2\pi r = a° : 360° \qquad \therefore a° = \frac{180°}{\pi}$$

즉, 중심각의 크기 $a°$는 원의 반지름의 길이에 관계 없이 $\frac{180°}{\pi}$로 일정하고, 이 각의 크기가 바로 1라디안이다.

- 라디안의 정의에 의해 반지름의 길이가 r인 원의 호의 길이가 πr이면 중심각은 π라디안이다. πr는 원의 둘레의 길이의 절반이다. 이때의 중심각의 크기는 180°이다.

$$\therefore \pi\text{라디안} = 180°$$

- 자주 사용하는 특수각은 외워 두는 것이 좋다.

육십분법	0°	30°	45°	60°	90°	180°	270°	360°
호도법	0	$\frac{\pi}{6}$	$\frac{\pi}{4}$	$\frac{\pi}{3}$	$\frac{\pi}{2}$	π	$\frac{3}{2}\pi$	2π

 원칙 1라디안 = $\frac{180°}{\pi}$, π라디안 = 180°, $1° = \frac{\pi}{180}$라디안

244 다음에서 육십분법은 호도법으로, 호도법은 육십분법으로 고쳐라.

(1) $\dfrac{\pi}{15}$ (2) 3   (3) $75°$ (4) $210°$

풍산자의 하나만 기억하면 끝! $\pi = 180°$

호도법을 육십분법으로 고치려면 ➡ (호도법)$\times \dfrac{180°}{\pi} =$ (육십분법)

육십분법을 호도법으로 고치려면 ➡ (육십분법)$\times \dfrac{\pi}{180} =$ (호도법)

➤ 풀이 (1) π가 들어 있는 경우에는 π를 $180°$로 바꿔치기 한다. ➡ $\dfrac{\pi}{15} = \dfrac{180°}{15} = \mathbf{12°}$

(2) $3 = 3 \times \dfrac{180°}{\pi} = \dfrac{\mathbf{540°}}{\pi}$

(3) $75° = 75 \times \dfrac{\pi}{180} = \dfrac{\mathbf{5}}{\mathbf{12}}\pi$

(4) $210° = 210 \times \dfrac{\pi}{180} = \dfrac{\mathbf{7}}{\mathbf{6}}\pi$

정답과 풀이 **31**쪽

유제 **245** 다음에서 육십분법은 호도법으로, 호도법은 육십분법으로 고쳐라.

(1) $\dfrac{3}{5}\pi$ (2) 180   (3) $\pi°$ (4) $15°$

246 다음 각의 동경이 나타내는 일반각 θ를 구하여라.

(1) $\dfrac{\pi}{3}$ (2) $-\dfrac{9}{4}\pi$

풍산자의 일반각은 $360° \times n + \alpha°$ ➡ $2n\pi + \alpha$ (단, n은 정수)

➤ 풀이 (1) $\theta = 2n\pi + \dfrac{\pi}{3}$ (단, n은 정수)

(2) $-\dfrac{9}{4}\pi = 2\pi \cdot (-2) + \dfrac{7}{4}\pi$

   $\therefore \theta = 2n\pi + \dfrac{7}{4}\pi$ (단, n은 정수)

정답과 풀이 **31**쪽

유제 **247** 다음 각의 동경이 나타내는 일반각 θ를 구하여라.

(1) $\dfrac{9}{2}\pi$ (2) $-\dfrac{10}{3}\pi$

04 | 부채꼴의 호의 길이와 넓이

호도법은 근본적으로 호의 길이와 중심각의 관계에 착안해서 정의된 단위이므로 부채꼴과 아주 밀접한 관련이 있다.

중학교에서 호의 길이와 넓이는 원의 둘레의 길이와 넓이에 각각 $\dfrac{(중심각의\ 크기)}{360°}$를 곱해서 구했지만 각의 단위를 라디안으로 바꾸어 생각하면 아주 간결한 형태의 식이 나타난다. 다만, 중심각의 크기가 육십분법으로 주어지면 반드시 호도법으로 고쳐서 적용해야 한다.

> **부채꼴의 호의 길이와 넓이**
> 반지름의 길이가 r, 중심각의 크기가 θ(라디안)인 부채꼴의 호의 길이를 l, 넓이를 S라 하면
> $$l=r\theta, \ S=\frac{1}{2}r^2\theta=\frac{1}{2}rl$$

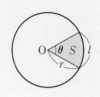

| 증명 | 그림과 같이 반지름의 길이가 r, 중심각의 크기가 θ(라디안)인 부채꼴 OAB의 호 AB의 길이를 l이라 하면 호의 길이는 중심각의 크기에 정비례하므로

$l:2\pi r=\theta:2\pi$, $2\pi r\theta=2\pi l$

$\therefore l=r\theta$

또 부채꼴 OAB의 넓이를 S라 하면 부채꼴의 넓이는 중심각의 크기에 정비례하므로

$S:\pi r^2=\theta:2\pi$, $\pi r^2\theta=2\pi S$

$\therefore S=\frac{1}{2}r^2\theta$

이때 $l=r\theta$이므로

$S=\frac{1}{2}r^2\theta=\frac{1}{2}r\cdot r\theta=\frac{1}{2}rl$

| 개념확인 | 다음을 구하여라.

(1) 반지름의 길이가 6, 중심각의 크기가 $\dfrac{\pi}{3}$인 부채꼴의 호의 길이와 넓이

(2) 반지름의 길이가 2, 중심각의 크기가 30°인 부채꼴의 호의 길이와 넓이

> **풀이** 부채꼴의 호의 길이를 l이라 하고, 그 넓이를 S라 하면
>
> (1) $l=6\times\dfrac{\pi}{3}=\mathbf{2\pi}$
>
> $\quad S=\dfrac{1}{2}\times 6^2\times\dfrac{\pi}{3}=\mathbf{6\pi}$
>
> (2) 30°를 호도법으로 바꾸면 $30°\times\dfrac{\pi}{180°}=\dfrac{\pi}{6}$이므로
>
> $\quad l=2\times\dfrac{\pi}{6}=\dfrac{\pi}{3}$
>
> $\quad S=\dfrac{1}{2}\times 2^2\times\dfrac{\pi}{6}=\dfrac{\pi}{3}$

248 다음 물음에 답하여라.

(1) 반지름의 길이가 8, 호의 길이가 2π인 부채꼴의 중심각의 크기와 넓이를 구하여라.

(2) 중심각의 크기가 1, 넓이가 1인 부채꼴의 반지름의 길이와 호의 길이를 구하여라.

풍산자팁 고등학교 수학 부채꼴 문제의 삼총사 $l=r\theta$, $S=\dfrac{1}{2}r^2\theta=\dfrac{1}{2}rl$

▶ **풀이** 부채꼴의 반지름의 길이를 r, 중심각의 크기를 θ, 호의 길이를 l, 넓이를 S라 하면

(1) $r=8$, $l=2\pi$이므로 $l=r\theta$에서 $2\pi=8\theta$ ∴ $\theta=\dfrac{\pi}{4}$

$$S=\frac{1}{2}rl=\frac{1}{2}\times 8\times 2\pi=8\pi$$

(2) $\theta=1$, $S=1$이므로 $S=\dfrac{1}{2}r^2\theta$에서 $1=\dfrac{1}{2}r^2\times 1$, $r^2=2$ ∴ $r=\sqrt{2}$ ($\because r>0$)

$$l=r\theta=\sqrt{2}\times 1=\sqrt{2}$$

정답과 풀이 **31**쪽

유제 **249** 다음 물음에 답하여라.

(1) 반지름의 길이가 4, 넓이가 10π인 부채꼴의 중심각의 크기와 호의 길이를 구하여라.

(2) 호의 길이가 2π, 넓이가 3π인 부채꼴의 반지름의 길이와 중심각의 크기를 구하여라.

250 둘레의 길이가 8인 부채꼴 중에서 그 넓이가 최대인 것의 반지름의 길이를 구하여라.

풍산자팁 반지름의 길이를 먼저 r로 놓으면 호의 길이를 r로 표현할 수 있다.

▶ **풀이** 부채꼴의 반지름의 길이를 r, 호의 길이를 l이라 하면 둘레의 길이가 8이므로 $2r+l=8$ ∴ $l=8-2r$

이때 $8-2r>0$, $r>0$이므로 $0<r<4$

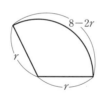

부채꼴의 넓이를 S라 하면

$$S=\frac{1}{2}rl=\frac{1}{2}r(8-2r)=-r^2+4r=-(r-2)^2+4$$

따라서 $r=2$, 즉 반지름의 길이가 **2**일 때, 부채꼴의 넓이는 최대가 된다.

정답과 풀이 **32**쪽

유제 **251** 둘레의 길이가 20인 부채꼴의 넓이의 최댓값을 구하여라.

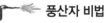

풍산자 비법

• 호도법의 변환은 하나만 기억하자! π라디안$=180°$

• 반지름의 길이가 r, 중심각의 크기가 θ(라디안)인 부채꼴의 호의 길이를 l, 넓이를 S라 하면

$$l=r\theta, \quad S=\frac{1}{2}r^2\theta=\frac{1}{2}rl$$

252

다음 중 각을 나타내는 동경이 존재하는 사분면이 나머지 넷과 <u>다른</u> 하나는?

① $-240°$　　② $-120°$　　③ $120°$

④ $480°$　　　⑤ $820°$

253

각 3θ를 나타내는 동경과 각 5θ를 나타내는 동경이 y축에 대하여 대칭일 때, 예각인 각 θ의 크기의 합을 구하여라.

254

다음 중 옳지 <u>않은</u> 것은?

① $30° = \dfrac{\pi}{6}$　　　② $108° = \dfrac{3}{5}\pi$

③ $200° = \dfrac{10}{9}\pi$　　　④ $\dfrac{3}{4}\pi = 135°$

⑤ $\dfrac{5}{3}\pi = 240°$

255

둘레의 길이가 14이고, 중심각의 크기가 $\dfrac{1}{3}$인 부채꼴의 넓이를 구하여라.

256

반지름의 길이가 6, 중심각의 크기가 $\dfrac{\pi}{3}$인 부채꼴의 넓이와 반지름의 길이가 r, 호의 길이가 3π인 부채꼴의 넓이가 같을 때, r의 값을 구하여라.

2 | 삼각함수의 공식

01 | 삼각비의 정의

삼각비

직각삼각형에서 각 θ의 크기가 일정하면 세 변의 비율은 삼각형의 크기에 관계없이 일정하게 된다. 이 비의 값을 각각 사인, 코사인, 탄젠트라 하고 이를 통틀어서 θ에 대한 **삼각비**라 한다.

$$\sin A = \frac{a}{b}, \ \cos A = \frac{c}{b}, \ \tan A = \frac{a}{c}$$

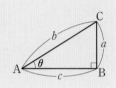

| 설명 | 다음 삼각비는 이후 등장할 모든 삼각함수의 계산의 기초가 되므로 확실하게 외워두어야 한다.

각 삼각비	0	$\frac{\pi}{6}(30°)$	$\frac{\pi}{4}(45°)$	$\frac{\pi}{3}(60°)$	$\frac{\pi}{2}(90°)$
$\sin \theta$	0	$\frac{1}{2}$	$\frac{1}{\sqrt{2}}$	$\frac{\sqrt{3}}{2}$	1
$\cos \theta$	1	$\frac{\sqrt{3}}{2}$	$\frac{1}{\sqrt{2}}$	$\frac{1}{2}$	0
$\tan \theta$	0	$\frac{1}{\sqrt{3}}$	1	$\sqrt{3}$	없음

| 삼각비 |

257 그림과 같이 $\angle B = 15°$인 직각삼각형 ABC의 변 BC 위에 $\angle ADC = 30°$가 되도록 점 D를 잡을 때, $\tan 15°$의 값을 구하여라.

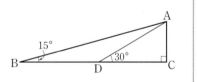

풍산자日 각의 크기가 $30°$, $60°$, $90°$로 이루어진 삼각형을 찾으면 세 변의 길이의 비율을 알 수 있다.

> **풀이** $\triangle ADC$는 세 변의 길이의 비가 $2 : \sqrt{3} : 1$인 직각삼각형이다. 또 $\angle ADC = \angle ABD + \angle BAD$이므로
> $\angle BAD = \angle ADC - \angle ABD = 30° - 15° = 15°$
> 즉, $\triangle ABD$는 그림과 같이 $\overline{AD} = \overline{BD}$인 이등변삼각형이다.
> 따라서 $\triangle ABC$에서 $\tan 15° = \dfrac{\overline{AC}}{\overline{BC}} = \dfrac{a}{2a + \sqrt{3}a} = \dfrac{1}{2 + \sqrt{3}} = 2 - \sqrt{3}$

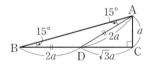

정답과 풀이 **32**쪽

유제 258 그림과 같이 $\angle B = \dfrac{\pi}{8}$인 직각삼각형 ABC의 변 BC 위에

$\angle ADC = \dfrac{\pi}{4}$가 되도록 점 D를 잡을 때, $\tan \dfrac{\pi}{8}$의 값을 구하여라.

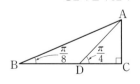

02 | 삼각함수의 정의

삼각비는 직각삼각형으로 정의한 값이기 때문에 각의 제한 조건을 갖는다.
이것을 임의의 일반각으로 확장한 것이 삼각함수인데, 이를 위해 좌표평면의 도움을 받아야
한다.

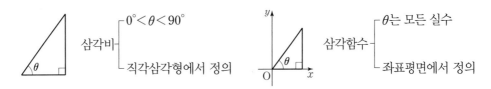

삼각함수의 뜻
반지름의 길이가 r인 원 위의 점 $P(x, y)$에 대하여 동경 OP가 나타내
는 일반각의 크기를 θ라 할 때

$$\sin \theta = \frac{y}{r}$$

$$\cos \theta = \frac{x}{r}$$

$$\tan \theta = \frac{y}{x} \ (x \neq 0)$$

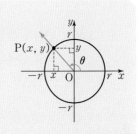

| 설명 | 위에서 정의한 함수를 통틀어 일반각 θ에 대한 삼각함수라 하며,
차례대로 사인함수, 코사인함수, 탄젠트함수라 부른다.

| 각이 육십분법으로 주어질 때 삼각함수의 값 |

259 $\sin 405°$, $\cos 405°$, $\tan 405°$의 값을 구하여라.

풍산자팁 $405° = 360° + 45°$를 이용해 구한다.

▶ **풀이** $405° = 360° + 45°$이므로 주어진 각의 동경을 그리면 한 바퀴 돌린 후
$45°$만큼 더 돌리면 된다.
그림과 같이 동경에서 x축에 수선을 그어 직각삼각형 하나를 만든다.
이 직각삼각형으로부터

$$\sin 405° = \frac{y}{r} = \frac{1}{\sqrt{2}}, \ \cos 405° = \frac{x}{r} = \frac{1}{\sqrt{2}}, \ \tan 405° = \frac{y}{x} = 1$$

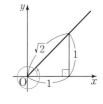

정답과 풀이 **33**쪽

유제 **260** $\sin 855°$, $\cos 855°$, $\tan 855°$의 값을 구하여라.

261 원점과 점 $P(-3, 4)$를 이은 선분을 동경으로 하는 각을 θ라 할 때, $\sin \theta$, $\cos \theta$, $\tan \theta$ 의 값을 각각 구하여라.

풍산자TIP 동경을 직접 그려 본다.

> **풀이** $\overline{OP} = \sqrt{(-3)^2 + 4^2} = 5$이므로

$$\sin \theta = \frac{y}{r} = \frac{4}{5}, \ \cos \theta = \frac{x}{r} = -\frac{3}{5}, \ \tan \theta = \frac{y}{x} = -\frac{4}{3}$$

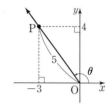

정답과 풀이 **33**쪽

유제 **262** 원점과 점 $P(12, -5)$를 이은 선분을 동경으로 하는 각을 θ라 할 때, $\sin \theta$, $\cos \theta$, $\tan \theta$의 값을 각각 구하여라.

263 $\theta = -\dfrac{\pi}{3}$일 때, $\sin \theta$, $\cos \theta$, $\tan \theta$의 값을 각각 구하여라.

풍산자TIP $-\dfrac{\pi}{3}$를 육십분법으로 바꾸어본다. 동경을 표현하는 좌표 하나를 얻을 수 있다.

> **풀이** 그림과 같이 반지름의 길이가 1인 원에서 $\theta = -\dfrac{\pi}{3}$의 동경과 이 원의 교점을 P, 점 P에서 x축에 내린 수선의 발을 H라 하면 직각 삼각형 POH에서 $\angle POH = \dfrac{\pi}{3}$이므로 점 P의 좌표는 $\left(\dfrac{1}{2}, \ -\dfrac{\sqrt{3}}{2} \right)$이다.

$$\therefore \sin \theta = -\frac{\sqrt{3}}{2}, \ \cos \theta = \frac{1}{2}, \ \tan \theta = -\sqrt{3}$$

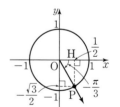

정답과 풀이 **33**쪽

유제 **264** $\theta = \dfrac{7}{6}\pi$일 때, $\sin \theta$, $\cos \theta$, $\tan \theta$의 값을 각각 구하여라.

03 | 삼각함수의 값의 부호

각 θ를 나타내는 동경 위의 점 $\mathrm{P}(x, y)$에 대하여 각 좌표의 부호는 동경이 위치한 사분면에 따라 결정된다. 예를 들어 동경이 제2사분면에 있으면 x좌표는 음수이지만 y좌표는 양수이므로 $\tan \theta = \dfrac{y}{x}$의 값은 음수가 된다.

삼각함수의 값의 부호
삼각함수의 값의 부호는 각 θ의 동경이 위치한 사분면에 따라 다음과 같이 정해진다.
(1) $\sin \theta$의 부호   (2) $\cos \theta$의 부호   (3) $\tan \theta$의 부호

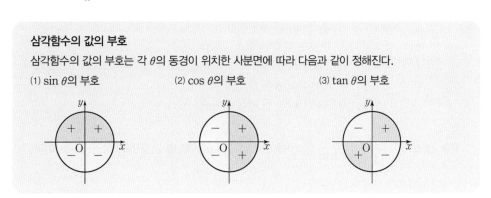

| 설명 | 각 θ를 나타내는 동경 위의 점 $\mathrm{P}(x, y)$에 대하여 x좌표와 y좌표의 부호는 동경이 위치한 사분면에 따라 결정되므로 삼각함수의 값의 부호는 다음과 같이 결정된다. (단, $\overline{\mathrm{OP}} = r \ (r > 0)$)

사분면 삼각함수	제1사분면 $(x > 0, y > 0)$	제2사분면 $(x < 0, y > 0)$	제3사분면 $(x < 0, y < 0)$	제4사분면 $(x > 0, y < 0)$
$\sin \theta = \dfrac{y}{r}$	+	+	−	−
$\cos \theta = \dfrac{x}{r}$	+	−	−	+
$\tan \theta = \dfrac{y}{x}$	+	−	+	−

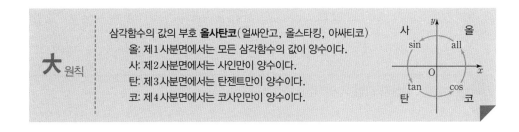

大 원칙

삼각함수의 값의 부호 **올사탄코**(얼싸안고, 올스타킹, 아싸티코)
올: 제1사분면에서는 모든 삼각함수의 값이 양수이다.
사: 제2사분면에서는 사인만이 양수이다.
탄: 제3사분면에서는 탄젠트만이 양수이다.
코: 제4사분면에서는 코사인만이 양수이다.

| 개념확인 |
$\theta = \dfrac{5}{4}\pi$일 때, $\sin \theta$, $\cos \theta$, $\tan \theta$의 값의 부호를 말하여라.

▶ 풀이　$\dfrac{5}{4}\pi$는 제3사분면의 각이므로 ◀ 탄젠트 동네

$\sin \dfrac{5}{4}\pi < 0$, $\cos \dfrac{5}{4}\pi < 0$, $\tan \dfrac{5}{4}\pi > 0$이다.

265 $\sin\theta\tan\theta>0$, $\cos\theta\tan\theta<0$을 만족시키는 θ는 제 몇 사분면의 각인지 구하여라.

풍산자팁 다음을 이용하여 각 삼각함수의 값의 부호를 판별한다.

(i) $AB>0$ ➡ A와 B의 부호가 같다. $A>0$, $B>0$ 또는 $A<0$, $B<0$

(ii) $AB<0$ ➡ A와 B의 부호가 다르다. $A>0$, $B<0$ 또는 $A<0$, $B>0$

➤ **풀이** (i) $\sin\theta\tan\theta>0$에서 $\sin\theta>0$, $\tan\theta>0$ 또는 $\sin\theta<0$, $\tan\theta<0$이므로 θ는 제1사분면 또는 제4사분면의 각이다.

(ii) $\cos\theta\tan\theta<0$에서 $\cos\theta>0$, $\tan\theta<0$ 또는 $\cos\theta<0$, $\tan\theta>0$이므로 θ는 제4사분면 또는 제3사분면의 각이다.

(i), (ii)에서 θ는 **제4사분면의 각**이다.

정답과 풀이 33쪽

유제 **266** $\dfrac{\cos\theta}{\sin\theta}>0$, $\dfrac{\cos\theta}{\tan\theta}<0$을 만족시키는 θ는 제 몇 사분면의 각인지 구하여라.

267 $180°<\theta<270°$일 때, $|\sin\theta+\cos\theta|-\sqrt{\cos^2\theta}+\sqrt[3]{(\sin\theta+\tan\theta)^3}$을 간단히 하여라.

풍산자팁 $180°<\theta<270°$일 때, $\sin\theta+\cos\theta$, $\cos\theta$, $\sin\theta+\tan\theta$의 부호를 각각 판별하여 절댓값 기호와 근호를 없앤다.

$$\Rightarrow \sqrt{A^2}=|A|=\begin{cases} A & (A\geq0) \\ -A & (A<0) \end{cases}$$

➤ **풀이** $180°<\theta<270°$에서 θ는 제3사분면의 각 ➡ 제3사분면은 탄젠트 동네 ➡ 탄젠트만 양수

즉, $\sin\theta<0$, $\cos\theta<0$이므로 $\sin\theta+\cos\theta<0$

$\therefore |\sin\theta+\cos\theta|-\sqrt{\cos^2\theta}+\sqrt[3]{(\sin\theta+\tan\theta)^3}$

$\quad=-(\sin\theta+\cos\theta)+\cos\theta+(\sin\theta+\tan\theta)=\mathbf{\tan\theta}$

정답과 풀이 33쪽

유제 **268** $90°<\theta<180°$일 때, $\sqrt{\cos^2\theta}-|\tan\theta-\sin\theta|-\sqrt[3]{(\tan\theta-\cos\theta)^3}$을 간단히 하여라.

풍산자 비법

• 좌표평면에서 삼각함수를 정의한다.

➜ $\sin\theta=\dfrac{y}{r}$, $\cos\theta=\dfrac{x}{r}$, $\tan\theta=\dfrac{y}{x}$

• 좌표평면에서 삼각함수의 값의 부호는 올사탄코!

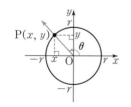

04 | 삼각함수 사이의 관계

직각삼각형의 세 변의 비율을 정의한 것이 삼각비.

밑변, 높이, 빗변이 sin, cos, tan의 구성요소이기 때문에 삼각함수 사이에서도 관계식을 찾을 수 있다. 지금 배울 삼각함수 사이의 관계는 식을 간단히 하는 공식이다.

> **삼각함수 사이의 관계** 중요!
>
> (1) $\tan\theta = \dfrac{\sin\theta}{\cos\theta}$
>
> (2) $\sin^2\theta + \cos^2\theta = 1$

| 증명 |

(1) $\tan\theta = \dfrac{\sin\theta}{\cos\theta}$

그림과 같이 각 θ를 나타내는 동경과 원 $x^2+y^2=1$의 교점을 $\mathrm{P}(x, y)$라 하면

$\sin\theta = \dfrac{y}{1} = y$, $\cos\theta = \dfrac{x}{1} = x$, $\tan\theta = \dfrac{y}{x}$ $(x \neq 0)$

$\therefore \tan\theta = \dfrac{y}{x} = \dfrac{\sin\theta}{\cos\theta}$

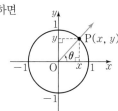

(2) $\sin^2\theta + \cos^2\theta = 1$

$x^2+y^2=1$이므로 $\cos^2\theta + \sin^2\theta = 1$, 즉 $\sin^2\theta + \cos^2\theta = 1$

| 식 간단히 하기 |

269 $\dfrac{\sin\theta}{1+\cos\theta} + \dfrac{\sin\theta}{1-\cos\theta}$ 를 간단히 하여라.

풍산자 삼각함수 사이의 관계에서 가장 기본이 되는 공식은 $\sin^2\theta + \cos^2\theta = 1$

▶ 풀이

$$(주어진 식) = \frac{\sin\theta\,(1-\cos\theta) + \sin\theta\,(1+\cos\theta)}{(1+\cos\theta)(1-\cos\theta)}$$

$$= \frac{2\sin\theta}{1-\cos^2\theta} = \frac{2\sin\theta}{\sin^2\theta}$$

$$= \frac{2}{\sin\theta}$$

정답과 풀이 **33**쪽

유제 270 $\dfrac{\cos^2\theta}{1-\sin\theta} + \dfrac{\cos^2\theta}{1+\sin\theta}$ 를 간단히 하여라.

271 θ가 제2사분면의 각이고 $\sin\theta = \dfrac{3}{5}$일 때, $\cos\theta$, $\tan\theta$의 값을 각각 구하여라.

풍산자 [방법 1] 삼각함수 사이의 관계를 이용하여 다른 삼각함수의 값을 구한다.

[방법 2] 직각삼각형을 이용하여 값을 구한 후, 몇 사분면의 각인지 파악하여 부호를 정한다.

▶ 풀이 [방법 1] $\cos^2\theta = 1 - \sin^2\theta = 1 - \left(\dfrac{3}{5}\right)^2 = \dfrac{16}{25}$

$$\therefore \cos\theta = \pm\dfrac{4}{5}$$

그런데 θ는 제2사분면의 각이므로 $\cos\theta$는 음수이다.

$$\therefore \cos\theta = -\dfrac{4}{5}$$

$$\therefore \tan\theta = \dfrac{\sin\theta}{\cos\theta} = \dfrac{\dfrac{3}{5}}{-\dfrac{4}{5}} = -\dfrac{3}{4}$$

[방법 2] θ를 예각 x로 가정하면

$\sin x = \dfrac{3}{5}$을 만족시키는 직각삼각형은 그림과 같다.

이 직각삼각형에서

$\cos x = \dfrac{4}{5}$, $\tan x = \dfrac{3}{4}$

그런데 θ는 제2사분면의 각이므로 $\sin$만 양수이다.

$$\therefore \cos\theta = -\dfrac{4}{5}, \tan\theta = -\dfrac{3}{4}$$

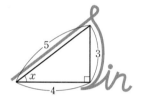

정답과 풀이 **33**쪽

유제 **272** θ가 제4사분면의 각이고 $\cos\theta = \dfrac{12}{13}$일 때, $\sin\theta$, $\tan\theta$의 값을 각각 구하여라.

273 $\sin\theta+\cos\theta=\dfrac{1}{3}$일 때, 다음 식의 값을 구하여라.

(1) $\sin\theta\cos\theta$ (2) $\sin\theta-\cos\theta$

(3) $\sin^3\theta+\cos^3\theta$

> **풍산자팁** 삼각함수의 합 또는 차가 주어지면 제곱하여 $\sin^2\theta+\cos^2\theta=1$임을 이용한다.
>
> $(\sin\theta\pm\cos\theta)^2=\sin^2\theta\pm2\sin\theta\cos\theta+\cos^2\theta=1\pm2\sin\theta\cos\theta$ (복부호 동순)

❯ 풀이 (1) $\sin\theta+\cos\theta=\dfrac{1}{3}$의 양변을 제곱하면

$$\sin^2\theta+2\sin\theta\cos\theta+\cos^2\theta=\frac{1}{9}$$

$$1+2\sin\theta\cos\theta=\frac{1}{9}$$

$$\therefore\ \sin\theta\cos\theta=-\frac{4}{9}$$

(2) $(\sin\theta-\cos\theta)^2=\sin^2\theta-2\sin\theta\cos\theta+\cos^2\theta$

$$=1-2\sin\theta\cos\theta$$

$$=1-2\cdot\left(-\frac{4}{9}\right)=\frac{17}{9}\quad\Longleftarrow\ (1)\ \sin\theta\cos\theta=-\frac{4}{9}$$

$$\therefore\ \sin\theta-\cos\theta=\pm\sqrt{\frac{17}{9}}=\pm\frac{\sqrt{17}}{3}$$

(3) $\sin^3\theta+\cos^3\theta=(\sin\theta+\cos\theta)(\sin^2\theta-\sin\theta\cos\theta+\cos^2\theta)$

$$=\frac{1}{3}\cdot\left\{1-\left(-\frac{4}{9}\right)\right\}=\frac{13}{27}\quad\Longleftarrow\ (1)\ \sin\theta\cos\theta=-\frac{4}{9}$$

❯ 다른 풀이 (3) $\sin^3\theta+\cos^3\theta=(\sin\theta+\cos\theta)^3-3\sin\theta\cos\theta(\sin\theta+\cos\theta)$

$$=\left(\frac{1}{3}\right)^3-3\cdot\left(-\frac{4}{9}\right)\cdot\frac{1}{3}=\frac{13}{27}\quad\Longleftarrow\ (1)\ \sin\theta\cos\theta=-\frac{4}{9}$$

정답과 풀이 **34**쪽

유제 274 $\sin\theta-\cos\theta=\dfrac{1}{2}$일 때, 다음 식의 값을 구하여라.

(1) $\sin\theta\cos\theta$

(2) $\sin\theta+\cos\theta$

(3) $\sin^3\theta-\cos^3\theta$

275 이차방정식 $2x^2-ax+1=0$의 두 근이 $\sin\theta$, $\cos\theta$일 때, 상수 a의 값을 구하여라.

> **풍산자日** 이차방정식의 두 근이 $\sin\theta$, $\cos\theta$로 주어지면 근과 계수의 관계를 이용하여 합과 곱의 값을 구한다.

> ▶ **풀이** 이차방정식 $2x^2-ax+1=0$의 두 근이 $\sin\theta$, $\cos\theta$이므로 이차방정식의 근과 계수의 관계에 의하여
>
> $\sin\theta+\cos\theta=\dfrac{a}{2}$ ...... ㉠
>
> $\sin\theta\cos\theta=\dfrac{1}{2}$ ...... ㉡
>
> ㉠의 양변을 제곱하면
>
> $\sin^2\theta+2\sin\theta\cos\theta+\cos^2\theta=\dfrac{a^2}{4}$
>
> $1+2\sin\theta\cos\theta=\dfrac{a^2}{4}$
>
> ㉡을 이 식에 대입하면
>
> $1+2\cdot\dfrac{1}{2}=\dfrac{a^2}{4}$
>
> $a^2=8$
>
> $\therefore a=\pm2\sqrt{2}$

정답과 풀이 **34**쪽

유제 **276** 이차방정식 $2x^2-(\sqrt{3}+1)x+a=0$의 두 근이 $\sin\theta$, $\cos\theta$일 때, 상수 a의 값을 구하여라.

풍산자 비법

삼각함수 사이의 관계를 이용하여 식을 간단히 만들 수 있다.

→ $\tan\theta=\dfrac{\sin\theta}{\cos\theta}$

→ $\sin^2\theta+\cos^2\theta=1$

277

원점과 점 $P(-4, -3)$을 이은 선분을 동경으로 하는 각을 θ라 할 때, $\dfrac{4\tan\theta}{\sin\theta-\cos\theta}$의 값을 구하여라.

278

다음 중 θ가 제2사분면의 각인 것은?

① $\sin\theta<0$, $\cos\theta<0$

② $\sin\theta<0$, $\cos\theta>0$

③ $\sin\theta>0$, $\tan\theta>0$

④ $\sin\theta>0$, $\tan\theta<0$

⑤ $\cos\theta>0$, $\tan\theta<0$

279

θ가 제4사분면의 각이고 $\dfrac{1+\cos\theta}{1-\cos\theta}=4$일 때, $10\cos\theta-9\tan\theta$의 값을 구하여라.

280

$\sin\theta\cos\theta=\dfrac{1}{4}$일 때, 다음 식의 값을 구하여라.

(1) $\sin\theta+\cos\theta$

(2) $\sin\theta-\cos\theta$

(3) $\dfrac{\cos^2\theta}{\sin^2\theta}+\dfrac{\sin^2\theta}{\cos^2\theta}$

281

이차방정식 $5x^2-7x+a=0$의 두 근이 $\sin\theta$, $\cos\theta$일 때, $\dfrac{a}{\sin\theta-\cos\theta}$의 값을 구하여라.

(단, a는 상수, $\sin\theta>\cos\theta$)

중단원 마무리

▶ 일반각과 호도법

일반각	한 각의 크기가 $a°$ $(0°\le a°<360°)$일 때, 일반각은 $360°\times n+a°$ (단, n은 정수)
호도법	① π라디안$=180°$, 1라디안$\fallingdotseq57°$ ② π라디안$=180°$에서 1라디안$=\dfrac{180°}{\pi}$, $1°=\dfrac{\pi}{180}$ 라디안 ③ (호도법)$\times\dfrac{180°}{\pi}=$(육십분법), (육십분법)$\times\dfrac{\pi}{180}=$(호도법)
부채꼴	① 호의 길이: $l=r\theta$ ② 부채꼴의 넓이: $S=\dfrac{1}{2}r^2\theta=\dfrac{1}{2}rl$

▶ 삼각비

삼각비 \ θ	$0°=0$	$30°=\dfrac{\pi}{6}$	$45°=\dfrac{\pi}{4}$	$60°=\dfrac{\pi}{3}$	$90°=\dfrac{\pi}{2}$	삼각형
$\sin\theta$	0	$\dfrac{1}{2}$	$\dfrac{1}{\sqrt{2}}$	$\dfrac{\sqrt{3}}{2}$	1	
$\cos\theta$	1	$\dfrac{\sqrt{3}}{2}$	$\dfrac{1}{\sqrt{2}}$	$\dfrac{1}{2}$	0	
$\tan\theta$	0	$\dfrac{1}{\sqrt{3}}$	1	$\sqrt{3}$	없음	

▶ 삼각함수

삼각함수의 정의	$\sin\theta=\dfrac{y}{r}$, $\cos\theta=\dfrac{x}{r}$, $\tan\theta=\dfrac{y}{x}$
삼각함수의 값의 부호	삼각함수의 값의 부호 올사탄코(얼싸안고, 올스타킹, 아싸티코) 올: 제1사분면에서는 모든 삼각함수의 값이 양수이다. 사: 제2사분면에서는 사인만이 양수이다. 탄: 제3사분면에서는 탄젠트만이 양수이다. 코: 제4사분면에서는 코사인만이 양수이다.

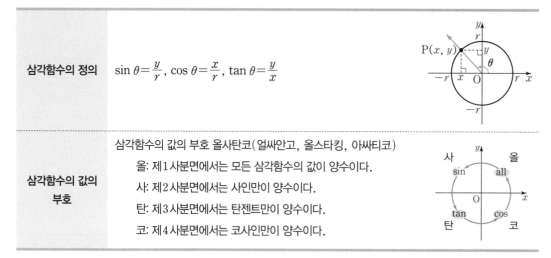

실전 연습문제

STEP 1

282

각 θ를 나타내는 동경과 각 5θ를 나타내는 동경이 x축에 대하여 대칭일 때, $\sin \theta$의 값을 구하여라.

(단, $0° < \theta < 180°$)

283

다음은 호도법에 대한 설명이다.

그림과 같이 반지름의 길이가 r, 중심이 O인 원에서 길이가 l인 호 AB에 대한 중심각 AOB의 크기를 $a°$라 하면 호 AB의 길이는 중심각의 크기 $a°$에 비례한다.

따라서 $\dfrac{l}{\boxed{(가)}} = \dfrac{a°}{360°}$

여기서 $l = r$이면 $a° = \boxed{(나)}$

이 경우 중심각의 크기 $a°$는 원의 반지름의 길이에 관계없이 항상 일정하다. 이 일정한 각의 크기를 1라디안이라 하고, 이것을 단위로 하여 각의 크기를 나타내는 방법을 호도법이라 한다.

위에서 (가), (나)에 알맞은 것을 순서대로 적어라.

284

그림과 같은 부채꼴에서 다음을 구하여라.

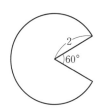

(1) 둘레의 길이

(2) 넓이

285

그림과 같은 부채꼴 OAB의 중심각의 크기 θ를 $\dfrac{1}{2}$배 하고, 반지름의 길이 r를 4배 하면 호의 길이와 넓이는 어떻게 변화하는가?

① 호의 길이는 $\dfrac{1}{2}$배가 되고, 넓이는 같다.

② 호의 길이는 $\dfrac{1}{2}$배가 되고, 넓이는 2배가 된다.

③ 호의 길이와 넓이가 모두 2배가 된다.

④ 호의 길이는 2배가 되고, 넓이는 4배가 된다.

⑤ 호의 길이는 2배가 되고, 넓이는 8배가 된다.

286

$\cos\theta \neq 0$이고, $\sqrt{\dfrac{\sin\theta}{\cos\theta}} = -\dfrac{\sqrt{\sin\theta}}{\sqrt{\cos\theta}}$를 만족시키

는 각 θ에 대하여

$$\sqrt{(\sin\theta - \tan\theta)^2} - |\cos\theta - \sin\theta| - \sqrt{\tan^2\theta}$$

를 간단히 하여라.

287

$\sin\theta + \cos\theta = \sqrt{2}$일 때 $\sin\theta\cos\theta$의 값을 구하
여라.

288

이차방정식 $2x^2 - kx + 1 = 0$의 두 근이 $\sin\theta$,
$\cos\theta$일 때, k^2의 값을 구하여라.

STEP2

289

직선 $y = x$에 대하여 대칭인 두 직선 $y = ax$,
$y = bx$가 이루는 각의 크기가 $30°$일 때,
$3(a^2 + b^2)$의 값을 구하여라. (단, $a > b > 0$)

290

넓이가 9인 부채꼴의 둘레의 길이의 최솟값을 구
하여라.

291

그림과 같이 반지름의 길
이가 1인 원 O 위에 두
점 A, B가 있다. 점 A
에서의 접선이 $\overline{OB}$의
연장선과 만나는 점을

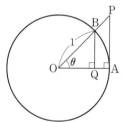

P, 점 B에서 $\overline{OA}$에 내린 수선의 발을 Q라 하고
$\angle AOB = \theta$이다.
$\overline{OQ} = 2\overline{AP} \cdot \overline{BQ}$가 성립할 때, $\sin^2\theta$의 값을 구하
여라. $\left(\text{단, } 0 < \theta < \dfrac{\pi}{2}\right)$

2

삼각함수의 그래프

함수는 크게 세 가지가 있다.

다항함수, 지수·로그함수 그리고 삼각함수.

모양이 반복되는 특징을 가진 삼각함수의 그래프를 배워 보자.

1 삼각함수의 그래프

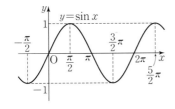

2 삼각함수의 그래프의 활용

$$\sin x = \frac{1}{2}$$

$$\sin x > \frac{1}{2}$$

$$\sin x < \frac{1}{2}$$

1 삼각함수의 그래프

01 │ 주기함수와 대칭함수

[1] 주기함수

같은 모양의 그래프가 반복되는 함수를 주기함수라 하고, 반복되는 최소의 폭을 주기라 한다.
삼각함수는 모두 같은 모양의 그래프가 반복되는 주기함수이다.

> **주기함수**
> 함수 $f(x)$의 정의역에 속하는 모든 x에 대하여
> $$f(x+p)=f(x)$$
> 를 만족시키는 0이 아닌 상수 p가 존재할 때, 함수 $f(x)$를 **주기함수**라 하고, 이 상수 p 중에서 가장 작은 양수를 함수 $f(x)$의 **주기**라 한다.

| 설명 | 반복되는 최소의 폭이 주기이다. 즉, 함수 $f(x)$가 주기가 p인 주기함수이면
$$f(x)=f(x+p)=f(x+2p)=\cdots$$

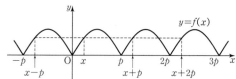

[2] 짝함수와 홀함수

대칭성을 갖는 함수 중 대표적인 유형이 두 가지 있다.

구분	식의 성질	그래프	중요 함수
짝함수 (우함수)	$f(-x)=f(x)$	y축 대칭	① 짝수차항만 있는 다항함수 ② $y=\cos x$
홀함수 (기함수)	$f(-x)=-f(x)$	원점 대칭	① 홀수차항만 있는 다항함수 ② $y=\sin x$, $y=\tan x$

⑴ $f(-x)=f(x)$는 $-x$와 x에서의 y의 값이 같음을 의미한다. 이것은 짝함수의 그래프가 y축에 대하여 대칭임을 의미한다.

⑵ $f(-x)=-f(x)$는 $-x$와 x에서의 y의 값이 부호만 다름을 의미한다. 이것은 홀함수의 그래프가 원점에 대하여 대칭임을 의미한다.

[짝함수]   [홀함수]

02 | 삼각함수의 그래프

[1] $y=\sin x$의 그래프

$y=\sin x$의 그래프와 성질

(1) 정의역은 실수 전체의 집합이다.

(2) 치역은 $\{y|-1 \le y \le 1\}$이다.

(3) 그래프는 원점에 대하여 대칭이다. ⇒ $\sin(-x)=-\sin x$

(4) 주기가 2π인 주기함수이다.

　　⇒ $\sin(2n\pi+x)=\sin x$ (단, n은 정수)

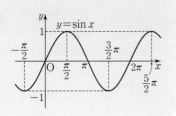

| 설명 | 그림과 같이 각 θ를 나타내는 동경과 원 $x^2+y^2=1$의 교점을 $P(x, y)$라 하면

$\sin\theta = \dfrac{y}{1} = y$이므로 $\sin\theta$의 값은 점 P의 y좌표에 의해 정해진다.

따라서 각 θ의 크기의 변화에 따른 $\sin\theta$의 값의 변화를 좌표평면 위에 나타내어 함수 $y=\sin\theta$의 그래프를 그리면 다음과 같다.

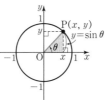

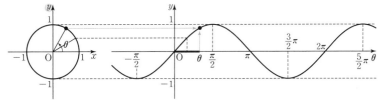

[2] $y=\cos x$의 그래프

$y=\cos x$의 그래프와 성질

(1) 정의역은 실수 전체의 집합이다.

(2) 치역은 $\{y|-1 \le y \le 1\}$이다.

(3) 그래프는 y축에 대하여 대칭이다. ⇒ $\cos(-x)=\cos x$

(4) 주기가 2π인 주기함수이다.

　　⇒ $\cos(2n\pi+x)=\cos x$ (단, n은 정수)

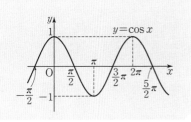

| 설명 | 그림과 같이 각 θ를 나타내는 동경과 원 $x^2+y^2=1$의 교점을 $P(x, y)$라 하면

$\cos\theta = \dfrac{x}{1} = x$이므로 $\cos\theta$의 값은 점 P의 x좌표에 의해 정해진다.

따라서 각 θ의 크기의 변화에 따른 $\cos\theta$의 값의 변화를 좌표평면 위에 나타내어 함수 $y=\cos\theta$의 그래프를 그리면 다음과 같다.

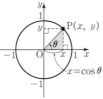

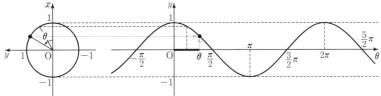

[3] $y=\tan x$의 그래프

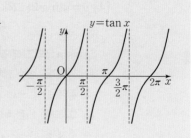

$y=\tan x$의 그래프와 성질

(1) 정의역은 $n\pi+\dfrac{\pi}{2}$ (n은 정수)를 제외한 실수 전체의 집합이다.

(2) 치역은 실수 전체의 집합이다.

(3) 그래프는 원점에 대하여 대칭이다. ➡ $\tan(-x)=-\tan x$

(4) 주기가 π인 주기함수이다.

　➡ $\tan(n\pi+x)=\tan x$ (단, n은 정수)

(5) 그래프의 점근선은 직선 $x=n\pi+\dfrac{\pi}{2}$ (n은 정수)이다.

| 설명 | 그림과 같이 각 θ를 나타내는 동경과 원 $x^2+y^2=1$의 교점을 $P(x,\ y)$라 하고 이 원 위의 점 $(1,\ 0)$에서의 접선 $x=1$과 동경 OP가 만나는 점을 $T(1,\ t)$라 하면 $\tan\theta=\dfrac{y}{x}=\dfrac{t}{1}=t$이므로 $\tan\theta$의 값은 점 T의 y좌표에 의해 정해진다.

따라서 각 θ의 크기의 변화에 따른 $\tan\theta$의 값의 변화를 좌표평면 위에 나타내어 함수 $y=\tan\theta$의 그래프를 그리면 다음과 같다.

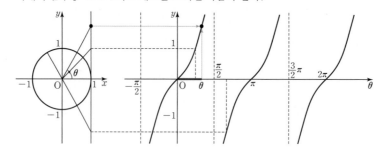

| 개념확인 | 다음 중 옳지 <u>않은</u> 것은?

① 모든 실수 x에 대하여 $-1\le\sin x\le1$이다.

② 함수 $y=\sin x$의 그래프는 원점에 대하여 대칭이다.

③ 함수 $y=\cos x$의 최댓값은 1이다.

④ 함수 $y=\cos x$의 정의역은 실수 전체의 집합이다.

⑤ 함수 $y=\tan x$의 주기는 2π이다.

➤ **풀이**　함수 $y=\tan x$의 주기는 π이므로 답은 ⑤이다.

함수 $y=\sin x$의 그래프를 양 옆으로 늘리거나 위로 잡아 당겨 모양을 길쭉하게 만들 수는 없을까? 그렇다면 주기와 최댓값, 최솟값은 어떻게 될까?

함수 $y=a\sin bx$의 그래프가 바로 함수 $y=\sin x$의 그래프를 변형한 모양.

$a>0$, $b>0$일 때, 함수 $y=a\sin bx$의 그래프의 모양은 대강 $y=\sin x$의 그래프와 같다.

a는 위아래로 늘리거나 줄이는 효과를 주고, b는 아코디언의 주름진 부분처럼 양 옆으로 넓어지거나 좁아지는 효과를 준다.

---

(1) $y=a\sin bx$, $y=a\cos bx$의 그래프

$y=a\sin bx$, $y=a\cos bx$의 그래프는 $y=\sin x$, $y=\cos x$의 그래프를 각각 y축의 방향으로 $|a|$배, x축의 방향으로 $\dfrac{1}{|b|}$배 확대 또는 축소한 그래프이다.

① 치역: $\{y|-|a|\leq y\leq|a|\}$ ➡ 최댓값: $|a|$, 최솟값: $-|a|$

② 주기: $\dfrac{2\pi}{|b|}$

(2) $y=a\tan bx$의 그래프

$y=a\tan bx$의 그래프는 $y=\tan x$의 그래프를 y축의 방향으로 $|a|$배, x축의 방향으로 $\dfrac{1}{|b|}$배 확대 또는 축소한 그래프이다.

① 치역: 실수 전체의 집합 ➡ 최댓값, 최솟값은 없다.

② 주기: $\dfrac{\pi}{|b|}$

이제는 이 함수들을 오른쪽−왼쪽, 위−아래로 이동시켜 보자.

x축의 방향으로 평행이동하면 주기와 치역 모두 변하지 않는다.

y축의 방향으로 평행이동하면 주기는 변하지 않지만 치역은 변한다.

---

(1) $y=a\sin(bx+c)+d$, $y=a\cos(bx+c)+d$의 그래프 중요!

$y=a\sin bx$, $y=a\cos bx$의 그래프를 각각 x축의 방향으로 $-\dfrac{c}{b}$만큼, y축의 방향으로 d만큼 평행이동한 그래프이다.

① 치역: $\{y|-|a|+d\leq y\leq|a|+d\}$ ➡ 최댓값: $|a|+d$, 최솟값: $-|a|+d$

② 주기: $\dfrac{2\pi}{|b|}$

(2) $y=a\tan(bx+c)+d$의 그래프 중요!

$y=a\tan bx$의 그래프를 x축의 방향으로 $-\dfrac{c}{b}$만큼, y축의 방향으로 d만큼 평행이동한 그래프이다.

① 치역: 실수 전체의 집합 ➡ 최댓값, 최솟값은 없다.

② 주기: $\dfrac{\pi}{|b|}$

---

292 다음 함수의 최댓값, 최솟값, 주기를 구하고, 그 그래프를 그려라.

(1) $y = 3 \sin x$ (2) $y = 2 \cos 3x$ (3) $y = \tan \dfrac{1}{2} x$

풍산자日 $y = a \sin bx$의 그래프는 y축의 방향으로 $|a|$배하고 x축의 방향으로 $\dfrac{1}{|b|}$배한 것이다. a배 만큼 최댓값, 최솟값이 변하고, $\dfrac{1}{b}$배만큼 주기가 변한다.

▶풀이

(1) 최댓값: 3, 최솟값: -3, 주기: $\dfrac{2\pi}{1} = 2\pi$

$y = 3 \sin x$의 그래프는 $y = \sin x$의 그래프를 y축의 방향으로 3배(확대)한 것이므로 그림과 같다.

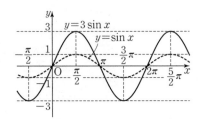

(2) 최댓값: 2, 최솟값: -2, 주기: $\dfrac{2\pi}{3}$

$y = 2 \cos 3x$의 그래프는 $y = \cos x$의 그래프를 y축의 방향으로 2배, x축의 방향으로 $\dfrac{1}{3}$배한 것이므로 그림과 같다.

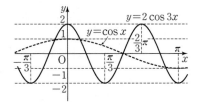

(3) 최댓값, 최솟값: 없다., 주기: $\dfrac{\pi}{\frac{1}{2}} = 2\pi$

$y = \tan \dfrac{1}{2} x$의 그래프는 $y = \tan x$의 그래프를 x축의 방향으로 2배한 것이므로 그림과 같다.

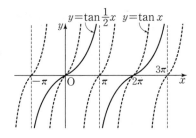

▶참고 주기는 $f(x+p) = f(x)$를 만족시키는 최소의 양수이므로 다음과 같이 구할 수 있다.

(1) $f(x) = 3 \sin x = 3 \sin (x + 2\pi) = f(x + 2\pi)$

(2) $f(x) = 2 \cos 3x = 2 \cos (3x + 2\pi) = 2 \cos 3\left(x + \dfrac{2}{3}\pi\right) = f\left(x + \dfrac{2}{3}\pi\right)$

(3) $f(x) = 2 \tan \dfrac{1}{2} x = \tan \left(\dfrac{1}{2} x + \pi\right) = \tan \dfrac{1}{2}(x + 2\pi) = f(x + 2\pi)$

정답과 풀이 **37**쪽

유제 293 다음 함수의 최댓값, 최솟값, 주기를 구하고, 그 그래프를 그려라.

(1) $y = 4 \sin \dfrac{1}{2} x$ (2) $y = \cos 2x$ (3) $y = 2 \tan 2x$

294 다음 함수의 그래프를 그리고, 최댓값, 최솟값, 주기를 구하여라.

(1) $y=\dfrac{1}{2}\sin\left(x-\dfrac{\pi}{6}\right)$ (2) $y=-3\cos x+1$ (3) $y=2\tan\left(\dfrac{1}{2}x-\dfrac{\pi}{6}\right)$

풍산자티 $y=a\sin(bx+c)+d$ 꼴 ➡ $y=a\sin b(x-m)+n$ 꼴로 변형한다.
a, b로 그래프의 개형을 먼저 잡은 뒤, m, n으로 평행이동을 한다.

> 풀이

(1) $y=\dfrac{1}{2}\sin\left(x-\dfrac{\pi}{6}\right)$의 그래프는 $y=\sin x$의 그래프를 y축의 방향으로 $\dfrac{1}{2}$배한 후 x축의 방향으로 $\dfrac{\pi}{6}$만큼 평행이동한 것이다.

따라서 그래프는 그림과 같고, **최댓값**은 $\dfrac{1}{2}$, **최솟값**은 $-\dfrac{1}{2}$, 주기는 $\dfrac{2\pi}{1}=2\pi$이다.

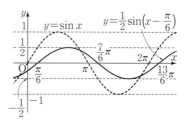

(2) $y=-3\cos x+1$의 그래프는 $y=\cos x$의 그래프를 x축에 대하여 대칭이동한 후 y축의 방향으로 3배한 다음 y축의 방향으로 1만큼 평행이동한 것이다.
따라서 그래프는 그림과 같고, **최댓값**은 $3+1=4$, **최솟값**은 $-3+1=-2$, 주기는 2π이다.

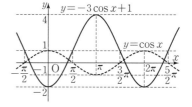

(3) $y=2\tan\left(\dfrac{1}{2}x-\dfrac{\pi}{6}\right)=2\tan\dfrac{1}{2}\left(x-\dfrac{\pi}{3}\right)$의 그래프는 $y=\tan x$의 그래프를 y축의 방향으로 2배, x축의 방향으로 2배한 후 x축의 방향으로 $\dfrac{\pi}{3}$만큼 평행이동한 것이다.
따라서 그래프는 그림과 같고, **최댓값**, **최솟값**은 없고, 주기는 $\dfrac{\pi}{\frac{1}{2}}=2\pi$이다.

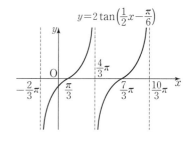

> 참고

삼각함수	최댓값	최솟값	주기
$y=a\sin(bx+c)+d$	$\lvert a\rvert+d$	$-\lvert a\rvert+d$	$\dfrac{2\pi}{\lvert b\rvert}$
$y=a\cos(bx+c)+d$	$\lvert a\rvert+d$	$-\lvert a\rvert+d$	$\dfrac{2\pi}{\lvert b\rvert}$
$y=a\tan(bx+c)+d$	없다.	없다.	$\dfrac{\pi}{\lvert b\rvert}$

정답과 풀이 37쪽

유제 295 다음 함수의 그래프를 그리고, 최댓값, 최솟값, 주기를 구하여라.

(1) $y=-2\sin 4x+1$ (2) $y=\cos(3x-\pi)+2$ (3) $y=\dfrac{1}{2}\tan\left(2x-\dfrac{\pi}{2}\right)$

296 함수 $f(x)=a\sin\left(\dfrac{\pi}{3}-\dfrac{x}{b}\right)+c$의 최솟값이 -5, 주기가 2π이고 $f\left(\dfrac{\pi}{6}\right)=1$일 때, 상수 a, b, c의 값을 구하여라. (단, $a>0$, $b>0$)

풍산자曰 순서대로 차근히 풀어야 어렵지 않다.

기본적인 $f(x)=\sin x$에서 최댓값과 최솟값이 어떻게 변했는지, 무엇에 대해 대칭이동했는지, 평행이동을 무슨 축으로 얼마만큼 했는지 따져 본다.

➤풀이 최솟값이 -5이고 $a>0$이므로 $-a+c=-5$ $\qquad\qquad$ ……㉠

주기가 2π이고 $b>0$이므로 $\dfrac{2\pi}{\frac{1}{b}}=2\pi$ $\quad\therefore\ \boldsymbol{b=1}$ $\quad\therefore\ f(x)=a\sin\left(\dfrac{\pi}{3}-x\right)+c$

$f\left(\dfrac{\pi}{6}\right)=1$이므로 $a\sin\left(\dfrac{\pi}{3}-\dfrac{\pi}{6}\right)+c=1$, $a\sin\dfrac{\pi}{6}+c=1$ $\quad\therefore\ \dfrac{1}{2}a+c=1$ $\quad$ ……㉡

㉠, ㉡을 연립하여 풀면 $\boldsymbol{a=4}$, $\boldsymbol{c=-1}$

정답과 풀이 **37**쪽

유제 **297** 함수 $f(x)=a\cos(bx+\pi)-c$의 **최댓값이** $\dfrac{9}{2}$, **주기가** π이고 $f\left(-\dfrac{\pi}{3}\right)=2$일 때, 상수 a, b, c의 값을 구하여라. (단, $a>0$, $b>0$)

298 함수 $y=a\sin(bx-c)$의 그래프가 그림과 같을 때, 상수 a, b, c의 값을 구하여라. (단, $a>0$, $b>0$, $0\le c<2\pi$)

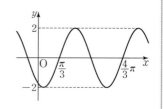

풍산자曰 그래프를 통해 최댓값과 최솟값, 주기, 평행이동을 알 수 있는 특성을 찾는다.

➤풀이 최댓값이 2, 최솟값이 -2이고 $a>0$이므로 $\boldsymbol{a=2}$

주기가 $\dfrac{4}{3}\pi-\dfrac{\pi}{3}=\pi$이고 $b>0$이므로 $\dfrac{2\pi}{b}=\pi$ $\quad\therefore\ \boldsymbol{b=2}$

따라서 $y=2\sin(2x-c)=2\sin 2\left(x-\dfrac{c}{2}\right)$이고 주어진 그래프는 $y=2\sin 2x$의 그래프를

x축의 방향으로 $\dfrac{\pi}{3}$만큼 평행이동한 것이므로 $\dfrac{c}{2}=\dfrac{\pi}{3}$ $\quad\therefore\ \boldsymbol{c=\dfrac{2}{3}\pi}$

정답과 풀이 **38**쪽

유제 **299** 함수 $y=a\cos(bx-c)$의 그래프가 그림과 같을 때, 상수 a, b, c의 값을 구하여라. (단, $a>0$, $b>0$, $0\le c<2\pi$)

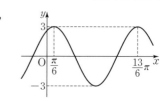

04 | 절댓값 기호를 포함한 삼각함수의 그래프

고등수학에서 배운 기법을 총동원할 차례.

얼른 복습하고 오자. 함수 $y=|f(x)|$의 그래프를 그릴 때는 x축 아래에 있는 부분을 위로 접어 올리는 방법을 배웠다. 삼각함수라고 다르지 않다. 절댓값을 없앤 함수 $y=f(x)$의 그래프를 잘 그리는 것이 관건! 그 다음은 접어 올리기만 하면 된다.

절댓값 기호를 포함한 삼각함수의 그래프

(1) $y=|a\sin bx|$, $y=|a\cos bx|$의 그래프

   ① 최댓값: $|a|$, 최솟값: 0

   ② 주기: $\dfrac{\pi}{|b|}$

(2) $y=|\tan bx|$의 그래프

   ① 최댓값: 없다, 최솟값: 0

   ② 주기: $\dfrac{\pi}{|b|}$

| 설명 | **절댓값 기호를 포함한 삼각함수의 그래프**

(1) $y=|\sin x|$, $y=|\cos x|$, $y=|\tan x|$의 그래프는 각각 $y=\sin x$, $y=\cos x$, $y=\tan x$의 그래프를 그린 후 x축의 아랫부분을 x축에 대하여 대칭이동한다.

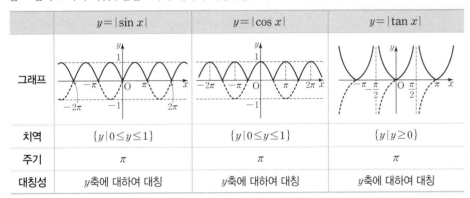

	$y=|\sin x|$	$y=|\cos x|$	$y=|\tan x|$
그래프			
치역	$\{y\,|\,0\le y\le 1\}$	$\{y\,|\,0\le y\le 1\}$	$\{y\,|\,y\ge 0\}$
주기	π	π	π
대칭성	y축에 대하여 대칭	y축에 대하여 대칭	y축에 대하여 대칭

(2) $y=\sin|x|$, $y=\cos|x|$, $y=\tan|x|$의 그래프는 각각 $y=\sin x$, $y=\cos x$, $y=\tan x$의 그래프에서 y축의 오른쪽 부분만 남긴 후 y축에 대하여 대칭이동한다.

	$y=\sin|x|$	$y=\cos|x|$	$y=\tan|x|$
그래프			
치역	$\{y\,|\,-1\le y\le 1\}$	$\{y\,|\,-1\le y\le 1\}$	실수 전체의 집합
주기	없다.	2π	없다.
대칭성	y축에 대하여 대칭	y축에 대하여 대칭	y축에 대하여 대칭

300 다음 함수의 그래프를 그리고, 최댓값, 최솟값, 주기를 구하여라.

(1) $y=|2\sin 3x|$ (2) $y=\left|4\cos\dfrac{1}{2}x\right|$ (3) $y=|\tan 2x|$

풍산자日 (1) $y=|a\sin bx|$의 그래프를 그릴 때는 $y=|f(x)|$의 그래프를 그리는 방법을 이용한다.

    ➡ $y=a\sin bx$의 그래프를 그린 후 x축의 아랫부분을 x축 위로 접어 올리면 끝.

(2) $y=|a\sin bx|$의 주기는 $y=a\sin bx$의 주기의 반,

    $y=|a\cos bx|$의 주기는 $y=a\cos bx$의 주기의 반,

    $y=|a\tan bx|$의 주기는 $y=a\tan bx$의 주기와 같다.

❯ 풀이 (1) $y=|2\sin 3x|$의 그래프는 $y=2\sin 3x$의 그래프를 그린 후 x축의 아랫부분을 x축에 대하여 대칭이동한 것이다.

따라서 그래프는 그림과 같고, **최댓값은 2, 최솟값은 0, 주기는 $\dfrac{\pi}{3}$**이다.

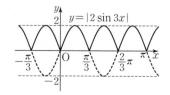

(2) $y=\left|4\cos\dfrac{1}{2}x\right|$의 그래프는 $y=4\cos\dfrac{1}{2}x$의 그래프를 그린 후 x축의 아랫부분을 x축에 대하여 대칭이동한 것이다.

따라서 그래프는 그림과 같고, **최댓값은 4, 최솟값은 0, 주기는 2π**이다.

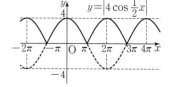

(3) $y=|\tan 2x|$의 그래프는 $y=\tan 2x$의 그래프를 그린 후 x축의 아랫부분을 x축에 대하여 대칭이동한 것이다.

따라서 그래프는 그림과 같고, **최댓값은 없고, 최솟값은 0, 주기는 $\dfrac{\pi}{2}$**이다.

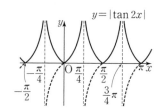

정답과 풀이 **38**쪽

유제 **301** 다음 함수의 그래프를 그리고, 최댓값, 최솟값, 주기를 구하여라.

(1) $y=3|\sin x|-1$ (2) $y=|2\cos 2x|$ (3) $y=\left|\tan\dfrac{1}{2}x\right|+1$

🪄 풍산자 비법

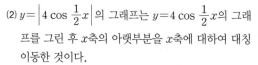

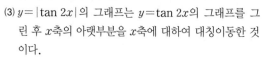

• 삼각함수는 같은 모양이 반복되는 주기함수이다. 주기, 최대와 최소, 대칭성 등의 그래프의 특징을 기억해야 한다.

함수 $y=a\sin(bx+c)+d$ ➡ 최댓값: $|a|+d$, 최솟값: $-|a|+d$, 주기: $\dfrac{2\pi}{|b|}$

함수 $y=a\cos(bx+c)+d$ ➡ 최댓값: $|a|+d$, 최솟값: $-|a|+d$, 주기: $\dfrac{2\pi}{|b|}$

함수 $y=a\tan(bx+c)+d$ ➡ 최댓값: 없다, 최솟값: 없다, 주기: $\dfrac{\pi}{|b|}$

05 | 여러 가지 각의 삼각함수

[1] 한 바퀴 공식과 음각 공식

삼각함수는 주기함수이면서 대칭함수이기 때문에 임의의 각에 대한 삼각함수의 값을 간단하게 정리할 수 있다.

> **한 바퀴 공식과 음각 공식**
>
> (1) $2n\pi + x$ (n은 정수)의 삼각함수
> $$\sin(2n\pi + x) = \sin x, \ \cos(2n\pi + x) = \cos x, \ \tan(2n\pi + x) = \tan x \ \Longleftarrow \text{한 바퀴 공식}$$
> (2) $-x$의 삼각함수
> $$\sin(-x) = -\sin x, \ \cos(-x) = \cos x, \ \tan(-x) = -\tan x \qquad \Longleftarrow \text{음각 공식}$$

| 증명 |
(1) $2n\pi + x$ (n은 정수)의 삼각함수
함수 $y = \sin x$, $y = \cos x$의 주기는 2π, 함수 $y = \tan x$의 주기는 π이므로
$$y = \sin x = \sin(x + 2\pi) = \sin(x + 4\pi) = \cdots$$
$$y = \cos x = \cos(x + 2\pi) = \cos(x + 4\pi) = \cdots$$
$$y = \tan x = \tan(x + \pi) = \tan(x + 2\pi) = \cdots$$
$$\therefore \ \sin(2n\pi + x) = \sin x, \ \cos(2n\pi + x) = \cos x, \ \tan(2n\pi + x) = \tan x$$

(2) $-x$의 삼각함수
함수 $y = \sin x$와 $y = \tan x$의 그래프는 각각 원점에 대하여 대칭이므로
$$\sin(-x) = -\sin x, \ \tan(-x) = -\tan x$$
함수 $y = \cos x$의 그래프는 y축에 대하여 대칭이므로 $\cos(-x) = \cos x$

| 한 바퀴 공식과 음각 공식 |

---

302 다음 삼각함수의 값을 구하여라.

(1) $\sin\left(-\dfrac{13}{6}\pi\right)$ (2) $\cos 390°$ (3) $\tan\left(2\pi - \dfrac{\pi}{3}\right)$

풍산자曰 각에 마이너스가 붙어 있으면 일단 음각 공식으로 처리한 뒤, 2π를 찾아 정리한다.

▶ 풀이
(1) $\sin\left(-\dfrac{13}{6}\pi\right) = -\sin\dfrac{13}{6}\pi = -\sin\left(2\pi + \dfrac{\pi}{6}\right) = -\sin\dfrac{\pi}{6} = -\dfrac{1}{2}$

(2) $\cos 390° = \cos(360° + 30°) = \cos 30° = \dfrac{\sqrt{3}}{2}$

(3) $\tan\left(2\pi - \dfrac{\pi}{3}\right) = \tan\left(-\dfrac{\pi}{3}\right) = -\tan\dfrac{\pi}{3} = -\sqrt{3}$

정답과 풀이 **38**쪽

유제 303 다음 삼각함수의 값을 구하여라.

(1) $\sin\dfrac{7}{3}\pi$ (2) $\cos(-405°)$ (3) $\tan\left(-\dfrac{13}{6}\pi\right)$

[2] $\pi \pm x$와 $\frac{\pi}{2} \pm x$의 삼각함수

한 바퀴 공식을 통해 모든 삼각함수에서 $2n\pi$의 배수는 지울 수 있음을 배웠다.

여기서는 한걸음 더 나아가 $\pi \pm \theta$와 $\frac{\pi}{2} \pm \theta$도 간단히 할 수 있음을 배운다.

무작정 외우려 하면 헷갈린다. 직접 손으로 그리고 찾아보는 연습이 필요한 부분!

---

(1) $\pi \pm x$의 삼각함수

$$\sin(\pi + x) = -\sin x, \ \cos(\pi + x) = -\cos x, \ \tan(\pi + x) = \tan x$$
$$\sin(\pi - x) = \sin x, \quad \cos(\pi - x) = -\cos x, \ \tan(\pi - x) = -\tan x$$

(2) $\frac{\pi}{2} \pm x$의 삼각함수

$$\sin\left(\frac{\pi}{2} + x\right) = \cos x, \ \cos\left(\frac{\pi}{2} + x\right) = -\sin x$$
$$\sin\left(\frac{\pi}{2} - x\right) = \cos x, \ \cos\left(\frac{\pi}{2} - x\right) = \sin x$$

| 증명 |　(1) $\pi \pm x$의 삼각함수

다음 그림의 함수 $y = \sin x$와 $y = \cos x$의 그래프에서 π간격으로 각 함숫값의 부호가 바뀐다.

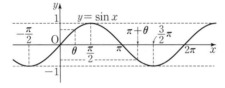 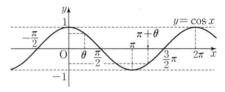

$$\therefore \ \sin(\pi + x) = -\sin x \quad \cdots\cdots \ \bigcirc, \quad \cos(\pi + x) = -\cos x \quad \cdots\cdots \ \bigcirc$$

한편, $y = \tan x$는 주기가 π인 주기함수이므로 $\tan(\pi + x) = \tan x$　$\cdots\cdots$ ⓒ

㉠, ㉡, ㉢에 각각 x 대신 $-x$를 대입하여 정리하면

$$\sin(\pi - x) = -\sin(-x) = \sin x, \ \cos(\pi - x) = -\cos(-x) = -\cos x,$$
$$\tan(\pi - x) = \tan(-x) = -\tan x$$

(2) $\frac{\pi}{2} \pm x$의 삼각함수

오른쪽 그림에서 $y = \cos x$의 그래프는 $y = \sin x$의 그래프

를 x축의 방향으로 $-\frac{\pi}{2}$만큼 평행이동한 것과 같으므로

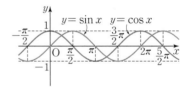

$$\sin\left(x + \frac{\pi}{2}\right) = \cos x \qquad \cdots\cdots \ \bigcirc$$

㉠에 x 대신 $x + \frac{\pi}{2}$를 대입하면

$$\cos\left(x + \frac{\pi}{2}\right) = \sin(x + \pi) = -\sin x \quad \cdots\cdots \ \bigcirc$$

㉠, ㉡에 각각 x 대신 $-x$를 대입하여 정리하면

$$\sin\left(\frac{\pi}{2} - x\right) = \cos(-x) = \cos x$$
$$\cos\left(\frac{\pi}{2} - x\right) = -\sin(-x) = \sin x$$

[3] 임의의 각에 대한 삼각함수

임의의 각에 대한 삼각함수의 값을 계산할 때는 다음과 같은 순서로 변형한다.

삼각함수의 각의 변형 방법 중요

[1단계] **각 변형하기**

주어진 각을 $90° \times n \pm \theta$ 또는 $\dfrac{\pi}{2} \times n \pm \theta$ (n은 정수) 꼴로 고친다.

[2단계] **삼각함수 정하기**

(i) n이 짝수일 때 ($\pi \pm \theta$, $2\pi \pm \theta$, ⋯)

　➡ 변신하지 않는다. 즉, $\sin \to \sin$, $\cos \to \cos$, $\tan \to \tan$

(ii) n이 홀수일 때 $\left(\dfrac{\pi}{2} \pm \theta, \dfrac{3}{2}\pi \pm \theta, \cdots \right)$

　➡ 변신한다. 즉, $\sin \to \cos$, $\cos \to \sin$

[3단계] **부호 정하기**

$90° \times n \pm \theta$ 또는 $\dfrac{\pi}{2} \times n \pm \theta$가 제 몇 사분면의 각이냐에 따라 부호가 달라진다. 이때 θ는 항상 예각으로 간주하고 동경을 그려 올사탄코에 따라

(i) 원래 함수의 부호가 양수이면 $+$를 붙인다.

(ii) 원래 함수의 부호가 음수이면 $-$를 붙인다.

| 여러 가지 각의 삼각함수 (1) |

---

304 다음 삼각함수의 값을 구하여라.

(1) $\sin \dfrac{3}{4}\pi$　　　　　(2) $\cos \left(-\dfrac{4}{3}\pi \right)$　　　　　(3) $\tan (-1230°)$

풍산자타 $\dfrac{\pi}{2}$의 배수를 지울 때는 미묘한 변화에 주의하여 변형한다.

▶ **풀이**　(1) $\sin \dfrac{3}{4}\pi = \sin \left(\pi - \dfrac{\pi}{4} \right) = \sin \dfrac{\pi}{4} = \dfrac{\sqrt{2}}{2}$

　　　　(2) $\cos \left(-\dfrac{4}{3}\pi \right) = \cos \dfrac{4}{3}\pi = \cos \left(\pi + \dfrac{\pi}{3} \right) = -\cos \dfrac{\pi}{3} = -\dfrac{1}{2}$

　　　　(3) $\tan (-1230°) = -\tan 1230° = -\tan (360° \times 3 + 150°)$

　　　　　　　　$= -\tan 150° = -\tan (180° - 30°) = \tan 30° = \dfrac{\sqrt{3}}{3}$

▶ **다른 풀이**　(1) $\sin \dfrac{3}{4}\pi = \sin \left(\dfrac{\pi}{2} + \dfrac{\pi}{4} \right)$ ⬅ $\dfrac{\pi}{2} \times 1$이므로 $\sin$이 $\cos$으로 변신한다. $\dfrac{\pi}{2} + \theta$는 제2사분면의

　　　　　　　　$= \cos \dfrac{\pi}{4} = \dfrac{\sqrt{2}}{2}$　　　각이므로 원래 함수 $\sin$의 부호는 양수! 따라서 $+$를 붙인다.

정답과 풀이 **38**쪽

유제 **305**　다음 삼각함수의 값을 구하여라.

(1) $\sin \left(-\dfrac{2}{3}\pi \right)$　　　　　(2) $\cos \dfrac{3}{4}\pi$　　　　　(3) $\tan 210°$

306 다음 식의 값을 구하여라.

(1) $\dfrac{\sin\left(-\dfrac{2}{3}\pi\right)\cos\left(-\dfrac{5}{4}\pi\right)}{\tan\left(-\dfrac{11}{6}\pi\right)}$

(2) $\dfrac{\cos 750°}{\sin 420°+\sin 225°}-\dfrac{\sin 405°}{\cos 330°-\cos 135°}$

풍산자 주어진 각이 복잡한 삼각함수는 각을 간단한 각으로 변형한다.

▶ **풀이**

(1) $\sin\left(-\dfrac{2}{3}\pi\right)=-\sin\dfrac{2}{3}\pi=-\sin\left(\pi-\dfrac{\pi}{3}\right)=-\sin\dfrac{\pi}{3}=-\dfrac{\sqrt{3}}{2}$

$\cos\left(-\dfrac{5}{4}\pi\right)=\cos\dfrac{5}{4}\pi=\cos\left(\pi+\dfrac{\pi}{4}\right)=-\cos\dfrac{\pi}{4}=-\dfrac{\sqrt{2}}{2}$

$\tan\left(-\dfrac{11}{6}\pi\right)=-\tan\dfrac{11}{6}\pi=-\tan\left(2\pi-\dfrac{\pi}{6}\right)=-\tan\left(-\dfrac{\pi}{6}\right)=\tan\dfrac{\pi}{6}=\dfrac{\sqrt{3}}{3}$

$\therefore$ (주어진 식)$=\dfrac{\left(-\dfrac{\sqrt{3}}{2}\right)\cdot\left(-\dfrac{\sqrt{2}}{2}\right)}{\dfrac{\sqrt{3}}{3}}=\dfrac{3\sqrt{2}}{4}$

(2) $\cos 750°=\cos(360°\times 2+30°)=\cos 30°=\dfrac{\sqrt{3}}{2}$

$\sin 420°=\sin(360°+60°)=\sin 60°=\dfrac{\sqrt{3}}{2}$

$\sin 225°=\sin(180°+45°)=-\sin 45°=-\dfrac{\sqrt{2}}{2}$

$\sin 405°=\sin(360°+45°)=\sin 45°=\dfrac{\sqrt{2}}{2}$

$\cos 330°=\cos(360°-30°)=\cos(-30°)=\cos 30°=\dfrac{\sqrt{3}}{2}$

$\cos 135°=\cos(180°-45°)=-\cos 45°=-\dfrac{\sqrt{2}}{2}$

$\therefore$ (주어진 식)$=\dfrac{\dfrac{\sqrt{3}}{2}}{\dfrac{\sqrt{3}}{2}+\left(-\dfrac{\sqrt{2}}{2}\right)}-\dfrac{\dfrac{\sqrt{2}}{2}}{\dfrac{\sqrt{3}}{2}-\left(-\dfrac{\sqrt{2}}{2}\right)}$

$=\dfrac{\sqrt{3}}{\sqrt{3}-\sqrt{2}}-\dfrac{\sqrt{2}}{\sqrt{3}+\sqrt{2}}$

$=\sqrt{3}(\sqrt{3}+\sqrt{2})-\sqrt{2}(\sqrt{3}-\sqrt{2})=3+\sqrt{6}-\sqrt{6}+2=\mathbf{5}$

정답과 풀이 **38**쪽

유제 **307** 다음 식의 값을 구하여라.

(1) $\sin\dfrac{5}{6}\pi-\tan\dfrac{7}{4}\pi+\cos\left(-\dfrac{13}{3}\pi\right)$

(2) $\tan 390° \sin 840°-\cos(-210°)\tan(-600°)$

308 다음 식을 간단히 하여라.

$$\frac{\sin(-\theta)\tan^2(\pi-\theta)}{\cos\left(\frac{3}{2}\pi+\theta\right)} - \frac{\cos(-\theta)}{\cos(\pi+\theta)\sin^2\left(\frac{3}{2}\pi-\theta\right)}$$

풍산자티 삼각함수의 각을 변형할 때 x축의 각, 즉 π 또는 2π를 기준으로 하여 θ를 더하거나 뺄 때는 삼각함수가 변신하지 않고, y축의 각, 즉 $\frac{\pi}{2}$ 또는 $\frac{3}{2}\pi$를 기준으로 하여 θ를 더하거나 뺄 때는 삼각함수가 변신한다.

일단 삼각함수의 변신 여부를 결정하고 난 다음에는 θ를 예각으로 간주하고 원래 삼각함수의 각이 제 몇 사분면의 각이냐에 따라 부호 $+$, $-$를 붙여 주면 된다.

▶풀이

$\sin(-\theta) = -\sin\theta$

$\tan(\pi-\theta) = -\tan\theta$

$\cos(-\theta) = \cos\theta$

$\cos\left(\frac{3}{2}\pi+\theta\right) = \sin\theta$

$\cos(\pi+\theta) = -\cos\theta$

$\sin\left(\frac{3}{2}\pi-\theta\right) = -\cos\theta$

$$\therefore \text{(주어진 식)} = \frac{-\sin\theta \cdot \tan^2\theta}{\sin\theta} - \frac{\cos\theta}{-\cos\theta \cdot \cos^2\theta}$$

$$= -\tan^2\theta + \frac{1}{\cos^2\theta}$$

$$= -\frac{\sin^2\theta}{\cos^2\theta} + \frac{1}{\cos^2\theta} = \frac{\cos^2\theta}{\cos^2\theta} = 1$$

정답과 풀이 **39**쪽

유제 309 다음 식을 간단히 하여라.

$$\frac{\sin\left(\frac{\pi}{2}-\theta\right)}{1+\sin(\pi+\theta)} + \frac{\sin\left(\frac{\pi}{2}+\theta\right)}{1+\sin(\pi-\theta)}$$

310 다음 식의 값을 구하여라.

(1) $\sin^2 10° + \sin^2 80°$

(2) $\dfrac{\sin 10°}{\cos 100°} + \dfrac{\cos 10°}{\sin 100°}$

(3) $\cos^2(\theta-40°) + \cos^2(\theta+50°)$

풍산자팁 삼각함수의 두 각의 합 또는 차가 90°의 배수인 경우에는 $\dfrac{\pi}{2} \pm x$의 삼각함수를 사용하여 각을 같게 만든다.

▶ **풀이**   (1) $80° = 90° - 10°$이므로 각을 10°로 통일하면

$\sin 80° = \sin(90° - 10°) = \cos 10°$

∴ (주어진 식) $= \sin^2 10° + \cos^2 10° = \mathbf{1}$

(2) $100° = 90° + 10°$이므로 각을 10°로 통일하면

$\cos 100° = \cos(90° + 10°) = -\sin 10°$

$\sin 100° = \sin(90° + 10°) = \cos 10°$

∴ (주어진 식) $= \dfrac{\sin 10°}{-\sin 10°} + \dfrac{\cos 10°}{\cos 10°} = -1 + 1 = \mathbf{0}$

(3) $\theta - 40° = A$로 치환하면 $\theta = A + 40°$

$\theta + 50° = A + 90°$

∴ (주어진 식) $= \cos^2 A + \cos^2(A+90°) = \cos^2 A + \sin^2 A = \mathbf{1}$

정답과 풀이 **39**쪽

유제 **311** 다음 식의 값을 구하여라.

(1) $\cos^2 20° + \cos^2 70°$

(2) $\sin^2 1° + \sin^2 2° + \sin^2 3° + \cdots + \sin^2 89°$

풍산자 비법

각이 $90° \times n \pm \theta$ 또는 $\dfrac{\pi}{2} \times n \pm \theta$ (n은 정수)인 삼각함수 간단히 하기

[1단계] (i) n이 짝수일 때: 변신하지 않는다. 즉, $\sin \to \sin$, $\cos \to \cos$, $\tan \to \tan$

(ii) n이 홀수일 때: 변신한다. 즉, $\sin \to \cos$, $\cos \to \sin$

[2단계] θ는 항상 예각으로 간주하고 동경을 그려 올사탄코에 따라

(i) 원래 함수의 부호가 양수이면 $+$를 붙인다.

(ii) 원래 함수의 부호가 음수이면 $-$를 붙인다.

06 | 삼각함수표

삼각함수의 성질을 이용하면 일반각에 대한 삼각함수를 0°에서 90°까지의 각에 대한 삼각함수로 나타낼 수 있다. 0°에서 90°까지 1°단위로 삼각비의 값을 반올림하여 소수점 아래 넷째 자리까지 나타낸 표를 **삼각함수표**라 한다.

삼각함수표에서 가로줄과 세로줄이 만나는 곳의 수가 삼각함수의 값이다.
삼각함수표에 있는 값은 반올림한 값이지만 등호를 사용하여 나타낸다.

$\sin 46°$의 값은 삼각함수표에서 각을 나타내는 가로줄 46°와 삼각비를 나타내는 세로줄 $\sin$이 만나는 곳의 값이다.

각	라디안	sin	cos	tan
45°	0.7854	0.7071	0.7071	1.0000
46°	0.8029	0.7193	0.6947	1.0355
47°	0.8203	0.7314	0.6820	1.0724
48°	0.8378	0.7431	0.6691	1.1106
49°	0.8552	0.7547	0.6561	1.1504
50°	0.8727	0.7660	0.6428	1.1918

$\sin 46° = 0.7193$

$\cos 47° = 0.6820$

$\tan 48° = 1.1106$

따라서 이 책의 부록에 있는 삼각함수표를 이용하면 일반각에 대한 삼각함수의 값을 알 수 있다.

| 삼각함수표 |

312 부록의 삼각함수표를 이용하여 주어진 식을 만족시키는 x의 값을 구하여라.

(1) $\sin 23° = x$　　　　(2) $\cos 25° = x$　　　　(3) $\tan 21° = x$

풍산자팁 각의 가로줄과 삼각비의 세로줄이 만나는 곳을 읽는다.

▶풀이　　(1) $\sin 23° = \mathbf{0.3907}$　　(2) $\cos 25° = \mathbf{0.9063}$　　(3) $\tan 21° = \mathbf{0.3839}$

정답과 풀이 **39**쪽

유제 313 부록의 삼각함수표를 이용하여 다음 식의 값을 구하여라.

(1) $\sin 23° + \cos 21°$　　　　　　　(2) $\cos 24° - \tan 25°$

314

다음 중 옳지 <u>않은</u> 것은?

① 모든 실수 x에 대하여 $|\sin x| \leq 1$, $|\cos x| \leq 1$ 이다.

② $y = \sin x$의 그래프는 원점에 대하여 대칭이다.

③ $y = \cos x$의 그래프는 y축에 대하여 대칭이다.

④ $y = \tan x$의 정의역은 실수 전체의 집합이다.

⑤ $y = \tan x$의 주기는 π이다.

315

다음 함수 중 주기가 가장 큰 것은?

① $y = \cos x$

② $y = \sin 4x + 1$

③ $y = \tan 2x - 1$

④ $y = \dfrac{1}{2} \cos \dfrac{1}{3} x$

⑤ $y = 3 \sin \dfrac{1}{2} x$

316

다음 중 함수 $y = 4 \sin \left(2x + \dfrac{\pi}{6} \right) - 1$에 대한 설명으로 옳지 <u>않은</u> 것은?

① 최댓값은 3이다.

② 최솟값은 -5이다.

③ 주기는 π이다.

④ 그래프는 점 $(0, 1)$을 지난다.

⑤ 그래프는 함수 $y = 4 \sin 2x$의 그래프를 x축의 방향으로 $-\dfrac{\pi}{6}$만큼, y축의 방향으로 -1만큼 평행이동한 것이다.

317

$\sin \dfrac{10}{3} \pi \tan \dfrac{5}{3} \pi \cos^2 \dfrac{3}{4} \pi - \cos \left(-\dfrac{7}{3} \pi \right)$의 값을 구하여라.

318

다음 <보기>에서 옳지 <u>않은</u> 것만을 있는 대로 골라라.

> ┌ 보기 ┐
>
> ㄱ. $\sin^2 \theta + \sin^2 \left(\dfrac{\pi}{2} - \theta \right) = 1$
>
> ㄴ. $\cos^2 \theta + \cos^2 \left(\dfrac{\pi}{2} - \theta \right) = 1$
>
> ㄷ. $\sin \theta \sin \left(\dfrac{\pi}{2} - \theta \right) = 1$

2 | 삼각함수의 그래프의 활용

01 | 삼각함수를 포함한 최대·최소

삼각함수의 최댓값, 최솟값을 구할 때에는 식의 모양에 따라 접근 방법이 다르므로 각 유형에
따른 방법을 익혀 보도록 하자.

어느 경우든 치환이 필요하다면 범위에 주의하도록 한다.

예를 들어 $\sin x = t$로 치환한다면 $-1 \le t \le 1$로 정의역의 범위가 제한이 된다.

[유형 1] 두 종류 이상의 삼각함수를 포함하는 경우 (일차식 꼴)

두 종류 이상의 삼각함수를 포함한 식의 최대·최소는 다음과 같이 구한다.

(i) 삼각함수의 각이 $\frac{\pi}{2} - x$, $2\pi - x$ 등과 같이 여러 가지로 표현되어 있으면 모두 x로 통일한다.

(ii) 삼각함수 사이의 관계를 이용하여 한 종류의 삼각함수로 통일한다.

(iii) 통일한 삼각함수의 최댓값과 최솟값을 이용하여 주어진 식의 최댓값과 최솟값을 구한다.

[유형 2] 절댓값 기호를 포함하는 경우

절댓값 기호를 포함한 식의 최대·최소는 다음과 같이 구한다.

(i) 주어진 식에 포함된 삼각함수를 t로 치환하여 t에 대한 함수로 변형한다.

(ii) t의 값의 범위를 구한다.

(iii) t에 대한 함수의 그래프를 그려서 최댓값과 최솟값을 구한다.

[유형 3] 이차식 꼴인 경우

삼각함수가 두 종류 이상이고 이차식 꼴인 경우의 최대·최소는 다음과 같이 구한다.

(i) 주어진 식을 $\sin^2 x + \cos^2 x = 1$을 이용하여 한 종류의 삼각함수로 변형한다.

(ii) 통일된 삼각함수를 t로 치환하여 t에 대한 이차함수로 변형한다.

(iii) t의 값의 범위를 구한다.

(iv) t에 대한 함수의 그래프를 그려서 최댓값과 최솟값을 구한다.

[유형 4] 분수식 꼴인 경우

삼각함수가 분모에 있는 분수식 꼴인 경우의 최대·최소는 다음과 같이 구한다.

(i) 주어진 식에 포함된 삼각함수를 t로 치환하여 t에 대한 함수로 변형한다.

(ii) t의 값의 범위를 구한다.

(iii) t에 대한 함수의 그래프를 그려서 최댓값과 최솟값을 구한다.

319 함수 $y=\sin x-2\cos\left(\dfrac{\pi}{2}+x\right)+1$의 최댓값과 최솟값을 구하여라.

> **풍산자틴** $\cos\left(\dfrac{\pi}{2}+x\right)$를 sin의 값으로 바꾸어 본다.

> **풀이** $y=\sin x-2\cos\left(\dfrac{\pi}{2}+x\right)+1$
>
> $\quad=\sin x-2\cdot(-\sin x)+1=3\sin x+1$
>
> 이때 $-1\le\sin x\le1$이므로
>
> $-3\le3\sin x\le3$ $\quad\therefore\ -2\le3\sin x+1\le4$
>
> 따라서 구하는 **최댓값은 4**, **최솟값은 −2**이다.

정답과 풀이 **40**쪽

유제 **320** 함수 $y=\sin\left(\dfrac{\pi}{2}+x\right)-3\cos(x+\pi)+2$의 최댓값과 최솟값을 구하여라.

---

321 함수 $y=\left|\sin x-\dfrac{1}{2}\right|+1$의 최댓값과 최솟값을 구하여라.

> **풍산자틴** $\sin x=t$로 치환한다! ➡ 정의역의 제한 범위에 주의하자!

> **풀이** $y=\left|\sin x-\dfrac{1}{2}\right|+1$에서 $\sin x=t$로 치환하면
>
> $y=\left|t-\dfrac{1}{2}\right|+1$ (단, $-1\le t\le1$)
>
> 따라서 함수의 그래프는 그림과 같으므로
>
> $t=-1$일 때 **최댓값은** $\dfrac{5}{2}$, $t=\dfrac{1}{2}$일 때 **최솟값은 1**이다.

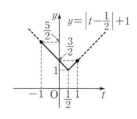

> **다른 풀이** $-1\le\sin x\le1$이므로 $-\dfrac{3}{2}\le\sin x-\dfrac{1}{2}\le\dfrac{1}{2}$, $0\le\left|\sin x-\dfrac{1}{2}\right|\le\dfrac{3}{2}$
>
> $\therefore\ 1\le\left|\sin x-\dfrac{1}{2}\right|+1\le\dfrac{5}{2}$
>
> 따라서 구하는 최댓값은 $\dfrac{5}{2}$, 최솟값은 1이다.

정답과 풀이 **40**쪽

유제 **322** 다음 함수의 최댓값과 최솟값을 구하여라.

(1) $y=|\sin x+2|-5$ 　　　　　(2) $y=-|\cos x-3|+2$

323 함수 $y=-\cos^2 x-4\sin x+4$의 최댓값과 최솟값을 구하여라.

풍산자팁 $\cos^2 x=1-\sin^2 x$를 이용하여 $\sin x$에 대한 이차식을 만든다.

> **풀이**
$$y=-\cos^2 x-4\sin x+4$$
$$=-(1-\sin^2 x)-4\sin x+4$$
$$=\sin^2 x-4\sin x+3$$
$\sin x=t$로 치환하면
$$y=t^2-4t+3=(t-2)^2-1 \ (\text{단}, \ -1\le t\le 1)$$
따라서 함수의 그래프는 그림과 같으므로
$t=-1$일 때 **최댓값은 8**, $t=1$일 때 **최솟값은 0**이다.

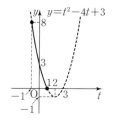

정답과 풀이 **40**쪽

유제 324 다음 함수의 최댓값과 최솟값을 구하여라.

(1) $y=-\sin^2 x-4\cos x+6$

(2) $y=2\sin^2\left(x+\dfrac{\pi}{2}\right)-4\sin x-5$

325 함수 $y=\dfrac{\sin x-5}{\sin x-2}$의 최댓값과 최솟값을 구하여라.

풍산자팁 치환한 뒤에는 완벽히 유리함수의 복습이다.
다만 정의역이 $-1\le t\le 1$로 제한되는 점에 유의하자.

> **풀이** $\sin x=t$로 치환하면 주어진 함수는
$$y=\dfrac{t-5}{t-2}=\dfrac{(t-2)-3}{t-2}=1-\dfrac{3}{t-2} \ (\text{단}, \ -1\le t\le 1)$$
따라서 함수의 그래프는 그림과 같으므로
$t=1$일 때 **최댓값은 4**, $t=-1$일 때 **최솟값은 2**이다.

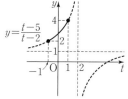

> **다른 풀이** $y=\dfrac{\sin x-5}{\sin x-2}=\dfrac{(\sin x-2)-3}{\sin x-2}=1-\dfrac{3}{\sin x-2}$
$-1\le\sin x\le 1$이므로 $-3\le\sin x-2\le -1$
$-1\le\dfrac{1}{\sin x-2}\le -\dfrac{1}{3}, \ 1\le -\dfrac{3}{\sin x-2}\le 3 \qquad \therefore \ 2\le 1-\dfrac{3}{\sin x-2}\le 4$
따라서 구하는 최댓값은 4, 최솟값은 2이다.

정답과 풀이 **41**쪽

유제 326 다음 함수의 최댓값과 최솟값을 구하여라.

(1) $y=-\dfrac{\sin x-1}{\sin x+3}$

(2) $y=\dfrac{2\cos x+1}{\cos x+2}$

02 | 삼각함수를 포함한 방정식과 부등식

삼각함수를 포함한 방정식과 부등식은 그 자체로도 중요하지만 다양한 문제 속의 계산으로도 자주 등장한다. 빠르고 정확한 계산은 고교수학 만렙을 찍기 위한 고딩들의 미션. 임파서블을 아임 파서블로 바꿔 보자.

방정식과 부등식은 오직 한끝 차이이다. 값을 구하느냐, 범위를 구하느냐.

풀이의 핵심은 그래프이다.

> **삼각함수를 포함한 방정식과 부등식**
> (1) 방정식 $\sin x = k$의 해법: $y = \sin x$의 그래프와 직선 $y = k$의 교점의 x좌표를 구한다.
> (2) 부등식 $\sin x > k$의 해법: $y = \sin x$의 그래프가 직선 $y = k$보다 위쪽에 있는 x의 값의 범위를 구한다.

| 삼각함수를 포함한 방정식과 부등식 맛보기 |

327 다음 방정식과 부등식을 풀어라. (단, $0 \leq x < 2\pi$)

(1) $\sin x = \dfrac{1}{2}$ (2) $\sin x > \dfrac{1}{2}$ (3) $\sin x < \dfrac{1}{2}$

> **풍산자티** 삼각함수를 포함한 방정식과 부등식을 대하는 맛보기 문제!
> 간단한 문제지만 이 셋만 확실히 알아두어도 이 단원에서 어깨 펴고 다닐 수 있다.
> 그래프를 그려 $\sin x = \dfrac{1}{2}$이 되는 점들을 먼저 찾는다.

> ❯ **풀이** $0 \leq x < 2\pi$에서 함수 $y = \sin x$의 그래프와 직선 $y = \dfrac{1}{2}$의
> 교점의 x좌표는 $\dfrac{\pi}{6}$ 또는 $\pi - \dfrac{\pi}{6} = \dfrac{5}{6}\pi$이다.
>
> (1) 주어진 방정식의 해는 교점의 x좌표와 같으므로
> $$x = \frac{\pi}{6} \text{ 또는 } x = \frac{5}{6}\pi$$
> (2) 주어진 부등식의 해는 함수 $y = \sin x$의 그래프가 직선 $y = \dfrac{1}{2}$보다 위쪽에 있는 부분의 x의 값의 범위이므로 $\dfrac{\pi}{6} < x < \dfrac{5}{6}\pi$
> (3) 주어진 부등식의 해는 함수 $y = \sin x$의 그래프가 직선 $y = \dfrac{1}{2}$보다 아래쪽에 있는 부분의 x의 값의 범위이므로 $0 \leq x < \dfrac{\pi}{6}$ 또는 $\dfrac{5}{6}\pi < x < 2\pi$

정답과 풀이 **41**쪽

유제 **328** 다음 방정식과 부등식을 풀어라. (단, $0 \leq x < 2\pi$)

(1) $\sin x = \dfrac{\sqrt{2}}{2}$ (2) $\sin x \geq \dfrac{\sqrt{2}}{2}$ (3) $\sin x \leq \dfrac{\sqrt{2}}{2}$

329 $0 \leq x < 2\pi$일 때, 다음 방정식을 풀어라.

(1) $\sin x = \dfrac{\sqrt{3}}{2}$　　　　(2) $\cos x = -\dfrac{1}{2}$　　　　(3) $\tan x = \sqrt{3}$

풍산자티 각 삼각함수의 그래프를 그려 살펴본다.

> **풀이** (1) 주어진 방정식의 해는 그림에서 함수 $y = \sin x$의 그래프
와 직선 $y = \dfrac{\sqrt{3}}{2}$의 교점의 x좌표와 같으므로

$x = \dfrac{\pi}{3}$ 또는 $x = \dfrac{2}{3}\pi$

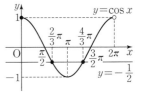

(2) 주어진 방정식의 해는 그림에서 함수 $y = \cos x$의 그래
프와 직선 $y = -\dfrac{1}{2}$의 교점의 x좌표와 같으므로

$x = \dfrac{2}{3}\pi$ 또는 $x = \dfrac{4}{3}\pi$

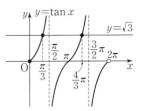

(3) 주어진 방정식의 해는 그림에서 함수 $y = \tan x$의 그래
프와 직선 $y = \sqrt{3}$의 교점의 x좌표와 같으므로

$x = \dfrac{\pi}{3}$ 또는 $x = \dfrac{4}{3}\pi$

> **다른 풀이** (1) 직선 $y = \dfrac{\sqrt{3}}{2}$ (2) 직선 $x = -\dfrac{1}{2}$ (3) 원점과 점 $(1, \sqrt{3})$을 지나는 직선과 원 $x^2 + y^2 = 1$의
교점 P, Q에 대하여 동경 OP, OQ가 나타내는 각을 구하면 다음과 같다.

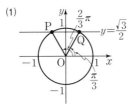

(1)
➡ $x = \dfrac{\pi}{3}$ 또는 $x = \dfrac{2}{3}\pi$

(2)
➡ $x = \dfrac{2}{3}\pi$ 또는 $x = \dfrac{4}{3}\pi$

(3)
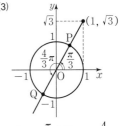
➡ $x = \dfrac{\pi}{3}$ 또는 $x = \dfrac{4}{3}\pi$

정답과 풀이 **41**쪽

유제 **330** $0 \leq x < 2\pi$일 때, 다음 방정식을 풀어라.

(1) $\sin x = -\dfrac{\sqrt{3}}{2}$　　　　(2) $\sqrt{2}\cos x = 1$　　　　(3) $\tan x + 1 = 0$

331 $0 \le x \le \pi$일 때, 방정식 $\sin\left(2x+\dfrac{\pi}{3}\right)=\dfrac{1}{2}$을 풀어라.

풍산자曰 기본에서 조금 변형이 된 문제! $2x+\dfrac{\pi}{3}$를 θ로 치환하면 익숙한 문제가 된다.

▶풀이 [1단계] (i) $\sin\left(2x+\dfrac{\pi}{3}\right)=\dfrac{1}{2}$에서 $2x+\dfrac{\pi}{3}=\theta$로 치환하면 $\sin\theta=\dfrac{1}{2}$

(ii) $0 \le x \le \pi$의 각 변에 2를 곱하고 $\dfrac{\pi}{3}$를 더하여 θ의

범위를 구하면

$\dfrac{\pi}{3} \le 2x+\dfrac{\pi}{3} \le 2\pi+\dfrac{\pi}{3}$, 즉 $\dfrac{\pi}{3} \le \theta \le \dfrac{7}{3}\pi$

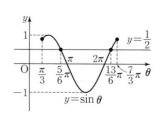

[2단계] $\dfrac{\pi}{3} \le \theta \le \dfrac{7}{3}\pi$일 때, $\sin\theta=\dfrac{1}{2}$의 해를 구하면 그림

에서 $\theta=\dfrac{5}{6}\pi$ 또는 $\theta=\dfrac{13}{6}\pi$

[3단계] $2x+\dfrac{\pi}{3}=\theta$이므로

$2x+\dfrac{\pi}{3}=\dfrac{5}{6}\pi$ 또는 $2x+\dfrac{\pi}{3}=\dfrac{13}{6}\pi$ $\therefore x=\dfrac{\pi}{4}$ 또는 $x=\dfrac{11}{12}\pi$

정답과 풀이 **42**쪽

유제 **332** $0 \le x \le \pi$일 때, 방정식 $\cos\left(2x-\dfrac{\pi}{3}\right)=\dfrac{\sqrt{3}}{2}$을 풀어라.

333 $0 \le x < 2\pi$일 때, 방정식 $2\sin^2 x-\cos x-1=0$을 풀어라.

풍산자曰 $\sin^2 x+\cos^2 x=1$을 이용하여 $\cos x$에 대한 이차식을 만든다.

▶풀이 $2\sin^2 x-\cos x-1=0$에서
$2(1-\cos^2 x)-\cos x-1=0$
$2\cos^2 x+\cos x-1=0$, $(2\cos x-1)(\cos x+1)=0$

$\therefore \cos x=\dfrac{1}{2}$ 또는 $\cos x=-1$

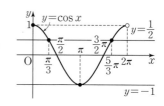

따라서 $0 \le x < 2\pi$에서 그림과 같이

(i) $\cos x=\dfrac{1}{2}$의 해는 $x=\dfrac{\pi}{3}$ 또는 $x=\dfrac{5}{3}\pi$

(ii) $\cos x=-1$의 해는 $x=\pi$

(i), (ii)에서 $x=\dfrac{\pi}{3}$ 또는 $x=\pi$ 또는 $x=\dfrac{5}{3}\pi$

정답과 풀이 **42**쪽

유제 **334** 다음 방정식을 풀어라. (단, $0 \le x < 2\pi$)

(1) $2\cos^2 x+\sin x-1=0$ 　　　　　　　(2) $\tan x+\dfrac{1}{\tan x}=2$

335 다음 부등식을 풀어라. (단, $0 \leq x < 2\pi$)

(1) $\cos x < \dfrac{\sqrt{3}}{2}$　　　　　　　　　　　(2) $\sin\left(x - \dfrac{\pi}{3}\right) \geq \dfrac{1}{2}$

풍산자曰 방정식과 부등식은 한끝 차이다! 값을 구하느냐, 범위를 구하느냐.
일단 등호를 부등호로 바꾸어 방정식의 근을 찾은 다음 부등식을 만족시키는 범위를 찾는다.

▶ 풀이 (1) 부등식 $\cos x < \dfrac{\sqrt{3}}{2}$의 해는 함수 $y = \cos x$의 그래프가

직선 $y = \dfrac{\sqrt{3}}{2}$보다 아래쪽에 있는 부분의 x의 값의 범위이므로

$$\dfrac{\pi}{6} < x < \dfrac{11}{6}\pi$$

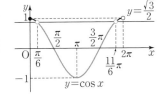

(2) [1단계] (i) $\sin\left(x - \dfrac{\pi}{3}\right) \geq \dfrac{1}{2}$에서 $x - \dfrac{\pi}{3} = \theta$로 치환하면 $\sin\theta \geq \dfrac{1}{2}$

(ii) $0 \leq x < 2\pi$의 각 변에서 $\dfrac{\pi}{3}$를 빼면

$$-\dfrac{\pi}{3} \leq x - \dfrac{\pi}{3} < 2\pi - \dfrac{\pi}{3}, \ 즉 \ -\dfrac{\pi}{3} \leq \theta < \dfrac{5}{3}\pi$$

[2단계] $-\dfrac{\pi}{3} \leq \theta < \dfrac{5}{3}\pi$일 때, $\sin\theta \geq \dfrac{1}{2}$의 해는

그림에서 함수 $y = \sin\theta$의 그래프가 직선

$y = \dfrac{1}{2}$보다 위쪽(경계선 포함)에 있는 부분의

θ의 값의 범위이므로

$$\dfrac{\pi}{6} \leq \theta \leq \dfrac{5}{6}\pi$$

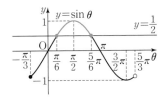

[3단계] $x - \dfrac{\pi}{3} = \theta$이므로

$$\dfrac{\pi}{6} \leq x - \dfrac{\pi}{3} \leq \dfrac{5}{6}\pi \qquad \therefore \ \dfrac{\pi}{2} \leq x \leq \dfrac{7}{6}\pi$$

정답과 풀이 **43**쪽

유제 336 다음 부등식을 풀어라.

(1) $\sin x \leq -\dfrac{1}{2}$ (단, $0 \leq x < 2\pi$)

(2) $\sqrt{3}\tan x > -1$ (단, $0 \leq x < 2\pi$)

(3) $\cos\left(3x - \dfrac{\pi}{2}\right) \leq -\dfrac{\sqrt{2}}{2}$ (단, $0 \leq x \leq \pi$)

337 다음 부등식을 풀어라. (단, $0 \leq x < 2\pi$)

(1) $2\sin^2 x + 3\sin x - 2 < 0$　　　　(2) $2\sin^2 x + \cos x - 1 \geq 0$

풍산자티 $\sin^2 x + \cos^2 x = 1$을 이용하여 한 종류의 삼각함수로 통일한다.

▶ 풀이　(1) $2\sin^2 x + 3\sin x - 2 < 0$에서

$(\sin x + 2)(2\sin x - 1) < 0$

그런데 $-1 \leq \sin x \leq 1$에서 $\sin x + 2 > 0$이므로

$2\sin x - 1 < 0$

$\therefore \sin x < \dfrac{1}{2}$

따라서 주어진 부등식의 해는

$$0 \leq x < \dfrac{\pi}{6} \text{ 또는 } \dfrac{5}{6}\pi < x < 2\pi$$

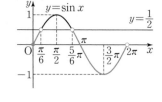

(2) $2\sin^2 x + \cos x - 1 \geq 0$에서

$2(1 - \cos^2 x) + \cos x - 1 \geq 0$

$2\cos^2 x - \cos x - 1 \leq 0$

$(2\cos x + 1)(\cos x - 1) \leq 0$

$\therefore -\dfrac{1}{2} \leq \cos x \leq 1$

따라서 주어진 부등식의 해는

$$0 \leq x \leq \dfrac{2}{3}\pi \text{ 또는 } \dfrac{4}{3}\pi \leq x < 2\pi$$

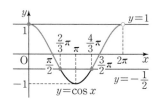

▶ 참고　두 종류 이상의 삼각함수를 포함한 이차식 꼴의 부등식은 다음과 같은 방법으로 푼다.

(1) $\sin^2 x + \cos^2 x = 1$을 이용하여 한 종류의 삼각함수로 통일한다.

(2) 삼각함수의 그래프를 이용하여 부등식을 만족시키는 x의 값의 범위를 구한다.

정답과 풀이 **43**쪽

유제 **338** 다음 부등식을 풀어라.

(1) $\tan^2 x > (\sqrt{3} + 1)\tan x - \sqrt{3}$ (단, $0 \leq x < \pi$)

(2) $\cos^2 x + \sin x - 1 > 0$ (단, $0 \leq x < 2\pi$)

339 $f(x)=x^2+2x+2\cos\theta$에 대하여 물음에 답하여라. (단, $0\le\theta<2\pi$)

(1) 이차함수 $y=f(x)$의 그래프가 x축과 접할 때, θ의 값을 구하여라.

(2) 이차방정식 $f(x)=0$이 실근을 가질 때, θ의 값의 범위를 구하여라.

(3) 이차부등식 $f(x)>0$이 모든 실수 x에 대하여 항상 성립할 때, θ의 값의 범위를 구하여라.

풍산자팁 삼각함수가 포함되어 있지만 큰 틀은 이차함수 문제! ⇒ 판별식 $D=b^2-4ac$를 떠올린다.

> 풀이 이차방정식 $f(x)=0$의 판별식을 D라 하자.

(1) 이차함수 $y=x^2+2x+2\cos\theta$의 그래프가 x축과 접하므로

$$\frac{D}{4}=1^2-2\cos\theta=0 \qquad \therefore \cos\theta=\frac{1}{2}$$

따라서 구하는 θ의 값은 $\theta=\dfrac{\pi}{3}$ 또는 $\theta=\dfrac{5}{3}\pi$

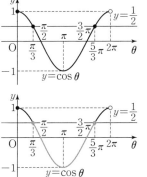

(2) 이차방정식 $x^2+2x+2\cos\theta=0$이 실근을 가지므로

$$\frac{D}{4}=1^2-2\cos\theta\ge0 \qquad \therefore \cos\theta\le\frac{1}{2}$$

따라서 구하는 θ의 값의 범위는

$$\frac{\pi}{3}\le\theta\le\frac{5}{3}\pi$$

(3) 이차부등식 $x^2+2x+2\cos\theta>0$이 모든 실수 x에 대하여 항상 성립하므로

$$\frac{D}{4}=1^2-2\cos\theta<0 \qquad \therefore \cos\theta>\frac{1}{2}$$

따라서 구하는 θ의 값의 범위는

$$0\le\theta<\frac{\pi}{3} \text{ 또는 } \frac{5}{3}\pi<\theta<2\pi$$

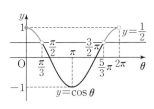

정답과 풀이 **43**쪽

유제 **340** $f(x)=x^2+(2\sin\theta+1)x+1$에 대하여 물음에 답하여라. (단, $0\le\theta<2\pi$)

(1) 이차방정식 $f(x)=0$이 중근을 가질 때, θ의 값을 구하여라.

(2) 이차부등식 $f(x)\ge0$이 모든 실수 x에 대하여 항상 성립할 때, θ의 값의 범위를 구하여라.

(3) 이차함수 $y=f(x)$의 그래프가 x축과 서로 다른 두 점에서 만날 때, θ의 값의 범위를 구하여라.

풍산자 비법

• 방정식과 부등식은 한끝 차이! 값을 구하느냐, 범위를 구하느냐.

• 그래프를 그려서 교점의 x좌표를 찾고, 방정식이면 값을, 부등식이면 범위를 구한다.

• 치환할 때는 범위에 주의한다.

필수 확인 문제

＊더 많은 유형은 **풍산자필수유형 수학**I 082쪽

정답과 풀이 44쪽

341
함수

$$y=2\cos^2 x-4\sin(\pi+x)+3$$

의 최댓값을 M, 최솟값을 m이라 할 때, $M-m$
의 값을 구하여라.

342
함수

$$y=a-|\cos x+3|$$

의 최댓값과 최솟값의 합이 1일 때, 상수 a의 값
을 구하여라.

343
$0\le x<2\pi$일 때, 방정식

$$\sqrt{3}\sin x=\cos x$$

를 풀어라.

344
$0\le x<2\pi$일 때, 방정식

$$2\cos^2 x-\sin x-1=0$$

의 모든 근의 합을 구하여라.

345
$0\le x<\pi$일 때, 다음 중 부등식

$$\cos\left(2x+\frac{\pi}{2}\right)>\frac{1}{2}$$

의 해가 될 수 있는 것은?

① $\dfrac{\pi}{6}$ ② $\dfrac{\pi}{4}$ ③ $\dfrac{\pi}{3}$

④ $\dfrac{\pi}{2}$ ⑤ $\dfrac{2}{3}\pi$

346
$0\le x<2\pi$에서 부등식

$$\sin x>\cos x$$

의 해가 $a<x<b$일 때, $a+b$의 값을 구하여라.

▶ **삼각함수의 그래프**

함수	그래프	정의역	치역	주기	대칭성
$y=\sin x$		실수 전체의 집합	$\{y \mid -1 \leq y \leq 1\}$	2π	원점 대칭
$y=\cos x$		실수 전체의 집합	$\{y \mid -1 \leq y \leq 1\}$	2π	y축 대칭
$y=\tan x$		$n\pi + \dfrac{\pi}{2}$ (n은 정수) 를 제외한 실수 전체의 집합	실수 전체의 집합	π	원점 대칭

▶ **여러 가지 각의 삼각함수 (단, n은 정수)**

$-x$의 삼각함수	$\sin(-x)=-\sin x,\ \cos(-x)=\cos x,\ \tan(-x)=-\tan x$

$\dfrac{\pi}{2} \times n \pm x$의 삼각함수	① 삼각함수를 정한다.
	  (i) n이 짝수일 때: 변신하지 않는다. 즉, $\sin \to \sin$, $\cos \to \cos$, $\tan \to \tan$
	  (ii) n이 홀수일 때: 변신한다. 즉, $\sin \to \cos$, $\cos \to \sin$
	② θ는 항상 예각으로 간주하고 동경을 그려 올사탄코에 따라 부호를 정한다.
	  (i) 원래 함수의 부호가 양수이면 $+$를 붙인다.
	  (ii) 원래 함수의 부호가 음수이면 $-$를 붙인다.

▶ **삼각함수를 포함한 방정식과 부등식**

$\sin x = k$의 해법	$y=\sin x$의 그래프와 직선 $y=k$의 교점의 x좌표를 구한다.
$\sin x > k$의 해법	$y=\sin x$의 그래프가 직선 $y=k$보다 위쪽에 있는 x의 값의 범위를 구한다.

STEP1

347

함수 $f(x)=a \sin bx+c$의 최솟값이 0, 주기가 $\dfrac{\pi}{2}$이고, $f\left(\dfrac{\pi}{8}\right)=4$일 때, 상수 a, b, c의 합 $a+b+c$의 값을 구하여라. (단, $a>0$, $b>0$)

348

함수 $y=a \cos bx+c$의 그래프가 그림과 같을 때, 상수 a, b, c의 곱 abc의 값을 구하여라.

(단, $a>0$, $b>0$)

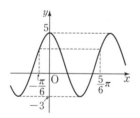

349

함수 $y=|\sin ax|$의 주기가 2π일 때, 상수 a의 값을 구하여라. (단, $a>0$)

350

$$\left(1+\dfrac{1}{\sin 20°}\right)\left(1+\dfrac{1}{\cos 20°}\right)$$
$$\times \left(1-\dfrac{1}{\sin 70°}\right)\left(1-\dfrac{1}{\cos 70°}\right)$$

의 값을 구하여라.

351

임의의 각 θ에 대하여 옳은 것만을 <보기>에서 있는 대로 고른 것은?

┌─보기┐

ㄱ. $\sin\left(\dfrac{\pi}{2}+\theta\right)=\cos(\pi+\theta)$

ㄴ. $\cos\left(\dfrac{\pi}{2}-\theta\right)=\sin(\pi-\theta)$

ㄷ. $\tan(\pi-\theta)=\tan(2\pi+\theta)$

① ㄱ　　　　② ㄴ　　　　③ ㄷ

④ ㄱ, ㄷ　　　⑤ ㄴ, ㄷ

352

$0 \le x < 2\pi$일 때, 방정식 $\cos(\pi \sin x)=0$의 모든 근의 합을 구하여라.

353

$0 \leq x \leq 4\pi$일 때, 방정식 $\cos x = \dfrac{1}{4}$의 모든 근의 합을 구하여라.

354

방정식 $\sin \pi x = \dfrac{1}{3}x$의 실근의 개수를 구하여라.

355

부등식 $\cos^2 \theta - 3\cos \theta - a + 9 \geq 0$이 모든 θ에 대하여 항상 성립할 때, 실수 a의 값의 범위를 구하여라.

STEP2

356

함수 $f(x)$가 다음 두 조건을 만족한다.

이때 $f\left(\dfrac{100}{3}\right)$의 값을 구하여라.

> (가) 모든 실수 x에 대하여 $f(x+3) = f(x)$
>
> (나) $0 \leq x < 3$일 때, $f(x) = \cos \pi x$

357

그림과 같이 함수 $y = \sin 2x$ $(0 \leq x \leq \pi)$의 그래프가 직선 $y = \dfrac{3}{5}$과 두 점 A, B에서 만나고, 직선 $y = -\dfrac{3}{5}$과 두 점 C, D에서 만난다. 네 점 A, B, C, D의 x좌표를 각각 α, β, γ, δ라 할 때, $\alpha + 2\beta + 2\gamma + \delta$의 값은?

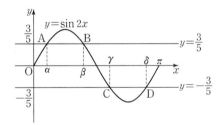

① $\dfrac{9}{4}\pi$ ② $\dfrac{5}{2}\pi$ ③ 3π

④ $\dfrac{7}{2}\pi$ ⑤ 4π

358

$\overline{AB}=\overline{AC}$인 이등변삼각형 ABC에 대하여 옳은 것만을 <보기>에서 있는 대로 고른 것은?

┌─보기─
ㄱ. $\sin \dfrac{A}{2}=\cos B$

ㄴ. $\cos A=\cos 2C$

ㄷ. $\tan A=\tan C$
└─

① ㄱ   ② ㄴ   ③ ㄱ, ㄷ

④ ㄴ, ㄷ   ⑤ ㄱ, ㄴ, ㄷ

359

그림과 같이 좌표평면 위에서 반지름의 길이가 1인 원을 10등분하여 각 분점을 차례로 P_1, P_2, $\cdots$, P_{10}이라 하자. 점 $P_1(1, 0)$, $\angle P_1 O P_2=\theta$일 때, $\sin \theta+\sin 2\theta+\sin 3\theta+\cdots+\sin 10\theta$의 값을 구하여라.

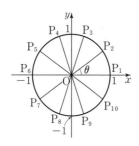

360

함수 $y=\sin^2\left(\dfrac{3}{2}\pi+x\right)+2\sin x+a$가 $x=b$에서 최댓값 5를 가질 때, 상수 a, b의 곱 ab의 값을 구하여라. (단, $-\pi \leq x \leq \pi$)

361

포물선 $y=x^2-2x\cos \theta-\sin^2 \theta$의 꼭짓점이 직선 $y=2x$ 위에 있기 위한 θ의 값을 구하여라.

(단, $0<\theta \leq \pi$)

362

$-\pi \leq x \leq 0$에서 부등식 $|\cos x| < \sin|x|$를 만족하는 실수 x의 값의 범위를 구하여라.

3

삼각형에의 응용

삼각함수의 고향은 직각삼각형.
삼각함수에서 많은 것을 배웠다. 다양한 공식, 그래프, 방정식과 부등식, …
이제 다시 고향으로 돌아와 삼각형과 논다.

1 사인법칙과 코사인법칙

$$a^2 = b^2 + c^2 - 2bc \cos A$$

2 도형의 넓이

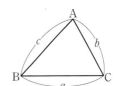

$$S = \frac{1}{2} ab \sin C$$

01 | 사인법칙

$\triangle$ABC에서 세 각 $\angle$A, $\angle$B, $\angle$C의 크기를 A, B, C로 나타내고 이들의 대변의 길이는 각각 a, b, c로 나타낸다.

이러한 세 각의 크기와 세 변의 길이 사이에는 다음과 같은 사인법칙이 성립한다.

사인법칙은 대변과 대각이 주어지는 경우에 사용한다.

> **사인법칙**
> 삼각형 ABC의 외접원의 반지름의 길이를 R라 할 때,
> $$\frac{a}{\sin A}=\frac{b}{\sin B}=\frac{c}{\sin C}=2R$$

| 증명 | 삼각형 ABC의 외접원의 중심을 O, 반지름의 길이를 R라 하면 $\angle$A의 크기에 따라 다음과 같이 세 가지 경우로 나누어 생각해 볼 수 있다.

(ⅰ) $A=90°$일 때, $\sin A=\sin 90°=1$, $a=2R$이므로 $\sin A=1=\dfrac{a}{2R}$

(ⅱ) $A<90°$일 때, 점 B를 지나는 지름의 다른 한 끝점을 점 A'이라 하면
$A=A'$ ← 원주각의 성질
삼각형 A'BC에서 $C=90°$이므로 $\sin A=\sin A'=\dfrac{\overline{BC}}{\overline{A'B}}=\dfrac{a}{2R}$

(ⅲ) $A>90°$일 때, 점 B를 지나는 지름의 다른 한 끝점을 점 A'이라 하면
$A=180°-A'$ ← 원에 내접하는 사각형은 마주보는 각의 크기의 합이 180°
삼각형 A'BC에서 $C=90°$이므로
$$\sin A=\sin (180°-A')=\sin A'=\dfrac{\overline{BC}}{\overline{A'B}}=\dfrac{a}{2R}$$

이상에서 $\angle$A의 크기에 상관없이 $\sin A=\dfrac{a}{2R}$가 성립하므로 $\dfrac{a}{\sin A}=2R$

같은 방법으로 하면 $\dfrac{b}{\sin B}=2R$, $\dfrac{c}{\sin C}=2R$가 성립하므로

$$\frac{a}{\sin A}=\frac{b}{\sin B}=\frac{c}{\sin C}=2R$$

다음은 사인법칙을 변형한 식이다. 특히, (3)이 유용하다.

> **사인법칙의 변형**
> (1) $\sin A=\dfrac{a}{2R}$, $\sin B=\dfrac{b}{2R}$, $\sin C=\dfrac{c}{2R}$　　　(2) $a=2R\sin A$, $b=2R\sin B$, $c=2R\sin C$
> (3) $\sin A:\sin B:\sin C=a:b:c$

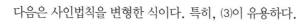

363 삼각형 ABC에 대하여 다음을 구하여라.

(1) $a=6$, $A=120°$, $C=30°$일 때, c의 값

(2) $a=4$, $b=4\sqrt{2}$, $A=45°$일 때, B의 값

풍산자❶ 주어진 조건에 맞는 그림을 그려 본다.

> **풀이** (1) 주어진 조건을 그림으로 나타내면 그림과 같다.

사인법칙에 의하여

$$\frac{a}{\sin A}=\frac{c}{\sin C}, \quad \frac{6}{\sin 120°}=\frac{c}{\sin 30°}$$

$$c\sin 120°=6\sin 30°, \quad \frac{\sqrt{3}}{2}c=6\times\frac{1}{2} \qquad \therefore c=3\times\frac{2}{\sqrt{3}}=\mathbf{2\sqrt{3}}$$

(2) 사인법칙에 의하여 $\dfrac{a}{\sin A}=\dfrac{b}{\sin B}, \quad \dfrac{4}{\sin 45°}=\dfrac{4\sqrt{2}}{\sin B}$

$$\therefore \sin B=\sqrt{2}\times\sin 45°=\sqrt{2}\times\frac{1}{\sqrt{2}}=1$$

$0°<B<180°$이므로 $B=\mathbf{90°}$

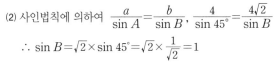

정답과 풀이 **49**쪽

유제 **364** 삼각형 ABC에 대하여 다음을 구하여라.

(1) $b=10$, $A=30°$, $B=45°$일 때, a의 값

(2) $a=\sqrt{3}$, $c=3$, $A=30°$일 때, C의 값

365 그림과 같이 삼각형 ABC의 외접원의 반지름의 길이가 6이고 $A=60°$일 때, a의 값을 구하여라.

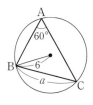

풍산자❶ 사인법칙은 외접원과 연관이 있다.

외접원 문제를 보면 일단은 사인법칙을 떠올리도록 하자.

> **풀이** 삼각형 ABC에 사인법칙을 적용하면

$$\frac{a}{\sin A}=2R에서 \frac{a}{\sin 60°}=2\times 6$$

$$\therefore a=12\sin 60°=12\times\frac{\sqrt{3}}{2}=\mathbf{6\sqrt{3}}$$

정답과 풀이 **49**쪽

유제 **366** 삼각형 ABC에서 $b=10$, $A=105°$, $B=30°$일 때, c의 값과 외접원의 반지름의 길이 R의 곱 cR의 값을 구하여라.

367 삼각형 ABC에 대하여 다음 물음에 답하여라.

(1) $\dfrac{a+b}{7}=\dfrac{b+c}{8}=\dfrac{c+a}{9}$ 일 때, $\sin A : \sin B : \sin C$ 를 구하여라.

(2) $A : B : C = 1 : 2 : 3$ 일 때, $a : b : c$ 를 구하여라.

풍산자티 두 각이나 두 변이 주어질 때는 일단 사인법칙을 떠올린다.

▶ **풀이**
(1) $\dfrac{a+b}{7}=\dfrac{b+c}{8}=\dfrac{c+a}{9}=k\ (k\neq 0)$ 로 놓으면

$a+b=7k$, $b+c=8k$, $c+a=9k$ ····· ㉠

㉠의 세 식을 변끼리 더하면

$2a+2b+2c=24k$

$a+b+c=12k$ ····· ㉡

㉡에서 ㉠의 각 식을 빼면

$a=4k$, $b=3k$, $c=5k$

$\therefore \sin A : \sin B : \sin C = \dfrac{a}{2R} : \dfrac{b}{2R} : \dfrac{c}{2R} = a : b : c = 4k : 3k : 5k = \mathbf{4 : 3 : 5}$

(2) $A+B+C=180°$이고, $A : B : C = 1 : 2 : 3$이므로

$A=180°\times\dfrac{1}{6}=30°$, $B=180°\times\dfrac{2}{6}=60°$, $C=180°\times\dfrac{3}{6}=90°$

$\therefore \sin A : \sin B : \sin C = \sin 30° : \sin 60° : \sin 90° = \dfrac{1}{2} : \dfrac{\sqrt{3}}{2} : 1 = 1 : \sqrt{3} : 2$

따라서 사인법칙에 의하여

$\sin A : \sin B : \sin C = a : b : c$이므로 $a : b : c = \mathbf{1 : \sqrt{3} : 2}$

정답과 풀이 **49**쪽

유제 368 삼각형 ABC에 대하여 다음 물음에 답하여라.

(1) $ab : bc : ca = 4 : 5 : 10$일 때, $\dfrac{\sin B \cdot \sin C}{\sin^2 A}$ 의 값을 구하여라.

(2) $A : B : C = 1 : 1 : 2$일 때, $\dfrac{a^2-b^2-c^2}{(a-b-c)^2}$ 의 값을 구하여라.

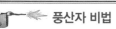 **풍산자 비법**

· 삼각형 ABC에서 외접원의 반지름의 길이를 R라 할 때, 다음 사인법칙이 성립한다.

$$\dfrac{a}{\sin A}=\dfrac{b}{\sin B}=\dfrac{c}{\sin C}=2R$$

· 사인법칙은 대변과 대각이 주어진 경우에 사용한다.

· 외접원 문제를 보면 일단 사인법칙을 떠올린다.

02 | 코사인법칙

고등학교 수학에서 중요한 내용으로 둘째가라면 서러운 코사인법칙을 소개한다.

두 변과 그 끼인각이 주어질 때 코사인법칙을 쓰면 나머지 한 변의 길이를 구할 수 있다.

코사인법칙 중요

삼각형 ABC의 세 변의 길이 a, b, c와 세 각의 크기 A, B, C 사이에는 다음의 코사인법칙이 성립한다.

$$a^2 = b^2 + c^2 - 2bc \cos A$$
$$b^2 = c^2 + a^2 - 2ca \cos B$$
$$c^2 = a^2 + b^2 - 2ab \cos C$$

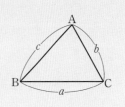

| 증명 | 그림과 같이 점 C에서 변 AB에 내린 수선의 발을 H라 하면

$$a^2 = x^2 + h^2 = (c-y)^2 + h^2$$
$$= c^2 - 2cy + (y^2 + h^2) = c^2 - 2cy + b^2$$
$$= b^2 + c^2 - 2bc \cos A \impliedby y = b \cos A$$

∠A가 직각이나 둔각일 경우에도 비슷한 아이디어로 증명하면 된다.

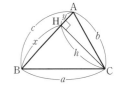

코사인법칙은 변의 길이를 구하는 식이다. 이 등식을 적절히 변형하면 세 변이 주어질 때 한 각의 코사인 값을 알 수 있다. 세 변의 길이가 주어지면 코사인법칙의 변형 공식을 쓴다.

코사인법칙의 변형

$$\cos A = \frac{b^2 + c^2 - a^2}{2bc}, \quad \cos B = \frac{c^2 + a^2 - b^2}{2ca}, \quad \cos C = \frac{a^2 + b^2 - c^2}{2ab}$$

| 설명 | 사인법칙이 외접원 문제의 해결사라면 코사인법칙은 세 변이 주어지는 문제의 킬러!

이 둘이 함께 쓰일 때 그 위력은 배가 된다. 이 두 공식을 가까이 두고 한 덩어리로 묶어 사용할 수 있도록 하자. 두 공식은 다음과 같이 연상하면 암기에 도움이 된다.

사인법칙	코사인법칙
$$\frac{a}{\sin A} = \frac{b}{\sin B} = \frac{c}{\sin C} = 2R$$	$$a^2 = b^2 + c^2 - 2bc \cos A$$
① 마주보는 각과 변이 연관된다. ② 사인법칙은 외접원과 연관이 있다.	① 두 변과 끼인각으로 대변의 길이를 알 수 있다. ② 합동조건 중 SAS를 연상한다.

大 원칙
- 두 변과 그 끼인각이 주어질 때는 코사인법칙을 쓴다.
- 세 변이 주어질 때는 코사인법칙의 변형 공식을 쓴다.
- 두 각이나 두 변이 주어질 때는 일단 사인법칙을 쓴다.

369 삼각형 ABC에서 $a=2$, $b=3$, $C=120°$일 때, c의 값을 구하여라.

> **풍산자립** 두 변의 길이와 그 끼인각이 주어졌으므로 SAS 합동을 떠올리며 코사인법칙을 쓴다.

> **➤ 풀이** 두 변의 길이와 그 끼인각이 주어졌으므로 코사인법칙을 이용하여 c^2의 값을 구하면
>
> $$c^2=a^2+b^2-2ab\cos C$$
> $$=2^2+3^2-2\times 2\times 3\times \cos 120°$$
> $$=4+9-12\times\left(-\frac{1}{2}\right)=19$$
>
> $c>0$이므로 $c=\sqrt{\mathbf{19}}$

정답과 풀이 **49**쪽

유제 370 삼각형 ABC에서 $a=3$, $c=2\sqrt{2}$, $B=45°$일 때, b의 값을 구하여라.

371 삼각형 ABC에서 $a=\sqrt{2}$, $b=\sqrt{6}$, $c=2\sqrt{2}$일 때, A의 값을 구하여라.

> **풍산자립** 세 변의 길이가 주어지면 코사인법칙의 변형 공식을 떠올린다.

> **➤ 풀이** 코사인법칙에 의하여
>
> $$\cos A=\frac{b^2+c^2-a^2}{2bc}$$
> $$=\frac{(\sqrt{6})^2+(2\sqrt{2})^2-(\sqrt{2})^2}{2\cdot\sqrt{6}\cdot 2\sqrt{2}}$$
> $$=\frac{6+8-2}{8\sqrt{3}}=\frac{\sqrt{3}}{2}$$
>
> 이때 $0°<A<180°$이므로 $A=\mathbf{30°}$

정답과 풀이 **49**쪽

유제 372 삼각형 ABC에서 $a=3$, $b=5$, $c=7$일 때, C의 값을 구하여라.

373 다음 그림과 같은 삼각형 ABC에서 주어지지 <u>않은</u> 각의 크기와 변의 길이를 모두 구하여라.

(1)
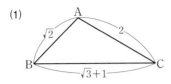

(2)
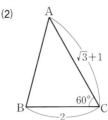

풍산자탑 세 변의 길이가 주어질 때 또는 두 변과 그 끼인각이 주어질 때에는 코사인법칙을 떠올린다.

▶ 풀이 　(1) 세 변의 길이가 주어졌으니 코사인법칙의 변형 공식을 쓴다.

$$\cos A = \frac{b^2+c^2-a^2}{2bc} = \frac{2^2+(\sqrt{2})^2-(\sqrt{3}+1)^2}{2\cdot2\cdot\sqrt{2}} = \frac{\sqrt{2}-\sqrt{6}}{4}$$

$$\cos B = \frac{c^2+a^2-b^2}{2ca} = \frac{(\sqrt{2})^2+(\sqrt{3}+1)^2-2^2}{2\cdot\sqrt{2}\cdot(\sqrt{3}+1)} = \frac{1}{\sqrt{2}}$$

$$\cos C = \frac{a^2+b^2-c^2}{2ab} = \frac{(\sqrt{3}+1)^2+2^2-(\sqrt{2})^2}{2\cdot(\sqrt{3}+1)\cdot2} = \frac{\sqrt{3}}{2}$$

이때 A는 알 수 없지만 $B=45°$, $C=30°$임을 알 수 있다.

그런데 $A+B+C=180°$이므로 $A=105°$

∴ $\boldsymbol{A=105°}$, $\boldsymbol{B=45°}$, $\boldsymbol{C=30°}$

(2) [1단계] 두 변과 그 끼인각이 주어졌으니 코사인법칙을 쓴다.

$a=2$, $b=\sqrt{3}+1$, $C=60°$이므로

$$c^2=a^2+b^2-2ab\cos C = 2^2+(\sqrt{3}+1)^2-2\cdot2\cdot(\sqrt{3}+1)\cos60° = 6$$

∴ $\boldsymbol{c=\sqrt{6}}$

[2단계] 이제 세 변의 길이를 구했으므로 코사인법칙의 변형 공식을 쓴다.

이때 간단한 $a=2$로 A의 값을 먼저 구한 후 B의 값은 $A+B+C=180°$임을 이용해 구한다.

$$\cos A = \frac{b^2+c^2-a^2}{2bc} = \frac{(\sqrt{3}+1)^2+(\sqrt{6})^2-2^2}{2\cdot(\sqrt{3}+1)\cdot\sqrt{6}} = \frac{\sqrt{2}}{2}$$

$0°<A<180°$이므로 $\boldsymbol{A=45°}$

$A+B+C=180°$이므로 $\boldsymbol{B=180°-45°-60°=75°}$

정답과 풀이 **50**쪽

유제 **374** 다음 그림과 같은 삼각형 ABC에서 주어지지 <u>않은</u> 각의 크기와 변의 길이를 모두 구하여라.

(1)
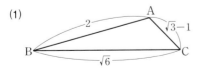

(2)

375 $\sin A : \sin B : \sin C = 13 : 7 : 8$일 때, A의 값을 구하여라.

풍산자티 코사인법칙과 사인법칙의 콜라보! 사인법칙으로 변의 길이의 비를 구하고 코사인법칙을 적용한다.

▶풀이 사인법칙에 의하여 $\sin A : \sin B : \sin C = a : b : c$이므로
$a : b : c = 13 : 7 : 8$
이제 그림과 같은 $\triangle ABC$에서 A의 값을 구하는 문제로 변신했다.
이때 코사인법칙에 의하여

$$\cos A = \frac{b^2 + c^2 - a^2}{2bc}$$

$$= \frac{7^2 + 8^2 - 13^2}{2 \cdot 7 \cdot 8} = -\frac{1}{2}$$

$0° < A < 180°$이므로 $A = \mathbf{120°}$

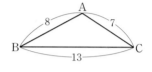

정답과 풀이 **50**쪽

유제 376 $6 \sin A = 2\sqrt{3} \sin B = 3 \sin C$일 때, A의 값을 구하여라.

377 세 변의 길이가 3, 5, 7인 삼각형 ABC의 가장 큰 각의 크기를 구하여라.

풍산자티 대변의 길이가 최대일 때, 대각의 크기가 가장 크다.
마찬가지로 대변의 크기가 최소일 때, 대각의 크기가 가장 작다.

▶풀이 $a = 3$, $b = 5$, $c = 7$이라 하면 가장 큰 각은 $c = 7$인 변의 대각이다.
이때 코사인법칙에 의하여

$$\cos C = \frac{a^2 + b^2 - c^2}{2ab}$$

$$= \frac{3^2 + 5^2 - 7^2}{2 \cdot 3 \cdot 5} = -\frac{1}{2}$$

$0° < C < 180°$이므로 $C = \mathbf{120°}$

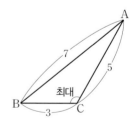

정답과 풀이 **50**쪽

유제 378 세 변의 길이가 $\sqrt{6}$, 2, $\sqrt{3}+1$인 삼각형 ABC의 가장 작은 각의 크기를 구하여라.

379 삼각형 ABC가 다음 조건을 만족할 때, 이 삼각형은 어떤 삼각형인지 구하여라.

(1) $\cos^2 A + \cos^2 B - \cos^2 C = 1$　　　　(2) $2\cos A \sin B = \sin C$

풍산자티 사인법칙의 변형 공식과 코사인법칙의 변형 공식을 이용해 각에 대한 식을 변에 대한 식으로 고쳐서 변의 길이 사이의 관계를 조사한다.

▶ **풀이** (1) $\cos^2 \theta = 1 - \sin^2 \theta$임을 이용해 사인에 관한 식으로 고치면

$(1 - \sin^2 A) + (1 - \sin^2 B) - (1 - \sin^2 C) = 1$

∴ $\sin^2 A + \sin^2 B = \sin^2 C$

이 식에 $\sin A = \dfrac{a}{2R}$, $\sin B = \dfrac{b}{2R}$, $\sin C = \dfrac{c}{2R}$를 대입하면

$\left(\dfrac{a}{2R}\right)^2 + \left(\dfrac{b}{2R}\right)^2 = \left(\dfrac{c}{2R}\right)^2$

∴ $a^2 + b^2 = c^2$

따라서 △ABC는 $C = 90°$인 **직각삼각형**이다.

(2) 주어진 식에 $\cos A = \dfrac{b^2 + c^2 - a^2}{2bc}$, $\sin B = \dfrac{b}{2R}$, $\sin C = \dfrac{c}{2R}$를 대입하면

$2 \times \dfrac{b^2 + c^2 - a^2}{2bc} \times \dfrac{b}{2R} = \dfrac{c}{2R}$

$b^2 + c^2 - a^2 = c^2$, $b^2 = a^2$

∴ $a = b$

따라서 △ABC는 $a = b$인 **이등변삼각형**이다.

정답과 풀이 50쪽

유제 **380** 삼각형 ABC가 다음 조건을 만족할 때, 이 삼각형은 어떤 삼각형인지 구하여라.

(1) $\sin^2 A + \cos^2 B + \cos^2 C = 2$　　　　(2) $\cos A : \cos B = a : b$

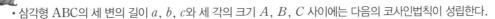

🧙 **풍산자 비법**

• 삼각형 ABC의 세 변의 길이 a, b, c와 세 각의 크기 A, B, C 사이에는 다음의 코사인법칙이 성립한다.

$a^2 = b^2 + c^2 - 2bc \cos A$

$b^2 = c^2 + a^2 - 2ca \cos B$

$c^2 = a^2 + b^2 - 2ab \cos C$

• 두 변의 길이와 한 각의 크기가 주어지면 코사인법칙을 쓴다.

• 세 변의 길이가 주어지면 코사인법칙의 변형 공식을 쓴다.

03 | 생활 속의 삼각함수의 활용

길을 가다가 도로 모퉁이에서 기계를 세워 놓고 먼 곳을 바라보는 측량 기사를 본 적이 있는가? 측량 기사는 무얼 하는 걸까?

바로 각을 재고 있는 것이다. 각은 직접 가보지 않고도 잴 수 있다.

삼각비란 각과 변의 관계. 각의 크기를 알고 삼각비를 이용하면 직접 잴 수 없는 거리를 알 수 있다.

| 거리에 대한 활용 (1) |

381 건물을 사이에 두고 두 지점 A, B가 있다. 이 두 지점 사이의 거리를 알기 위해 다른 한 지점 C에서 측량 하였더니 결과가 그림과 같았다. 두 지점 A, B 사이의 거리를 구하여라.

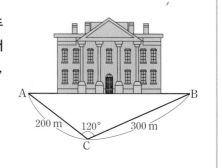

풍산자曰 두 변과 끼인각이 주어졌다. 그렇다면? 코사인법칙!

> **풀이**   삼각형 ABC에 코사인법칙을 적용하면
$$\overline{AB}^2 = 200^2 + 300^2 - 2 \times 200 \times 300 \times \cos 120°$$
$$= 40000 + 90000 + 60000$$
$$= 190000$$
$$\therefore \ \overline{AB} = 100\sqrt{19}\,(\mathrm{m})$$

정답과 풀이 51쪽

유제 **382** 제주에서 부산으로 오던 여객선이 고장 나서 그림과 같이 두 척의 예인선으로 예인하고 있다. 여객선에서 두 예인선까지 연결된 사슬의 길이는 각각 60 m, 100 m이며 두 예인선 사이의 거리는 140 m라 한다. 이때 두 사슬이 이루는 각의 크기 θ를 구하여라.

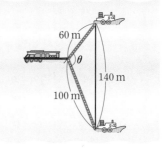

383 그림과 같이 $60\,\text{m}$ 떨어진 두 지점 A, B에서 강 건너 쪽의 두 지점 C, D를 측량했다.

$$\angle BAC=90°, \ \angle BAD=30°,$$
$$\angle ABC=30°, \ \angle ABD=60°$$

일 때, 두 지점 C, D 사이의 거리를 구하여라.

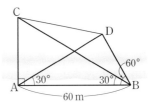

풍산자 사인법칙과 코사인법칙을 이용한 측량 문제.

구하라는 선분을 포함하는 삼각형을 찾아 삼각함수의 공식을 적용한다.

▶ 풀이 $\overline{CD}$의 길이를 구하려면 $\overline{CD}$를 포함한 $\triangle ACD$에서 코사인법칙을 적용해야 하므로 두 변과 끼인각을 알아야 한다.

끼인각, 즉 $\angle CAD$의 크기는 $90°-30°=60°$

이제 $\overline{AC}$와 $\overline{AD}$의 길이를 구한다.

(i) $\overline{AC}$를 포함한 $\triangle ABC$는 세 변의 길이비가 $2:1:\sqrt{3}$인 직각삼각형이므로

$$60 : \overline{AC}=\sqrt{3}:1$$
$$\therefore \overline{AC}=20\sqrt{3}\,(\text{m})$$

(ii) $\overline{AD}$를 포함한 $\triangle ABD$는 세 변의 길이비가 $2:1:\sqrt{3}$인 직각삼각형이므로

$$60 : \overline{AD}=2:\sqrt{3}$$
$$\therefore \overline{AD}=30\sqrt{3}\,(\text{m})$$

$\triangle ACD$에 코사인법칙을 적용하면

$$\overline{CD}^2=\overline{AC}^2+\overline{AD}^2-2\times\overline{AC}\times\overline{AD}\times\cos 60°$$
$$=(20\sqrt{3})^2+(30\sqrt{3})^2-2\times 20\sqrt{3}\times 30\sqrt{3}\times\frac{1}{2}$$
$$=2100$$
$$\therefore \overline{CD}=\mathbf{10\sqrt{21}\,(\text{m})}$$

정답과 풀이 **51**쪽

유제 **384** 그림과 같이 $200\,\text{m}$ 떨어진 두 지점 A, B에서 터널 입구 C와 터널 출구 D를 측량했다.

$$\angle BAC=120°, \ \angle BAD=30°,$$
$$\angle ABC=30°, \ \angle ABD=60°$$

일 때, 두 터널 C, D 사이의 거리를 구하여라.

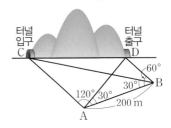

🧙 **풍산자 비법**

문장제 문제라고 긴장할 것 없다. 결국 사인법칙과 코사인법칙을 이용하여 변의 길이를 구하라는 소리. 구하라는 선분을 포함한 삼각형을 찾아 공식을 적용한다.

385

그림과 같이 $\overline{BC}=2$, $A=45°$일 때, $\triangle ABC$의 외접원의 반지름의 길이 R를 구하여라.

386

삼각형 ABC에서

$$(b+c) : (c+a) : (a+b) = 5 : 6 : 7$$

일 때, $\cos A$의 값을 구하여라.

387

삼각형 ABC에서

$$\overline{AB}=2\sqrt{5},\ \overline{CA}=2\sqrt{2},\ C=45°$$

일 때, $\sin A$의 값을 구하여라.

388

삼각형 ABC에 대하여 등식

$$\frac{7}{\sin A}=\frac{8}{\sin B}=\frac{13}{\sin C}$$

이 성립할 때, 이 삼각형의 가장 큰 각의 크기를 구하여라.

389

삼각형 ABC가 다음 두 조건을 만족시킬 때, 이 삼각형은 어떤 삼각형인지 구하여라.

> ㈎ $a^2=b^2+c^2-bc$
>
> ㈏ $\sin A = 2\sin C \cos B$

390

다음 그림과 같은 골프장에서 두 홀 A, B 사이의 거리를 구하여라.

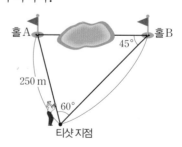

2 | 도형의 넓이

01 | 삼각형의 넓이

모든 다각형은 몇 개의 삼각형으로 나누어진다.

따라서 삼각형의 넓이만 구할 수 있다면 모든 다각형의 넓이를 구할 수 있다.

> **삼각형의 넓이 ➡ 끼인각 공식**
> 삼각형 ABC에서 이웃하는 두 변을 a, b라 하고 두 변 사이의 끼인각을
> θ라 할 때, 삼각형의 넓이를 S라 하면
> $$S = \frac{1}{2}ab \sin C = \frac{1}{2}bc \sin A = \frac{1}{2}ca \sin B$$

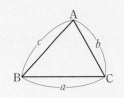

| 증명 | 삼각형 ABC의 꼭짓점 A에서 대변 BC 또는 그 연장선에 내린 수선의 발 H에 대하여 $\overline{AH}=h$라 하고, $\angle$C의 크기에 따라 다음과 같이 세 가지 경우로 나누어 생각해 보자.

(i) $C < 90°$일 때

　　$\triangle$ACH에서 $h = b \sin C$

(ii) $C > 90°$일 때

　　$\triangle$ACH에서

　　$h = b \sin(180° - C) = b \sin C$

  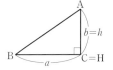

(iii) $C = 90°$일 때

　　$\sin C = \sin 90° = 1$, $h = b$이므로 $h = b \sin C$

이상에서 $\angle$C의 크기에 관계없이 $h = b \sin C$가 성립하므로 $S = \frac{1}{2}ah = \frac{1}{2}ab \sin C$

같은 방법으로 하면 $S = \frac{1}{2}bc \sin A = \frac{1}{2}ca \sin B$가 성립하므로

$S = \frac{1}{2}ab \sin C = \frac{1}{2}bc \sin A = \frac{1}{2}ca \sin B$

한걸음 더

헤론의 공식

세 변의 길이만 주어졌을 때 삼각형의 넓이는 어떻게 구할까?

코사인법칙의 변형을 통해 삼각비를 알아낸 후 끼인각 공식을 적용할 수도 있다.

하지만 너무나 멀고 험한 길이다.

변의 길이가 자연수로 주어지면 쉽고 편한 방법이 있다.

헤론의 공식은 결과가 매우 간편하므로 알아 두고 필요할 때 꺼내 쓰도록 하자.

삼각형 ABC의 세 변의 길이 a, b, c를 알 때 삼각형의 넓이를 S라 하면

$$S = \sqrt{s(s-a)(s-b)(s-c)} \quad \left(\text{단, } s = \frac{a+b+c}{2}\right)$$

391 그림과 같이 $b=10$, $c=8$, $A=120°$인 삼각형 ABC의 넓이를 구하여라.

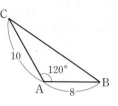

풍산자Tip 끼인각 공식을 떠올리거나 꼭짓점 C에서 $\overline{AB}$의 연장선에 수선을 그어 높이를 구한다.

> 풀이 두 변과 그 끼인각이 주어질 때 ➡ $S=\dfrac{1}{2}bc\sin A$

두 변과 그 끼인각이 주어질 때 ➡ $S=\dfrac{1}{2}bc\sin A$

삼각형 ABC의 넓이를 S라 하면

$$S=\frac{1}{2}\cdot10\cdot8\cdot\sin120°=\frac{1}{2}\cdot10\cdot8\cdot\frac{\sqrt{3}}{2}=\mathbf{20\sqrt{3}}$$

정답과 풀이 **52**쪽

유제 **392** 그림과 같이 $b=8$, $c=6$, $A=135°$인 삼각형 ABC의 넓이를 구하여라.

393 그림과 같이 $a=7$, $b=8$, $c=9$인 삼각형 ABC의 넓이를 구하여라.

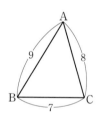

풍산자Tip 세 변이 주어졌으니 헤론의 공식을 쓴다.

> 풀이 삼각형의 길이 $a=7$, $b=8$, $c=9$이므로 s의 값을 구하면

$$s=\frac{7+8+9}{2}=12$$

따라서 삼각형 ABC의 넓이를 S라 하면

$$S=\sqrt{12(12-7)(12-8)(12-9)}=\sqrt{12\times5\times4\times3}=\mathbf{12\sqrt{5}}$$

정답과 풀이 **52**쪽

유제 **394** 그림과 같이 $a=5$, $b=7$, $c=8$인 삼각형 ABC의 넓이를 구하여라.

395 그림과 같이 $\overline{AB}=4$, $\overline{BC}=10$, $\overline{CD}=6$, $\angle ABC=60°$, $\angle ACD=30°$인 사각형 ABCD의 넓이를 구하여라.

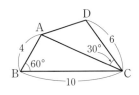

풍산자曰 끼인각 공식을 사용하려면 $\overline{AC}$를 알아야 한다. ➡ △ABC에서 코사인법칙을 쓴다.

▶ 풀이 삼각형 ABC에서 코사인법칙에 의하여

$$\overline{AC}^2=4^2+10^2-2\cdot4\cdot10\cdot\cos 60°=16+100-2\cdot4\cdot10\cdot\frac{1}{2}=76 \qquad \therefore \overline{AC}=2\sqrt{19}$$

사각형 ABCD의 넓이를 S라 하면 S는 삼각형 ABC의 넓이와 삼각형 ACD의 넓이의 합이므로

$$S=\frac{1}{2}\cdot4\cdot10\cdot\sin 60°+\frac{1}{2}\cdot2\sqrt{19}\cdot6\cdot\sin 30°$$
$$=\frac{1}{2}\cdot4\cdot10\cdot\frac{\sqrt{3}}{2}+\frac{1}{2}\cdot2\sqrt{19}\cdot6\cdot\frac{1}{2}=\mathbf{10\sqrt{3}+3\sqrt{19}}$$

정답과 풀이 **52**쪽

유제 **396** 그림과 같이 $\overline{AB}=2\sqrt{2}$, $\overline{BC}=6$, $\overline{CD}=4$, $\angle ABC=45°$, $\angle ACD=30°$인 사각형 ABCD의 넓이를 구하여라.

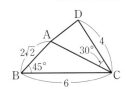

397 그림과 같은 삼각형 ABC에서 $\angle A$의 이등분선이 변 BC와 만나는 점을 D라 하자. $A=60°$, $\overline{AB}=6$, $\overline{AC}=4$일 때, $\overline{AD}$를 구하여라.

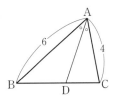

풍산자曰 60°를 이등분하면 30°이고, △ABC=△ABD+△ACD임에 착안한다.

▶ 풀이 $\overline{AD}=x$로 놓고, 끼인각 공식을 쓰면

$$\frac{1}{2}\cdot6\cdot4\cdot\sin 60°=\frac{1}{2}\cdot6\cdot x\cdot\sin 30°+\frac{1}{2}\cdot x\cdot4\cdot\sin 30°$$

$$6\sqrt{3}=\frac{3}{2}x+x \qquad \therefore x=\frac{\mathbf{12}}{\mathbf{5}}\sqrt{3}$$

정답과 풀이 **52**쪽

유제 **398** 그림과 같이 삼각형 ABC에서 $\angle A$의 이등분선이 변 BC와 만나는 점을 D라 하자. $A=120°$, $\overline{AB}=8$, $\overline{AC}=4$일 때, $\overline{AD}$를 구하여라.

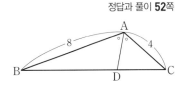

02 | 사각형의 넓이

직사각형이 아닌 사각형의 넓이를 구하려면 대각선을 그어 두 개의 삼각형으로 쪼개어 생각하면 된다.

평행사변형은 대각선을 그으면 쪼개진 삼각형이 합동이 되어 간단하게 구할 수 있다.

그렇다면 변의 길이가 아닌 대각선의 길이가 주어진 사각형의 넓이는 어떻게 구할까?

대각선으로 나누어지는 네 개의 삼각형의 합으로 생각해서 구하면 된다.

이 아이디어로 다음과 같은 두 가지 공식을 유추할 수 있다.

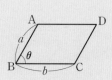

사각형의 넓이

(1) **평행사변형의 넓이**

이웃하는 두 변의 길이가 a, b이고, 그 끼인각의 크기가 θ일 때

$$S = ab\sin\theta$$

(2) **일반 사각형의 넓이**

두 대각선의 길이가 a, b이고, 두 대각선이 이루는 각의 크기가 θ일 때

$$S = \frac{1}{2}ab\sin\theta$$

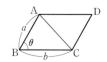

| 증명 | (1) **평행사변형의 넓이**

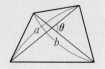

평행사변형 ABCD의 꼭짓점 A에서 꼭짓점 C에 선을 그으면 삼각형 ABC와 삼각형 ADC는 서로 합동이므로 평행사변형 ABCD의 넓이 S는 삼각형 ABC의 넓이의 2배이다.

$$\therefore\ S = 2 \times \triangle ABC = 2 \times \left(\frac{1}{2}ab\sin\theta\right) = ab\sin\theta$$

(2) **일반 사각형의 넓이**

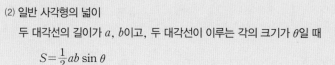

사각형 ABCD에서 두 대각선을 그어 사각형 ABCD를 네 개의 삼각형으로 나누고 $a = p_1 + p_2$, $b = q_1 + q_2$로 놓으면

$$S = \triangle OAB + \triangle OBC + \triangle OCD + \triangle ODA$$

$$= \frac{1}{2}p_1q_1\sin\theta + \frac{1}{2}p_2q_1\sin(180°-\theta) + \frac{1}{2}p_2q_2\sin\theta + \frac{1}{2}p_1q_2\sin(180°-\theta)$$

$$= \frac{1}{2}p_1q_1\sin\theta + \frac{1}{2}p_2q_1\sin\theta + \frac{1}{2}p_2q_2\sin\theta + \frac{1}{2}p_1q_2\sin\theta$$

$$= \frac{1}{2}(p_1+p_2)q_1\sin\theta + \frac{1}{2}(p_1+p_2)q_2\sin\theta$$

$$= \frac{1}{2}(p_1+p_2)(q_1+q_2)\sin\theta$$

$$= \frac{1}{2}ab\sin\theta$$

399 그림과 같은 평행사변형 ABCD에서 $\overline{AB}=6$, $\overline{BC}=8$, $C=120°$일 때, 이 평행사변형의 넓이를 구하여라.

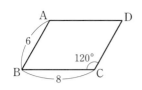

(풍산자) 평행사변형의 이웃하는 두 변의 길이 a, b와 끼인각 θ가 주어졌다. ➡ $S=ab\sin\theta$

▶ 풀이　평행사변형의 성질에 의하여 두 밑각의 합은 $180°$이므로 $\angle B+\angle C=180°$
　　　∴ $\angle B=180°-\angle C=180°-120°=60°$
　　　따라서 평행사변형 ABCD의 넓이를 S라 하면
　　　$S=\overline{AB}\cdot\overline{BC}\cdot\sin B=6\cdot8\cdot\sin 60°=\mathbf{24\sqrt{3}}$

정답과 풀이 **52**쪽

유제 **400** 그림과 같은 평행사변형 ABCD에서 $\overline{AB}=4$, $\overline{BC}=6$, $C=135°$일 때, 이 평행사변형의 넓이를 구하여라.

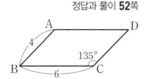

401 사각형 ABCD에서 두 대각선 $\overline{AC}$, $\overline{BD}$의 길이가 각각 8, 10이고 $\overline{AC}$와 $\overline{BD}$가 이루는 각의 크기 중 하나가 $120°$일 때, 이 사각형의 넓이를 구하여라.

(풍산자) 사각형의 두 대각선의 길이 a, b와 두 대각선이 이루는 끼인각 θ가 주어졌다.
　　　➡ $S=\dfrac{1}{2}ab\sin\theta$

▶ 풀이　주어진 조건을 그림으로 나타내면 그림과 같다.
　　　□ABCD의 넓이를 S라 하면
　　　$S=\dfrac{1}{2}\times\overline{AC}\times\overline{BD}\times\sin 120°=\dfrac{1}{2}\times8\times10\times\dfrac{\sqrt{3}}{2}=\mathbf{20\sqrt{3}}$

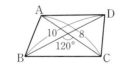

정답과 풀이 **53**쪽

유제 **402** 평행사변형 ABCD에서 $\overline{AC}=6$, $\overline{BD}=8$이고, 두 대각선이 이루는 각의 크기가 $45°$일 때, 이 평행사변형의 넓이를 구하여라.

풍산자 비법

• 삼각형의 넓이는 끼인각 공식으로 구한다. ➡ $S=\dfrac{1}{2}ab\sin C=\dfrac{1}{2}bc\sin A=\dfrac{1}{2}ca\sin B$

• 사각형의 넓이는 대각선을 그어 두 개의 삼각형으로 쪼개어 생각한다.

403

$a=6$, $B=120°$인 삼각형 ABC의 넓이가 $15\sqrt{3}$일 때, b의 값을 구하여라.

405

평행사변형 ABCD에서 $\overline{AB}=2$, $\overline{BC}=2\sqrt{3}$이고, 사각형의 넓이가 6일 때, A의 값을 구하여라.

(단, $0°<A<90°$)

404

그림과 같은 삼각형 ABC가 원 O에 내접한다. 원 O의 넓이가 5π cm²이고 $\angle ACB=60°$일 때, 삼각형 ABO의 넓이를 구하여라.

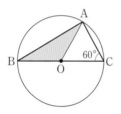

406

그림과 같은 사각형 ABCD에서 $\overline{AB}=2$, $\overline{BC}=4$, $\overline{CD}=\sqrt{2}$, $\angle ABC=60°$, $\angle DCB=75°$ 일 때, 이 사각형의 넓이를 구하여라.

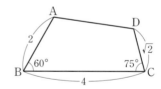

중단원 마무리

▶ **사인법칙**

사인법칙	외접원과 관련이 있다. $\dfrac{a}{\sin A} = \dfrac{b}{\sin B} = \dfrac{c}{\sin C} = 2R$	
사인법칙의 변형	① $\sin A = \dfrac{a}{2R}$, $\sin B = \dfrac{b}{2R}$, $\sin C = \dfrac{c}{2R}$ ② $a = 2R\sin A$, $b = 2R\sin B$, $c = 2R\sin C$ ③ $\sin A : \sin B : \sin C = a : b : c$	

▶ **코사인법칙**

코사인법칙	삼각형의 세 변의 길이와 관련이 있다. $a^2 = b^2 + c^2 - 2bc\cos A$ $b^2 = c^2 + a^2 - 2ca\cos B$ $c^2 = a^2 + b^2 - 2ab\cos C$	
코사인법칙의 변형	$\cos A = \dfrac{b^2 + c^2 - a^2}{2bc}$, $\cos B = \dfrac{c^2 + a^2 - b^2}{2ca}$, $\cos C = \dfrac{a^2 + b^2 - c^2}{2ab}$	

▶ **도형의 넓이**

삼각형의 넓이	끼인각 공식	$S = \dfrac{1}{2}ab\sin C$	
	헤론의 공식	$S = \sqrt{s(s-a)(s-b)(s-c)}$ $\left(단, s = \dfrac{a+b+c}{2}\right)$	
사각형의 넓이	평행사변형의 넓이	$S = ab\sin\theta$	

실전 연습문제

STEP1

407

그림과 같이 원에 내접
하는 사각형 ABCD가
있다. $\angle ABD = 50°$,
$\angle ADB = 40°$,
$\angle CBD = 70°$,
$\overline{BD} = 2\sqrt{3}$ 일 때, $\overline{AC}$를 구하여라.

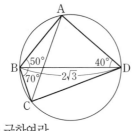

408

반지름의 길이가 4인 원에 내접하는 삼각형 ABC
에 대하여

$$2\cos(B+C)\cos A = -1$$

이 성립할 때, $\overline{BC}$를 구하여라. (단, $0° < A < 90°$)

409

삼각형 ABC에서

$$a \sin A - b \sin B - c \sin C = 0$$

이 성립할 때, 삼각형 ABC는 어떤 삼각형인지
말하여라.

410

삼각형 ABC에서 세 변의 길이 a, b, c 사이에
$a^2 = b^2 + bc + c^2$인 관계가 성립할 때, A를 구하여
라.

411

그림과 같은 정사각형
ABCD에서 $\overline{BE} = 2$,
$\overline{EC} = 4$, $\overline{CF} = \overline{FD} = 3$
이 되도록 점 E, F를 잡
을 때, $\sin\theta$의 값을 구
하여라.

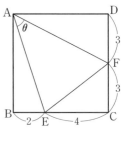

412

그림과 같이 삼각형의 한 변
의 길이를 10% 늘이고, 다
른 한 변의 길이를 10% 줄

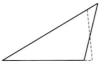

여서 새로운 삼각형을 만들 때, 삼각형의 넓이 변
화로 옳은 것은?

① 1% 감소한다.　　② 1% 증가한다.

③ 11% 감소한다.　　④ 11% 증가한다.

⑤ 변화가 없다.

413

그림과 같은 등변사
다리꼴 ABCD에서
두 대각선이 이루는

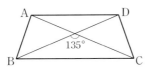

각의 크기는 135°이고 넓이가 $25\sqrt{2}$일 때, $\overline{BD}$를
구하여라.

414

그림과 같은 사각형 ABCD의 넓이를 구하여라.

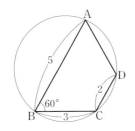

415

다음 그림과 같이 25m 떨어진 두 지점 A, B
에서 지면에 수직으로 서 있는 나무 $\overline{PQ}$를 보
고 측정한 결과 ∠PAQ=30°, ∠BAQ=75°,
∠ABQ=45°를 얻었다. 이때, 나무의 높이 $\overline{PQ}$
를 구하여라. (단, 측정 기계의 높이는 생각하지
않는다.)

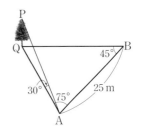

416

고대 유적지 발굴 현장에서
원형의 깨어진 접시가 나왔
다. 여기서 그림과 같이 세
변의 길이가 6, 10, 14인 삼
각형을 얻었다. 다음을 구하여라.

(1) 접시의 반지름의 길이

(2) 삼각형의 내접원의 반지름의 길이

417

그림과 같이 한 모서리의 길이가 1인 정사각뿔이 있다. 모서리 EC 위를 움직이는 점 P에 대하여 $\angle BPD = \theta$ 라 할 때, $\cos \theta$의 최댓값과 최솟값의 합을 구하여라.

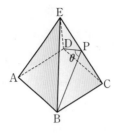

418

삼각형 ABC에서 $\overline{AB} = \overline{AC}$이고, $A = 120°$, $\overline{BC} = 8$일 때, $\overline{AC}$ 위를 움직이는 점 P에 대하여 $\overline{BP}^2 + \overline{CP}^2$의 최솟값을 구하여라.

419

한 변의 길이가 2인 정육각형의 모든 대각선의 길이의 합을 구하여라.

420

그림과 같이 $\overline{AB} = \sqrt{3}$, $B = 45°$, $C = 60°$인 삼각형 ABC에서 $\overline{AC} = \overline{CD}$가 되도록 $\overline{BC}$의 연장선 위에 점 D를 잡을 때, $\overline{AD}^2$의 값을 구하여라.

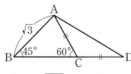

421

그림과 같은 △ABC의 변 AB, AC 위를 움직이는 점을 각각 P, Q라 하자. △APQ의 넓이가 △ABC의 넓이의 $\dfrac{1}{4}$일 때, 물음에 답하여라.

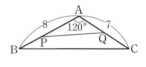

(1) $\overline{AP} + \overline{AQ}$의 최솟값을 구하여라.

(2) $\overline{PQ}$의 최솟값을 구하여라.

← 수열 →

규칙을 찾으면 예측할 수 있다.

이일은 이, 이이는 사, 이삼은 육, 이사 팔, …

숫자를 배우고 만나게 되는 구구단.

수학이 싫어지는 첫 번째 관문이기도 하다.

이렇게 힘겹게 외운 구구단이 바로 지금부터 배울

수열의 한 예이다.

구구단 2단은 2씩 더해 가는 등차수열.

등차수열의 성질을 알면 19단도 금방 계산할 수 있다.

또한 나열된 수의 규칙만 찾을 수 있다면

백만 번째에는 어떤 수가 나올지 계산하고 예측할 수 있다.

그렇다면 규칙을 어떻게 찾을 것인가.

지금부터 배워 보자.

등차수열과 등비수열

수열의 두 대표 선수가 출전한다.
하나는 일정한 수를 더하여 나열한 등차수열.
또 하나는 일정한 수를 곱하여 나열한 등비수열.

---

1 등차수열

$$a_n = a + (n-1)d$$

$$S_n = \frac{n\{2a + (n-1)d\}}{2}$$

2 등비수열

$$a_n = ar^{n-1}$$

$$S_n = \frac{a(r^n - 1)}{r - 1}$$

1 등차수열

01 | 수열 입문

수열이란 수의 나열.

규칙성이 있는 수열이 있고 규칙성이 없는 수열이 있다.

1, 3, 5, 7, 9는 홀수라는 규칙을 가지는 반듯한(예쁜) 수열.

2, 13, 5, 7, 3은 별 규칙성이 없는 울퉁불퉁한 수열.

우리는 규칙이 있는 예쁜 수열을 공부한다.

특별히 더 예쁜 수열 두 가지가 있다.

일정한 수를 더해 가는 등차수열과 일정한 수를 곱해 가는 등비수열.

예를 들어,

2, 4, 6, 8, 10은 2를 더해 가는 수열.

2, 4, 8, 16, 32는 2를 곱해 가는 수열.

수열을 이루는 각각의 수를 **항**이라 한다.

항이 유한개이면 유한수열이며 항이 무한개이면 무한수열이다.

보통 수열이라 하면 무한수열을 가리키는 경우가 대부분이다.

제 n 항을 **일반항**이라 하고, a_n 으로 나타낸다.

일반항 a_n 은 모든 항의 대표 선수!

a_1 은 첫째항, a_2 는 제2항, a_3 은 제3항, $\cdots$

a_1, a_2, a_3, $\cdots$, a_n, $\cdots$ 은 일반항을 써서 $\{a_n\}$ 과 같이 간단히 나타내기도 한다.

무한수열 2, 4, 8, 16, $\cdots$ 에서 $a_1=2$, $a_2=4$, $a_3=8$, $\cdots$, $a_n=2^n$, $\cdots$ 이다.

일반항은 모든 항의 규칙을 나타내는 대표 선수이기 때문에 일반항을 구하고 나면 백만 번째 항도 쉽게 구할 수 있다. 진짜다.

첫째항부터 제 n 항까지의 합을 기호 S_n 으로 나타낸다.

S_3 은 첫째항부터 제3항까지의 합, S_{10} 은 첫째항부터 제10항까지의 합.

모든 수열의 핵심 주제는 바로 일반항 a_n 과 첫째항부터 제 n 항까지의 합 S_n 구하기이다.

02 | 등차수열

등차수열이란 일정한 수를 더해 가는 수열.

같은 수를 더해 가니 차이가 같다. 그래서 등차수열.

더해 가는 일정한 수를 **공차**라 한다.

> **등 차 수 열**
> **等 差 數 列**
> 같은 차이의 수열

> ### 등차수열의 관계식
> 수열 $\{a_n\}$이 첫째항이 a이고 공차가 d인 등차수열이라 할 때,
> 제 n항 a_n과 제 $(n+1)$항 a_{n+1} 사이에는 다음 관계가 성립한다.
> $$a_{n+1} = a_n + d \iff a_{n+1} - a_n = d \ (n=1, 2, 3, \cdots)$$

| 개념확인 |

다음 수열의 첫째항과 공차를 구하여라.

(1) 2, 5, 8, 11, $\cdots$ (2) 100, 95, 90, 85, $\cdots$

❯ **풀이**   (1) **첫째항: 2, 공차: 3**   (2) **첫째항: 100, 공차: -5**

등차수열의 제 n항, 즉 일반항은 어떻게 표현할 수 있을까?

첫째항이 a, 공차가 d인 등차수열은 a에서 출발해 d씩 더해 가는 수열.

이때 규칙성을 본다.

$$a, \quad a+d, \quad a+2d, \quad a+3d, \quad \cdots \quad a+(n-1)d, \cdots$$
$$\uparrow \qquad \uparrow \qquad \uparrow \qquad \uparrow \qquad\qquad \uparrow$$
$$a_1 \qquad a_2 \qquad a_3 \qquad a_4 \quad \cdots \quad a_n \qquad \cdots$$

> ### 등차수열의 일반항 중요!
> 첫째항이 a이고 공차가 d인 등차수열의 일반항 a_n은
> $$a_n = a + (n-1)d \ (n=1, 2, 3 \cdots)$$

| 설명 |

위에서 소개한 식은 모두 수열 $\{a_n\}$이 등차수열임을 나타낸다.

즉, $a_n = a + (n-1)d \iff a_{n+1} - a_n = d$

이때 d는 차이를 뜻하는 difference의 첫 글자 d를 딴 것이다.

등차수열의 일반항을 구하려면 첫째항과 공차를 구한 후 일반항 공식에 대입하면 된다.

첫째항 a와 공차 d만 알면 일반항을 구할 수 있다. 두 문자 a, d를 구하려면 두 조건이 필요하다.

따라서 두 조건만 주어지면 등차수열은 결정된다.

| 참고 |

일반항이 n에 대한 일차식 $a_n = An + B$ (A, B는 상수)인 수열은 항상 등차수열이다.

이때 일차항의 계수인 A가 바로 공차이다.

이것은 등차수열의 일반항을 생각해 보면 쉽게 이해할 수 있다.

등차수열의 일반항은

$a_n = a + (n-1)d = dn + a - d$

이므로 n의 계수가 항상 d, 즉 공차이다.

422 다음 등차수열의 일반항 a_n을 구하여라.

(1) $3,\ 9,\ 15,\ 21,\ \cdots$　　　　　　(2) $-2,\ -6,\ -10,\ -14,\ \cdots$

풍산자팁 등차수열의 일반항은 첫째항과 공차만 알면 된다.
둘째항에서 첫째항을 빼면 공차가 된다.

▶ 풀이　(1) 첫째항은 $a=3$, 공차는 $d=a_2-a_1=9-3=6$
$$\therefore\ a_n=a+(n-1)d=3+(n-1)\cdot6=\mathbf{6n-3}$$
(2) 첫째항은 $a=-2$, 공차는 $d=a_2-a_1=-6-(-2)=-4$
$$\therefore\ a_n=a+(n-1)d=-2+(n-1)\cdot(-4)=\mathbf{-4n+2}$$

▶ 다른 풀이　(1) [1단계] 공차는 $a_2-a_1=9-3=6$이므로 $a_n=6n+\triangle$
[2단계] $n=1$일 때, $a_1=3$이므로 $3=6+\triangle$　$\therefore\ \triangle=-3$
$$\therefore\ a_n=6n-3$$
(2) [1단계] 공차는 $a_2-a_1=-4$이므로 $a_n=-4n+\triangle$
[2단계] $n=1$일 때, $a_1=-2$이므로 $-2=-4+\triangle$　$\therefore\ \triangle=2$
$$\therefore\ a_n=-4n+2$$

정답과 풀이 **58**쪽

유제 **423** 다음 등차수열의 일반항 a_n을 구하여라.

(1) $1,\ 4,\ 7,\ 10,\ \cdots$　　　　　　(2) $-2,\ -7,\ -12,\ -17,\ \cdots$

424 일반항이 $a_n=4n+3$인 수열이 등차수열임을 보이고, 첫째항과 공차를 구하여라.

풍산자팁 등차수열은 $(n+1)$번째 항에서 n번째 항을 빼면 일정한 수가 된다.
이 일정한 수가 공차! ➡ $a_{n+1}-a_n=d$

▶ 풀이　$a_n=4n+3$에서 $a_{n+1}=4(n+1)+3=4n+7$
$$\therefore\ \boldsymbol{a_{n+1}-a_n}=(4n+7)-(4n+3)=\mathbf{4}\ \Longleftarrow\ 공차$$
또 $a_1=4\cdot1+3=7$이다. ⬅ 첫째항
따라서 수열 $\{a_n\}$은 **첫째항**이 **7**, 공차가 **4**인 등차수열이다.

정답과 풀이 **58**쪽

유제 **425** 일반항이 $a_n=2n-5$인 수열이 등차수열임을 보이고, 첫째항과 공차를 구하여라.

426 제5항이 3, 제10항이 13인 등차수열이 있다. 이 수열의 제20항을 구하여라.

> **풍산자티** 두 조건이 주어지면 등차수열은 결정된다. 즉 두 항만 알면 일반항을 구할 수 있다.
> 일반항을 $a_n = a + (n-1)d$로 놓고 관계식을 만든다.

> **풀이** 등차수열의 첫째항을 a, 공차를 d, 일반항을 a_n이라 하면
> $a_n = a + (n-1)d$
> $a_5 = 3$이므로 $a + 4d = 3$ ⋯⋯ ㉠
> $a_{10} = 13$이므로 $a + 9d = 13$ ⋯⋯ ㉡
> ㉠, ㉡을 연립하여 풀면 $a = -5$, $d = 2$
> $\therefore a_{20} = a + 19d = -5 + 19 \cdot 2 = \mathbf{33}$

정답과 풀이 **58**쪽

유제 **427** 제3항이 4, 제7항이 -4인 등차수열이 있다. 이 수열의 제10항을 구하여라.

428 제3항과 제8항의 절댓값이 같고 부호가 반대이며, 제5항이 -2인 등차수열이 있다. 이 수열의 첫째항과 공차를 구하여라.

> **풍산자티** 절댓값이 같고 부호가 반대라니 이건 뭔 소리? $a_3 = -a_8$이라는 소리!

> **풀이** 등차수열의 첫째항을 a, 공차를 d, 일반항을 a_n이라 하면
> $a_n = a + (n-1)d$
> 제3항과 제8항은 절댓값이 같고 부호가 반대이므로
> $a_3 = -a_8$, $a_3 + a_8 = 0$, $(a + 2d) + (a + 7d) = 0$
> $\therefore 2a + 9d = 0$ ⋯⋯ ㉠
> 제5항이 -2이므로 $a_5 = -2$
> $\therefore a + 4d = -2$ ⋯⋯ ㉡
> ㉠, ㉡을 연립하여 풀면 $a = -18$, $d = 4$
> 즉, 주어진 수열의 **첫째항**은 $\mathbf{-18}$, 공차는 **4**이다.

정답과 풀이 **58**쪽

유제 **429** 제2항과 제5항은 절댓값이 같고 부호가 반대이며, 제3항이 1인 등차수열이 있다. 이 수열의 첫째항과 공차를 구하여라.

---

430 첫째항이 40, 공차가 −3인 등차수열에서 처음으로 음수가 되는 항은 제몇 항인지 구하여라.

풍산자티 단계별 접근이 필요하다.

[1단계] 일반항을 구한 뒤

[2단계] $a_n < 0$을 만족시키는 n의 값을 구한다.

▶풀이 [1단계] 첫째항이 40, 공차가 −3인 등차수열의 일반항을 a_n이라 하면

$$a_n = 40 + (n-1) \cdot (-3) = -3n + 43$$

[2단계] 제n항이 음수인 항이라 하면

$$-3n + 43 < 0 \qquad \therefore n > \frac{43}{3} = 14.333\cdots$$

이때 n은 자연수이므로 **제15항**에서 처음으로 음수가 된다.

정답과 풀이 58쪽

유제 **431** 첫째항이 −53, 공차가 5인 등차수열에서 처음으로 양수가 되는 항은 제몇 항인지 구하여라.

---

432 두 수 9와 24 사이에 4개의 수를 넣어서 전체가 등차수열을 이루도록 하려고 한다. 이 네 수를 차례로 구하여라.

풍산자티 두 수 사이에 4개의 수를 넣으면 9는 첫째항, 24는 제6항이 된다.

▶풀이 등차수열의 첫째항이 9, 제6항이 24이므로 공차를 d, 일반항을 a_n이라 하면

$$a_n = 9 + (n-1)d \text{에서 } a_6 = 9 + 5d = 24 \qquad \therefore d = 3$$

9에서 출발해 24까지 공차 3씩 더해 가면

9, 12, 15, 18, 21, 24

따라서 구하는 네 수는 차례로 **12, 15, 18, 21**이다.

정답과 풀이 58쪽

유제 **433** 두 수 10과 −2 사이에 3개의 수를 넣어서 전체가 등차수열을 이루도록 하려고 한다. 이 세 수를 차례로 구하여라.

03 | 세 수가 등차수열을 이룰 때의 계산

세 수가 등차수열을 이루면 가운데 항의 두 배는 양쪽 항들의 합과 같다.
이때 가운데 항을 **등차중항**이라 한다.

> **등차중항**
> 세 수 a, b, c가 이 순서로 등차수열을 이룰 때, b를 a, c의 등차중항이라 하며
> $$b = \frac{a+c}{2}$$
> 가 성립한다.

| 설명 | 등차수열은 이웃한 두 항의 차이가 일정하기 때문에 위와 같은 멋진 성질을 가진다.
즉, 세 수 a, b, c가 이 순서로 등차수열을 이루면 $b-a=c-b$이므로 $2b=a+c$이다.

등차수열을 이루는 세 수를 구하는 문제에서 등차중항을 이용할 수 없다면 변수를 설정하여 푼다. 변수를 설정하는 방법은 크게 다음 세 가지.

[방법 1] 세 수를 a, b, c로 놓고 관계식을 찾는다.

[방법 2] 등차수열임에 착안하여 세 수를 a, $a+d$, $a+2d$로 놓는다.

[방법 3] 좌우 대칭을 이루도록 세 수를 $a-d$, a, $a+d$로 놓는다.

이 중 어떤 것을 사용해도 괜찮지만 세 번째 방법이 가장 간편하다.

다만 주의해야 할 것은 네 개의 수가 등차수열일 때, $a-2d$, $a-d$, $a+d$, $a+2d$로 놓으면 안 된다. 이것은 등차수열이 아니므로. 이럴 때는 $a-3d$, $a-d$, $a+d$, $a+3d$로 놓는다.

핵심 아이디어는 좌우 대칭!

| 등차수열을 이루는 세 수 (1) – 등차중항 |

---

434 세 수 $x-1$, x^2+2x, $x+5$가 이 순서로 등차수열을 이룰 때, x의 값을 구하여라.

풍산자티 세 수가 등차수열을 이룬다. ➡ 당장 등차중항을 가져온다. ➡ $2b=a+c$

▶ **풀이** 세 수 $x-1$, x^2+2x, $x+5$가 이 순서로 등차수열을 이루므로
$2(x^2+2x)=(x-1)+(x+5)$, $2x^2+2x-4=0$
$x^2+x-2=0$, $(x+2)(x-1)=0$
$\therefore x=-2$ 또는 $x=1$

정답과 풀이 **58**쪽

유제 **435** 세 수 $2x-3$, x^2-1, $2x+1$이 이 순서로 등차수열을 이룰 때, x의 값을 구하여라.

436 등차수열을 이루는 세 수가 있다. 세 수의 합이 9이고 제곱의 합이 35일 때, 이 세 수를 작은 순서로 나열하여라.

풍산자曰 세 수를 문자로 설정해야 한다.

등차수열을 이루는 세 수를 구할 때는 $a-d$, a, $a+d$로 놓는다.

≫ 풀이 세 수를 $a-d$, a, $a+d$로 놓으면

세 수의 합이 9이므로

$(a-d)+a+(a+d)=9$, $3a=9$

$\therefore a=3$ ...... ㉠

세 수의 제곱의 합이 35이므로

$(a-d)^2+a^2+(a+d)^2=35$

$\therefore 3a^2+2d^2=35$ ...... ㉡

㉠을 ㉡에 대입하면

$27+2d^2=35$, $d^2=4$

$\therefore d=\pm 2$

(ⅰ) $a=3$, $d=2$일 때, 세 수는 1, 3, 5이다.

(ⅱ) $a=3$, $d=-2$일 때, 세 수는 5, 3, 1이다.

따라서 구하는 세 수는 **1, 3, 5**이다.

정답과 풀이 **58**쪽

유제 **437** 등차수열을 이루는 세 수가 있다. 세 수의 합이 6이고 제곱의 합이 14일 때, 이 세 수를 작은 순서로 나열하여라.

풍산자 비법

- 등차수열은 첫째항과 공차, 즉 두 가지 조건만 주어지면 구할 수 있다.
- 등차수열은 일정한 수를 더해 가는 수열 ➜ $a_{n+1}=a_n+d$
- 등차수열의 일반항 ➜ $a_n=a+(n-1)d$
- 세 수 a, b, c가 이 순서로 등차수열을 이룰 때 ➜ $2b=a+c$

04 | 등차수열의 합

앞에서 모든 수열의 핵심 주제는 수열의 일반항 구하기와 합 구하기라는 것을 말했다.

일반항 구하기는 감 잡았고 이제 등차수열의 합 구하는 법을 배운다.

우리는 초등학교 시절 1에서 100까지의 합을 다음과 같이 기발한 방법으로 구할 수 있음을 배운 적이 있다.

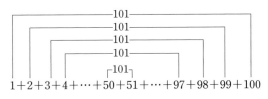

$$\therefore\ 1+2+\cdots+99+100=101\times50=5050$$

이 아이디어에 착안하여 등차수열의 합을 구한다. 공식이 두 개나 준비되어 있다.

등차수열의 합

첫째항이 a, 공차가 d, 제 n 항이 l인 등차수열의 첫째항부터 제 n 항까지의 합을 S_n이라 하면

(1) 첫째항 a와 제 n 항 l을 알 때,

$$S_n=\frac{n(a+l)}{2}$$

← 끝항 킬러 공식   ← $l=a+(n-1)d$

(2) 첫째항 a와 공차 d를 알 때,

$$S_n=\frac{n\{2a+(n-1)d\}}{2}$$

← 공차 킬러 공식

| 증명 | 위의 아이디어를 조금만 변형하여 등차수열에 적용하면 첫째항부터 제 n 항까지의 등차수열의 합 공식을 가뿐하게 유도할 수 있다.

$$\begin{array}{rl}
S_n= & a\ \ +(a+d)+(a+2d)+\cdots+(l-d)+\ \ l \\
+)\ S_n= & l\ \ +(l-d)+(l-2d)+\cdots+(a+d)+\ \ a \\
\hline
2S_n= & (a+l)+(a+l)+(a+l)\ \ +\cdots+(a+l)+(a+l) \\
= & n(a+l)
\end{array}$$

$$\therefore\ S_n=\frac{n(a+l)}{2}$$

그런데 l은 제 n 항이므로 $l=a+(n-1)d$

$$\therefore\ S_n=\frac{n\{2a+(n-1)d\}}{2}$$

끝항 킬러 공식은 끝항이 주어질 때 쓰인다.

공차 킬러 공식은 공차가 주어질 때 쓰인다.

끝항 킬러 공식에서는 항의 개수를 헷갈리지 않도록 유의하자.

항수 ── 첫째항 ── 끝항
$$S_n=\frac{n(a+l)}{2}$$

438 다음 등차수열의 합을 구하여라.

(1) 첫째항이 1, 끝항이 9, 항수가 10　　　(2) 첫째항이 1, 공차가 2, 항수가 10

풍산자팁 첫째항 a와 끝항 l을 알면 끝항 킬러 공식을 쓴다. ➡ $S_n = \dfrac{n(a+l)}{2}$

첫째항 a와 공차 d를 알면 공차 킬러 공식을 쓴다. ➡ $S_n = \dfrac{n\{2a+(n-1)d\}}{2}$

➤ 풀이　(1) 끝항이 주어졌다. ➡ 끝항 킬러 공식

$$S_{10} = \frac{10(1+9)}{2} = \mathbf{50}$$

(2) 공차가 주어졌다. ➡ 공차 킬러 공식

$$S_{10} = \frac{10\{2\cdot1+(10-1)\cdot2\}}{2} = \mathbf{100}$$

정답과 풀이 **59**쪽

유제 **439** 다음 등차수열의 합을 구하여라.

(1) 첫째항이 3, 끝항이 21, 항수가 10　　　(2) 첫째항이 10, 공차가 -2, 항수가 10

440 등차수열 -12, -7, -2, 3, $\cdots$의 첫째항부터 제20항까지의 합을 구하여라.

풍산자팁 공차를 쉽게 구할 수 있으므로 공차 킬러 공식을 쓴다.

➤ 풀이　첫째항이 -12, 공차가 $-7-(-12)=5$이므로 첫째항부터 제 n 항까지의 합을 S_n이라 하면 공차 킬러 공식에 의하여

$$S_{20} = \frac{20\{2\cdot(-12)+(20-1)\cdot5\}}{2} = \mathbf{710}$$

정답과 풀이 **59**쪽

유제 **441** 등차수열 5, 1, -3, -7, $\cdots$의 첫째항부터 제10항까지의 합을 구하여라.

442 등차수열 $-2,\ 2,\ 6,\ \cdots,\ 394$의 합을 구하여라.

풍산자티 끝항이 주어져 있지만 문제는 항의 개수.
끝항 킬러 공식을 쓸 때에는 항의 개수에 유의한다.

▶ 풀이 첫째항이 -2, 공차가 $2-(-2)=4$이므로 끝항 394를 제n항이라 하면
$$-2+(n-1)\cdot 4=394,\ 4n-6=394,\ 4n=400$$
$$\therefore\ n=100$$
따라서 항수는 100이므로 첫째항부터 제100항까지의 합 S_{100}은 끝항 킬러 공식에 의하여
$$S_{100}=\frac{100(-2+394)}{2}=\mathbf{19600}$$

정답과 풀이 **59**쪽

유제 443 등차수열 $5,\ 8,\ 11,\ 14,\ \cdots,\ 62$의 합을 구하여라.

444 첫째항부터 제5항까지의 합이 20이고, 첫째항부터 제10항까지의 합이 90인 등차수열의 일반항 a_n을 구하여라.

풍산자티 $S_n=\dfrac{n\{2a+(n-1)d\}}{2}$를 이용하여 연립방정식을 세운다.

▶ 풀이 첫째항을 a, 공차를 d, 첫째항부터 제n항까지의 합을 S_n이라 하면
$$S_5=\frac{5\{2a+(5-1)d\}}{2}=20$$
$$\therefore\ a+2d=4 \qquad\qquad \cdots\cdots\ \textcircled{\scriptsize ㄱ}$$
$$S_{10}=\frac{10\{2a+(10-1)d\}}{2}=90$$
$$\therefore\ 2a+9d=18 \qquad\qquad \cdots\cdots\ \textcircled{\scriptsize ㄴ}$$
$\textcircled{\scriptsize ㄱ}$, $\textcircled{\scriptsize ㄴ}$을 연립하여 풀면 $a=0,\ d=2$
$$\therefore\ \boldsymbol{a_n=0+(n-1)\cdot 2=2n-2}$$

정답과 풀이 **59**쪽

유제 445 첫째항부터 제10항까지의 합이 100이고, 첫째항부터 제20항까지의 합이 400인 등차수열의 일반항 a_n을 구하여라.

446 첫째항이 50, 공차가 -3인 등차수열에서 첫째항부터 제몇 항까지의 합이 최대가 되는지 구하고, 그때의 최댓값을 구하여라.

풍산자답 양수인 항들을 모두 더하면 등차수열의 합이 최대가 된다.
일단 일반항을 구해 처음으로 음수가 되는 항을 찾는다.

▶ 풀이 일반항 a_n을 구하면
$$a_n = 50 + (n-1) \cdot (-3) = -3n + 53$$
$a_n < 0$인 경우는 $-3n + 53 < 0$에서
$$n > \frac{53}{3} = 17.666\cdots$$
따라서 제17항까지는 양수이고, 제18항부터는 음수이므로 첫째항부터 제17항까지의 합이 최대가 된다.
이때 첫째항부터 제n항까지의 합을 S_n이라 하면 구하는 최댓값은
$$S_{17} = \frac{17\{2 \cdot 50 + (17-1) \cdot (-3)\}}{2} = \mathbf{442}$$

정답과 풀이 **59**쪽

유제 447 첫째항이 -15, 공차가 2인 등차수열에서 첫째항부터 제몇 항까지의 합이 최소가 되는지 구하고, 그때의 최솟값을 구하여라.

448 2와 18 사이에 n개의 수 $a_1, a_2, a_3, \cdots, a_n$을 넣어 공차가 d인 등차수열 2, $a_1, a_2, a_3,$ $\cdots, a_n, 18$을 만들었다. 이 수열의 모든 항의 합이 100일 때, n, d의 값을 구하여라.

풍산자답 첫째항과 끝항이 주어진 것과 다름없다. 끝항 킬러 공식을 이용하자.

▶ 풀이 첫째항이 2, 끝항이 18, 항수가 $n+2$인 등차수열의 합이 100이므로
$$\frac{(n+2)(2+18)}{2} = 100$$
$$n + 2 = 10 \qquad \therefore \boldsymbol{n = 8}$$
따라서 18이 제10항이므로 $2 + 9d = 18 \qquad \therefore \boldsymbol{d = \frac{16}{9}}$

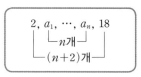

정답과 풀이 **59**쪽

유제 449 4와 31 사이에 n개의 수 $a_1, a_2, a_3, \cdots, a_n$을 넣어 공차가 d인 등차수열 4, $a_1, a_2, a_3, \cdots,$ $a_n, 31$을 만들었다. 이 수열의 모든 항의 합이 175일 때, n, d의 값을 구하여라.

450   100과 200 사이에 있는 자연수 중 7의 배수의 총합을 구하여라.

> **풍산자티**   7의 배수는 공차가 7인 등차수열이다.

> **풀이**   100과 200 사이에 있는 7의 배수는
> 105, 112, 119, ⋯, 196
> 이때 $105=7 \cdot 15$, $196=7 \cdot 28$이므로 항수는
> $28-15+1=14$
> 따라서 구하는 총합은 첫째항이 105, 끝항이 196, 항수가 14인 등차수열의 합이므로
> $$\frac{14(105+196)}{2}=\textbf{2107}$$

> **참고**   끝항 킬러 공식을 사용하려면 항의 개수를 세는 것이 중요하다.
> 항의 개수를 셀 때 다음과 같이 단순한 원리가 의외로 큰 힘이 된다.
> (단, p, q는 정수이고, $p<q$)
> (1) $p \leq x < q$를 만족하는 정수 x의 개수: $q-p$
> (2) $p < x \leq q$를 만족하는 정수 x의 개수: $q-p$
> (3) $p \leq x \leq q$를 만족하는 정수 x의 개수: $q-p+1$
> (4) $p < x < q$를 만족하는 정수 x의 개수: $q-p-1$

정답과 풀이 **59**쪽

유제 **451**   50과 100 사이에 있는 자연수 중 3의 배수의 총합을 구하여라.

풍산자 비법

등차수열의 합 공식은 두 개.

① 끝항을 안다. ➜ 끝항 킬러 공식 $S_n=\dfrac{n(a+l)}{2}$

② 공차를 안다. ➜ 공차 킬러 공식 $S_n=\dfrac{n\{2a+(n-1)d\}}{2}$

05 | 수열의 합과 일반항 사이의 관계

등차수열의 일반항이 주어지면 첫째항부터 제 n 항까지의 합 S_n을 구할 수 있다는 것을 이미 배워 안다.

역으로 S_n이 주어질 때, 일반항 a_n을 구할 수 있는데 다음과 같은 원리이다.

S_n은 수열 $\{a_n\}$의 첫째항부터 제 n 항까지의 합이므로

$$S_1 = a_1 \longrightarrow a_1 = S_1$$
$$S_2 = a_1 + a_2$$
$$S_3 = a_1 + a_2 + a_3$$
$$\vdots$$
$$S_{n-1} = a_1 + a_2 + a_3 + \cdots + a_{n-1}$$
$$S_n = a_1 + a_2 + a_3 + \cdots + a_{n-1} + a_n \longrightarrow a_n = S_n - S_{n-1}$$

> **수열의 합 S_n과 일반항 a_n 사이의 관계**
> 수열 $\{a_n\}$의 첫째항부터 제 n 항까지의 합을 S_n이라 하면
> $$a_1 = S_1, \; a_n = S_n - S_{n-1} \; (n \geq 2)$$

수열의 합과 일반항 사이의 관계는 등차수열 뿐 아니라 모든 수열에 동일하게 성립한다.

$a_n = S_n - S_{n-1}$에서 구할 수 없는 항이 딱 하나있다.

그것은 바로 첫째 항인 a_1. 그 이유는 $a_1 = S_1 - S_0$에서 S_0이 정의되지 않았기 때문이다. 따라서 수열의 합과 일반항 사이의 관계에서는 반드시 첫째항을 따로 확인할 필요가 있다.

그렇다면 등차수열의 첫째항부터 제 n 항까지의 합 S_n은 어떤 모양일까?

일반적으로 다음이 성립한다.

> **등차수열의 합 S_n**
> $S_n = An^2 + Bn + C$ (A, B, C는 상수)에서
> (1) $C = 0$이면 수열 $\{a_n\}$은 첫째항부터 등차수열을 이룬다.
> (2) $C \neq 0$이면 수열 $\{a_n\}$은 둘째항부터 등차수열을 이룬다.

한마디로 S_n이 상수항이 없는 n에 대한 이차식일 때 완전한 등차수열을 이룬다. 왜 그럴까?

등차수열의 합 공식을 떠올리면 이해할 수 있다.

$$S_n = \frac{n\{2a + (n-1)d\}}{2} = \frac{d}{2}n^2 + \frac{2a-d}{2}n$$

즉, $An^2 + Bn$꼴이다. (A, B는 상수)

452 수열 $\{a_n\}$의 첫째항부터 제 n항까지의 합 S_n이 다음과 같을 때, 일반항 a_n을 구하여라.

(1) $S_n = n^2 + 2n$ (2) $S_n = n^2 + 2n + 3$

> **풍산자티**   합 S_n이 주어지고, 일반항 a_n을 구하는 문제. ➡ 첫째항을 먼저 구하고, 공식을 이용한다.
> (i) $n=1$일 때, $a_1 = S_1$
> (ii) $n \geq 2$일 때, $a_n = S_n - S_{n-1}$

> **풀이**   (1) (i) $n=1$일 때,
> $$a_1 = S_1 = 1 + 2 = 3$$
> (ii) $n \geq 2$일 때,
> $$a_n = S_n - S_{n-1} = (n^2 + 2n) - \{(n-1)^2 + 2(n-1)\}$$
> $$= (n^2 + 2n) - (n^2 - 1) = 2n + 1 \quad\quad \cdots\cdots ㉠$$
> 그런데 $a_1 = 3$은 ㉠에 $n=1$을 대입한 값과 같으므로
> $$a_n = 2n + 1 \ (n \geq 1)$$
> (2) (i) $n=1$일 때,
> $$a_1 = S_1 = 1 + 2 + 3 = 6$$
> (ii) $n \geq 2$일 때,
> $$a_n = S_n - S_{n-1} = (n^2 + 2n + 3) - \{(n-1)^2 + 2(n-1) + 3\}$$
> $$= (n^2 + 2n + 3) - (n^2 + 2) = 2n + 1 \quad\quad \cdots\cdots ㉠$$
> 그런데 $a_1 = 6$은 ㉠에 $n=1$을 대입한 값과 다르므로
> $$a_1 = 6, \ a_n = 2n + 1 \ (n \geq 2)$$

> **참고**   각 항을 나열해 보면 더 직관적으로 확인할 수 있다.
> (1) 3, 5, 7, 9, 11, 13, ⋯ ➡ 첫째항부터 등차수열!
> (2) 6, 5, 7, 9, 11, 13, ⋯ ➡ 둘째항부터 등차수열!
> 일반적으로 등차수열의 합이 $S_n = An^2 + Bn + C$ 꼴일 때 다음이 성립한다.
> (1) $C = 0$ ➡ 첫째항부터 등차수열
> (2) $C \neq 0$ ➡ 둘째항부터 등차수열

정답과 풀이 **59**쪽

유제 **453** 수열 $\{a_n\}$의 첫째항부터 제 n항까지의 합 S_n이 다음과 같을 때, 일반항 a_n을 구하여라.

(1) $S_n = n^2$ (2) $S_n = n^2 + 1$

풍산자 비법

- S_n이 주어지면 a_n을 구할 수 있다. ➡ $a_n = S_n - S_{n-1} \ (n \geq 2)$
- 첫째항부터 등차수열인 수열의 합 S_n은 $An^2 + Bn$꼴, 즉 상수항이 없는 n에 대한 이차식이다.

454

수열의 일반항 a_n이 n에 대한 일차식 $4n+5$로 나타내어질 때, 이 수열의 첫째항 a와 공차 d의 합 $2a+d$의 값을 구하여라.

455

첫째항이 -2000, 공차가 6인 등차수열 $\{a_n\}$에서 처음으로 양수가 되는 항은 제몇 항인지 구하여라.

456

10과 100 사이에 n개의 수를 넣어서 10, a_1, a_2, a_3, $\cdots$, a_n, 100이 이 순서로 등차수열을 이루도록 하려고 한다. 이 수열의 공차가 5일 때, n의 값을 구하여라.

457

두 수 2와 8의 등차중항을 a, 10과 2의 등차중항을 b라 할 때, 이차방정식 $x^2-ax+b=0$의 두 근을 구하여라.

458

등차수열 $\{a_n\}$에 대하여 첫째항부터 제10항까지의 합이 5, 첫째항부터 제20항까지의 합이 20일 때, 첫째항부터 제30항까지의 합을 구하여라.

459

등차수열 $\{a_n\}$에 대하여
$a_1+a_2+a_3+a_4+a_5=20$,
$a_6+a_7+a_8+a_9+a_{10}=120$일 때,
$a_{11}+a_{12}+a_{13}+a_{14}$의 값을 구하여라.

460

수열 $\{a_n\}$의 첫째항부터 제n항까지의 합 S_n이 $S_n=n^2+3n+1$일 때, a_1+a_{10}의 값을 구하여라.

2 | 등비수열

01 | 등비수열

등비수열이란 일정한 수를 곱해 가는 수열.

같은 수를 곱해 가니 비율이 같다. 그래서 등비수열.

곱해 가는 일정한 수를 **공비**라 한다.

> 등 비 수 열
> 等 比 數 列
> 같은 비율의 수열

| 개념확인 |

다음이 등비수열일 때, □ 안에 알맞은 수를 구하여라.

(1) 2, 4, □, □　　　　　　　　(2) □, 6, 18, □

> **풀이**　　곱해 가는 일정한 수를 구한다.

(1) $\frac{4}{2}=2$이므로 공비가 2이다. 따라서 제3항은 $4 \times 2 = 8$, 제4항은 $8 \times 2 = \mathbf{16}$이다.

(2) $\frac{18}{6}=3$이므로 공비가 3이다. 따라서 첫째항은 $6 \div 3 = \mathbf{2}$, 제4항은 $18 \times 3 = \mathbf{54}$이다.

등비수열의 관계식

수열 $\{a_n\}$이 첫째항이 a이고 공비가 r인 등비수열이라 할 때,
제n항 a_n과 제 $(n+1)$항 a_{n+1} 사이에는 다음 관계가 성립한다.

$$a_{n+1}=ra_n \Longleftrightarrow \frac{a_{n+1}}{a_n}=r \ (n=1, 2, 3, \cdots)$$

등차수열이 공차를 더했듯, 등비수열에는 공비를 곱해가며 일반항을 구한다.

첫째항이 a, 공비가 r인 등비수열은 a에서 출발해 r씩 곱해 가는 수열. 이때 규칙성을 본다.

$$a, \quad ar, \quad ar^2, \quad ar^3, \quad \cdots \quad ar^{n-1}, \quad \cdots$$
$$\uparrow \quad\quad \uparrow \quad\quad \uparrow \quad\quad \uparrow \quad\quad\quad\quad \uparrow$$
$$a_1 \quad\quad a_2 \quad\quad a_3 \quad\quad a_4 \quad \cdots \quad a_n \quad \cdots$$

등비수열의 일반항 중요

첫째항이 a이고 공비가 r인 등비수열의 일반항 a_n은

$$a_n = ar^{n-1}$$

| 설명 |

등차수열과 마찬가지로 등비수열의 일반항을 이루는 것은 첫째항 a와 공비 r이다.

이때 r는 비율을 뜻하는 ratio의 첫 글자 r를 딴 것이다.

첫째항과 공비만 알면 등비수열은 결정된다!

461 다음 등비수열의 일반항 a_n을 구하여라.

(1) $9,\ 3,\ 1,\ \dfrac{1}{3},\ \cdots$ 　　　　　　　　　(2) $2,\ -6,\ 18,\ -54,\ \cdots$

풍산자 첫째항과 공비만 알면 등비수열의 일반항을 구할 수 있다.

공비는 일정하게 곱해지는 수이므로 둘째항을 첫째항으로 나누면 된다.

> **풀이** (1) 첫째항은 $a=9$, 공비는 $r=\dfrac{3}{9}=\dfrac{1}{3}$이므로
>
> $$a_n=9\cdot\left(\dfrac{1}{3}\right)^{n-1}=\left(\dfrac{1}{3}\right)^{n-3}$$
>
> (2) 첫째항은 $a=2$, 공비는 $r=\dfrac{-6}{2}=-3$이므로
>
> $$a_n=2\cdot(-3)^{n-1}$$

정답과 풀이 **61**쪽

유제 **462** 다음 등비수열의 일반항 a_n을 구하여라.

(1) $3,\ 6,\ 12,\ 24,\ \cdots$ 　　　　　　　　　(2) $4,\ -2,\ 1,\ -\dfrac{1}{2},\ \cdots$

463 다음 물음에 답하여라.

(1) 등비수열 $4,\ -8,\ 16,\ -32,\ \cdots$ 에서 -512는 제몇 항인지 구하여라.

(2) 일반항이 $a_n=3\cdot2^{2n-1}$인 등비수열의 첫째항과 공비를 구하여라.

풍산자 (1) 제몇 항인지 구하려면 일반항을 구한 후 $a_n=-512$가 되는 n의 값을 찾는다.

(2) 첫째항은 $n=1$을 일반항 a_n에 대입하고 공비는 첫째항과 둘째항을 알면 구할 수 있다.

> **풀이** (1) 첫째항이 4, 공비가 $\dfrac{-8}{4}=-2$이므로 등비수열의 일반항은 $a_n=4\cdot(-2)^{n-1}$
>
> -512가 제n항이라 하면
>
> $4\cdot(-2)^{n-1}=-512$에서 $(-2)^{n-1}=-128$
>
> $(-2)^{n-1}=(-2)^7,\ n-1=7$ 　　$\therefore n=8$
>
> 따라서 -512는 **제8항**이다.
>
> (2) $a_1=3\cdot2^{2\cdot1-1}=6$, $a_2=3\cdot2^{2\cdot2-1}=24$이므로 $\dfrac{a_2}{a_1}=\dfrac{24}{6}=4$
>
> 따라서 주어진 등비수열의 **첫째항**은 **6**, **공비**는 **4**이다.

정답과 풀이 **61**쪽

유제 **464** 다음 물음에 답하여라.

(1) 등비수열 $4,\ -12,\ 36,\ -108,\ \cdots$ 에서 -972는 제 몇 항인지 구하여라.

(2) 일반항이 $a_n=2\cdot3^{2n-1}$인 등비수열의 첫째항과 공비를 구하여라.

465 두 수 3과 96 사이에 네 개의 실수를 넣어서 전체가 등비수열을 이루도록 하려고 한다. 이 네 수를 작은 순서로 나열하여라.

> **풍산자팁** 네 개의 수를 넣으면 첫째항이 3, 제6항이 96이라는 소리.
> 두 조건이 주어지면 등비수열이 결정된다.

> ❯ **풀이** 등비수열의 첫째항이 3, 제6항이 96이므로 공비를 r, 일반항을 a_n이라 하면
> $a_n = 3 \cdot r^{n-1}$
> $a_6 = 3 \cdot r^5 = 96$에서 $r^5 = 32$ ∴ $r = 2$
> 3에서 출발해 96까지 공비 2씩 곱해 가면
> 3, 6, 12, 24, 48, 96
> 따라서 구하는 네 수는 차례로 **6, 12, 24, 48**이다.

정답과 풀이 **61**쪽

유제 **466** 두 수 2와 162 사이에 세 개의 양수를 넣어서 전체가 등비수열을 이루도록 하려고 한다. 이 세 수를 작은 순서로 나열하여라.

467 등비수열 3, 9, 27, ⋯ 에서 처음으로 500보다 커지는 항은 제몇 항인지 구하여라.

> **풍산자팁** 등비수열의 일반항 a_n을 구한 뒤, $a_n > 500$을 만족시키는 n의 값을 찾는다.

> ❯ **풀이** 첫째항이 3, 공비가 3인 등비수열의 일반항 a_n은
> $a_n = 3 \cdot 3^{n-1} = 3^n$
> 제n항에서 처음으로 500보다 커진다고 하면 $3^n > 500$
> 이때 $3^5 = 243$, $3^6 = 729$이므로 $n \geq 6$
> 따라서 **제6항**이다.

정답과 풀이 **61**쪽

유제 **468** 첫째항이 2, 공비가 2인 등비수열에서 처음으로 1000보다 커지는 항은 제몇 항인지 구하여라.

469 각 항이 실수이고, 제3항이 18, 제6항이 -486인 등비수열의 일반항 a_n을 구하여라.

> **풍산자TIP** 두 조건을 알면 등비수열은 결정된다. 두 항을 알면 일반항을 구할 수 있다.
>
> $a_n = ar^{n-1}$으로 놓고 관계식을 세운다.

> **풀이** 등비수열의 첫째항을 a, 공비를 r, 일반항을 a_n이라 하면 $a_n = ar^{n-1}$
>
> $a_3 = 18$이므로 $ar^2 = 18$ ...... ㉠
>
> $a_6 = -486$이므로 $ar^5 = -486$ ...... ㉡
>
> $\dfrac{㉡}{㉠}$에서 $\dfrac{ar^5}{ar^2} = \dfrac{-486}{18} = -27$ ∴ $r^3 = -27$
>
> 이때 r는 실수이므로 $r = -3$
>
> 이 값을 ㉠에 대입하면 $9a = 18$ ∴ $a = 2$
>
> ∴ $a_n = 2 \cdot (-3)^{n-1}$

정답과 풀이 **61**쪽

유제 **470** 각 항이 실수이고 제2항이 6, 제5항이 48인 등비수열의 일반항 a_n을 구하여라.

471 제2항과 제4항의 합이 20, 제4항과 제6항의 합이 80인 등비수열의 첫째항과 공비를 구하여라. (단, 공비는 양수)

> **풍산자TIP** 등비수열에서는 두 식을 연립할 때 $\dfrac{A}{B}$와 같이 양변을 나누는 테크닉이 흔히 사용된다.

> **풀이** 등비수열의 첫째항을 a, 공비를 r, 일반항을 a_n이라 하면 $a_n = ar^{n-1}$
>
> $a_2 + a_4 = 20$이므로 $ar + ar^3 = 20$
>
> $ar(1+r^2) = 20$ ...... ㉠
>
> $a_4 + a_6 = 80$이므로 $ar^3 + ar^5 = 80$
>
> $ar^3(1+r^2) = 80$ ...... ㉡
>
> $\dfrac{㉡}{㉠}$에서 $\dfrac{ar^3(1+r^2)}{ar(1+r^2)} = \dfrac{80}{20}$ ∴ $r^2 = 4$
>
> 이때 r는 양수이므로 $r = 2$
>
> 이 값을 ㉠에 대입하면 $2a \cdot 5 = 20$ ∴ $a = 2$
>
> 따라서 주어진 등비수열의 **첫째항**은 2, 공비는 2이다.

정답과 풀이 **61**쪽

유제 **472** 첫째항과 제3항의 합이 30, 제2항과 제4항의 합이 90인 등비수열의 첫째항과 공비를 구하여라.

473 그림과 같이 l_1, l_2를 공통접선으로 하고, 서로 외접하는 다섯 개의 원이 있다. 제일 작은 원의 반지름의 길이가 9, 제일 큰 원의 반지름의 길이가 16일 때, 한가운데 있는 원의 반지름의 길이를 구하여라.

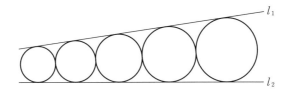

풍산자日 닮은 꼴이 반복되는 그림 문제는 대부분 등비수열 문제이다.

▶풀이 그림에서 세 원 O_1, O_2, O_3의 반지름의 길이를 각각 x, y, z라 하면 $\triangle O_1 O_2 P \backsim \triangle O_2 O_3 Q$이므로

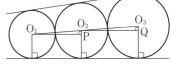

$$\frac{\overline{PO_2}}{\overline{O_1 O_2}} = \frac{\overline{QO_3}}{\overline{O_2 O_3}} \qquad \therefore \frac{y-x}{x+y} = \frac{z-y}{y+z}$$

$$(y-x)(y+z) = (z-y)(x+y) \qquad \therefore y^2 = xz$$

따라서 x, y, z가 이 순서로 등비수열을 이루므로 주어진 조건을 만족하는 원의 반지름의 길이는 등비수열을 이룬다.

이때 첫째항은 9이므로 공비를 r라 하면 등비수열의 일반항은 $a_n = 9 \cdot r^{n-1}$

$$a_5 = 9 \cdot r^{5-1} = 16$$

$$\therefore r^4 = \frac{16}{9}$$

$r > 0$이므로 $r = \frac{2}{\sqrt{3}} = \frac{2\sqrt{3}}{3}$

따라서 가운데 원의 반지름의 길이는

$$a_3 = 9\left(\frac{2\sqrt{3}}{3}\right)^2 = \mathbf{12}$$

정답과 풀이 **61**쪽

유제 474 그림과 같이 길이가 7인 선분이 있다. 첫 번째 시행에서 이 선분을 3등분하고 그 중간 부분을 버린다. 두 번째 시행에서는 남은 두 선분을 다시 각각 3등분하고 그 중간 부분을 버린다. 이와 같은 시행을 계속할 때, 20회 시행 후 남은 선분들의 길이의 합을 구하여라.

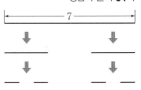

02 | 세 수가 등비수열을 이룰 때의 계산

등차수열에서 말했다. ➡ 가운데 항의 두 배는 양쪽 항들의 합과 같다.

등비수열에서 말한다. ➡ 가운데 항의 제곱은 양쪽 항들의 곱과 같다.

이때 가운데 항을 **등비중항**이라 한다.

> **등비중항**
>
> 세 수 a, b, c가 이 순서로 등비수열을 이룰 때, b를 a, c의 등비중항이라 하며
>
> $$b^2 = ac$$
>
> 가 성립한다.

| 설명 | 왜냐? 등비수열은 비가 일정하기 때문이다.

세 수 a, b, c가 이 순서로 등비수열을 이루면 $\dfrac{b}{a} = \dfrac{c}{b}$이므로 $b^2 = ac$이다.

등차수열을 이루는 세 수를 구하는 문제에서는 세 수를 $a-d$, a, $a+d$로 놓았다.

등비수열을 이루는 세 수를 구하는 문제에서는 세 수를 a, ar, ar^2으로 놓는다.

| 등비수열을 이루는 세 수 (1) – 등비중항 |

---

475 세 수 x, $x+12$, $9x$가 이 순서로 등비수열을 이룰 때, x의 값을 구하여라.

풍산자톡 세 수 a, b, c가 등비수열을 이루면? 등비중항을 생각한다. ➡ $b^2 = ac$

➤ 풀이 세 수 x, $x+12$, $9x$가 이 순서로 등비수열을 이루므로

$(x+12)^2 = x \cdot 9x$에서 $8x^2 - 24x - 144 = 0$

$x^2 - 3x - 18 = 0$, $(x+3)(x-6) = 0$

∴ $x = -3$ 또는 $x = 6$

정답과 풀이 **62**쪽

유제 **476** 세 수 $a-1$, $a+1$, $a+2$가 이 순서로 등비수열을 이룰 때, a의 값을 구하여라.

477 등비수열을 이루는 세 실수가 있다. 세 수의 합이 14이고 곱이 64일 때, 이 세 수를 구하여라.

풍산자目 등비수열을 이루는 세 실수를 어떻게 놓아야 할까?

순서대로 a, ar, ar^2으로 놓고 문제의 조건에 따라 식을 세운다.

❯ 풀이 세 수를 a, ar, ar^2으로 놓으면

세 수의 합이 14이므로 $a+ar+ar^2=14$

$\therefore a(1+r+r^2)=14$　　　　$\cdots\cdots$ ㉠

세 수의 곱이 64이므로 $a\cdot ar\cdot ar^2=64$

$(ar)^3=64$

$\therefore ar=4$　　　　　　$\cdots\cdots$ ㉡

$\dfrac{㉠}{㉡}$에서 $\dfrac{a(1+r+r^2)}{ar}=\dfrac{14}{4}$, $\dfrac{1+r+r^2}{r}=\dfrac{7}{2}$

$2+2r+2r^2=7r$, $2r^2-5r+2=0$

$(r-2)(2r-1)=0$　　$\therefore r=2$ 또는 $r=\dfrac{1}{2}$

이 값을 ㉡에 대입하면

(i) $r=2$일 때, $a=2$이므로 세 수는 2, 4, 8이다.

(ii) $r=\dfrac{1}{2}$일 때, $a=8$이므로 세 수는 8, 4, 2이다.

따라서 구하는 세 수는 **2, 4, 8**이다.

정답과 풀이 **62**쪽

유제 478 등비수열을 이루는 세 실수가 있다. 세 수의 합이 -3이고 곱이 8일 때, 이 세 수를 구하여라.

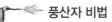

풍산자 비법

· 등비수열은 첫째항과 공비, 즉 두 가지 조건만 주어지면 구할 수 있다.

· 등비수열은 일정한 수를 곱해 가는 수열 ➡ $\dfrac{a_{n+1}}{a_n}=r \iff a_{n+1}=ra_n$

· 등비수열의 일반항 ➡ $a_n=ar^{n-1}$

· 세 수 a, b, c가 이 순서로 등비수열을 이룰 때 ➡ $b^2=ac$

03 | 등비수열의 합

앞서 말했듯 수열에서 가장 중요한 이슈는 일반항과 수열의 합.
등비수열의 일반항을 연습했으니 이제는 수열의 합을 살펴본다.

> **등비수열의 합**
> 첫째항이 a, 공비가 r인 등비수열의 첫째항부터 제 n항까지의 합을 S_n이라 하면
> (1) $r \neq 1$일 때, $S_n = \dfrac{a(1-r^n)}{1-r} = \dfrac{a(r^n-1)}{r-1}$
> (2) $r = 1$일 때, $S_n = na$

| 증명 | $r \neq 1$일 때, 증명의 아이디어는 S_n에 공비 r를 곱하여 rS_n을 만드는 것이다.
S_n과 rS_n을 빼면 중간 부분이 줄줄이 소거되어 없어진다. 진짜다. 확인해 보자.
$S_n = a + ar + ar^2 + \cdots + ar^{n-1}$이라 하면
$rS_n = ar + ar^2 + ar^3 + \cdots + ar^n$이므로

$$
\begin{aligned}
S_n &= a + ar + ar^2 + ar^3 + \cdots + ar^{n-2} + ar^{n-1} \\
-) \quad rS_n &= \phantom{a+{}} ar + ar^2 + ar^3 + \cdots + ar^{n-2} + ar^{n-1} + ar^n \\
\hline
S_n - rS_n &= a - ar^n
\end{aligned}
$$

$(1-r)S_n = a(1-r^n)$

$\therefore S_n = \dfrac{a(1-r^n)}{1-r}$

| 설명 | $r > 1$일 때는 $S_n = \dfrac{a(r^n-1)}{r-1}$이 좋고, $r < 1$일 때는 $S_n = \dfrac{a(1-r^n)}{1-r}$이 좋다.
왜 그럴까? 가능하면 분모가 양수가 되도록 하려는 것!
그리고 r의 지수인 n은 항의 개수라는 것도 기억하자.
$r = 1$인 경우는 정말로 쉽다.
이 경우에는 a, a, $\cdots$, a로 모든 항이 같은 수열이 되므로 공식이랄 것도 없다.
$S_n = \underbrace{a + a + a + \cdots + a}_{n\text{개}} = na$

| 개념확인 |

다음 등비수열의 합을 구하여라.

(1) 첫째항이 2, 공비가 3, 항수가 10

(2) 첫째항이 $\dfrac{1}{2}$, 공비가 $\dfrac{1}{2}$, 항수가 20

> **풀이** 첫째항부터 제 n항까지의 합을 S_n이라 하자.
>
> (1) $S_{10} = \dfrac{2(3^{10}-1)}{3-1} = 3^{10} - 1$
>
> (2) $S_{20} = \dfrac{\dfrac{1}{2}\left\{1 - \left(\dfrac{1}{2}\right)^{20}\right\}}{1 - \dfrac{1}{2}} = 1 - \left(\dfrac{1}{2}\right)^{20}$

479 다음 등비수열의 첫째항부터 제 n 항까지의 합 S_n을 구하여라.

(1) $2, 4, 8, 16, \cdots$ (2) $1, \dfrac{1}{2}, \dfrac{1}{4}, \dfrac{1}{8}, \cdots$ (3) $1, -3, 9, -27, \cdots$

풍산자曰 분모가 양수인 것이 좋다.

$r>1$일 때는 $S_n=\dfrac{a(r^n-1)}{r-1}$, $r<1$일 때는 $S_n=\dfrac{a(1-r^n)}{1-r}$ 으로 계산한다.

❯ 풀이   (1) 첫째항이 2, 공비가 2이므로 $S_n=\dfrac{2\cdot(2^n-1)}{2-1}=\mathbf{2^{n+1}-2}$

       (2) 첫째항이 1, 공비가 $\dfrac{1}{2}$이므로 $S_n=\dfrac{1\cdot\left\{1-\left(\dfrac{1}{2}\right)^n\right\}}{1-\dfrac{1}{2}}=\mathbf{2\left\{1-\left(\dfrac{1}{2}\right)^n\right\}}$

       (3) 첫째항이 1, 공비가 -3이므로 $S_n=\dfrac{1\cdot\{1-(-3)^n\}}{1-(-3)}=\mathbf{\dfrac{1}{4}\{1-(-3)^n\}}$

정답과 풀이 **62**쪽

유제 480 다음 등비수열의 첫째항부터 제 n 항까지의 합 S_n을 구하여라.

(1) $1, 2, 4, 8, \cdots$ (2) $8, 4, 2, 1, \cdots$ (3) $1, -2, 4, -8, \cdots$

481 등비수열 $3, 6, 12, \cdots, 192$의 합을 구하여라.

풍산자曰 필요한 것은 세 가지. ➡ 첫째항, 공비, 항의 개수

첫째항과 공비는 한눈에 구해진다.

그렇다면 $a_n=192$를 만족시키는 n의 값을 구하면 끝.

❯ 풀이   192를 제 n 항이라 하면 첫째항이 3, 공비가 2이므로

$3\cdot2^{n-1}=192$에서 $2^{n-1}=64$, $2^{n-1}=2^6$, $n-1=6$ $\therefore n=7$

첫째항부터 제 n 항까지의 합을 S_n이라 하면

$S_7=\dfrac{3\cdot(2^7-1)}{2-1}=\mathbf{381}$

정답과 풀이 **62**쪽

유제 482 등비수열 $2, 6, 18, \cdots, 486$의 합을 구하여라.

483 공비가 양수인 등비수열에서 제2항과 제4항의 합이 10이고, 제4항과 제6항의 합이 40일 때, 첫째항부터 제5항까지의 합을 구하여라.

풍산자티 두 항 사이의 조건이 주어졌다. ➡ 일반항 $a_n = ar^{n-1}$을 이용하여 관계식을 세운다.

역시나 $\dfrac{A}{B}$의 테크닉이 쓰인다.

▶ **풀이** 첫째항을 a, 공비를 r, 일반항을 a_n, 첫째항부터 제n항까지의 합을 S_n이라 하면

$a_2 + a_4 = 10$이므로 $ar + ar^3 = 10$ ∴ $ar(1+r^2) = 10$ ······ ㉠

$a_4 + a_6 = 40$이므로 $ar^3 + ar^5 = 40$ ∴ $ar^3(1+r^2) = 40$ ······ ㉡

$\dfrac{㉡}{㉠}$에서 $r^2 = 4$ ∴ $r = 2$ ($\because r > 0$)

이 값을 ㉠에 대입하면 $2a \cdot 5 = 10$ ∴ $a = 1$

∴ $S_5 = \dfrac{1 \cdot (2^5 - 1)}{2 - 1} = \mathbf{31}$

정답과 풀이 **62**쪽

유제 **484** 공비가 양수인 등비수열에서 첫째항과 제3항의 합이 10이고, 제3항과 제5항의 합이 90일 때, 첫째항부터 제4항까지의 합을 구하여라.

485 공비가 실수인 등비수열에서 첫째항부터 제3항까지의 합이 7이고, 첫째항부터 제6항까지의 합이 63일 때, 일반항 a_n을 구하여라.

풍산자티 합에 대한 조건이 주어졌다. ➡ $S_n = \dfrac{a(r^n - 1)}{r - 1}$을 이용하여 a, r의 값을 구한다.

▶ **풀이** 첫째항을 a, 공비를 r, 첫째항부터 제n항까지의 합을 S_n이라 하면

$S_3 = 7$이므로 $\dfrac{a(1-r^3)}{1-r} = 7$ ······ ㉠

$S_6 = 63$이므로 $\dfrac{a(1-r^6)}{1-r} = 63$

∴ $\dfrac{a(1-r^3)(1+r^3)}{1-r} = 63$ ······ ㉡

㉠을 ㉡에 대입하면 $7(1+r^3) = 63$, $r^3 = 8$

이때 r는 실수이므로 $r = 2$

이 값을 ㉠에 대입하면 $7a = 7$ ∴ $a = 1$ ∴ $a_n = 2^{n-1}$

정답과 풀이 **62**쪽

유제 **486** 공비가 실수인 등비수열에서 첫째항부터 제5항까지의 합이 11이고, 첫째항부터 제10항까지의 합이 -341일 때, 일반항 a_n을 구하여라.

487 등비수열 1, $x-1$, $(x-1)^2$, $\cdots$의 첫째항부터 제n항까지의 합을 구하여라. (단, $x \neq 1$)

> **풍산자티** 공비가 문자로 주어질 때는 공비가 1일 때와 1이 아닐 때로 나누어 생각한다.

> ❯ **풀이** 공비가 $r=x-1$이므로
> (ⅰ) 공비가 1일 때 $x-1=1$, 즉 $x=2$일 때,
> $$S_n = 1+1+1+\cdots+1 = \boldsymbol{n}$$
> (ⅱ) 공비가 1이 아닐 때 $x-1 \neq 1$, 즉 $x \neq 2$일 때,
> $$S_n = \frac{1 \cdot \{(x-1)^n - 1\}}{(x-1)-1} = \frac{(\boldsymbol{x-1})^n - 1}{\boldsymbol{x-2}}$$

정답과 풀이 **63**쪽

유제 **488** 등비수열 x, $x(x-1)^2$, $x(x-1)^4$, $\cdots$ 의 첫째항부터 제n항까지의 합을 구하여라. (단, $x > 2$)

489 첫째항부터 제n항까지의 합 S_n이 $S_n = 3^n - 1$일 때, 이 수열의 일반항 a_n을 구하여라.

> **풍산자티** S_n에서 일반항 a_n을 구하려면 다음을 이용하면 된다. 이때 유의할 것은 첫째항!
> $a_1 = S_1$, $a_n = S_n - S_{n-1}$ $(n \geq 2)$

> ❯ **풀이** (ⅰ) $n=1$일 때, $a_1 = S_1 = 3 - 1 = 2$
> (ⅱ) $n \geq 2$일 때,
> $$a_n = S_n - S_{n-1} = (3^n - 1) - (3^{n-1} - 1)$$
> $$= 3 \cdot 3^{n-1} - 3^{n-1} = 2 \cdot 3^{n-1} \qquad \cdots\cdots \ \text{㉠}$$
> 그런데 $a_1 = 2$는 ㉠에 $n=1$을 대입한 값과 같으므로
> $$a_n = 2 \cdot 3^{n-1} \ (n \geq 1)$$

정답과 풀이 **63**쪽

유제 **490** 첫째항부터 제n항까지의 합 S_n이 $S_n = 2^n - 1$일 때, 이 수열의 일반항 a_n을 구하여라.

491 첫째항부터 제 n 항까지의 합을 S_n이라 하면 $S_n=3 \cdot 2^n + k$가 성립한다. 이 수열이 첫째항부터 등비수열을 이루도록 하는 상수 k의 값을 구하여라.

풍산자日 첫째항부터 등비수열? $a_1=S_1$

▶ 풀이   (i) $n=1$일 때, $a_1=S_1=6+k$ ...... ㉠

         (ii) $n \geq 2$일 때,

$$a_n = S_n - S_{n-1}$$
$$= (3 \cdot 2^n + k) - (3 \cdot 2^{n-1} + k)$$
$$= 3 \cdot 2 \cdot 2^{n-1} - 3 \cdot 2^{n-1}$$
$$= 3 \cdot 2^{n-1} \qquad\qquad ...... ㉡$$

첫째항부터 등비수열을 이루려면 ㉡에 $n=1$을 대입한 값이 ㉠과 같아야 하므로

$$3 \cdot 2^{1-1} = 6+k$$
$$3 = 6+k \qquad \therefore k=-3$$

정답과 풀이 **63**쪽

유제 **492** 첫째항부터 제 n 항까지의 합을 S_n이라 하면 $S_n=6 \cdot 5^n + k$가 성립한다. 이 수열이 첫째항부터 등비수열을 이루도록 하는 상수 k의 값을 구하여라.

🪄 풍산자 비법

• 등비수열의 합을 구할 때는 분모가 양수가 되는 공식을 이용하면 편리하다.

   (i) $r>1$일 때 ➡ $S_n = \dfrac{a(r^n-1)}{r-1}$

   (ii) $r<1$일 때 ➡ $S_n = \dfrac{a(1-r^n)}{1-r}$

   (iii) $r=1$일 때 ➡ $S_n = nr$

• 합 S_n에서 일반항 a_n을 구할 때는 다음 식을 이용한다. ➡ $a_1=S_1$, $a_n=S_n-S_{n-1}$ $(n \geq 2)$

04 | 등비수열의 활용: 원리합계

일정한 기간 동안 일정한 금액을 은행에 넣어 놓으면 이자가 붙는다.

이때 원금에 이자를 더한 것을 **원리합계**라 한다.

이자를 주는 방법은 두 가지가 있다. 단리법과 복리법.

원리합계

(1) 단리법

원금에만 이자를 더하여 원리합계를 계산하는 방법

$$S=a(1+rn) \text{ (원)} \qquad \Longleftarrow \text{공차가 } ar\text{인 등차수열}$$

(2) 복리법

일정한 기간마다 이자를 원금에 더하여 그 원리합계를 다음 기간의 원금으로 계산하는 방법, 즉 이자에 다시 이자가 붙는 방법

$$S=a(1+r)^n \text{ (원)} \qquad \Longleftarrow \text{공비가 } 1+r\text{인 등비수열}$$

| 설명 | 원리합계 문제는 초딩 때도 배웠다. 초딩 때는 단리 문제였으나 고딩 때는 모두 복리 문제!

예를 들어 100원을 저금하려고 하는데 이율이 10%이다. 1년마다 이자를 준다고 할 때, 3년 후의 원리합계를 구해 보자.

	1년 후	2년 후	3년 후
단리	$100+10=110$ (원)	$110+10=120$ (원)	$120+10=130$ (원)
복리	$100+10=110$ (원)	$110+11=121$ (원)	$121+12.1=133.1$ (원)

지금부터가 중요하다!

일정한 기간마다 일정한 금액씩 돈을 넣는 정기적금에 대해 알아보자. 내가 넣은 푼돈이 어느 정도의 목돈이 될지 원리합계가 궁금한 것이 인지상정. 돈을 넣는 시점에 따라 '매년 초' 문제와 '매년 말' 문제 두 가지로 구분된다. 그리고 항상 돈은 '매년 말'에 받는다.

정기적금의 원리합계는 등비수열의 합 공식을 이용하면 쉽게 구할 수 있다. 즉 첫째항과 공비만 알면 된다는 말씀.

정기적금의 원리합계: 매년 초에 적립

매년 초에 a원씩 연이율 r인 복리로 n년 동안 적립했을 때, n년 말의 원리합계 S는

$$S=a(1+r)+a(1+r)^2+\cdots+a(1+r)^n \qquad \Longleftarrow \text{첫째항이 } a(1+r),$$

$$=\frac{a(1+r)\{(1+r)^n-1\}}{(1+r)-1} \qquad\qquad \text{공비가 } 1+r\text{인 등비수열}$$

$$=\frac{a(1+r)\{(1+r)^n-1\}}{r} \text{(원)}$$

| 설명 | 매년 초에 a원씩 연이율 r인 복리로 n년 동안 적립했을 때, n년 말의 원리합계를 구해 보자.

첫 번째 넣은 돈은 n년 동안의 이자를 받는다.

두 번째 넣은 돈은 $(n-1)$년 동안의 이자를 받는다.

$\vdots$

마지막에 넣은 돈은 1년 동안의 이자를 받는다.

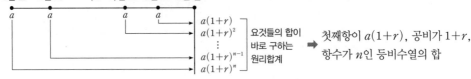

정기적금의 원리합계: 매년 말에 적립

매년 말에 a원씩 연이율 r인 복리로 n년 동안 적립했을 때, n년 말의 원리합계 S는

$$S=a+a(1+r)+a(1+r)^2+\cdots+a(1+r)^{n-1}$$ ← 첫째항이 a,

공비가 $1+r$인 등비수열

$$=\frac{a\{(1+r)^n-1\}}{(1+r)-1}$$

$$=\frac{a\{(1+r)^n-1\}}{r}\text{(원)}$$

| 설명 | 매년 말에 a원씩 연이율 r인 복리로 n년 동안 적립했을 때, n년 말의 원리합계를 구해 보자.

첫 번째 넣은 돈은 $(n-1)$년 동안의 이자를 받는다.

두 번째 넣은 돈은 $(n-2)$년 동안의 이자를 받는다.

$\vdots$

마지막에 넣은 돈은 이자 없이 넣자 마자 돌려받는다.

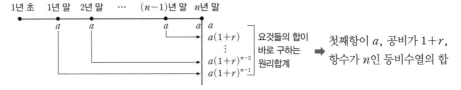

정기적금의 원리합계는 결국 등비수열의 합.

외울 필요가 전혀 없다. 첫째항과 공비만 구하면 된다.

공비는 이율 r가 정해지면 항상 $1+r$로 같다.

문제는 첫째항. 마지막에 넣는 돈이 첫째항이 되는데 돈을 넣는 시점에 따라 값이 달라진다.

돈은 항상 '말'에 찾기 때문에 '매년 초'에 넣으면 이자가 한 번 붙는다. '매년 말'에 넣으면 넣자마자 돈을 찾기 때문에 이자가 붙지 않는다.

이때 'n년 초'는 '$(n-1)$년 말'과 의미가 같다고 생각하면 이해가 좀 더 쉽다.

그리고 공비의 지수는 '매년 초', '매년 말'과는 관계 없이 더하는 항의 개수인 n이다.

大 원칙 | 정기적금 문제 ➡ 마지막에 넣은 돈이 첫째항이고, 공비는 항상 $1+r$이다.

493 연이율 6 %, 1년마다 복리로 매년 초에 60만 원씩 적립할 때, 10년 후의 원리합계를 구하여라. (단, $1.06^{10}=1.8$로 계산한다.)

풍산자티 마지막에 넣는 돈이 첫째항이다. 마지막에 넣는 돈은 1년 동안의 이자를 받는다.

▶ 풀이 10년 후의 원리합계를 S라 하면

$$S=60\times1.06+60\times1.06^2+\cdots+60\times1.06^{10}$$
$$=\frac{60\times1.06(1.06^{10}-1)}{1.06-1}$$
$$=\frac{60\times1.06(1.8-1)}{0.06}$$
$$=848\,(만\,원)$$

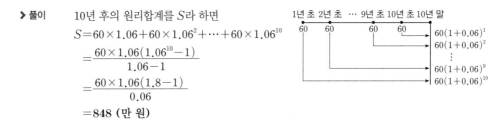

정답과 풀이 **63**쪽

유제 **494** 연이율 10 %, 1년마다 복리로 매년 초에 20만 원씩 적립할 때, 10년 후의 원리합계를 구하여라. (단, $1.1^{10}=2.6$으로 계산한다.)

495 연이율 10 %, 1년마다 복리로 매년 말에 50만 원씩 적립할 때, 10년 후의 원리합계를 구하여라. (단, $1.1^{10}=2.6$으로 계산한다.)

풍산자티 '초'냐 '말'이냐 그것이 문제로다. '말'에 넣을 때는 마지막에 넣는 돈의 이자가 없다.

▶ 풀이 10년 후의 원리합계를 S라 하면

$$S=50+50\times1.1+50\times1.1^2+\cdots+50\times1.1^9$$
$$=\frac{50(1.1^{10}-1)}{1.1-1}=\frac{50(2.6-1)}{0.1}$$
$$=800\,(만\,원)$$

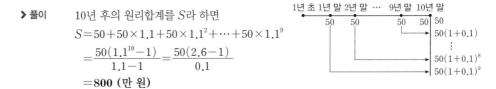

정답과 풀이 **63**쪽

유제 **496** 연이율 6 %, 1년마다 복리로 매년 말에 30만 원씩 적립할 때, 10년 후의 원리합계를 구하여라. (단, $1.06^{10}=1.8$로 계산한다.)

풍산자 비법

- 정기적금의 원리합계는 넣는 시점에 따라 첫째항이 달라진다.
- '초'에 넣으면 이자를 한 번 더 받고, '말'에 넣으면 이자는 없다.
- 마지막에 넣는 금액이 첫째항이 되며 공비는 항상 $1+r$이다.

필수 확인 문제

* 더 많은 유형은 **풍산자필수유형 수학**I 108쪽

정답과 풀이 63쪽

497

첫째항이 4, 공비가 2인 등비수열 $\{a_n\}$에 대하여 수열 $\left\{\dfrac{1}{a_n}\right\}$은 첫째항이 a, 공비가 r인 등비수열이다. 이때 $8ar$의 값을 구하여라.

498

세 수 1, x, y는 이 순서로 등비수열을 이루고, 세 수 1, $2x$, $4y$는 이 순서로 등차수열을 이룬다. 이때 $x+y$의 값을 구하여라.

499

첫째항이 5, 공비가 2인 등비수열에서 처음으로 1000 이상이 되는 항은 제몇 항인지 구하여라.

500

각 항이 실수인 등비수열 $\{a_n\}$의 첫째항부터 제3항까지의 합이 21, 첫째항부터 제6항까지의 합이 189일 때, 첫째항부터 제8항까지의 합을 구하여라.

501

수열 $\{a_n\}$의 첫째항부터 제n항까지의 합 S_n이 $S_n=5^n-1$일 때, a_1+a_3의 값을 구하여라.

502

공비가 양수인 등비수열 $\{a_n\}$에 대하여 $a_2+a_4=5$, $a_4+a_6=20$이 성립할 때, 첫째항부터 제10항까지의 합을 구하여라.

중단원 마무리

▶ 등차수열

등차수열	① 첫째항이 a, 공차가 d인 등차수열의 일반항은 $a_n = a + (n-1)d$ ② 공차 $d = a_2 - a_1$
등차중항	세 수 a, b, c가 이 순서로 등차수열 $\Longleftrightarrow 2b = a + c \Longleftrightarrow b = \dfrac{a+c}{2}$

▶ 등비수열

등비수열	① 첫째항이 a, 공비가 r인 등비수열의 일반항은 $a_n = ar^{n-1}$ ② 공비 $r = \dfrac{a_2}{a_1}$
등비중항	0이 아닌 세 수 a, b, c가 이 순서로 등비수열 $\Longleftrightarrow b^2 = ac \Longleftrightarrow b = \pm\sqrt{ac}$

▶ 등차수열의 합과 등비수열의 합

등차수열의 합	① 첫째항이 a, 끝항이 l인 등차수열의 첫째항부터 제 n 항까지의 합 S_n은 $$S_n = \frac{n(a+l)}{2}$$ ② 첫째항이 a, 공차가 d인 등차수열의 첫째항부터 제 n 항까지의 합 S_n은 $$S_n = \frac{n\{2a + (n-1)d\}}{2}$$
등비수열의 합	첫째항이 a, 공비가 r인 등비수열의 첫째항부터 제 n 항까지의 합 S_n은 (i) $r \neq 1$일 때, $S_n = \dfrac{a(1-r^n)}{1-r} = \dfrac{a(r^n-1)}{r-1}$ (ii) $r = 1$일 때, $S_n = na$
원리합계	① 원금이 a, 이율이 r, 기간이 n일 때, 복리의 원리합계: $S_n = a(1+r)^n$ ② 정기적금의 원리합계: 마지막에 넣은 돈이 첫째항이고, 공비는 항상 $1+r$인 등비수열의 합

실전 연습문제

503

등차수열 $\{a_n\}$에 대하여 $a_1+a_2=8$, $a_3+a_4=24$일 때, $a_k=198$을 만족시키는 자연수 k의 값을 구하여라.

504

다항식 x^2+ax+2를 $x-1$, $x-2$, $x-4$로 나누었을 때의 나머지가 이 순서로 등차수열을 이룰 때, 상수 a의 값을 구하여라.

505

방정식 $x^3-3x^2+kx+3=0$의 세 근이 등차수열을 이룰 때, 상수 k의 값을 구하여라.

506

등차수열 $\{a_n\}$에 대하여 $a_3=11$, $a_{10}=-3$일 때, 첫째항부터 제n항까지의 합 S_n의 최댓값을 구하여라.

507

-3과 33 사이에 28개의 수를 넣어 30개의 수가 차례로 등차수열을 이루도록 할 때, 넣은 28개의 수의 합을 구하여라.

508

첫째항부터 제n항까지의 합 S_n이 $S_n=2n^2-2n$인 수열 $\{a_n\}$에 대하여 $a_k=48$을 만족시키는 자연수 k의 값을 구하여라.

509

각 항이 실수인 등비수열 $\{a_n\}$에서 $a_3=24$, $a_6=-192$일 때, 이 수열의 첫째항과 공비의 합을 구하여라.

510

각 항이 실수인 등비수열 $\{a_n\}$에 대하여 $a_1+a_2=\dfrac{5}{8}$, $a_1a_2a_3=\dfrac{1}{8}$일 때, 이 수열의 첫째항을 구하여라.

511

방정식 $x^3-3x^2-6x+k=0$의 세 근이 등비수열을 이룰 때, 상수 k의 값을 구하여라.

512

각 항이 실수인 등비수열 $\{a_n\}$의 첫째항부터 제5항까지의 합이 55, 제6항부터 제10항까지의 합이 -1760일 때, 수열 $\{a_n\}$의 첫째항과 공비의 합을 구하여라.

513

두 양수 a, b에 대하여 세 수 $a+3$, 3, b는 이 순서로 등차수열을 이루고, 세 수 $\dfrac{2}{b}$, 1, $\dfrac{2}{a+3}$는 이 순서로 등비수열을 이룬다. $b-a$의 값은?

① $-5-2\sqrt{5}$ ② $-3-2\sqrt{5}$

③ $-1-2\sqrt{5}$ ④ $1-2\sqrt{5}$

⑤ $3-2\sqrt{5}$

514

월이율 1 %, 1개월마다 복리로 매월 초 1만 원씩 적립할 때, 2년 후의 원리합계를 구하여라.

(단, $1.01^{25}=1.282$로 계산한다.)

STEP2

515

이차방정식 $x^2-6x+3=0$의 두 근의 등차중항을 A, 등비중항을 G라 할 때, A^2, G^2을 두 근으로 하는 이차방정식은 $x^2+ax+b=0$이다. 이때 상수 a, b의 합 $a+b$의 값을 구하여라.

516

표에서 가로줄과 세로줄에 있는 세 수가 각각 등차수열을 이룰 때, $(B-E)+(D-F)$의 값을 구하여라.

A	11	B
1	C	D
E	F	77

517

높이가 서로 같은 원판을 나무통 위에 올려놓으려고 한다. 그림과 같이 원판을 1개 올려놓았을 때의 전체 높이를 h_1, 2개 올려놓았을 때의 전체 높이를 h_2, 3개 올려놓았을 때의 전체 높이를 h_3이라 하자. 이와 같은 방법으로 n개 올려놓았을 때의 전체 높이를 h_n이라 하자. $h_{15}=6$일 때, $h_5+h_{13}+h_{17}+h_{25}$의 값을 구하여라.

518

넓이가 7인 정사각형이 있다. 첫 번째 시행에서 다음 그림과 같이 이 정사각형을 9등분하여 중앙의 정사각형을 제거한다. 두 번째 시행에서는 첫 번째 시행의 결과로 남은 8개의 정사각형을 각각 다시 9등분하여 중앙의 정사각형을 제거한다. 이와 같은 시행을 계속할 때, n번째 시행 후 제거되지 않고 남아 있는 도형의 넓이는?

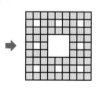

① $\left(\dfrac{1}{9}\right)^n$　　　② $\left(\dfrac{1}{8}\right)^n$　　　③ $7\times\left(\dfrac{8}{9}\right)^n$

④ $7\times\left(\dfrac{1}{9}\right)^n$　　　⑤ $7\times\left(\dfrac{1}{9}\right)^{n-1}$

2

수열의 합

수열의 합을 나타내는 새로운 기호 시그마 (∑)를 배운다.
잘 만든 수학 기호 하나 열 증명 부럽지 않다.
새로운 기호로 수열의 합을 간단하게 정리하고 계산한다.

1 시그마 ∑

$$\sum_{k=1}^{n} k^2 = \frac{n(n+1)(2n+1)}{6}$$

2 여러 가지 수열의 합

$$\left(\frac{1}{3} - \frac{1}{\cancel{5}}\right) + \left(\frac{1}{\cancel{5}} - \frac{1}{\cancel{7}}\right) + \left(\frac{1}{\cancel{7}} - \frac{1}{\cancel{9}}\right) + \cdots + \left(\frac{1}{\cancel{2n-1}} - \frac{1}{2n+1}\right)$$

01 | 시그마의 뜻

$\sum$는 합을 나타내는 영어인 sum의 첫 글자 S에 해당하는 그리스 문자로 **시그마**라 읽는다.

수학자들은 이 $\sum$라는 기호를 **수열의 합**을 뜻하는 기호로 약속했다.

수열의 합? 시그마는 처음 보지만 수열의 합은 이미 익숙하다.

> **$\sum$의 뜻**
>
> 수열 a_1, a_2, a_3, $\cdots$, a_n의 첫째항부터 제n항까지의 합을 기호 $\sum$를 사용하여 간단히 나타낼 수 있다.
>
> $$a_1+a_2+a_3+\cdots+a_n=\sum_{k=1}^{n}a_k$$

| 설명 | $\sum$는 네 부분으로 이루어져 있다.

변수, 아래끝, 위끝, 일반항(식)

그럼 이 기호를 어찌 해석해야 할까?

일반항의 변수 자리에 아래끝부터 위끝까지 대입하여 더하라는 뜻이다.

즉, $\displaystyle\sum_{k=3}^{5}k^2=3^2+4^2+5^2$

| 개념확인 | 다음을 합의 기호 $\sum$를 사용하지 <u>않은</u> 합의 꼴로 나타내어라.

(1) $\displaystyle\sum_{k=2}^{5}k$ (2) $\displaystyle\sum_{i=2}^{5}i$ (3) $\displaystyle\sum_{k=0}^{3}(k^2+1)$ (4) $\displaystyle\sum_{k=2}^{5}\log k$

> ▶ 풀이   변수 자리에 아래끝부터 위끝까지 대입해 본다.
>
> (1) $\displaystyle\sum_{k=2}^{5}k=2+3+4+5$
>
> (2) $\displaystyle\sum_{i=2}^{5}i=2+3+4+5$
>
> (3) $\displaystyle\sum_{k=0}^{3}(k^2+1)=(0+1)+(1+1)+(4+1)+(9+1)$
>
> (4) $\displaystyle\sum_{k=2}^{5}\log k=\log 2+\log 3+\log 4+\log 5$

> ▶ 참고   (1), (2)에서 변수를 다른 문자로 바꾸어도 시그마의 값은 같다는 사실을 알 수 있다.

> **大**원칙 $a_1+a_2+a_3+\cdots+a_n=S_n=\displaystyle\sum_{k=1}^{n}a_k$
>
> ➡ a_k의 k에 1부터 n까지 1씩 증가시켜 대입하여 더하라.

519 다음을 기호 $\sum$를 사용하지 않고 합의 꼴로 나타내어라.

(1) $\displaystyle\sum_{k=1}^{10}(3k-1)$　　　　　　(2) $\displaystyle\sum_{k=2}^{n}\frac{1}{k(k+1)}$

풍산자Tip $\displaystyle\sum_{k=m}^{n}(\quad)$ ➡ 괄호 안의 식의 k 자리에 m부터 n까지 대입하여 더하라는 뜻!

▶ 풀이 (1) $3k-1$의 k에 1부터 10까지 대입하여 더한 것이므로

$$\sum_{k=1}^{10}(3k-1)=2+5+8+\cdots+29$$

(2) $\dfrac{1}{k(k+1)}$의 k에 2부터 n까지 대입하여 더한 것이므로

$$\sum_{k=2}^{n}\frac{1}{k(k+1)}=\frac{1}{2\cdot3}+\frac{1}{3\cdot4}+\frac{1}{4\cdot5}+\cdots+\frac{1}{n(n+1)}$$

정답과 풀이 **67**쪽

유제 520 다음을 기호 $\sum$를 사용하지 않고 합의 꼴로 나타내어라.

(1) $\displaystyle\sum_{i=1}^{10}5i$　　　　　　(2) $\displaystyle\sum_{i=2}^{n}\frac{i}{i+1}$

521 다음 합을 기호 $\sum$를 사용하여 나타내어라.

(1) $1+\dfrac{1}{2}+\dfrac{1}{3}+\cdots+\dfrac{1}{9}$　　　　　　(2) $2+4+6+\cdots+2n$

풍산자Tip 일반항을 먼저 구한 다음 어디부터 어디까지 대입한 것인지 생각한다.

▶ 풀이 (1) $\dfrac{1}{k}$의 k에 1부터 9까지 대입하여 더한 것이므로

$$1+\frac{1}{2}+\frac{1}{3}+\cdots+\frac{1}{9}=\sum_{k=1}^{9}\frac{1}{k}$$

(2) $2k$의 k에 1부터 n까지 대입하여 더한 것이므로

$$2+4+6+\cdots+2n=\sum_{k=1}^{n}2k$$

(어디까지?) $\displaystyle\sum_{k=(어디부터?)}$ (어디에 대입?)

정답과 풀이 **67**쪽

유제 522 다음 합을 기호 $\sum$를 사용하여 나타내어라.

(1) $2+2^2+2^3+\cdots+2^{10}$　　　　　　(2) $1+3+5+\cdots+(2n-1)$

02 | 시그마의 기본 성질

일반적으로 $\sum$는 다음과 같은 성질이 있다.

> **$\sum$의 기본 성질**
>
> a, b가 실수, m, n이 자연수일 때, 다음 법칙이 성립한다.
>
> (1) 더하기나 빼기에서는 찢어진다.
>
> $$\sum_{k=1}^{n}(a_k+b_k)=\sum_{k=1}^{n}a_k+\sum_{k=1}^{n}b_k$$
>
> $$\sum_{k=1}^{n}(a_k-b_k)=\sum_{k=1}^{n}a_k-\sum_{k=1}^{n}b_k$$
>
> (2) 상수는 앞으로 튀어나온다.
>
> $$\sum_{k=1}^{n}ca_k=c\sum_{k=1}^{n}a_k \text{ (단, } c\text{는 상수)}$$
>
> (3) 상수를 n번 더하면 (상수)$\times n$이 된다.
>
> $$\sum_{k=1}^{n}c=cn \text{ (단, } c\text{는 상수)}$$

| 증명 |

(1) $\displaystyle\sum_{k=1}^{n}(a_k+b_k)=(a_1+b_1)+(a_2+b_2)+(a_3+b_3)+\cdots+(a_n+b_n)$

$\qquad\qquad\quad =(a_1+a_2+a_3+\cdots+a_n)+(b_1+b_2+b_3+\cdots+b_n)$

$\qquad\qquad\quad =\displaystyle\sum_{k=1}^{n}a_k+\sum_{k=1}^{n}b_k$

(2) $\displaystyle\sum_{k=1}^{n}(a_k-b_k)=(a_1-b_1)+(a_2-b_2)+(a_3-b_3)+\cdots+(a_n-b_n)$

$\qquad\qquad\quad =(a_1+a_2+a_3+\cdots+a_n)-(b_1+b_2+b_3+\cdots+b_n)$

$\qquad\qquad\quad =\displaystyle\sum_{k=1}^{n}a_k-\sum_{k=1}^{n}b_k$

(3) $\displaystyle\sum_{k=1}^{n}ca_k=ca_1+ca_2+ca_3+\cdots+ca_n$

$\qquad\qquad =c(a_1+a_2+a_3+\cdots+a_n)$

$\qquad\qquad =c\displaystyle\sum_{k=1}^{n}a_k$

(4) $\displaystyle\sum_{k=1}^{n}c=\underbrace{c+c+c+\cdots+c}_{n개}=cn$

| 참고 |

$\sum$의 기본 성질은 더하기 빼기에서는 찢어지고 상수는 튀어나온다는 것이다.

다음과 같이 착각하지 않도록 주의하자.

(1) 곱하기에서는 찢어지지 않는다. (당연히 나누기도)

$$\sum_{k=1}^{n}a_kb_k\neq\sum_{k=1}^{n}a_k\sum_{k=1}^{n}b_k$$

(2) '제곱의 시그마'와 '시그마의 제곱'은 다르다.

$$\sum_{k=1}^{n}(a_k)^2\neq\left(\sum_{k=1}^{n}a_k\right)^2$$

(3) 변수는 튀어나올 수 없다.

$$\sum_{k=1}^{n}ka_k\neq k\sum_{k=1}^{n}a_k$$

523 $\sum\limits_{k=1}^{10} a_k = 5$, $\sum\limits_{k=1}^{10} a_k{}^2 = 30$일 때, $\sum\limits_{k=1}^{10}(a_k-2)^2$의 값을 구하여라.

풍산자탑 항상 괄호식 정리가 먼저다. ➡ $(a_k-2)^2$을 전개한 후 $\sum$의 기본 성질을 이용한다.

> **풀이** $\sum\limits_{k=1}^{10}(a_k-2)^2 = \sum\limits_{k=1}^{10}(a_k{}^2-4a_k+4) = \sum\limits_{k=1}^{10}a_k{}^2 - 4\sum\limits_{k=1}^{10}a_k + \sum\limits_{k=1}^{10}4$
> $= 30 - 4 \cdot 5 + 4 \cdot 10 = \mathbf{50}$

정답과 풀이 **67**쪽

유제 **524** $\sum\limits_{k=1}^{10} a_k = 30$, $\sum\limits_{k=1}^{10} b_k = 20$일 때, $\sum\limits_{k=1}^{10}(2a_k+3b_k-5)$의 값을 구하여라.

525 다음을 계산하여라.

(1) $\sum\limits_{k=1}^{10}(k^3+4) - \sum\limits_{k=1}^{10}(k^3-4)$

(2) $\sum\limits_{k=1}^{10}(k^3+3) - \sum\limits_{k=3}^{10}(k^3+3)$

풍산자탑 (1) 아래끝, 위끝이 같으므로 합칠 수 있다.

(2) (k^3+3)을 A로 두고 생각하자. ➡ $\sum\limits_{k=1}^{10}A - \sum\limits_{k=3}^{10}A = \sum\limits_{k=1}^{2}A$

> **풀이** (1) $\sum\limits_{k=1}^{10}(k^3+4) - \sum\limits_{k=1}^{10}(k^3-4) = \sum\limits_{k=1}^{10}\{(k^3+4)-(k^3-4)\}$
> $= \sum\limits_{k=1}^{10}8 = 8 \cdot 10 = \mathbf{80}$
> (2) $\sum\limits_{k=1}^{10}(k^3+3) - \sum\limits_{k=3}^{10}(k^3+3) = \sum\limits_{k=1}^{2}(k^3+3)$
> $= (1^3+3)+(2^3+3) = 4+11 = \mathbf{15}$

정답과 풀이 **67**쪽

유제 **526** 다음을 계산하여라.

(1) $\sum\limits_{k=1}^{10}(k^2+3) - \sum\limits_{k=1}^{10}(k^2-2)$

(2) $\sum\limits_{k=1}^{10}(k^2+5) - \sum\limits_{k=1}^{9}(k^2+5)$

03 | 자연수의 거듭제곱의 합

다음 세 공식은 다항식의 시그마 계산의 비장의 무기.

머지않아 보게 될 시그마의 응용에서도 맹활약을 한다.

꼭 암기하고 유연하게 쓸 수 있도록 기억해 두자.

> **자연수의 거듭제곱의 합** (중요)
>
> (1) $\displaystyle\sum_{k=1}^{n} k = 1+2+3+\cdots+n = \frac{n(n+1)}{2}$
>
> (2) $\displaystyle\sum_{k=1}^{n} k^2 = 1^2+2^2+3^2+\cdots+n^2 = \frac{n(n+1)(2n+1)}{6}$
>
> (3) $\displaystyle\sum_{k=1}^{n} k^3 = 1^3+2^3+3^3+\cdots+n^3 = \left\{\frac{n(n+1)}{2}\right\}^2$

| 증명 | (1) 등차수열의 합의 공식 $\dfrac{n(a+l)}{2}$ 을 이용하면

$$\sum_{k=1}^{n} k = 1+2+3+\cdots+n = \frac{n(n+1)}{2}$$

(2) 항등식 $(k+1)^3 - k^3 = 3k^2+3k+1$의 양변에 $k=1, 2, 3, \cdots, n$을 차례로 대입하면

$k=1$일 때, $2^3-1^3 = 3\cdot1^2+3\cdot1+1$

$k=2$일 때, $3^3-2^3 = 3\cdot2^2+3\cdot2+1$

$k=3$일 때, $4^3-3^3 = 3\cdot3^2+3\cdot3+1$

$\qquad\vdots\qquad\qquad\vdots$

$k=n$일 때, $(n+1)^3-n^3 = 3n^2+3n+1$

이 n개의 등식을 변끼리 더하여 정리하면

$$(n+1)^3 - 1^3 = 3(1^2+2^2+3^2+\cdots+n^2) + 3(1+2+3+\cdots+n) + n$$

$$= 3\sum_{k=1}^{n} k^2 + 3\cdot\frac{n(n+1)}{2} + n$$

$$3\sum_{k=1}^{n} k^2 = (n+1)^3 - 1 - \frac{3n(n+1)}{2} - n = (n+1)^3 - \frac{(n+1)(3n+2)}{2}$$

$$= \frac{n+1}{2}\{2(n+1)^2 - 3n - 2\} = \frac{n(n+1)(2n+1)}{2}$$

$$\therefore \sum_{k=1}^{n} k^2 = \frac{n(n+1)(2n+1)}{6}$$

(3) 항등식 $(k+1)^4 - k^4 = 4k^3+6k^2+4k+1$을 이용하여 같은 방법을 적용하면 된다.

| 참고 | 위의 세 공식으로 자연스럽게 유도되는 공식이 두 개 있다.

① $\displaystyle\sum_{k=1}^{n} k(k+1) = \frac{n(n+1)(n+2)}{3}$

증명은 쉽다. (1), (2)를 이용하면 된다.

하지만 막상 문제를 풀 때 통분하고 공통 인수로 묶으려면 귀찮다.

외워 두면 활용도 최고인 아주 칭찬할만한 식이다.

② $\displaystyle\sum_{k=1}^{n} (2k-1) = n^2$

홀수들의 합은 완전제곱수와 같다.

(1)로 풀리는 간단한 식이지만 역시 외워 두면 활용도가 높다.

527 다음 식을 계산하여라.

(1) $\displaystyle\sum_{k=1}^{n}(2k-1)$　　　　(2) $\displaystyle\sum_{k=1}^{10}k^2(k+6)$　　　　(3) $\displaystyle\sum_{k=10}^{20}k^2$

풍산자팁 자연수의 거듭제곱의 합 공식을 이용한다.

▷ 풀이 　(1) (주어진 식)$=\displaystyle\sum_{k=1}^{n}2k-\sum_{k=1}^{n}1=2\sum_{k=1}^{n}k-n=2\cdot\dfrac{n(n+1)}{2}-n=\boldsymbol{n^2}$

(2) (주어진 식)$=\displaystyle\sum_{k=1}^{10}(k^3+6k^2)$

$=\displaystyle\sum_{k=1}^{10}k^3+6\sum_{k=1}^{10}k^2=\left(\dfrac{10\cdot11}{2}\right)^2+6\cdot\dfrac{10\cdot11\cdot21}{6}=\boldsymbol{5335}$

(3) (주어진 식)$=\displaystyle\sum_{k=1}^{20}k^2-\sum_{k=1}^{9}k^2=\dfrac{20\cdot21\cdot41}{6}-\dfrac{9\cdot10\cdot19}{6}=2870-285=\boldsymbol{2585}$

정답과 풀이 **67**쪽

유제 **528** 다음 식을 계산하여라.

(1) $\displaystyle\sum_{k=1}^{n}(2k+3)$　　　　(2) $\displaystyle\sum_{k=1}^{10}k(k^2+2)$　　　　(3) $\displaystyle\sum_{k=10}^{20}k$

529 다음 식을 계산하여라.

(1) $\displaystyle\sum_{k=1}^{5}(3^k+2k)$　　　　　　(2) $\displaystyle\sum_{k=1}^{6}(2^{k-1}-4)$

풍산자팁 지수식의 $\displaystyle\sum$ 계산 ➡ 등비수열의 합 공식을 이용한다.

▷ 풀이 　(1) (주어진 식)$=\displaystyle\sum_{k=1}^{5}3^k+2\sum_{k=1}^{5}k=(3^1+3^2+\cdots+3^5)+2\cdot\dfrac{5\cdot6}{2}$

$=\dfrac{3(3^5-1)}{3-1}+30=363+30=\boldsymbol{393}$

(2) (주어진 식)$=\displaystyle\sum_{k=1}^{6}2^{k-1}-\sum_{k=1}^{6}4$

$=(1+2^1+2^2+\cdots+2^5)-4\cdot6=\dfrac{1\cdot(2^6-1)}{2-1}-24=63-24=\boldsymbol{39}$

정답과 풀이 **67**쪽

유제 **530** 다음 식을 계산하여라.

(1) $\displaystyle\sum_{k=1}^{5}(2^k-4k)$　　　　　　(2) $\displaystyle\sum_{k=1}^{6}(3^{k-1}+5)$

04 | 시그마를 이용한 수열의 합

등차수열도 아니고 등비수열도 아닌 이상한 수열의 합을 구하려면 어떻게 할까?

Σ를 이용하면 된다! $S_n = \sum\limits_{k=1}^{n} a_k$라는 것.

> **시그마를 이용한 이용하여 수열의 합**
>
> Σ를 이용하여 수열의 합을 구하려면 $S_n = \sum\limits_{k=1}^{n} a_k$임을 이용한다.
>
> [1단계] 제k항인 a_k를 구한다.
>
> [2단계] a_k 앞에 Σ를 붙인다.
>
> [3단계] 시작과 끝을 정하고 시그마를 계산한다.

| 시그마를 이용하여 수열의 합 구하기 (1) |

531 다음 수열의 첫째항부터 제n항까지의 합 S_n을 구하여라.

(1) $1 \cdot 3$, $2 \cdot 4$, $3 \cdot 5$, $4 \cdot 6$, $\cdots$　　　　　(2) 1^2, 3^2, 5^2, 7^2, $\cdots$

풍산자目 일반항을 먼저 구해 보자. 그 후에는 $S_n = \sum\limits_{k=1}^{n} a_k$를 이용하면 된다.

▶ **풀이** (1) [1단계] 제k항은 $a_k = k(k+2) = k^2 + 2k$

[2단계] $S_n = \sum\limits_{k=1}^{n}(k^2 + 2k) = \sum\limits_{k=1}^{n}k^2 + 2\sum\limits_{k=1}^{n}k$

$= \dfrac{n(n+1)(2n+1)}{6} + 2 \cdot \dfrac{n(n+1)}{2} = \boldsymbol{\dfrac{n(n+1)(2n+7)}{6}}$

(2) [1단계] 제k항은 $a_k = (2k-1)^2 = 4k^2 - 4k + 1$

[2단계] $S_n = \sum\limits_{k=1}^{n}(4k^2 - 4k + 1) = 4\sum\limits_{k=1}^{n}k^2 - 4\sum\limits_{k=1}^{n}k + \sum\limits_{k=1}^{n}1$

$= 4 \cdot \dfrac{n(n+1)(2n+1)}{6} - 4 \cdot \dfrac{n(n+1)}{2} + n$

$= \dfrac{n(4n^2 - 1)}{3} = \boldsymbol{\dfrac{n(2n+1)(2n-1)}{3}}$

정답과 풀이 **67**쪽

유제 **532** 다음 수열의 첫째항부터 제n항까지의 합 S_n을 구하여라.

(1) $1 \cdot 2$, $2 \cdot 3$, $3 \cdot 4$, $4 \cdot 5$, $\cdots$　　　　　(2) 3^2, 5^2, 7^2, 9^2, $\cdots$

533 수열 $1, 1+3, 1+3+3^2, 1+3+3^2+3^3, \cdots$의 첫째항부터 제$n$항까지의 합 S_n을 구하여라.

풍산자티 일반항이 등비수열의 합이다. ➡ 등비수열의 합 공식을 이용하여 일반항을 구한다.

> **풀이** [1단계] 제k항은 $a_k = 1+3+3^2+\cdots+3^{k-1} = \dfrac{1 \cdot (3^k-1)}{3-1} = \dfrac{1}{2}(3^k-1)$
>
> [2단계] $S_n = \displaystyle\sum_{k=1}^{n} \dfrac{1}{2}(3^k-1) = \dfrac{1}{2}\sum_{k=1}^{n}(3^k-1) = \dfrac{1}{2}\left(\sum_{k=1}^{n} 3^k - \sum_{k=1}^{n} 1\right)$
>
> $= \dfrac{1}{2}\left\{\dfrac{3(3^n-1)}{3-1} - n\right\} = \dfrac{1}{4}(3^{n+1}-3-2n)$

정답과 풀이 **68**쪽

유제 **534** 수열 $1, 1+2, 1+2+2^2, 1+2+2^2+2^3, \cdots$의 첫째항부터 제$n$항까지의 합 S_n을 구하여라.

| $\displaystyle\sum_{k=1}^{n} a_k$가 주어지는 경우 – 다항식 꼴 |

535 수열 $\{a_n\}$에 대하여 $\displaystyle\sum_{k=1}^{n} a_k = n^2+3n$일 때, $\displaystyle\sum_{k=1}^{5} a_{3k}$의 값을 구하여라.

풍산자티 $\displaystyle\sum_{k=1}^{n} a_k = n^2+3n$이라는 것은 $S_n = n^2+3n$이라는 소리!

S_n을 이용하여 일반항 a_n을 구한다.

> **풀이** [1단계] 수열 $\{a_n\}$의 첫째항부터 제n항까지의 합 S_n이 $S_n = n^2+3n$이므로
>
> (i) $n \geq 2$일 때,
>
> $a_n = S_n - S_{n-1}$
>
> $= (n^2+3n) - \{(n-1)^2 + 3(n-1)\} = 2n+2$ ⋯⋯ ㉠
>
> (ii) $n=1$일 때, $a_1 = S_1 = 1+3 = 4$
>
> 그런데 이것은 ㉠에 $n=1$을 대입한 값과 같다.
>
> ∴ $a_n = 2n+2$ $(n \geq 1)$
>
> [2단계] $a_{3k} = 2 \cdot 3k + 2 = 6k+2$이므로
>
> $\displaystyle\sum_{k=1}^{5} a_{3k} = \sum_{k=1}^{5}(6k+2) = 6\sum_{k=1}^{5}k + 2 \cdot 5$
>
> $= 6 \cdot \dfrac{5 \cdot 6}{2} + 10 = \mathbf{100}$

정답과 풀이 **68**쪽

유제 **536** 수열 $\{a_n\}$에 대하여 $\displaystyle\sum_{k=1}^{n} a_k = n^2+n$일 때, $\displaystyle\sum_{k=1}^{10} a_{2k-1}$의 값을 구하여라.

537 다음 식을 계산하여라.

(1) $\displaystyle\sum_{i=1}^{4}\left\{\sum_{j=1}^{4}\left(i\cdot j^{2}\right)\right\}$ (2) $\displaystyle\sum_{m=1}^{6}\left\{\sum_{n=1}^{6}\left(m+n\right)\right\}$ (3) $\displaystyle\sum_{i=1}^{5}\left\{\sum_{j=1}^{i}\left(\sum_{k=1}^{j}i\right)\right\}$

풍산자目 변수에 특히 주의하며 안쪽 괄호부터 차근히 풀어간다.

(1) $\displaystyle\sum_{j=1}^{n}j=j\times n$ ➡ 변수가 j이므로 다른 문자는 모두 상수이다.

(2) $\displaystyle\sum_{j=1}^{n}ij=i\sum_{j=1}^{n}j$ ➡ 변수가 j이므로 i는 상수! 따라서 i는 $\sum$ 앞으로 튀어 나올 수 있다.

▷ 풀이

(1) $\displaystyle\sum_{j=1}^{4}\left(i\cdot j^{2}\right)=i\sum_{j=1}^{4}j^{2}=i\cdot\dfrac{4\cdot5\cdot9}{6}=30i$

$\therefore$ (주어진 식)$=\displaystyle\sum_{i=1}^{4}30i=30\sum_{i=1}^{4}i=30\cdot\dfrac{4\cdot5}{2}=\mathbf{300}$

(2) $\displaystyle\sum_{n=1}^{6}\left(m+n\right)=\sum_{n=1}^{6}m+\sum_{n=1}^{6}n=6m+\dfrac{6\cdot7}{2}=6m+21$

$\therefore$ (주어진 식)$=\displaystyle\sum_{m=1}^{6}\left(6m+21\right)=6\sum_{m=1}^{6}m+21\cdot6$

$=6\cdot\dfrac{6\cdot7}{2}+126=126+126=\mathbf{252}$

(3) $\displaystyle\sum_{k=1}^{j}i=ij$이므로 $\displaystyle\sum_{j=1}^{i}\left(\sum_{k=1}^{j}i\right)=\sum_{j=1}^{i}ij=i\sum_{j=1}^{i}j=i\cdot\dfrac{i(i+1)}{2}=\dfrac{1}{2}\left(i^{3}+i^{2}\right)$

$\therefore$ (주어진 식)$=\displaystyle\sum_{i=1}^{5}\dfrac{1}{2}\left(i^{3}+i^{2}\right)=\dfrac{1}{2}\left(\sum_{i=1}^{5}i^{3}+\sum_{i=1}^{5}i^{2}\right)$

$=\dfrac{1}{2}\left\{\left(\dfrac{5\cdot6}{2}\right)^{2}+\dfrac{5\cdot6\cdot11}{6}\right\}=\mathbf{140}$

정답과 풀이 **68**쪽

유제 538 다음 식을 계산하여라.

(1) $\displaystyle\sum_{i=1}^{10}\left\{\sum_{j=1}^{4}\left(i\cdot j^{3}\right)\right\}$ (2) $\displaystyle\sum_{m=1}^{5}\left\{\sum_{n=1}^{5}\left(m-n\right)\right\}$ (3) $\displaystyle\sum_{i=1}^{6}\left\{\sum_{j=1}^{i}\left(\sum_{k=1}^{j}6\right)\right\}$

풍산자 비법

두고두고 계속해서 쓰일 식이다. 꼭 암기하자.

$\displaystyle\sum_{k=1}^{n}k=1+2+3+\cdots+n=\dfrac{n(n+1)}{2}$

$\displaystyle\sum_{k=1}^{n}k^{2}=1^{2}+2^{2}+3^{2}+\cdots+n^{2}=\dfrac{n(n+1)(2n+1)}{6}$

$\displaystyle\sum_{k=1}^{n}k^{3}=1^{3}+2^{3}+3^{3}+\cdots+n^{3}=\left\{\dfrac{n(n+1)}{2}\right\}^{2}$

539

다음 <보기>에서 등식이 성립하는 것을 모두
고른 것은?

┌─보기─

ㄱ. $\displaystyle\sum_{k=1}^{n} k^2 = \sum_{k=0}^{n} k^2$

ㄴ. $\displaystyle\sum_{k=1}^{n} 2^k = \sum_{k=0}^{n} 2^k$

ㄷ. $\displaystyle\sum_{i=1}^{m} a_i + \sum_{j=m+1}^{n} a_j = \sum_{k=1}^{n} a_k \ (m<n)$

ㄹ. $\displaystyle\sum_{k=1}^{n} (a_{2k-1}+a_{2k}) = \sum_{k=1}^{2n} a_k$

① ㄱ, ㄴ   ② ㄱ, ㄷ   ③ ㄴ, ㄷ
④ ㄱ, ㄷ, ㄹ   ⑤ ㄴ, ㄷ, ㄹ

540

$\displaystyle\sum_{k=1}^{10} a_k = 10$, $\displaystyle\sum_{k=1}^{10}(a_k+1)^2 = 80$일 때,

$\displaystyle\sum_{k=1}^{10} a_k{}^2$의 값을 구하여라.

541

$\displaystyle\sum_{k=1}^{10}(k+5)(k-2) - \sum_{k=1}^{10}(k-5)(k+2)$의 값을 구

하여라.

542

$1\cdot3+2\cdot5+3\cdot7+4\cdot9+\cdots+12\cdot25$의 값을 구하

여라.

543

수열 $\{a_n\}$에 대하여 $\displaystyle\sum_{k=1}^{n} a_k = 2^{n+1}-2$일 때,

$\displaystyle\sum_{k=1}^{4} a_k{}^2$의 값을 구하여라.

544

$\displaystyle\sum_{n=1}^{4}\left(\sum_{m=1}^{n} mn\right)$의 값을 구하여라.

01 │ 여러 가지 수열의 합

말 그대로 여러 가지 수열. 정이 가지 않는 이상한 문제들이다.

너무 미워하지는 말자. 살다보면 정이 든다.

오래 보아야 예쁘다. 시그마도 그렇다.

[1] 분수 꼴로 된 수열의 합

> **분수 꼴로 된 수열의 합 ➡ 부분분수로 변형하여 전개하면 연속적으로 소거된다.**
>
> 부분분수로 변형 ➡ $\dfrac{1}{AB} = \dfrac{1}{B-A} \cdot \dfrac{B-A}{AB} = \dfrac{1}{B-A}\left(\dfrac{1}{A} - \dfrac{1}{B}\right)$ (단, $A \neq B$)
>
> (1) $\dfrac{1}{k(k+a)} = \dfrac{1}{a}\left(\dfrac{1}{k} - \dfrac{1}{k+a}\right)$ 중요
>
> (2) $\dfrac{1}{(k+a)(k+b)} = \dfrac{1}{b-a}\left(\dfrac{1}{k+a} - \dfrac{1}{k+b}\right)$

| 설명 | 부분분수로 변형하여 $f(k) - f(k-1)$ 꼴로 고치기만 하면 중간은 모조리 소거되고 앞의 몇 항과 뒤의 몇 항만 살아남는다. 여기서 중요한 점은 앞과 뒤가 대칭이라는 점.

앞쪽에 n개가 살아남으면 뒤쪽도 n개가 살아남는다.

(1) 연달아 소거될 때 ➡ 맨 앞의 한 놈과 맨 뒤의 한 놈만 살아 남는다.

$$\sum_{k=1}^{n}(a_k - a_{k+1}) = (a_1 - a_2) + (a_2 - a_3) + \cdots + (a_n - a_{n+1}) = a_1 - a_{n+1}$$

(2) 한 다리 건너 소거될 때 ➡ 맨 앞의 두 놈과 맨 뒤의 두 놈만 살아 남는다.

$$\sum_{k=1}^{n}(a_k - a_{k+2}) = (a_1 - a_3) + (a_2 - a_4) + (a_3 - a_5) + \cdots + (a_{n-1} - a_{n+1}) + (a_n - a_{n+2})$$
$$= a_1 + a_2 - a_{n+1} - a_{n+2}$$

[2] 분모에 근호가 있는 수열의 합

> **분모에 근호가 있는 수열의 합 ➡ 분모를 유리화하여 전개하면 연속적으로 소거된다.**
>
> $\dfrac{1}{\sqrt{a}+\sqrt{b}} = \dfrac{\sqrt{a}-\sqrt{b}}{(\sqrt{a}+\sqrt{b})(\sqrt{a}-\sqrt{b})} = \dfrac{\sqrt{a}-\sqrt{b}}{a-b}$

| 설명 | 분모를 유리화하여 $f(k) - f(k-1)$ 꼴로 고치기만 하면 중간은 모조리 소거되고 맨 앞의 몇 놈과 맨 뒤의 몇 놈만 살아남는다.

> **大 원칙** ┆ 앞쪽에 n개 살아 남을 땐 뒤쪽도 n개 살아 남는다.

545 다음 수열의 첫째항부터 제 n 항까지의 합을 구하여라.

(1) $\dfrac{1}{1\cdot3}$, $\dfrac{1}{2\cdot4}$, $\dfrac{1}{3\cdot5}$, $\dfrac{1}{4\cdot6}$, $\cdots$

(2) $\dfrac{1}{1\cdot3}$, $\dfrac{1}{3\cdot5}$, $\dfrac{1}{5\cdot7}$, $\dfrac{1}{7\cdot9}$, $\cdots$

풍산자 부분분수로 변형하면 중간은 모조리 소거되고 몇 놈만 살아남는다.

풀이 (1) 제 k 항 a_k를 구하여 부분분수로 변형하면

$$a_k = \frac{1}{k(k+2)} = \frac{1}{2}\left(\frac{1}{k} - \frac{1}{k+2}\right)$$

$$\therefore \sum_{k=1}^{n} a_k = \frac{1}{2}\sum_{k=1}^{n}\left(\frac{1}{k} - \frac{1}{k+2}\right)$$

$$= \frac{1}{2}\left\{\left(1-\frac{1}{3}\right)+\left(\frac{1}{2}-\frac{1}{4}\right)+\left(\frac{1}{3}-\frac{1}{5}\right)+\cdots+\left(\frac{1}{n-1}-\frac{1}{n+1}\right)+\left(\frac{1}{n}-\frac{1}{n+2}\right)\right\}$$

$$= \frac{1}{2}\left\{1+\frac{1}{2}-\frac{1}{(n+1)}-\frac{1}{(n+2)}\right\}$$

$$= \frac{n(3n+5)}{4(n+1)(n+2)}$$

(2) 제 k 항 a_k를 구하여 부분분수로 변형하면

$$a_k = \frac{1}{(2k-1)(2k+1)} = \frac{1}{2}\left(\frac{1}{2k-1} - \frac{1}{2k+1}\right)$$

$$\therefore \sum_{k=1}^{n} a_k = \frac{1}{2}\sum_{k=1}^{n}\left(\frac{1}{2k-1} - \frac{1}{2k+1}\right)$$

$$= \frac{1}{2}\left\{\left(1-\frac{1}{3}\right)+\left(\frac{1}{3}-\frac{1}{5}\right)+\left(\frac{1}{5}-\frac{1}{7}\right)+\cdots+\left(\frac{1}{2n-1}-\frac{1}{2n+1}\right)\right\}$$

$$= \frac{1}{2}\left(1-\frac{1}{2n+1}\right) = \frac{n}{2n+1}$$

> $1, 3, 5, \cdots \Rightarrow 2k-1$
> $3, 5, 7, \cdots \Rightarrow 2k+1$

정답과 풀이 **69**쪽

유제 **546** 다음 수열의 첫째항부터 제 n 항까지의 합을 구하여라.

(1) $\dfrac{1}{1\cdot2}$, $\dfrac{1}{2\cdot3}$, $\dfrac{1}{3\cdot4}$, $\dfrac{1}{4\cdot5}$, $\cdots$

(2) $\dfrac{1}{3^2-1}$, $\dfrac{1}{5^2-1}$, $\dfrac{1}{7^2-1}$, $\dfrac{1}{9^2-1}$, $\cdots$

547 $\dfrac{1}{1+\sqrt{2}}+\dfrac{1}{\sqrt{2}+\sqrt{3}}+\dfrac{1}{\sqrt{3}+\sqrt{4}}+\cdots+\dfrac{1}{\sqrt{99}+\sqrt{100}}$ 의 값을 구하여라.

풍산자티 분모를 유리화하면 도미노처럼 연속적으로 소거된다.

➤ 풀이 제k항 a_k를 구하여 분모를 유리화하면

$$a_k=\frac{1}{\sqrt{k}+\sqrt{k+1}}=\frac{\sqrt{k}-\sqrt{k+1}}{(\sqrt{k}+\sqrt{k+1})(\sqrt{k}-\sqrt{k+1})}=-(\sqrt{k}-\sqrt{k+1})$$

$$\therefore \sum_{k=1}^{99}a_k=-\sum_{k=1}^{99}(\sqrt{k}-\sqrt{k+1})$$

$$=-\{(1-\sqrt{2})+(\sqrt{2}-\sqrt{3})+(\sqrt{3}-\sqrt{4})+\cdots+(\sqrt{99}-\sqrt{100})\}$$

$$=-(1-\sqrt{100})=\mathbf{9}$$

정답과 풀이 **69**쪽

유제 **548** $\dfrac{1}{\sqrt{2}+\sqrt{3}}+\dfrac{1}{\sqrt{3}+\sqrt{4}}+\dfrac{1}{\sqrt{4}+\sqrt{5}}+\cdots+\dfrac{1}{\sqrt{48}+\sqrt{49}}$ 의 값을 구하여라.

549 다음을 계산하여라.

(1) $\displaystyle\sum_{k=1}^{9}\log\left(1+\frac{1}{k}\right)$ (2) $\displaystyle\sum_{k=2}^{10}\log\left(1-\frac{1}{k^2}\right)$

풍산자티 '로그의 합은 진수의 곱이다'를 이용한 문제! 결국 다 소거되고 간단해진다.

➤ 풀이 (1) [1단계] 진수를 정리하면 $1+\dfrac{1}{k}=\dfrac{k+1}{k}$

[2단계] (주어진 식)$=\displaystyle\sum_{k=1}^{9}\log\frac{k+1}{k}=\log\frac{2}{1}+\log\frac{3}{2}+\log\frac{4}{3}+\cdots+\log\frac{10}{9}$

$$=\log\left(\frac{2}{1}\times\frac{3}{2}\times\frac{4}{3}\times\cdots\times\frac{10}{9}\right)=\log 10=\mathbf{1}$$

(2) [1단계] 진수를 정리하면 $1-\dfrac{1}{k^2}=\dfrac{k^2-1}{k^2}=\dfrac{(k-1)(k+1)}{k\cdot k}$

[2단계] (주어진 식)$=\displaystyle\sum_{k=2}^{10}\log\frac{(k-1)(k+1)}{k\cdot k}$

$$=\log\frac{1\cdot3}{2\cdot2}+\log\frac{2\cdot4}{3\cdot3}+\log\frac{3\cdot5}{4\cdot4}+\cdots+\frac{9\cdot11}{10\cdot10}$$

$$=\log\left(\frac{1\cdot3}{2\cdot2}\times\frac{2\cdot4}{3\cdot3}\times\frac{3\cdot5}{4\cdot4}\times\cdots\times\frac{9\cdot11}{10\cdot10}\right)$$

$$=\log\left(\frac{1}{2}\times\frac{11}{10}\right)=\log\mathbf{\frac{11}{20}}$$

정답과 풀이 **70**쪽

유제 **550** 다음을 계산하여라.

(1) $\displaystyle\sum_{k=2}^{10}\log\left(1-\frac{1}{k}\right)$ (2) $\displaystyle\sum_{k=2}^{15}\log\frac{k^2}{k^2-1}$

551 수열 $\{a_n\}$에 대하여 $\sum\limits_{k=1}^{n} a_k = n^2 + 2n$일 때, $\sum\limits_{k=1}^{n} \dfrac{1}{a_k a_{k+1}}$을 n에 대한 식으로 나타내어라.

풍산자튑 일반항을 구하는 것이 먼저!

$a_n = S_n - S_{n-1}\ (n \geq 2)$, $S_1 = a_1$을 이용해 보자.

》풀이 [1단계] $S_n = \sum\limits_{k=1}^{n} a_k = n^2 + 2n$이므로

(ⅰ) $n \geq 2$일 때,

$a_n = S_n - S_{n-1} = n^2 + 2n - \{(n-1)^2 + 2(n-1)\} = 2n+1$ ······ ㉠

(ⅱ) $n = 1$일 때, $a_1 = S_1 = 1 + 2 = 3$

그런데 $a_1 = 3$은 ㉠에 $n=1$을 대입한 값과 같으므로

$a_n = 2n + 1\ (n \geq 1)$

[2단계] $a_k = 2k+1$에서 $a_{k+1} = 2(k+1) + 1 = 2k+3$

$\therefore \sum\limits_{k=1}^{n} \dfrac{1}{a_k a_{k+1}} = \sum\limits_{k=1}^{n} \dfrac{1}{(2k+1)(2k+3)} = \dfrac{1}{2} \sum\limits_{k=1}^{n} \left(\dfrac{1}{2k+1} - \dfrac{1}{2k+3} \right)$

$= \dfrac{1}{2} \left\{ \left(\dfrac{1}{3} - \dfrac{1}{5} \right) + \left(\dfrac{1}{5} - \dfrac{1}{7} \right) + \left(\dfrac{1}{7} - \dfrac{1}{9} \right) + \cdots + \left(\dfrac{1}{2n+1} - \dfrac{1}{2n+3} \right) \right\}$

$= \dfrac{1}{2} \left(\dfrac{1}{3} - \dfrac{1}{2n+3} \right) = \dfrac{\boldsymbol{n}}{\boldsymbol{3(2n+3)}}$

정답과 풀이 **70**쪽

유제 552 수열 $\{a_n\}$에 대하여 $\sum\limits_{k=1}^{n} a_k = \dfrac{1}{3} n(n+1)(n+2)$일 때, $\sum\limits_{k=1}^{n} \dfrac{1}{a_k}$을 n에 대한 식으로 나타내어라.

풍산자 비법

• 복잡한 시그마 계산은 반드시 소거된다. 확실히 간단해진다.

• 부분분수는 쪼갠다. ➡ $\dfrac{1}{AB} = \dfrac{1}{B-A} \left(\dfrac{1}{A} - \dfrac{1}{B} \right)$

• 분모에 근호가 있으면 유리화한다.

• 로그가 주어지면 로그의 합은 진수의 곱임을 이용한다.

수열의 합을 급수라 한다.

수열 $\{a_n\}$에 대하여 $a_1+a_2r+a_3r^2+\cdots+a_nr^{n-1}$을 멱급수라 한다.

대학 수학에서 멱급수는 엄청나게 중요하다.

모든 멱급수의 합을 계산해 내는 천재가 있다면 노벨상 10개는 식은 죽 먹기.

고등학교 교육과정에서는 $\{a_n\}$이 등차수열인 경우만 문제로 종종 등장한다.

$\{a_n\}$이 등차수열일 때는 기발한 아이디어 하나로 계산이 가능하다.

배우기 전에 복습 하나. 등비수열의 합 공식 증명 방법을 기억하는가?

$$S_n = a + ar + ar^2 + ar^3 + \cdots + ar^{n-2} + ar^{n-1}$$
$$-)\ rS_n = \qquad ar + ar^2 + ar^3 + \cdots + ar^{n-2} + ar^{n-1} + ar^n$$
$$\overline{\qquad S_n - rS_n = a - ar^n \qquad\qquad\qquad\qquad}$$

(등차수열)×(등비수열)꼴의 합도 공비를 곱하여 변끼리 빼는 방법으로 계산한다.

| (등차수열)×(등비수열) 꼴의 합 |

553 $S = 1\cdot1 + 2\cdot2 + 3\cdot2^2 + 4\cdot2^3 + \cdots + 10\cdot2^9$일 때, S의 값을 구하여라.

풍산자티 (등차수열)×(등비수열) 꼴의 합 계산 ➡ 양변에 등비수열의 공비를 곱하여 변끼리 뺀다.

➤ 풀이   주어진 식의 양변에 2를 곱하여 변끼리 빼면

$$S = 1\cdot1 + 2\cdot2 + 3\cdot2^2 + 4\cdot2^3 + \cdots + 9\cdot2^8 + 10\cdot2^9$$
$$-)\ 2S = \qquad 1\cdot2 + 2\cdot2^2 + 3\cdot2^3 + \cdots + 8\cdot2^8 + 9\cdot2^9 + 10\cdot2^{10}$$
$$\overline{\ -S = (1 + 2 + 2^2 + 2^3 + \cdots + 2^9) - 10\cdot2^{10} \qquad}$$
$$= \frac{2^{10}-1}{2-1} - 10\cdot2^{10}$$
$$= -9\cdot2^{10} - 1$$
$$\therefore\ \boldsymbol{S = 9\cdot2^{10} + 1}$$

정답과 풀이 **70**쪽

유제 **554** $S = 1\cdot2 + 2\cdot2^2 + 3\cdot2^3 + 4\cdot2^4 + \cdots + 10\cdot2^{10}$일 때, S의 값을 구하여라.

03 | 군수열

수열에서 몇 개의 항이 일정한 규칙에 따라 짝을 지어 이루어지는 수열을 군수열이라 하고 각 군을 앞에서부터 차례로 제1군, 제2군, …라 한다.

군수열의 '군'은 덩어리를 의미하므로 군수열에서는 규칙에 따라 덩어리를 만드는 작업으로부터 문제 풀이가 시작된다. 군수열은 얼마 전까지만 해도 빠지지 않고 나오는 문제 유형이었지만 교육과정이 바뀌면서 지금은 거의 볼 수 없다. 그러나 익혀 두면 수학적 문제 해결에 많은 도움이 된다.

군수열의 유형은 매우 다양하지만 빠지지 않고 등장하는 유형은 다음 두 가지.

(1) 제1군부터 제10군까지의 총합은 얼마인가?

(2) 제10군의 세 번째 항은 얼마인가? 또는 $\dfrac{3}{8}$ 은 제몇 군의 몇 번째 항인가?

다음과 같은 순서로 해결하자.

> **군수열**
> [1단계] 수열의 각 항이 가지는 규칙을 파악하여 군으로 묶는다.
> [2단계] 각 군의 항의 개수 및 첫째항이 가지는 규칙을 찾는다.
> [3단계] 제n군 안에서 규칙을 찾아 제n군의 일반항을 구한다.

| 개념확인 |

다음 수열에서 $\dfrac{7}{21}$ 은 몇 번째 항인지 구하여라.

$$\frac{1}{1},\ \frac{1}{2},\ \frac{2}{2},\ \frac{1}{3},\ \frac{2}{3},\ \frac{3}{3},\ \frac{1}{4},\ \frac{2}{4},\ \frac{3}{4},\ \frac{4}{4},\ \cdots$$

> **풀이** 분모가 같은 것끼리 군으로 묶는다.
>
> $$\left(\frac{1}{1}\right),\ \left(\frac{1}{2},\ \frac{2}{2}\right),\ \left(\frac{1}{3},\ \frac{2}{3},\ \frac{3}{3}\right),\ \left(\frac{1}{4},\ \frac{2}{4},\ \frac{3}{4},\ \frac{4}{4}\right),\ \cdots$$
>
> $\dfrac{7}{21}$ 은 분모가 21이므로 제21군 소속.
>
> 제20군까지의 항의 개수는
>
> $$1+2+3+\cdots+20=\frac{20\cdot21}{2}=210$$
>
> $$\therefore\ (\text{제}21\text{군})=\left(\frac{1}{21},\quad \frac{2}{21},\quad \frac{3}{21},\quad \cdots,\quad \frac{7}{21},\ \cdots\right)$$
>
> 제211항 제212항 제213항   제217항
>
> 따라서 $\dfrac{7}{21}$ 은 **제217항**이다.

555

$\dfrac{1}{2^2-1}+\dfrac{1}{4^2-1}+\dfrac{1}{6^2-1}+\cdots+\dfrac{1}{20^2-1}$의 값을 구하여라.

556

$\dfrac{2}{\sqrt{4}+\sqrt{2}}+\dfrac{2}{\sqrt{6}+\sqrt{4}}+\dfrac{2}{\sqrt{8}+\sqrt{6}}+\cdots$

$\qquad\qquad\qquad\qquad +\dfrac{2}{\sqrt{36}+\sqrt{34}}$

의 값을 구하여라.

557

$\displaystyle\sum_{k=1}^{60}\log_2\left(\dfrac{1}{k+3}+1\right)$의 값을 구하여라.

558

$\displaystyle\sum_{k=1}^{n}\dfrac{2}{\sqrt{k}+\sqrt{k+1}}=10$일 때, n의 값을 구하여라.

559

$\displaystyle\sum_{k=2}^{n}\log\left(1-\dfrac{1}{k^2}\right)=\log\dfrac{5}{9}$일 때, n의 값을 구하여라.

560

수열 $\{a_n\}$에 대하여 $\displaystyle\sum_{k=1}^{n}a_k=2n^2+n$일 때, $\displaystyle\sum_{k=1}^{10}\dfrac{1}{a_k a_{k+1}}$의 값을 구하여라.

▶ 시그마 $\sum$

$\sum$의 의미	식의 변수에 아래끝부터 위끝까지 대입하여 더하라. 위끝 ↓ $\displaystyle\sum_{k=3}^{5} k^2$ ← 일반항 ↑ ↑ 변수 아래끝
$\sum$의 기본 성질	① $\displaystyle\sum_{k=1}^{n} 5a_k = 5\sum_{k=1}^{n} a_k$ ② $\displaystyle\sum_{k=1}^{n} 5 = 5n$ ③ $\displaystyle\sum_{k=1}^{n} a_k = \sum_{k=1}^{5} a_k + \sum_{k=6}^{n} a_k$

▶ $\sum$의 계산

$\sum$의 계산	① 지수식과 $\sum$ $\displaystyle\sum_{k=1}^{n} ar^{k-1} = \frac{a(1-r^n)}{1-r} = \frac{a(r^n-1)}{r-1}$ ② 자연수의 거듭제곱의 합 $\displaystyle\sum_{k=1}^{n} k = 1+2+3+\cdots+n = \frac{n(n+1)}{2}$ $\displaystyle\sum_{k=1}^{n} k^2 = 1^2+2^2+3^2+\cdots+n^2 = \frac{n(n+1)(2n+1)}{6}$ $\displaystyle\sum_{k=1}^{n} k^3 = 1^3+2^3+3^3+\cdots+n^3 = \left\{\frac{n(n+1)}{2}\right\}^2$
$\sum$를 이용한 S_n의 계산	$\displaystyle S_n = \sum_{k=1}^{n} a_k \Rightarrow$ ① a_k를 구한다. ② $\displaystyle\sum_{k=1}^{n} a_k$를 구한다.

▶ 소거형 문제

소거형	① 분수식: $\dfrac{1}{AB} = \dfrac{1}{B-A}\left(\dfrac{1}{A} - \dfrac{1}{B}\right)$임을 이용해 부분분수로 변형한다. ② 무리수: 유리화한다. ③ 로그식: 전개한 뒤 곱하기로 고친다. 大원칙: 앞쪽이 n개 살아 남을 땐 뒤쪽도 n개 살아 남는다.

실전 연습문제

STEP 1

561

8^n의 일의 자리 수를 a_n이라 할 때,
$\sum\limits_{n=1}^{100} a_n$의 값을 구하여라.

562

$\sum\limits_{k=1}^{n}(k^2+2)-\sum\limits_{k=1}^{n-1}(k^2+3)=59$를 만족시키는 자연수 n의 값을 구하여라.

563

$\sum\limits_{k=1}^{n}(a_{2k-1}+a_{2k})=n^2$일 때, $\sum\limits_{k=1}^{10}a_k$의 값을 구하여라.

564

$\sum\limits_{k=1}^{10}(k^2+ak)=495$일 때, 상수 a의 값을 구하여라.

565

함수 $f(a)=\sum\limits_{k=1}^{9}(k^2-2ak+a^2)$에서 $f(a)$를 최소로 하는 상수 a의 값은?

① 5　　　　② 6　　　　③ 7

④ 8　　　　⑤ 9

566

이차방정식 $x^2-16x+10=0$의 두 근을 m, n이라 할 때, $\sum\limits_{i=1}^{m}\left\{\sum\limits_{j=1}^{n}(i+j)\right\}$의 값을 구하여라.

567

수열 $\{a_n\}$에 대하여 $\sum\limits_{k=1}^{n} a_k = n^2 + 4n$일 때, $\sum\limits_{k=1}^{10} a_{2k}$의 값을 구하여라.

568

$\sum\limits_{k=1}^{n} a_k = 2^{n+1} + 3$일 때, $\sum\limits_{k=1}^{5} a_{2k-1}$의 값을 구하여라.

569

수열 $1,\ \dfrac{1}{1+2},\ \dfrac{1}{1+2+3},\ \dfrac{1}{1+2+3+4},\ \cdots$의 첫째항부터 제100항까지의 합을 구하여라.

570

$\sum\limits_{k=1}^{7} \dfrac{1}{\sqrt[3]{k^2} + \sqrt[3]{k(k+1)} + \sqrt[3]{(k+1)^2}}$의 값을 구하여라.

571

$\sum\limits_{k=1}^{80} \{\log_3 (k+1) - \log_3 k\}$의 값은?

① 2   ② 4   ③ 6

④ 8   ⑤ 10

572

$f(x) = 1 + 3x + 5x^2 + \cdots + 21x^{10}$일 때, $f(2)$의 값은?

① $19 \cdot 2^{12} + 3$ ② $19 \cdot 2^{11} + 3$

③ $19 \cdot 2^{11} + 1$ ④ $17 \cdot 2^{11} + 3$

⑤ $17 \cdot 2^{10} + 1$

STEP 2

573

100부터 400까지의 자연수 중 양의 약수의 개수가 홀수인 수들의 총합을 구하여라.

574

1부터 n까지의 합을 n으로 나눈 나머지를 a_n이라 할 때, $\sum_{n=1}^{100} a_n$의 값을 구하여라.

575

두 수열 $\{a_n\}$, $\{b_n\}$이 모든 자연수 n에 대하여 다음 조건을 만족시킨다. a_{10}의 값을 구하여라.

(가) $\sum_{k=1}^{n} b_k = n^2 + n$

(나) $\sum_{k=1}^{n} a_k b_k - 5\sum_{k=1}^{n} b_k = \dfrac{n^2(n+1)^2}{2}$

576

길이가 똑같은 성냥개비로 그림과 같은 정사각형 만들기 놀이를 하였다. 한 변에 놓인 성냥개비의 개수가 10인 정사각형을 만들기 위해 필요한 성냥개비의 개수를 구하여라.

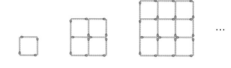

577

표와 같이 수를 써나갈 때, 위쪽에서부터 7번째 행, 왼쪽에서부터 2번째 열인 곳에 오는 수를 구하여라.

1	4	9	16	25	⋯
2	3	8	15	24	⋯
5	6	7	14	23	⋯
10	11	12	13	22	⋯
17	18	19	20	21	⋯
⋯	⋯	⋯	⋯	⋯	⋯

3

수학적 귀납법

수열이 관계식으로 주어지는 경우가 있다.
두 항 사이의 관계와 첫째항만 알면 그 수열을 다 알고 있는 것.
같은 방법을 이용하여 주어진 이론을 증명할 수도 있다.

1 수열의 귀납적 정의

2 수학적 귀납법

$$a_{n+1}=a_n+d$$
$$a_{n+1}=a_n\cdot r$$

$$p(1)$$
$$p(k) \Rightarrow p(k+1)$$

1 | 수열의 귀납적 정의

01 | 수열의 귀납적 정의

수열 1, 3, 5, 7, …을 수식으로 엄밀하게 정의하려면 다음과 같이 두 가지 방법이 있다.

(1) 일반항을 이용 ➡ $a_n = 2n - 1$ ➡ 제 n 항이 $2n - 1$인 수열

(2) 관계식을 이용 ➡ $a_1 = 1$, $a_{n+1} = a_n + 2$ ➡ 1에서 출발해 2씩 더해가는 수열

일반항을 이용한 정의는 앞에서 배웠고, 관계식을 이용한 정의를 배운다.

> **수열의 귀납적 정의**
> 수열 $\{a_n\}$을
> (1) 첫째항 a_1의 값
> (2) 이웃하는 항 a_n과 a_{n+1} 사이의 관계식으로 정의하는 것을 수열의 **귀납적 정의**라 한다.
> (단, $n = 1, 2, 3, \cdots$)

| 설명 | 도미노 게임. 뜬금없이 웬 도미노냐 물으신다면 도미노 게임과 귀납적 정의는 사실 같은 원리라는 말씀!

처음 도미노가 넘어가면 연속적으로 넘어간다. ➡ 첫째항을 알고 있다.

앞에 있는 도미노가 넘어져야지만 뒤에 있는 도미노가 쓰러진다. ➡ a_n과 a_{n+1}의 관계

아무리 잘 세운 도미노라도 처음 한 개가 넘어져야 다음 놈도 넘어진다.

그 말은 두 항 사이의 관계뿐만 아니라 첫째항도 생각보다 중요하다는 뜻이다.

첫째항을 관계식에 대입하면 다음 항이 툭툭 튀어 나온다.

| 개념확인 | 다음과 같이 정의된 수열 $\{a_n\}$의 제4항을 구하여라. (단, $n = 1, 2, 3, \cdots$)

(1) $a_1 = 3$, $a_{n+1} = 2a_n + 1$

(2) $a_1 = 1$, $a_2 = 1$, $a_{n+2} = a_n + a_{n+1}$

> **풀이** (1) $n = 1$일 때, $a_2 = 2a_1 + 1 = 2 \cdot 3 + 1 = 7$ ⬅ $a_1 = 3$
> $n = 2$일 때, $a_3 = 2a_2 + 1 = 2 \cdot 7 + 1 = 15$ ⬅ $a_2 = 7$
> $n = 3$일 때, $a_4 = 2a_3 + 1 = 2 \cdot 15 + 1 = \mathbf{31}$ ⬅ $a_3 = 15$
> (2) $n = 1$일 때, $a_3 = a_1 + a_2 = 1 + 1 = 2$ ⬅ $a_1 = 1$, $a_2 = 1$
> $n = 2$일 때, $a_4 = a_2 + a_3 = 1 + 2 = \mathbf{3}$ ⬅ $a_2 = 1$, $a_3 = 2$

大 원칙 | 낯선 수열을 만나면 무조건 처음 몇 항을 구해 규칙성을 찾는다.

02 | 등차수열과 등비수열의 귀납적 정의

등차수열과 등비수열에서 배운 '두 항 사이의 차이가 같은', '두 항의 비가 같은'이라는 표현은 바로 두 항 사이의 관계를 뜻하는 표현이다.

모든 규칙성이 있는 수열은 고유의 관계식을 가지고 있다.

아래 식들은 등차수열 또는 등비수열을 나타내는 관계식이다.

오랜만에 보니 좋다. 어디에서든지 만나면 반갑게 인사해 주자.

"*Yo Maaaaaaaan*! 롱 타임 노 씨!"

등차수열과 등비수열의 귀납적 정의 (중요!)

수열 $\{a_n\}$에서 $n=1, 2, 3, \cdots$일 때,

(1) $a_{n+1}=a_n+d$ ➡ $a_{n+1}-a_n=d$ ➡ 공차가 d인 등차수열

(2) $a_{n+1}=ra_n$ ➡ $a_{n+1}\div a_n=r$ ➡ 공비가 r인 등비수열

(3) $2a_{n+1}=a_n+a_{n+2}$ ➡ $a_{n+1}-a_n=a_{n+2}-a_{n+1}$ ➡ 등차수열

(4) $a_{n+1}{}^2=a_na_{n+2}$ ➡ $a_{n+1}\div a_n=a_{n+2}\div a_{n+1}$ ➡ 등비수열

| 등차수열과 등비수열의 귀납적 정의 |

578 다음과 같이 정의된 수열 $\{a_n\}$의 일반항을 구하여라. (단, $n=1, 2, 3, \cdots$)

(1) $a_1=2$, $a_{n+1}=a_n+3$

(2) $a_1=3$, $a_{n+1}=3a_n$

(3) $a_1=1$, $a_2=3$, $2a_{n+1}=a_n+a_{n+2}$

(4) $a_1=1$, $a_2=2$, $a_{n+1}{}^2=a_na_{n+2}$

풍산자티 등차수열의 일반항: $a_n=a+(n-1)d$, 등비수열의 일반항: $a_n=ar^{n-1}$

▶ 풀이

(1) 첫째항이 2, 공차가 3인 등차수열이므로 $a_n=2+(n-1)\cdot 3=\boldsymbol{3n-1}$

(2) 첫째항이 3, 공비가 3인 등비수열이므로 $a_n=3\cdot 3^{n-1}=\boldsymbol{3^n}$

(3) $a_1=1$, $a_2=3$인 등차수열이므로 ⬅ 공차: $a_2-a_1=2$

$\quad a_n=1+(n-1)\cdot 2=\boldsymbol{2n-1}$

(4) $a_1=1$, $a_2=2$인 등비수열이므로 ⬅ 공비: $a_2\div a_1=2$

$\quad a_n=1\cdot 2^{n-1}=\boldsymbol{2^{n-1}}$

정답과 풀이 **75**쪽

유제 **579** 다음과 같이 정의된 수열 $\{a_n\}$의 일반항을 구하여라. (단, $n=1, 2, 3, \cdots$)

(1) $a_1=1$, $a_{n+1}=a_n+2$

(2) $a_1=1$, $a_{n+1}=2a_n$

(3) $a_1=2$, $a_2=5$, $2a_{n+1}=a_n+a_{n+2}$

(4) $a_1=2$, $a_2=4$, $a_{n+1}{}^2=a_na_{n+2}$

여러 가지 수열의 귀납적 정의

첫째항을 알면 두 번째 항을 구할 수 있고 두 번째 항을 알면 세 번째 항을 알 수 있다.

만약 제100항을 구하라고 한다면?

설마.. 100번 해야 하는 것인가? 머리 터진다. 하기 싫어진다.

그래서 일반항을 구하는 문제가 수열 공부의 핵심이다.

일반항만 구해지면 제100항은 n에 100을 대입하면 끝.

이제 우리의 목적은 하나! 잘 구한 일반항 하나 열 공식 안 부럽다.

$a_{n+1}=a_n+f(n)$ 꼴	$a_2=a_1+f(1)$
n에 1, 2, 3, $\cdots$, $n-1$을 차례로 대입한 후 변끼리	$a_3=a_2+f(2)$
더하면 양변의 $a_2, a_3, \cdots, a_{n-1}$이 소거된다.	$a_4=a_3+f(3)$
$a_n=a_1+f(1)+f(2)+\cdots+f(n-1)$	$\vdots$
$\quad =a_1+\sum\limits_{k=1}^{n-1}f(k)$	$+)\ a_n=a_{n-1}+f(n-1)$
	$\overline{a_n=a_1+f(1)+f(2)+\cdots+f(n-1)}$

관계식으로 일반항 구하기 문제는 수학에서 가장 골치 아픈 내용 중 하나이다.

문제를 풀기 위해 수학자들은 온갖 기상천외한 아이디어를 동원했는데 위에 소개된 소거법도 그런 기발한 아이디어 중 하나.

소거법의 곱셈 버전 나가신다.

$a_{n+1}=a_nf(n)$ 꼴	$a_2=a_1f(1)$
n에 1, 2, 3, $\cdots$, $n-1$을 차례로 대입한 후 변끼리 곱하면	$a_3=a_2f(2)$
양변의 $a_2a_3\cdots a_{n-1}$이 약분된다.	$a_4=a_3f(3)$
$a_n=a_1f(1)f(2)f(3)\cdots f(n-1)$	$\vdots$
	$\times)\ a_n=a_{n-1}f(n-1)$
	$\overline{a_n=a_1f(1)f(2)\cdots f(n-1)}$

大 원칙 | $a_{n+1}=a_n+f(n)$ 꼴 또는 $a_{n+1}=a_nf(n)$ 꼴은 n에 1, 2, 3, $\cdots$, $n-1$을 대입하여 연속적으로 소거한다.

580 $a_1=5$, $a_{n+1}=a_n+2n$으로 정의되는 수열 $\{a_n\}$의 일반항을 구하여라.

> **풍산자타** 주어진 식에 $n=1,\ 2,\ 3,\ \cdots,\ n-1$을 차례로 대입한 후 변끼리 더한다.

> **풀이** [1단계] 주어진 식의 n에 $1,\ 2,\ 3,\ \cdots,\ n-1$을 차례로 대입한다.
> [2단계] 변끼리 더한다.
>
> $$\require{cancel}\cancel{a_2}=a_1+2\cdot1$$
> $$\cancel{a_3}=\cancel{a_2}+2\cdot2$$
> $$\cancel{a_4}=\cancel{a_3}+2\cdot3$$
> $$\vdots$$
> $$+)\ a_n=\cancel{a_{n-1}}+2\cdot(n-1)$$
> $$\boldsymbol{a_n}=a_1+2\{1+2+3+\cdots+(n-1)\}$$
> $$=5+2\sum_{k=1}^{n-1}k=5+2\cdot\frac{(n-1)n}{2}$$
> $$=5+n^2-n$$
> $$=\boldsymbol{n^2-n+5}$$

정답과 풀이 **75**쪽

유제 **581** $a_1=1$, $a_{n+1}=a_n+4n$으로 정의되는 수열 $\{a_n\}$의 일반항을 구하여라.

582 $a_1=5$, $a_{n+1}=2^n\cdot a_n$으로 정의되는 수열 $\{a_n\}$의 일반항을 구하여라.

> **풍산자타** 주어진 식에 $n=1,\ 2,\ 3,\ \cdots,\ n-1$을 차례로 대입한 후 변끼리 곱한다.

> **풀이** 등비수열과 비슷하나 곱해 가는 수가 2^n으로 일정하지 않다.
> [1단계] 주어진 식의 n에 $1,\ 2,\ 3,\ \cdots,\ n-1$을 차례로 대입한다.
> [2단계] 변끼리 곱한다.
>
> $$\cancel{a_2}=2^1\cdot a_1$$
> $$\cancel{a_3}=2^2\cdot\cancel{a_2}$$
> $$\cancel{a_4}=2^3\cdot\cancel{a_3}$$
> $$\vdots$$
> $$\times)\ a_n=2^{n-1}\cdot\cancel{a_{n-1}}$$
> $$\boldsymbol{a_n}=a_1\times2^1\times2^2\times2^3\times\cdots\times2^{n-1}$$
> $$=5\times2^{1+2+3+\cdots+(n-1)}$$
> $$=\boldsymbol{5\times2^{\frac{n(n-1)}{2}}}$$

정답과 풀이 **75**쪽

유제 **583** $a_1=5$, $a_{n+1}=\dfrac{n}{n+1}a_n$으로 정의되는 수열 $\{a_n\}$의 일반항을 구하여라.

584 어느 배양액에 미생물을 배양하면 1시간마다 70%는 죽고, 나머지는 각각 10마리로 분열한다. 이 배양액에 미생물 100마리를 넣고 1시간 간격으로 관찰하였다. 다음 물음에 답하여라.

(1) 1시간 후의 미생물의 수를 구하여라.

(2) n시간 후의 미생물의 수를 a_n이라고 할 때, a_{n+1}과 a_n 사이의 관계식을 구하여라.

(3) 5시간 후의 미생물의 수를 구하여라.

풍산자 70%가 죽었다는 소리는 30%가 살아남았다는 소리!

처음 미생물이 x마리이면 1시간 후에는 $\left(x \times \dfrac{30}{100}\right) \times 10$마리가 된다.

▶ 풀이

(1) 처음 미생물 100마리 중 70%는 죽고, 나머지는 각각 10마리로 분열하므로

$$\left(100 - 100 \times \frac{70}{100}\right) \times 10 = \mathbf{300} \text{ (마리)} \quad \cdots\cdots \text{㉠}$$

(2) $(n+1)$시간 후가 되면 n시간 후의 미생물 중 70%는 죽고, 나머지는 각각 10마리로 분열하므로

$$a_{n+1} = \left(a_n - a_n \times \frac{70}{100}\right) \times 10$$

$$\therefore \ a_{n+1} = 3a_n \quad \cdots\cdots \text{㉡}$$

(3) ㉠에서 $a_1 = 300$이므로 ㉡에 $n = 1, 2, 3, 4$를 차례로 대입하면

$$a_2 = 3a_1 = 3 \times 300 = 900$$
$$a_3 = 3a_2 = 3 \times 900 = 2700$$
$$a_4 = 3a_3 = 3 \times 2700 = 8100$$
$$a_5 = 3a_4 = 3 \times 8100 = 24300$$

따라서 5시간 후의 미생물의 수는 **24300마리**이다.

▶ 다른 풀이

(3) ㉠, ㉡에서 수열 $\{a_n\}$은 첫째항이 300, 공비가 3인 등비수열이므로

$$a_n = 300 \times 3^{n-1}$$

$$\therefore \ a_5 = 300 \times 3^4 = 24300$$

따라서 5시간 후의 미생물의 수는 24300마리이다.

정답과 풀이 **75쪽**

유제 **585** 어떤 식물의 씨앗을 뿌리면 그 중 20%는 죽고, 나머지는 5배씩 씨앗을 내게 된다. 새로 난 씨앗은 거두어 다음 해에 모두 다시 뿌리기로 하고 올해는 씨앗 10개를 뿌렸을 때, 다음 물음에 답하여라.

(1) 1년 후에 뿌릴 씨앗의 개수를 구하여라.

(2) n년 후에 뿌릴 씨앗의 개수를 a_n이라고 할 때, a_{n+1}과 a_n 사이의 관계식을 구하여라.

(3) 5년 후에 뿌릴 씨앗의 개수를 구하여라.

586 수열 $\{a_n\}$의 첫째항부터 제n항까지의 합을 S_n이라 하면 $a_1=3$, $2S_n=(n+1)a_n$이 성립한다. 이때 S_n을 구하여라.

풍산자E $a_n=S_n-S_{n-1}$임을 활용하여 S_n의 관계식을 구한다.

〉풀이 [1단계] $a_n=S_n-S_{n-1}$을 주어진 식에 대입하면

$$2S_n=(n+1)(S_n-S_{n-1})$$

$$\therefore S_n=\frac{n+1}{n-1}S_{n-1} \ (n\geq 2)$$

[2단계] $S_n=\dfrac{n+1}{n-1}S_{n-1}$은 대입하여 곱하면 소거되는 대표적인 유형!

n에 $2, 3, 4, \cdots, n$을 차례로 대입하여 변끼리 곱한다.

$$S_2=\frac{3}{1}S_1$$

$$S_3=\frac{4}{2}S_2$$

$$S_4=\frac{5}{3}S_3$$

$$\vdots$$

$$\times\bigg) \ S_n=\frac{n+1}{n-1}S_{n-1}$$

$$S_n=S_1\times\frac{3}{1}\times\frac{4}{2}\times\frac{5}{3}\times\cdots\times\frac{n}{n-2}\times\frac{n+1}{n-1}$$

$$=3\times\frac{n(n+1)}{2} \ \Leftarrow S_1=a_1=3$$

$$=\frac{3n(n+1)}{2} \ (n\geq 2)$$

이 식은 $n=1$일 때도 성립한다.

$$\therefore S_n=\frac{3n(n+1)}{2}$$

유제 587 수열 $\{a_n\}$의 첫째항부터 제n항까지의 합을 S_n이라 하면 $a_1=3$, $S_n=n^2a_n$이 성립한다. 이때 S_n을 구하여라.

풍산자 비법

• 낯선 수열을 대하는 기본자세! 처음 몇 항을 구해 항들 사이의 규칙을 살펴본다.

• 수학에서 계산 실수는 꼭 피해야 할 원수! 수열 문제는 검산이 아주 쉽다. 구한 일반항에 1을 대입해서 주어진 수열의 첫째항과 같은 값이 나오는지 확인하면 끝. 검산하는 습관을 들이자.

04 피보나치수열

저 먼 중세 유럽으로 돌아가 보자. 때는 1202년.

피보나치라는 수학자가 다음과 같은 문제를 제기한다.

이른바 '토끼 문제'

⑴ 토끼는 태어난 지 한 달이 되면 짝짓기를 할 수 있다.

⑵ 한 달마다 꼭 짝짓기를 하고, 짝짓기를 한지 한 달 후엔 꼭 암수 한 쌍의 새끼를 낳는다.

⑶ 토끼는 결코 죽지 않는다.

여기서 수학자 피보나치는 묻는다.

"이런 들판에 갓 태어난 암수 한 쌍의 새끼 토끼를 풀어놓으면 1년 후에 토끼는 과연 몇 쌍으로 불어나 있을까?"

2달만 지나도 새끼가 또 새끼를 낳는다. 쉽게 해결되는 문제는 아니다.

낯선 수열 문제를 대할 때는 수열의 근본으로 돌아가 본다. 수의 나열.

처음 몇 항을 구해 규칙성을 찾아보자.

진짜 경우의 수를 세어 보는 막노동을 좀 하다 보면 1, 2, 3, 5, 8, 13, …이라는 수열을 구하게 된다. '이놈이 뭘까..?'하며 뚫어지게 쳐다 보다 보면 번쩍하고 스쳐가는 이 수열의 규칙성. 앞의 두 항을 더하면 그 다음 항이 나온다.

이러한 규칙을 갖는 수열을 **피보나치수열**이라 한다.

관계식으로는 $a_{n+2} = a_{n+1} + a_n$

모든 피보나치수열 문제는 그 문제가 피보나치수열인지만 알면 끝난다.

낯선 문제가 피보나치수열임을 아는 방법은 세 가지.

[방법1] 처음 몇 항을 구해 앞의 두 항을 더하면 다음 항이 되는지 관찰.

[방법2] 토끼 문제, 계단 문제 등 자주 나오는 피보나치수열의 문제 유형을 기억.

[방법3] 논리적인 분석을 통해 $a_{n+2} = a_{n+1} + a_n$을 유도.

하지만 문제를 딱 보고 관계식을 찾는 일은 쉽지 않기 때문에 주로 첫 번째와 두 번째 방법이 많이 쓰인다. 특히 문장제 문제에서 처음 몇 개의 항이 1, 2, 3, 5, … 또는 2, 3, 5, 8, …로 전개가 된다면 거의 전부 다 피보나치수열 문제.

피보나치수열은 광범위한 범위에서 발생되나 자주 나오는 주제는 몇 가지로 한정되어 있다.

588 지웅이는 계단을 오를 때, 1계단 또는 2계단씩 올라간다. 지웅이가 n계단을 올라가는 모든 방법의 수를 a_n이라고 할 때, 수열 $\{a_n\}$의 관계식을 구하여라.

풍산자曰 처음 4개의 항만 구해 보자. 익숙한 규칙이 보일 것이다.

▶ 풀이 낯선 수열 문제를 대하는 기본자세! 처음 몇 항을 구해 규칙성을 찾는다.

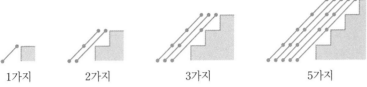

1가지　　2가지　　3가지　　5가지

1, 2, 3, 5가 나왔다. 요게 뭐? 바로 피보나치수열.

$$\therefore\ a_{n+2}=a_{n+1}+a_n$$

▶ 참고 계단이 징검다리로 바뀔 수도 있다.

589 다음 그림은 바둑돌로 3개의 칸을 채울 때 검은 돌끼리는 이웃하지 않게 채우는 방법을 나타낸 것이다.

⟪○○○⟫　⟪○○●⟫　⟪○●○⟫　⟪●○○⟫　⟪●○●⟫

이 규칙에 따라 9개의 칸을 채우는 방법은 모두 몇 가지인지 구하여라.

풍산자曰 마찬가지. 피보나치수열은 경우의 수와도 연관성이 깊다.

▶ 풀이

1칸	2칸	3칸	4칸	⋯

2, 3, 5, 8이 나왔다. 요게 뭐? 바로 피보나치수열.
앞의 두 항을 더하면 다음 항이 된다는 성질을 이용해 아홉 번째 항을 구하면 끝.
2, 3, 5, 8, 13, 21, 34, 55, 89
따라서 9개의 칸을 채우는 방법은 모두 **89가지**이다.

▶ 참고 바둑돌을 ○, ×나 0, 1 또는 A, B로 바꾸어 문제가 나올 수도 있다.

590

수열 $\{a_n\}$에 대하여 $a_n=3n-5$를 다음과 같이 귀납적으로 정의하려고 한다.

$$a_1=\alpha,$$
$$a_{n+1}=a_n+\beta \ (n=1, 2, 3, \cdots)$$

이때 상수 α, β의 값을 구하여라.

591

$a_1=1$, $a_{n+1}=2a_n \ (n=1, 2, 3, \cdots)$으로 정의되는 수열 $\{a_n\}$에 대하여 a_{10}의 값을 구하여라.

592

수열 $\{a_n\}$을

$$a_1=2,$$
$$a_{n+1}=a_n+5 \ (n=1, 2, 3, \cdots)$$

로 정의할 때, $a_k=47$을 만족시키는 자연수 k의 값을 구하여라.

593

수열 $\{a_n\}$이

$$a_1=1,$$
$$a_{n+1}=a_n+n-1 \ (n=1, 2, 3, \cdots)$$

을 만족시킬 때, a_{12}의 값을 구하여라.

594

수열 $\{a_n\}$을

$$a_1=1,$$
$$a_n=\left(1-\frac{1}{n^2}\right)a_{n-1} \ (n=2, 3, \cdots)$$

으로 정의할 때, a_{20}의 값을 구하여라.

595

수열 $\{a_n\}$의 첫째항부터 제 n항까지의 합을 S_n이라 하면

$$a_1=3,$$
$$2S_n=(n+1)a_n \ (n=1, 2, 3, \cdots)$$

이 성립한다. 이때 일반항 a_n을 구하여라.

2 ┃ 수학적 귀납법

01 ┃ 수학적 귀납법

고등학교를 졸업하기 전까지 배우는 간접 증명법은 크게 세 가지.

첫 번째는 대우를 이용한 증명, 두 번째는 귀류법. 마지막은 바로 지금 배울 수학적 귀납법!

이름은 철학 비스무리한 것이 고리타분해 보이지만 독창성 만큼은 다른 놈들을 뛰어 넘는다.

> **수학적 귀납법**
>
> 자연수 n에 대한 명제 $p(n)$이 모든 자연수 n에 대하여 성립함을 증명하려면 다음 두 가지를 보이면 된다.
>
> (i) $n=1$일 때, 명제 $p(n)$이 성립한다.
>
> (ii) $n=k$일 때, 명제 $p(n)$이 성립한다고 가정하면
>
> $n=k+1$일 때, 명제 $p(n)$이 성립한다.
>
> 이와 같은 방법으로 어떤 명제가 참임을 증명하는 방법을 **수학적 귀납법**이라 한다.

수열의 귀납적 정의와 수학적 귀납법은 다르지 않다.

둘 다 도미노를 생각해 보면 같은 원리라는 것을 알 수 있다.

첫 번째 도미노를 넘어뜨리고, 연속적으로 넘어지는지 조사하는 것.

모든 자연수 n에 대하여 $1+2+3+\cdots+n=\dfrac{n(n+1)}{2}$이 성립함을 수학적 귀납법으로 증명해 보자.

(i) $n=1$일 때, (좌변)$=1$, (우변)$=\dfrac{1 \cdot 2}{2}=1$ ──────┐ → 첫 번째 도미노

    즉, (좌변)$=$(우변)이므로 주어진 등식이 성립한다.

(ii) $n=k$일 때 주어진 등식이 성립한다고 가정하면 ──────┐

    $1+2+3+\cdots+k=\dfrac{k(k+1)}{2}$

    위의 식의 양변에 $k+1$을 더하면

    $1+2+3+\cdots+k+(k+1)=\dfrac{k(k+1)}{2}+(k+1)$ → 연속적으로 넘어짐

                                 $=\dfrac{(k+1)(k+2)}{2}$

    따라서 $n=k+1$일 때도 주어진 등식이 성립한다. ──────┘

(i), (ii)에 의하여 모든 자연수 n에 대하여 주어진 등식이 성립한다.

596 모든 자연수 n에 대하여 다음 등식이 성립함을 수학적 귀납법으로 증명하여라.

$$1^3+2^3+3^3+\cdots+n^3=\left\{\frac{n(n+1)}{2}\right\}^2$$

풍산자티 수학적 귀납법은 항상 다음 두 질문에 대답하면 끝.

$n=1$일 때, 성립? $n=k$일 때, 성립한다고 가정하면 $n=k+1$일 때도 성립?

＞풀이 (i) $n=1$일 때, (좌변)$=1^3=1$, (우변)$=\left(\frac{1\cdot2}{2}\right)^2=1$

즉, (좌변)=(우변)이므로 주어진 등식이 성립한다.

(ii) $n=k$일 때 주어진 등식이 성립한다고 가정하면

$$1^3+2^3+3^3+\cdots+k^3=\left\{\frac{k(k+1)}{2}\right\}^2$$

양변에 $(k+1)^3$을 더하면

$$1^3+2^3+3^3+\cdots+k^3+(k+1)^3=\left\{\frac{k(k+1)}{2}\right\}^2+(k+1)^3=\frac{(k+1)^2\{k^2+4(k+1)\}}{4}$$
$$=\frac{(k+1)^2(k+2)^2}{4}=\left\{\frac{(k+1)(k+2)}{2}\right\}^2$$

따라서 $n=k+1$일 때도 주어진 등식이 성립한다.

(i), (ii)에 의하여 모든 자연수 n에 대하여 주어진 등식이 성립한다.

정답과 풀이 **77**쪽

유제 **597** 모든 자연수 n에 대하여 $1^2+2^2+3^2+\cdots+n^2=\dfrac{n(n+1)(2n+1)}{6}$이 성립함을 수학적 귀납

법으로 증명하는 과정이다. □ 안에 알맞은 식을 써넣어라.

(i) $n=1$일 때, (좌변)$=1^2=1$, (우변)$=\dfrac{1\cdot2\cdot3}{6}=1$

즉, (좌변)=(우변)이므로 주어진 등식이 성립한다.

(ii) $n=k$일 때 주어진 등식이 성립한다고 가정하면

$$1^2+2^2+3^2+\cdots+k^2=\frac{k(k+1)(2k+1)}{6}$$

양변에 $\boxed{\text{(1)}}$ 을 더하면

$$1^2+2^2+3^2+\cdots+k^2+(k+1)^2=\frac{k(k+1)(2k+1)}{6}+(k+1)^2$$
$$=\frac{k+1}{6}\{k(2k+1)+6(k+1)\}$$
$$=\frac{(k+1)(k+2)(2k+3)}{6}$$
$$=\boxed{\text{(2)}}$$

따라서 $n=k+1$일 때도 주어진 등식이 성립한다.

(i), (ii)에 의하여 모든 자연수 n에 대하여 주어진 등식이 성립한다.

---

598 2 이상의 모든 자연수 n에 대하여 다음 부등식이 성립함을 수학적 귀납법으로 증명하여라.

$(1+h)^n > 1+nh$ (단, $h>0$)

풍산자터 문제에서 2 이상이라고 했으므로 첫 번째 도미노를 2로 잡자.

$n=2$일 때 성립함을 보이는 것으로 증명을 시작한다.

▶ 풀이
(ⅰ) $n=2$일 때,

(좌변)$=(1+h)^2=1+2h+h^2$, (우변)$=1+2h$

즉, (좌변)$>$(우변)이므로 주어진 부등식이 성립한다.

(ⅱ) $n=k$ $(k \geq 2)$일 때 주어진 부등식이 성립한다고 가정하면

$(1+h)^k > 1+kh$

양변에 $1+h$를 곱하면 $1+h>0$이므로

$(1+h)^{k+1}$

$> (1+kh)(1+h) = 1+(k+1)h+kh^2$

$> 1+(k+1)h$

즉, $(1+h)^{k+1} > 1+(k+1)h$

따라서 $n=k+1$일 때도 주어진 부등식이 성립한다.

(ⅰ), (ⅱ)에 의하여 2 이상의 모든 자연수 n에 대하여 주어진 부등식이 성립한다.

정답과 풀이 **77**쪽

유제 599 2 이상의 모든 자연수 n에 대하여 다음 부등식이 성립함을 수학적 귀납법으로 증명하여라.

(1) $(1-h)^n > 1-nh$ (단, $0<h<1$)

(2) $1 + \dfrac{1}{2} + \dfrac{1}{3} + \cdots + \dfrac{1}{n} > \dfrac{2n}{n+1}$

풍산자 비법

두 가지만 보이면 된다.

(ⅰ) $n=1$일 때, 성립한다.

(ⅱ) $n=k$일 때 성립한다고 가정하면

… (어쩌고 저쩌고 해서) …

$n=k+1$일 때도 성립한다.

600

자연수 n에 대하여 명제 $p(n)$이 참이면 명제 $p(n+2)$가 참일 때, 다음 <보기> 중 옳은 것만을 있는 대로 골라라.

┌ 보기 ┐

ㄱ. $p(1)$이 참이면 모든 자연수 n에 대하여 $p(n)$이 참이다.

ㄴ. $p(1)$이 참이면 모든 홀수에 대하여 $p(n)$이 참이다.

ㄷ. $p(1)$, $p(2)$가 참이면 모든 자연수 n에 대하여 $p(n)$이 참이다.

601

자연수 n에 대하여 명제 $p(n)$이 다음 조건을 만족시킨다.

⑺ $p(1)$이 참이다.

⑻ $p(n)$ 또는 $p(n+1)$이 참이면 $p(n+2)$도 참이다.

이때 다음 중 반드시 참이라고 할 수 <u>없는</u> 명제는?

① $p(2)$ ② $p(3)$ ③ $p(4)$

④ $p(5)$ ⑤ $p(6)$

602

다음은 모든 자연수 n에 대하여

$$1+2+2^2+\cdots+2^{n-1}=2^n-1$$

이 성립함을 수학적 귀납법으로 증명하는 과정이다.

(i) $n=1$일 때,

(좌변)$=1$, (우변)$=2^1-1=1$

즉, (좌변)$=$(우변)이므로 주어진 등식은 성립한다.

(ii) $n=$ [⑺] 일 때 주어진 등식이 성립한다고 가정하면

$$1+2+2^2+\cdots+2^{k-1}=2^k-1 \quad \cdots\cdots \ ㉠$$

㉠의 양변에 [⑻] 을 더하면

$$1+2+2^2+\cdots+2^{k-1}+ [⑻]$$
$$=2^k-1+ [⑻] = [⑼]$$

따라서 $n=k+1$일 때도 주어진 등식이 성립한다.

(i), (ii)에 의하여 모든 자연수 n에 대하여 주어진 등식이 성립한다.

위의 과정에서 ⑺, ⑻, ⑼에 알맞은 것을 순서대로 적은 것은?

① k, 2^k, 2^{k+1}

② 2, 2^k, $2^{k+1}-1$

③ k, 2^k, $2^{k+1}-1$

④ 2, 2^{k+1}, 2^{k+1}

⑤ k, 2^{k+1}, $2^{k+1}-1$

▶ **등차수열과 등비수열의 귀납적 정의**

등차수열	① $a_n = a_1 + (n-1)d$ ② $a_{n+1} = a_n + d$ ③ $2a_{n+1} = a_n + a_{n+2}$
등비수열	① $a_n = a_1 r^{n-1}$ ② $a_{n+1} = r a_n$ ③ $a_{n+1}{}^2 = a_n a_{n+2}$

▶ **여러 가지 수열의 귀납적 정의**

$a_{n+1} = a_n + f(n)$	① n에 $1, 2, 3, \cdots, n-1$을 차례로 대입한다. ② 변끼리 더한다. ③ $a_n = a_1 + \sum\limits_{k=1}^{n-1} f(k)$
$a_{n+1} = f(n)a_n$	① n에 $1, 2, 3, \cdots, n-1$을 차례로 대입한다. ② 변끼리 곱한다. ③ $a_n = a_1 f(1)f(2) \cdots f(n-1)$

▶ **수학적 귀납법**

수학적 귀납법	모든 자연수 n에 대하여 명제 $p(n)$이 성립함을 증명하려면 다음 두 가지를 보이면 된다. ① $n=1$일 때, 명제 $p(1)$이 성립한다. ② $n=k$일 때 명제 $p(1)$이 성립한다고 가정하면 　　$\cdots$(어쩌고 저쩌고 해서)$\cdots$ 　　$n=k+1$일 때도 성립한다. 이와 같은 증명법을 수학적 귀납법이라고 한다. ➡ $n \geq 2$인 모든 자연수 n에 대하여 명제 $p(n)$이 성립함을 증명하려면 ①에서 $n=2$일 때 성립함을 보이면 된다.

실전 연습문제

603

수열 $\{a_n\}$이 $a_1=1$이고, 모든 자연수 n에 대하여 $a_{n+1}=\dfrac{2n-1}{2n+1}a_n$을 만족시킬 때, a_4의 값은?

① $\dfrac{1}{3}$ ② $\dfrac{1}{4}$ ③ $\dfrac{1}{5}$

④ $\dfrac{1}{6}$ ⑤ $\dfrac{1}{7}$

604

각 항이 양수인 수열 $\{a_n\}$은

$\dfrac{a_{n+2}}{a_{n+1}}=\dfrac{a_{n+1}}{a_n}\ (n=1,\ 2,\ 3,\ \cdots)$을 만족시키고,

$a_1=2$, $a_3=50$이다. 이때 $\dfrac{a_{11}}{a_8}$의 값을 구하여라.

605

$a_1=3$, $a_{n+1}=\dfrac{2a_n}{2+a_n}$으로 정의된 수열 $\{a_n\}$에 대하여 a_{15}의 값을 구하여라.

606

다음은 $n\geq5$인 모든 자연수 n에 대하여 부등식 $2^n>n^2$이 성립함을 수학적 귀납법으로 증명하는 과정이다.

(i) $n=5$일 때,

(좌변)$=2^5=32$, (우변)$=5^2=25$

즉, (좌변)$>$(우변)이므로 주어진 부등식은 성립한다.

(ii) $n=k\ (k\geq5)$일 때 주어진 부등식이 성립한다고 가정하면

$2^k>k^2$ ...... ㉠

㉠의 양변에 2를 곱하면 $2^{k+1}>2k^2$

이때 $k\geq5$이면

$k^2-2k-1=\boxed{\quad (\text{가}) \quad}-2>0$이므로

$k^2>2k+1$

$\therefore\ 2^{k+1}>2k^2=k^2+k^2>\boxed{\quad (\text{나}) \quad}$

따라서 $n=k+1$일 때도 성립한다.

(i), (ii)에 의하여 주어진 부등식은 $n\geq5$인 모든 자연수 n에 대하여 성립한다.

위의 과정에서 (가)에 알맞은 식을 $f(k)$, (나)에 알맞은 식을 $g(k)$라 할 때, $f(2)+3g(3)$의 값은?

① 13   ② 22   ③ 30

④ 49   ⑤ 57

607

자연수 n에 대한 명제 $p(n)$에 대하여 다음 사실을 알았다.

> ㈎ $p(1)$이 참이다.
> ㈏ $p(n)$이 참이면 $p(2n)$과 $p(3n)$도 참이다.

이때 다음 중 반드시 참이라고 할 수 <u>없는</u> 명제는?

① $p(2)$　　② $p(3)$　　③ $p(4)$
④ $p(5)$　　⑤ $p(6)$

STEP2

608

$$a_1=1,\ a_n-a_{n-1}=\frac{1}{n(n+1)}\ (단,\ n\geq2)$$

로 정의된 수열 $\{a_n\}$과 서로소인 자연수 p, q에 대하여 $a_{20}=\dfrac{p}{q}$라 할 때, $p-q$의 값을 구하여라.

609

$a_1=1$, $a_2=2$, $a_{n+2}=a_{n+1}+2a_n$으로 정의되는 수열 $\{a_n\}$에 대하여 a_{2019}를 5로 나눈 나머지를 구하여라.

610

다음 [단계]에 따라 원을 한 개 그리고 반지름의 길이가 같은 원들을 외접하도록 그렸다.

> [단계 1] 3개의 원을 외접하게 그려서 [그림 1]을 얻는다.
> [단계 2] [그림 1]의 아래에 3개의 원을 외접하게 그려서 [그림 2]를 얻는다.
> [단계 3] [그림 2]의 아래에 4개의 원을 외접하게 그려서 [그림 3]을 얻는다.
> [단계 m] [그림 $m-1$]의 아래에 $(m+1)$개의 원을 외접하게 그려서 [그림 n]을 얻는다. ($m\geq2$)

[그림 1]　　[그림 2]　　[그림 3]

[그림 n]에 그려진 원의 모든 접점의 개수를 a_n $(n=1,\ 2,\ 3,\ \cdots)$이라 하자. 예를 들어, $a_1=3$, $a_2=9$이다. a_{10}의 값을 구하여라.

611

어떤 나라에 1원짜리 동전과 2원짜리 동전만을 사용할 수 있는 자판기가 있다. 이 자판기에 n원을 넣는 모든 방법의 수를 a_n이라 할 때, a_7의 값을 구하여라. (단, 각 동전의 개수와 금액이 같더라도 넣는 순서가 다르면 다른 경우로 생각한다.)

수	0	1	2	3	4	5	6	7	8	9
1.0	.0000	.0043	.0086	.0128	.0170	.0212	.0253	.0294	.0334	.0374
1.1	.0414	.0453	.0492	.0531	.0569	.0607	.0645	.0682	.0719	.0755
1.2	.0792	.0828	.0864	.0899	.0934	.0969	.1004	.1038	.1072	.1106
1.3	.1139	.1173	.1206	.1239	.1271	.1303	.1335	.1367	.1399	.1430
1.4	.1461	.1492	.1523	.1553	.1584	.1614	.1644	.1673	.1703	.1732
1.5	.1716	.1790	.1818	.1847	.1875	.1903	.1931	.1959	.1987	.2014
1.6	.2041	.2068	.2095	.2122	.2148	.2175	.2201	.2227	.2253	.2279
1.7	.2304	.2330	.2355	.2380	.2405	.2430	.2455	.2480	.2504	.2529
1.8	.2553	.2577	.2601	.2625	.2648	.2672	.2695	.2718	.2742	.2765
1.9	.2788	.2810	.2833	.2856	.2878	.2900	.2923	.2945	.2967	.2989
2.0	.3010	.3032	.3054	.3075	.3096	.3118	.3139	.3160	.3181	.3201
2.1	.3222	.3243	.3263	.3284	.3304	.3324	.3345	.3365	.3385	.3404
2.2	.3424	.3444	.3464	.3483	.3502	.3522	.3541	.3560	.3579	.3598
2.3	.3617	.3636	.3655	.3674	.3692	.3711	.3729	.3747	.3766	.3784
2.4	.3802	.3820	.3838	.3856	.3874	.3892	.3909	.3927	.3945	.3962
2.5	.3979	.3997	.4014	.4031	.4048	.4065	.4082	.4099	.4116	.4133
2.6	.4150	.4166	.4183	.4200	.4216	.4232	.4249	.4265	.4281	.4298
2.7	.4314	.4330	.4346	.4362	.4378	.4393	.4409	.4425	.4440	.4456
2.8	.4472	.4487	.4502	.4518	.4533	.4548	.4564	.4579	.4594	.4609
2.9	.4624	.4639	.4654	.4669	.4683	.4698	.4713	.4728	.4742	.4757
3.0	.4771	.4786	.4800	.4814	.4829	.4843	.4857	.4871	.4886	.4900
3.1	.4914	.4928	.4942	.4955	.4969	.4983	.4997	.5011	.5024	.5038
3.2	.5051	.5065	.5079	.5092	.5105	.5119	.5132	.5145	.5159	.5172
3.3	.5185	.5198	.5211	.5224	.5237	.5250	.5263	.5276	.5289	.5302
3.4	.5315	.5328	.5340	.5353	.5366	.5378	.5391	.5403	.5416	.5428
3.5	.5441	.5453	.5465	.5478	.5490	.5502	.5514	.5527	.5539	.5551
3.6	.5563	.5575	.5587	.5599	.5611	.5623	.5635	.5647	.5658	.5670
3.7	.5682	.5694	.5705	.5717	.5729	.5740	.5752	.5763	.5775	.5786
3.8	.5798	.5809	.5821	.5832	.5843	.5855	.5866	.5877	.5888	.5899
3.9	.5911	.5922	.5933	.5944	.5955	.5966	.5977	.5988	.5999	.6010
4.0	.6021	.6031	.6042	.6053	.6064	.6075	.6085	.6096	.6107	.6117
4.1	.6128	.6138	.6149	.6160	.6170	.6180	.6191	.6201	.6212	.6222
4.2	.6232	.6243	.6253	.6263	.6274	.6284	.6294	.6304	.6314	.6325
4.3	.6335	.6345	.6355	.6365	.6375	.6385	.6395	.6405	.6415	.6425
4.4	.6435	.6444	.6454	.6464	.6474	.6484	.6493	.6503	.6513	.6522
4.5	.6532	.6542	.6551	.6561	.6571	.6580	.6590	.6599	.6609	.6618
4.6	.6628	.6637	.6646	.6656	.6665	.6675	.6684	.6693	.6702	.6712
4.7	.6721	.6730	.6739	.6749	.6758	.6767	.6776	.6785	.6794	.6803
4.8	.6812	.6821	.6830	.6839	.6848	.6857	.6866	.6875	.6884	.6893
4.9	.6902	.6911	.6920	.6928	.6937	.6946	.6955	.6964	.6972	.6981
5.0	.6990	.6998	.7007	.7016	.7024	.7033	.7042	.7050	.7059	.7067
5.1	.7076	.7084	.7093	.7101	.7110	.7118	.7126	.7135	.7143	.7152
5.2	.7160	.7168	.7177	.7185	.7193	.7202	.7210	.7218	.7226	.7235
5.3	.7243	.7251	.7259	.7267	.7275	.7284	.7292	.7300	.7308	.7316
5.4	.7324	.7332	.7340	.7348	.7356	.7364	.7372	.7380	.7388	.7396

수	0	1	2	3	4	5	6	7	8	9
5.5	.7404	.7412	.7419	.7427	.7435	.7443	.7451	.7459	.7466	.7474
5.6	.7482	.7490	.7497	.7505	.7513	.7520	.7528	.7536	.7543	.7551
5.7	.7559	.7566	.7574	.7582	.7589	.7597	.7604	.7612	.7619	.7627
5.8	.7634	.7642	.7649	.7657	.7664	.7672	.7679	.7686	.7694	.7701
5.9	.7709	.7716	.7723	.7731	.7738	.7745	.7752	.7760	.7767	.7774
6.0	.7782	.7789	.7796	.7803	.7810	.7818	.7825	.7832	.7839	.7846
6.1	.7853	.7860	.7868	.7875	.7882	.7889	.7896	.7903	.7910	.7917
6.2	.7924	.7931	.7938	.7945	.7952	.7959	.7966	.7973	.7980	.7987
6.3	.7993	.8000	.8007	.8014	.8021	.8028	.8035	.8041	.8048	.8055
6.4	.8062	.8069	.8075	.8082	.8089	.8096	.8102	.8109	.8116	.8122
6.5	.8129	.8136	.8142	.8149	.8156	.8162	.8169	.8176	.8182	.8189
6.6	.8195	.8202	.8209	.8215	.8222	.8228	.8235	.8241	.8248	.8254
6.7	.8261	.8267	.8274	.8280	.8287	.8293	.8299	.8306	.8312	.8319
6.8	.8325	.8331	.8338	.8344	.8351	.8357	.8363	.8370	.8376	.8382
6.9	.8388	.8395	.8401	.8407	.8414	.8420	.8426	.8432	.8439	.8445
7.0	.8451	.8457	.8463	.8470	.8476	.8482	.8488	.8494	.8500	.8506
7.1	.8513	.8519	.8525	.8531	.8537	.8543	.8549	.8555	.8561	.8567
7.2	.8573	.8579	.8585	.8591	.8597	8603	.8609	.8615	.8621	.8627
7.3	.8633	.8639	.8645	.8651	.8657	.8663	.8669	.8675	.8681	.8686
7.4	.8692	.8698	.8704	.8710	.8716	.8722	.8727	.8733	.8739	.8745
7.5	.8751	.8756	.8762	.8768	.8774	.8779	.8785	.8791	.8797	.8802
7.6	.8808	.8814	.8820	.8825	.8831	.8837	.8842	.8848	.8854	.8859
7.7	.8865	.8871	.8876	.8882	.8887	.8893	.8899	.8904	.8910	.8915
7.8	.8921	.8927	.8932	.8938	.8943	.8949	.8954	.8960	.8965	.8971
7.9	.8976	.8982	.8987	.8993	.8998	.9004	.9009	.9015	.9020	.9025
8.0	.9031	.9036	.9042	.9047	.9053	.9058	.9063	.9069	.9074	.9079
8.1	.9085	.9090	.9096	.9101	.9106	.9112	.9117	.9122	.9128	.9133
8.2	.9138	.9143	.9149	.9154	.9159	.9165	.9170	.9175	.9180	.9186
8.3	.9191	.9196	.9201	.9206	.9212	.9217	.9222	.9227	.9232	.9238
8.4	.9243	.9248	.9253	.9258	.9263	.9269	.9274	.9279	.9284	.9289
8.5	.9294	.9299	.9304	.9309	.9315	.9320	.9325	.9330	.9335	.9340
8.6	.9345	.9350	.9355	.9360	.9365	.9370	.9375	.9380	.9385	.9390
8.7	.9395	.9400	.9405	.9410	.9415	.9420	.9425	.9430	.9435	.9440
8.8	.9445	.9450	.9455	.9460	.9465	.9469	.9474	.9479	.9484	.9489
8.9	.9494	.9499	.9504	.9509	.9513	.9518	.9523	.9528	.9533	.9538
9.0	.9542	.9547	.9552	.9557	.9562	.9566	.9571	.9576	.9581	.9586
9.1	.9590	.9595	.9600	.9605	.9609	.9614	.9619	.9624	.9628	.9633
9.2	.9638	.9643	.9647	.9652	.9657	.9661	.9666	.9671	.9675	.9680
9.3	.9685	.9689	.9694	.9699	.9703	.9708	.9713	.9717	.9722	.9727
9.4	.9731	.9736	.9741	.9745	.9750	.9754	.9759	.9763	.9768	.9773
9.5	.9777	.9782	.9786	.9791	.9795	.9800	.9805	.9809	.9814	.9818
9.6	.9823	.9827	.9832	.9836	.9841	.9845	.9850	.9854	.9859	.9863
9.7	.9868	.9872	.9877	.9881	.9886	.9890	.9894	.9899	.9903	.9908
9.8	.9912	.9917	.9921	.9926	.9930	.9934	.9939	.9943	.9948	.9952
9.9	.9956	.9961	.9965	.9969	.9974	.9978	.9983	.9987	.9991	.9996

각	라디안	sin	cos	tan	각	라디안	sin	cos	tan
0°	0.0000	0.0000	1.0000	0.0000	45°	0.7854	0.7071	0.7071	1.0000
1°	0.0175	0.0715	0.9998	0.0175	46°	0.8029	0.7193	0.6947	1.0355
2°	0.0349	0.0349	0.9994	0.0349	47°	0.8203	0.7314	0.6820	1.0724
3°	0.0524	0.0523	0.9986	0.0524	48°	0.8378	0.7431	0.6691	1.1106
4°	0.0698	0.0698	0.9976	0.0699	49°	0.8552	0.7547	0.6561	1.1504
5°	0.0873	0.0872	0.9962	0.0875	50°	0.8727	0.7660	0.6428	1.1918
6°	0.1047	0.1045	0.9945	0.1051	51°	0.8901	0.7771	0.6293	1.2349
7°	0.1222	0.1219	0.9925	0.1228	52°	0.9076	0.7880	0.6157	1.2799
8°	0.1396	0.1392	0.9903	0.1405	53°	0.9250	0.7986	0.6018	1.3270
9°	0.1571	0.1564	0.9877	0.1584	54°	0.9425	0.8090	0.5878	1.3764
10°	0.1745	0.1736	0.9848	0.1763	55°	0.9599	0.8192	0.5736	1.4281
11°	0.1920	0.1908	0.9816	0.1944	56°	0.9774	0.8290	0.5592	1.4826
12°	0.2094	0.2079	0.9781	0.2126	57°	0.9948	0.8387	0.5446	1.5399
13°	0.2269	0.2250	0.9744	0.2309	58°	1.0123	0.8480	0.5299	1.6003
14°	0.2443	0.2419	0.9703	0.2493	59°	1.0297	0.8572	0.5150	1.6643
15°	0.2618	0.2588	0.9659	0.2679	60°	1.0472	0.8660	0.5000	1.7321
16°	0.2793	0.2756	0.9613	0.2867	61°	1.0647	0.8746	0.4848	1.8040
17°	0.2967	0.2924	0.9563	0.3057	62°	1.0821	0.8829	0.4695	1.8807
18°	0.3142	0.3090	0.9511	0.3249	63°	1.0996	0.8910	0.4540	1.9626
19°	0.3316	0.3256	0.9455	0.3443	64°	1.1170	0.8988	0.4384	2.0503
20°	0.3491	0.3420	0.9397	0.3640	65°	1.1345	0.9063	0.4226	2.1445
21°	0.3665	0.3584	0.9336	0.3839	66°	1.1519	0.9135	0.4067	2.2460
22°	0.3840	0.3746	0.9272	0.4040	67°	1.1694	0.9205	0.3907	2.3559
23°	0.4014	0.3907	0.9205	0.4245	68°	1.1868	0.9272	0.3746	2.4751
24°	0.4189	0.4067	0.9135	0.4452	69°	1.2043	0.9336	0.3584	2.6051
25°	0.4363	0.4226	0.9063	0.4663	70°	1.2217	0.9397	0.3420	2.7475
26°	0.4538	0.4384	0.8988	0.4877	71°	1.2392	0.9455	0.3256	2.9042
27°	0.4712	0.4540	0.8910	0.5095	72°	1.2566	0.9511	0.3090	3.0777
28°	0.4887	0.4695	0.8829	0.5317	73°	1.2741	0.9563	0.2924	3.2709
29°	0.5061	0.4848	0.8746	0.5543	74°	1.2915	0.9613	0.2756	3.4874
30°	0.5236	0.5000	0.8660	0.5774	75°	1.3090	0.9659	0.2588	3.7321
31°	0.5411	0.5150	0.8572	0.6009	76°	1.3265	0.9703	0.2419	4.0108
32°	0.5585	0.5299	0.8480	0.6249	77°	1.3439	0.9744	0.2250	4.3315
33°	0.5760	0.5446	0.8387	0.6494	78°	1.3614	0.9781	0.2079	4.7046
34°	0.5934	0.5592	0.8290	0.6745	79°	1.3788	0.9816	0.1908	5.1446
35°	0.6109	0.5736	0.8192	0.7002	80°	1.3963	0.9848	0.1736	5.6713
36°	0.6283	0.5878	0.8090	0.7265	81°	1.4137	0.9877	0.1564	6.3138
37°	0.6458	0.6018	0.7986	0.7536	82°	1.4312	0.9903	0.1392	7.1154
38°	0.6632	0.6157	0.7880	0.7813	83°	1.4486	0.9925	0.1219	8.1443
39°	0.6807	0.6293	0.7771	0.8098	84°	1.4661	0.9945	0.1045	9.5144
40°	0.6981	0.6428	0.7660	0.8391	85°	1.4835	0.9962	0.0872	11.4301
41°	0.7156	0.6561	0.7547	0.8693	86°	1.5010	0.9976	0.0698	14.3007
42°	0.7330	0.6691	0.7431	0.9004	87°	1.5184	0.9986	0.0523	19.0811
43°	0.7505	0.6820	0.7314	0.9325	88°	1.5359	0.9994	0.0349	28.6363
44°	0.7679	0.6947	0.7193	0.9657	89°	1.5533	0.9998	0.0175	57.2900
45°	0.7854	0.7071	0.7071	1.0000	90°	1.5708	1.0000	0.0000	∞

빨간 정답

빨리 간편하게 정답을 체크한다.

I. 지수함수와 로그함수　　9p

002 (1) $x=-1$ 또는 $x=\dfrac{1\pm\sqrt{3}i}{2}$, 실수는 -1

　　(2) $x=\pm2$ 또는 $x=\pm2i$, 실수는 ±2

004 (1) 3　(2) -3　(3) $-\dfrac{1}{2}$　(4) -0.1

006 (1) 3　(2) 2　(3) 2

008 (1) 3　(2) 7

010 (1) 1　(2) 2

012 $\sqrt[6]{6}<\sqrt{2}<\sqrt[3]{3}$

014 (1) $\dfrac{4}{3}$　(2) $\dfrac{1}{2}$

016 (1) $a^{\frac{5}{12}}$　(2) $a^{\frac{7}{8}}$

018 (1) $\dfrac{a^4-1}{a^2}$　(2) $a+b$

020 17　　　　**022** (1) 11　(2) 119　(3) 36

024 $\dfrac{17}{2}$　　　**026** 8

028 (1) $-\dfrac{1}{2}$　(2) $-\dfrac{13}{14}$　　　**030** (1) 2　(2) 0

031 ③, ④　　　**032** ④　　　**033** ⑤

034 (1) $\dfrac{27}{5}$　(2) -624　　　**035** 9

036 ⑤　　　**038** (1) $2\sqrt{2}$　(2) 100　(3) 27

040 (1) $\dfrac{1}{\sqrt[3]{3}}$　(2) 9　(3) $\dfrac{1}{4}$

042 (1) $1<x<3$ 또는 $3<x<4$

　　(2) $3<x<4$ 또는 $4<x<8$

044 (1) 0　(2) 4　(3) -3

046 (1) 3　(2) $\dfrac{1}{2}$　(3) -2

048 (1) 1　(2) 2　(3) 2　(4) $\dfrac{4}{3}$　(5) $-\dfrac{1}{4}$

050 (1) 3　(2) 9　(3) 2

052 (1) $a+2$　(2) $a+b+1$　(3) $\dfrac{a+1}{3a+b}$

054 $\dfrac{ab+2b+1}{2ab+b+1}$　　　**056** $\dfrac{2z}{x+y}$

058 16　　　**060** -1　　　**062** 1

064 14

065 ③　　　**066** 72　　　**067** (1) 9　(2) 10

068 90　　　**069** $\dfrac{a+b}{1-a}$　　　**070** 244

072 (1) 0　(2) -2　(3) -1　(4) $\dfrac{3}{2}$

074 (1) 2.5378　(2) 5.5378

　　(3) -0.4622　(4) -2.4622

076 (1) 0.9030　(2) 0.9542　(3) 1.0791

078 32%　　　**080** 11년 후　　　**082** 5시간

084 $-\dfrac{1}{5}$

086 (1) 70자리 정수　(2) 소수점 아래 셋째 자리

　　(3) 14자리 정수

088 1　　　**090** $x=1$ 또는 $x=\sqrt{10}$

091 (1) 1　(2) -1　(3) 2　(4) -2

092 762　　　**093** 4　　　**094** 25번

095 100km

096 97　　　**097** ⑤　　　**098** ④

099 41　　　**100** 9　　　**101** ①

102 ⑤　　　**103** $2<a<3$ 또는 $3<a<4$

104 (1) -6　(2) 3

105 $\dfrac{12}{13}$　　　**106** $\dfrac{3}{2}$　　　**107** $\dfrac{43}{4}$

108 $\sqrt{2}$　　　**109** $2\sqrt{5}$　　　**110** ⑤

111 ①　　　**112** ①

114 (1)

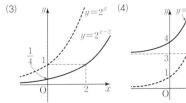

116 치역: $\{y|y>-1\}$, 점근선의 방정식: $y=-1$

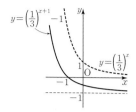

118 -1 **120** ㄱ, ㄷ

122 (1) $\left(\dfrac{1}{3}\right)^{0.5}<\sqrt[5]{3}<\sqrt[4]{9}$

(2) $0.5^2<\sqrt[9]{0.5^{10}}<\sqrt[6]{\dfrac{1}{16}}$

124 (1) 최댓값: 7, 최솟값: 0

(2) 최댓값: 11, 최솟값: $\dfrac{7}{3}$

126 (1) 최댓값: 0, 최솟값: -4

(2) 최댓값: 5, 최솟값: 1

128 최댓값: $\dfrac{1}{8}$, 최솟값: 없다.

130 (1) 16 (2) 1 **131** ㄱ, ㄷ, ㄹ **132** ②

133 3 **134** $a=7$, 최댓값: 4

135 2 **137** (1) $x=-\dfrac{1}{6}$ (2) $x=2$

139 (1) $x=1$ 또는 $x=4$ (2) $x=3$ 또는 $x=5$

(3) $x=0$ 또는 $x=6$ (4) $x=2$ 또는 $x=3$

141 (1) $x=2$ (2) $x=-1$ 또는 $x=1$

143 16 **145** 60분 후

147 (1) $x<5$ (2) $-1\leq x\leq 0$ (3) $-4<x\leq-\dfrac{3}{2}$

149 (1) $0<x<1$ 또는 $x>2$ (2) $1\leq x\leq 4$

151 (1) $x\leq-2$ (2) $-1<x<2$

(3) $x<-1$ (4) $x\leq 1$

152 (1) $x=-1$ 또는 $x=\dfrac{5}{3}$

(2) $x=-4$ 또는 $x=1$

153 4 **154** 25

155 (1) $x\leq\dfrac{1}{5}$ 또는 $x\geq 2$

(2) $-\dfrac{3}{4}<x<-\dfrac{1}{2}$

156 -5 **157** 5

159 (1) $y=3-\log_2 x$ (2) $y=1-\left(\dfrac{1}{3}\right)^{1-x}$

161 (1) (2)

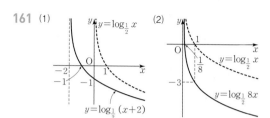

163 (1) (2)

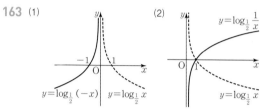
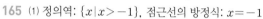

165 (1) 정의역: $\{x|x>-1\}$, 점근선의 방정식: $x=-1$

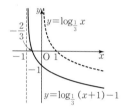

(2) 정의역: $\{x|x<0\}$, 점근선의 방정식: $x=0$

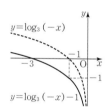

167 1 **169** 20

171 (1) $\log_3 2<1<\log_{\frac{1}{3}} 0.2$

(2) $2\log_{\frac{1}{2}} 3<3\log_{\frac{1}{2}} 2<\dfrac{1}{3}\log_{\frac{1}{2}} 27$

173 (1) 최댓값: 2, 최솟값: 1

(2) 최댓값: 1, 최솟값: -1

175 2

177 (1) 최댓값: 5, 최솟값: 1

(2) 최댓값: 6, 최솟값: 2

179 $\dfrac{1}{4}$ **181** -2 **182** 10

183 ④ **184** ③ **185** $\dfrac{1}{2}$

186 $\log_2 5$ **187** -3

189 (1) $x=2$ (2) $x=4$ (3) $x=3$ (4) $x=3$

191 (1) $x=\dfrac{1}{81}$ 또는 $x=9$

(2) $x=\dfrac{1}{2}$ 또는 $x=8$

(3) $x=\dfrac{1}{25}$ 또는 $x=25$

193 (1) $x=\dfrac{1}{81}$ 또는 $x=3$

(2) $x=10$ 또는 $x=100$

195 (1) $a=\dfrac{1}{2}$ 또는 $a=16$ (2) $\dfrac{1}{9}$

197 50년 후

199 (1) $2<x\leq5$ (2) $-1<x<2$

(3) $0<x<2$ 또는 $5<x<7$ (4) $1<x\leq4$

201 (1) $\dfrac{1}{100}<x<\dfrac{1}{10}$ (2) $0<x<1$ 또는 $x>9$

(3) $\dfrac{1}{4}\leq x\leq2$ (4) $\dfrac{1}{4}\leq x\leq16$

203 (1) $\dfrac{1}{10}<x<100$ (2) $\dfrac{1}{8}<x<2$

205 (1) $0<a\leq\dfrac{1}{10}$ 또는 $a\geq100$

(2) $\dfrac{1}{10}\leq a\leq100$

207 9년 후   209 $2\leq x<8$

210 (1) $x=2$ 또는 $x=10$ (2) $x=\dfrac{1}{3}$ 또는 $x=81$

211 5   212 10   213 2

214 -7 215 59   216 $\dfrac{1}{3}<a<81$

217 ③   218 7   219 16

220 -6 221 $\dfrac{5}{4}<k<\dfrac{10}{3}$

222 3   223 3년 후   224 4

225 ③   226 ⑤   227 13

228 -2 229 6   230 $\dfrac{1}{10}<a\leq1$

231 ③   232 ③   233 4

234 ③   235 42번

237 ㄱ, ㄹ

239 (1) 제3사분면 (2) 제4사분면 (3) 제2사분면

241 제2, 4사분면

243 (1) $36°$ (2) $120°$

245 (1) $108°$ (2) $\dfrac{32400°}{\pi}$ (3) $\dfrac{\pi^2}{180}$ (4) $\dfrac{\pi}{12}$

247 (1) $\theta=2n\pi+\dfrac{\pi}{2}$ (단, n은 정수)

(2) $\theta=2n\pi+\dfrac{2}{3}\pi$ (단, n은 정수)

249 (1) 중심각의 크기: $\dfrac{5}{4}\pi$, 호의 길이: 5π

(2) 반지름의 길이: 3, 중심각의 크기: $\dfrac{2}{3}\pi$

251 25   252 ②   253 $90°$

254 ⑤   255 6   256 4

258 $\sqrt{2}-1$

260 $\sin855°=\dfrac{1}{\sqrt{2}}$, $\cos855°=-\dfrac{1}{\sqrt{2}}$, $\tan855°=-1$

262 $\sin\theta=-\dfrac{5}{13}$, $\cos\theta=\dfrac{12}{13}$, $\tan\theta=-\dfrac{5}{12}$

264 $\sin\theta=-\dfrac{1}{2}$, $\cos\theta=-\dfrac{\sqrt{3}}{2}$, $\tan\theta=\dfrac{\sqrt{3}}{3}$

266 제3사분면   268 $-\sin\theta$

270 2   272 $\sin\theta=-\dfrac{5}{13}$, $\tan\theta=-\dfrac{5}{12}$

274 (1) $\dfrac{3}{8}$ (2) $\pm\dfrac{\sqrt{7}}{2}$ (3) $\dfrac{11}{16}$

276 $\dfrac{\sqrt{3}}{2}$ 277 15   278 ④

279 18   280 (1) $\pm\dfrac{\sqrt{6}}{2}$ (2) $\pm\dfrac{\sqrt{2}}{2}$ (3) 14

281 12

282 $\dfrac{\sqrt{3}}{2}$ 283 (가) $2\pi r$, (나) $\dfrac{180°}{\pi}$

284 (1) $\dfrac{10}{3}\pi+4$ (2) $\dfrac{10}{3}\pi$ 285 ⑤

286 $\cos\theta$ 287 $\dfrac{1}{2}$ 288 8

289 10   290 12   291 $\dfrac{1}{3}$

293 (1) 최댓값: 4, 최솟값: -4, 주기: 4π

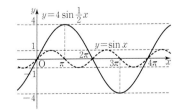

(2) 최댓값: 1, 최솟값: -1, 주기: π

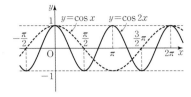

(3) 최댓값, 최솟값: 없다., 주기: $\dfrac{\pi}{2}$

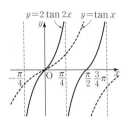

295 (1) 최댓값: 3, 최솟값: -1, 주기: $\dfrac{\pi}{2}$

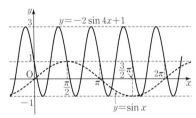

(2) 최댓값: 3, 최솟값: 1, 주기: $\dfrac{2}{3}\pi$

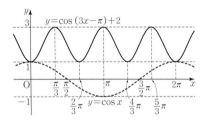

(3) 최댓값, 최솟값: 없다., 주기: $\dfrac{\pi}{2}$

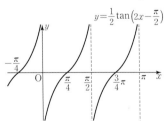

297 $a=5$, $b=2$, $c=\dfrac{1}{2}$

299 $a=3$, $b=1$ $c=\dfrac{\pi}{6}$

301 (1) 최댓값: 2, 최솟값: -1, 주기: π

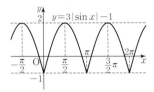

(2) 최댓값: 2, 최솟값: 0, 주기: $\dfrac{\pi}{2}$

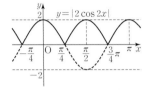

(3) 최댓값: 없다., 최솟값: 1, 주기: 2π

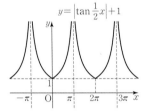

303 (1) $\dfrac{\sqrt{3}}{2}$ (2) $\dfrac{\sqrt{2}}{2}$ (3) $-\dfrac{\sqrt{3}}{3}$

305 (1) $-\dfrac{\sqrt{3}}{2}$ (2) $-\dfrac{\sqrt{2}}{2}$ (3) $\dfrac{\sqrt{3}}{3}$

307 (1) 2 (2) -1

309 $\dfrac{2}{\cos\theta}$ **311** (1) 1 (2) $\dfrac{89}{2}$

313 (1) 1.3243 (2) 0.4472

314 ④   **315** ④   **316** ⑤

317 $\dfrac{1}{4}$ **318** ㄷ

320 최댓값: 6, 최솟값: -2

322 (1) 최댓값: -2, 최솟값: -4

(2) 최댓값: 0, 최솟값: -2

324 (1) 최댓값: 10, 최솟값: 2

(2) 최댓값: -1, 최솟값: -9

326 (1) 최댓값: 1, 최솟값: 0

(2) 최댓값: 1, 최솟값: -1

328 (1) $x=\dfrac{\pi}{4}$ 또는 $x=\dfrac{3}{4}\pi$

(2) $\dfrac{\pi}{4}\le x \le \dfrac{3}{4}\pi$

(3) $0\le x \le \dfrac{\pi}{4}$ 또는 $\dfrac{3}{4}\pi \le x < 2\pi$

330 (1) $x=\dfrac{4}{3}\pi$ 또는 $x=\dfrac{5}{3}\pi$

(2) $x=\dfrac{\pi}{4}$ 또는 $x=\dfrac{7}{4}\pi$

(3) $x=\dfrac{3}{4}\pi$ 또는 $x=\dfrac{7}{4}\pi$

332 $x=\dfrac{\pi}{12}$ 또는 $x=\dfrac{\pi}{4}$

334 (1) $x=\dfrac{\pi}{2}$ 또는 $x=\dfrac{7}{6}\pi$ 또는 $x=\dfrac{11}{6}\pi$

(2) $x=\dfrac{\pi}{4}$ 또는 $x=\dfrac{5}{4}\pi$

336 (1) $\dfrac{7}{6}\pi\leq x\leq\dfrac{11}{6}\pi$

(2) $0\leq x<\dfrac{\pi}{2}$ 또는 $\dfrac{5}{6}\pi<x<\dfrac{3}{2}\pi$

또는 $\dfrac{11}{6}\pi<x<2\pi$

(3) $\dfrac{5}{12}\pi\leq x\leq\dfrac{7}{12}\pi$

338 (1) $0\leq x<\dfrac{\pi}{4}$ 또는 $\dfrac{\pi}{3}<x<\dfrac{\pi}{2}$ 또는 $\dfrac{\pi}{2}<x<\pi$

(2) $0<x<\dfrac{\pi}{2}$ 또는 $\dfrac{\pi}{2}<x<\pi$

340 (1) $\theta=\dfrac{\pi}{6}$ 또는 $\theta=\dfrac{5}{6}\pi$

(2) $0\leq\theta\leq\dfrac{\pi}{6}$ 또는 $\dfrac{5}{6}\pi\leq\theta<2\pi$

(3) $\dfrac{\pi}{6}<\theta<\dfrac{5}{6}\pi$

341 8   **342** $\dfrac{7}{2}$

343 $x=\dfrac{\pi}{6}$ 또는 $x=\dfrac{7}{6}\pi$

344 $\dfrac{5}{2}\pi$ **345** ⑤   **346** $\dfrac{3}{2}\pi$

347 8   **348** 8   **349** $\dfrac{1}{2}$

350 1   **351** ②   **352** 4π

353 8π **354** 7   **355** $a\leq7$

356 $\dfrac{1}{2}$ **357** ③   **358** ①

359 0   **360** $\dfrac{3}{2}\pi$ **361** $\dfrac{2}{3}\pi$

362 $-\dfrac{3}{4}\pi<x<-\dfrac{\pi}{4}$

364 (1) $5\sqrt{2}$ (2) $60°$ 또는 $120°$

366 $100\sqrt{2}$ **368** (1) $\dfrac{5}{8}$ (2) -1

370 $\sqrt{5}$ **372** $120°$

374 (1) $A=120°$, $B=15°$, $C=45°$

(2) $c=\sqrt{2}$, $A=135°$, $B=15°$

376 $30°$ **378** $45°$

380 (1) $A=90°$인 직각삼각형

(2) $a=b$인 이등변삼각형

382 $120°$ **384** $100\sqrt{7}$ m   **385** $\sqrt{2}$

386 $-\dfrac{1}{4}$ **387** $\dfrac{3\sqrt{10}}{10}$ **388** $120°$

389 정삼각형   **390** $125\sqrt{6}$ m   **392** $12\sqrt{2}$

394 $10\sqrt{3}$ **396** $6+2\sqrt{5}$ **398** $\dfrac{8}{3}$

400 $12\sqrt{2}$ **402** $12\sqrt{2}$ **403** 14

404 $\dfrac{5\sqrt{3}}{4}$ **405** $60°$ **406** $3\sqrt{3}$

407 3   **408** $4\sqrt{2}$

409 $A=90°$인 직각삼각형   **410** $120°$

411 $\dfrac{\sqrt{2}}{2}$ **412** ①   **413** 10

414 $\dfrac{21\sqrt{3}}{4}$ **415** $\dfrac{25\sqrt{2}}{3}$ m

416 (1) $\dfrac{14\sqrt{3}}{3}$ (2) $\sqrt{3}$

417 $-\dfrac{1}{3}$ **418** 40   **419** $12(1+\sqrt{3})$

420 6   **421** (1) $2\sqrt{14}$ (2) $\sqrt{42}$

III. 수열   177p

423 (1) $a_n=3n-2$ (2) $a_n=-5n+3$

425 $a_{n+1}-a_n=2$, 첫째항: -3, 공차: 2

427 -10 **429** 첫째항: 5, 공차: -2

431 제12항   **433** 7, 4, 1

435 $x=0$ 또는 $x=2$

437 1, 2, 3   **439** (1) 120 (2) 10

441 -130 **443** 670   **445** $a_n=2n-1$

447 -64 **449** $n=8$, $d=3$ **451** 1275

453 (1) $a_n=2n-1$ $(n\geq1)$

(2) $a_1=2$, $a_n=2n-1$ $(n\geq2)$

454 22   **455** 제335항   **456** 17

457 $x=2$ 또는 $x=3$

458 45   **459** 168   **460** 27

462 (1) $a_n=3\cdot2^{n-1}$ (2) $a_n=\left(-\dfrac{1}{2}\right)^{n-3}$

464 (1) 제6항 (2) 첫째항: 6, 공비: 9

466 6, 18, 54   **468** 제10항

470 $a_n=3\cdot2^{n-1}$

472 첫째항: 3, 공비: 3

474 $7 \times \left(\frac{2}{3}\right)^{20}$ **476** -3 **478** $-1, 2, -4$

480 (1) $2^n - 1$ (2) $16\left\{1 - \left(\frac{1}{2}\right)^n\right\}$

     (3) $\frac{1}{3}\{1 - (-2)^n\}$

482 728   **484** 40

486 $a_n = (-2)^{n-1}$

488 $\dfrac{(x-1)^{2n} - 1}{x - 2}$

490 $a_n = 2^{n-1} \ (n \geq 1)$

492 -6 **494** 352만 원   **496** 400만 원

497 1   **498** $\frac{3}{4}$ **499** 제9항

500 765   **501** 104   **502** $\frac{1023}{2}$

503 50   **504** -9 **505** -1

506 64   **507** 420   **508** 13

509 4   **510** $\frac{1}{8}$ **511** 8

512 3   **513** ⑤   **514** 272000원

515 15   **516** 30   **517** 24

518 ③

520 (1) $5 + 10 + 15 + \cdots + 50$

     (2) $\frac{2}{3} + \frac{3}{4} + \frac{4}{5} + \cdots + \frac{n}{n+1}$

522 (1) $\sum\limits_{k=1}^{10} 2^k$ (2) $\sum\limits_{k=1}^{n} (2k-1)$

524 70   **526** (1) 50   (2) 105

528 (1) $n^2 + 4n$ (2) 3135   (3) 165

530 (1) 2   (2) 394

532 (1) $\dfrac{n(n+1)(n+2)}{3}$ (2) $\dfrac{n(4n^2 + 12n + 11)}{3}$

534 $2^{n+1} - n - 2$ **536** 200

538 (1) 5500   (2) 0   (3) 336

539 ④   **540** 50   **541** 330

542 1378   **543** 340   **544** 65

546 (1) $\dfrac{n}{n+1}$ (2) $\dfrac{n}{4(n+1)}$

548 $7 - \sqrt{2}$ **550** (1) -1 (2) $\log \frac{15}{8}$

552 $\dfrac{n}{n+1}$ **554** $9 \cdot 2^{11} + 2$ **555** $\frac{10}{21}$

556 $6 - \sqrt{2}$ **557** 4   **558** 35

559 9   **560** $\frac{10}{129}$

561 500   **562** 8   **563** 25

564 2   **565** ①   **566** 90

567 250   **568** 687   **569** $\frac{200}{101}$

570 1   **571** ②   **572** ②

573 2585   **574** 1275   **575** 105

576 220   **577** 38

579 (1) $a_n = 2n - 1$ (2) $a_n = 2^{n-1}$

     (3) $a_n = 3n - 1$ (4) $a_n = 2^n$

581 $a_n = 2n^2 - 2n + 1$

583 $a_n = \dfrac{5}{n}$

585 (1) 40   (2) $a_{n+1} = 4a_n$ (3) 10240

587 $\dfrac{6n}{n+1}$ **590** $\alpha = -2, \ \beta = 3$

591 512   **592** 10   **593** 56

594 $\dfrac{21}{40}$ **595** $a_n = 3n$

597 (1) $(k+1)^2$

     (2) $\dfrac{(k+1)\{(k+1)+1\}\{2(k+1)+1\}}{6}$

599 풀이 참조   **600** ㄴ, ㄷ   **601** ①

602 ③   **603** ⑤   **604** 125

605 $\dfrac{3}{22}$ **606** ④   **607** ④

608 19   **609** 4   **610** 165

611 21

고등 풍산자와 함께하면
개념부터 ~ 고난도 문제까지!
어떤 시험 문제도 익숙해집니다!

고등 풍산자 1등급 로드맵

고등 풍산자 교재	하	중하	중	상	최상
개념 기본서 1위	필수 문제로 개념 정복, 개념 학습 완성				
유형 기본서		개념 정리부터 유형까지 모두 정복, 유형 학습 완성			
기초 반복 훈련서		개념 및 기본 연산 정복, 기본 실력 완성			
기본 유형 연습서		기본 및 대표 유형 연습, 중위권 실력 완성			
유형서 만족도 1위			기출 문제로 유형 정복, 시험 준비 완료		
상위권 필독서				내신과 수능 1등급 도전, 상위권 실력 완성	
단기 특강서	개념 및 기본 체크, 단기 실력 점검				

새 교육과정 (2025년부터 고1 적용)은
순차적으로 출간할 예정입니다.

풍산자

수학 I

정답과 풀이

지학사

풍산자

수학 I

정답과 풀이

I 지수함수와 로그함수

1 지수와 로그

002

(1) -1의 세제곱근은 방정식 $x^3=-1$의 근이므로

$x^3+1=0$, $(x+1)(x^2-x+1)=0$

$\therefore x=-1$ 또는 $x=\dfrac{1\pm\sqrt{3}i}{2}$ ← -1의 세제곱근

이 중에서 실수인 것은 -1이다.

(2) 16의 네제곱근은 방정식 $x^4=16$의 근이므로

$x^4-16=0$, $(x^2-4)(x^2+4)=0$

$\therefore x=\pm2$ 또는 $x=\pm2i$ ← 16의 네제곱근

이 중에서 실수인 것은 ±2이다.

📘 (1) $x=-1$ 또는 $x=\dfrac{1\pm\sqrt{3}i}{2}$, 실수는 -1

(2) $x=\pm2$ 또는 $x=\pm2i$, 실수는 ±2

004

(1) $\sqrt[4]{81}=\sqrt[4]{3^4}=3$

(2) $\sqrt[3]{-27}=\sqrt[3]{(-3)^3}=-3$

(3) $-\sqrt[6]{\dfrac{1}{64}}=-\sqrt[6]{\left(\dfrac{1}{2}\right)^6}=-\dfrac{1}{2}$

(4) $\sqrt[3]{-0.001}=\sqrt[3]{(-0.1)^3}=-0.1$

📘 (1) 3 (2) -3 (3) $-\dfrac{1}{2}$ (4) -0.1

006

(1) $\sqrt[3]{9}\times\sqrt[3]{3}=\sqrt[3]{9\times3}=\sqrt[3]{27}=\sqrt[3]{3^3}=3$

(2) $\dfrac{\sqrt[4]{32}}{\sqrt[4]{2}}=\sqrt[4]{\dfrac{32}{2}}=\sqrt[4]{16}=\sqrt[4]{2^4}=2$

(3) $(\sqrt[4]{4})^2=\sqrt[4]{4^2}=\sqrt[4]{(2^2)^2}=\sqrt[4]{2^4}=2$

📘 (1) 3 (2) 2 (3) 2

008

(1) $\sqrt{\sqrt[3]{81}}\times\sqrt[4]{\sqrt[3]{81}}=\sqrt[3]{\sqrt{81}}\times\sqrt[3]{\sqrt[4]{81}}=\sqrt[3]{9}\times\sqrt[3]{3}$

$\qquad=\sqrt[3]{27}=\sqrt[3]{3^3}=3$

(2) $\sqrt[8]{7^6}\times\sqrt[12]{7^3}=\sqrt[4\times2]{7^{3\times2}}\times\sqrt[4\times3]{7^{1\times3}}$

$\qquad=\sqrt[4]{7^3}\times\sqrt[4]{7}$

$\qquad=\sqrt[4]{7^4}=7$

📘 (1) 3 (2) 7

010

(1) (주어진 식) $=\dfrac{\sqrt{\sqrt[4]{a}}}{\sqrt[3]{\sqrt{a}}}\times\dfrac{\sqrt[3]{\sqrt{a}}}{\sqrt{\sqrt[4]{a}}}\times\dfrac{\sqrt[4]{\sqrt[3]{a}}}{\sqrt{\sqrt[4]{a}}}$

$=\dfrac{\sqrt[8]{a}}{\sqrt[6]{a}}\times\dfrac{\sqrt[6]{a}}{\sqrt[12]{a}}\times\dfrac{\sqrt[12]{a}}{\sqrt[8]{a}}=1$

(2) (주어진 식) $=\sqrt[4]{\dfrac{2^9+(2^2)^7}{2^5+(2^2)^5}}=\sqrt[4]{\dfrac{2^9+2^{14}}{2^5+2^{10}}}$

$=\sqrt[4]{\dfrac{2^9(1+2^5)}{2^5(1+2^5)}}=\sqrt[4]{2^4}=2$

📘 (1) 1 (2) 2

012

2, 3, 6의 최소공배수인 6으로 근호 앞 수를 통일하면

$\sqrt{2}=\sqrt[6]{2^3}=\sqrt[6]{8}$

$\sqrt[3]{3}=\sqrt[6]{3^2}=\sqrt[6]{9}$

이때 $\sqrt[6]{6}<\sqrt[6]{8}<\sqrt[6]{9}$이므로

$\sqrt[6]{6}<\sqrt{2}<\sqrt[3]{3}$

📘 $\sqrt[6]{6}<\sqrt{2}<\sqrt[3]{3}$

014

(1) (주어진 식) $=\left(\dfrac{9}{16}\right)^{-\frac{4}{3}\times\frac{3}{8}}=\left(\dfrac{9}{16}\right)^{-\frac{1}{2}}$

$=\left\{\left(\dfrac{3}{4}\right)^2\right\}^{-\frac{1}{2}}=\left(\dfrac{3}{4}\right)^{2\times\left(-\frac{1}{2}\right)}$

$=\left(\dfrac{3}{4}\right)^{-1}=\dfrac{4}{3}$

(2) (주어진 식) $=2^{\frac{3}{4}}\div(2^5)^{\frac{1}{2}}\times(2^3)^{\frac{1}{4}}=2^{\frac{3}{4}}\div2^{\frac{5}{2}}\times2^{\frac{3}{4}}$

$=2^{\frac{3}{4}-\frac{5}{2}+\frac{3}{4}}=2^{-1}=\dfrac{1}{2}$

📘 (1) $\dfrac{4}{3}$ (2) $\dfrac{1}{2}$

016

(1) (주어진 식) $=\dfrac{\sqrt{a}}{\sqrt[4]{a}}\times\sqrt[6]{a}=a^{\frac{1}{2}}\div a^{\frac{1}{4}}\times a^{\frac{1}{6}}$

$=a^{\frac{1}{2}-\frac{1}{4}+\frac{1}{6}}=a^{\frac{5}{12}}$

(2) (주어진 식) $=\sqrt{a}\times\sqrt[4]{a}\times\sqrt[8]{a}=a^{\frac{1}{2}}\times a^{\frac{1}{4}}\times a^{\frac{1}{8}}$

$=a^{\frac{1}{2}+\frac{1}{4}+\frac{1}{8}}=a^{\frac{7}{8}}$

📘 (1) $a^{\frac{5}{12}}$ (2) $a^{\frac{7}{8}}$

018

(1) (주어진 식) $=\{(a^{\frac{1}{2}})^2-(a^{-\frac{1}{2}})^2\}(a+a^{-1})$

$=(a-a^{-1})(a+a^{-1})$

$=a^2-\dfrac{1}{a^2}=\dfrac{a^4-1}{a^2}$

(2) (주어진 식)$=(a^{\frac{1}{3}})^3+(b^{\frac{1}{3}})^3=a+b$

답 (1) $\dfrac{a^4-1}{a^2}$ (2) $a+b$

020

$2^{\frac{3}{2}}=A$, $2^{-\frac{1}{2}}=B$로 놓으면

(주어진 식)$=(A+B)^2+(A-B)^2$

$\qquad\qquad=(A^2+2AB+B^2)+(A^2-2AB+B^2)$

$\qquad\qquad=2A^2+2B^2$

$\qquad\qquad=2(2^{\frac{3}{2}})^2+2(2^{-\frac{1}{2}})^2$

$\qquad\qquad=2\cdot8+2\cdot2^{-1}=17$

답 17

022

(1) $a^{\frac{1}{2}}-a^{-\frac{1}{2}}=3$의 양변을 제곱하면

$\quad a-2+a^{-1}=9 \qquad \therefore a+a^{-1}=11$

(2) $a+a^{-1}=11$의 양변을 제곱하면

$\quad a^2+2+a^{-2}=121 \qquad \therefore a^2+a^{-2}=119$

(3) $a^{\frac{1}{2}}-a^{-\frac{1}{2}}=3$의 양변을 세제곱하면

$\quad (a^{\frac{1}{2}})^3-(a^{-\frac{1}{2}})^3-3\cdot a^{\frac{1}{2}}\cdot a^{-\frac{1}{2}}(a^{\frac{1}{2}}-a^{-\frac{1}{2}})=27$

$\quad a^{\frac{3}{2}}-a^{-\frac{3}{2}}-3\cdot1\cdot3=27$

$\quad \therefore a^{\frac{3}{2}}-a^{-\frac{3}{2}}=36$

답 (1) 11 (2) 119 (3) 36

024

$x^3=(2^{\frac{2}{3}})^3+(2^{-\frac{2}{3}})^3+3\cdot2^{\frac{2}{3}}\cdot2^{-\frac{2}{3}}(2^{\frac{2}{3}}+2^{-\frac{2}{3}})$

$\quad=2^2+2^{-2}+3\cdot1\cdot x=3x+\dfrac{17}{4}$

따라서 $x^3-3x=\dfrac{17}{4}$이므로 $2x^3-6x=\dfrac{17}{2}$

답 $\dfrac{17}{2}$

026

$\left(\dfrac{1}{27}\right)^{-\frac{x}{2}}=(27)^{\frac{x}{2}}=(3^3)^{\frac{x}{2}}=(3^x)^{\frac{3}{2}}$ ← $3^x=4$를 대입

$\qquad\qquad=4^{\frac{3}{2}}=(2^2)^{\frac{3}{2}}=2^3=8$

답 8

028

(1) 분모, 분자에 각각 a^{-1}을 곱하면

$\quad$ (주어진 식)$=\dfrac{1-a^{-2}}{1+a^{-2}}$ ← $a^{-2}=3$을 대입

$\qquad=\dfrac{1-3}{1+3}=-\dfrac{1}{2}$

(2) 분모, 분자에 각각 a^{-1}을 곱하면

$\quad$ (주어진 식)$=\dfrac{a^2-a^{-4}}{a^2+a^{-4}}$

$\qquad=\dfrac{\dfrac{1}{a^{-2}}-(a^{-2})^2}{\dfrac{1}{a^{-2}}+(a^{-2})^2}$ ← $a^{-2}=3$을 대입

$\qquad=\dfrac{\dfrac{1}{3}-9}{\dfrac{1}{3}+9}=-\dfrac{13}{14}$

답 (1) $-\dfrac{1}{2}$ (2) $-\dfrac{13}{14}$

030

(1) $40^x=32$에서 $40=32^{\frac{1}{x}}=(2^5)^{\frac{1}{x}}=2^{\frac{5}{x}}$ ······ ㉠

$\quad 10^y=8$에서 $10=8^{\frac{1}{y}}=(2^3)^{\frac{1}{y}}=2^{\frac{3}{y}}$ ······ ㉡

$\quad$ ㉠$\div$㉡을 하면 $\dfrac{40}{10}=2^{\frac{5}{x}}\div2^{\frac{3}{y}}$

$\quad 4=2^{\frac{5}{x}-\frac{3}{y}}$, $2^2=2^{\frac{5}{x}-\frac{3}{y}}$

$\quad \therefore \dfrac{5}{x}-\dfrac{3}{y}=2$

(2) $3^x=4^y=12^z=k$로 놓으면 $k>0$이고, $xyz\neq0$에서 $k\neq1$이다.

$\quad 3^x=k$에서 $3=k^{\frac{1}{x}}$ ······ ㉠

$\quad 4^y=k$에서 $4=k^{\frac{1}{y}}$ ······ ㉡

$\quad 12^z=k$에서 $12=k^{\frac{1}{z}}$ ······ ㉢

$\quad$ ㉠$\times$㉡$\div$㉢을 하면 $\dfrac{3\cdot4}{12}=k^{\frac{1}{x}}\times k^{\frac{1}{y}}\div k^{\frac{1}{z}}$

$\quad 1=k^{\frac{1}{x}+\frac{1}{y}-\frac{1}{z}}$에서 $k>0$이고, $k\neq1$이므로

$\quad \dfrac{1}{x}+\dfrac{1}{y}-\dfrac{1}{z}=0$

답 (1) 2 (2) 0

031

① 5의 다섯제곱근은 $x^5=5$를 만족하는 다섯 개의 근이고, 이 중 실수인 것이 단 하나 있는데, 이것을 $\sqrt[5]{5}$로 나타낸다. (거짓)

② -3의 세제곱근은 $x^3=-3$을 만족하는 세 개의 근이고, 이 중 실수인 것이 단 하나 있는데, 이것을 $\sqrt[3]{-3}$으로 나타낸다. (거짓)

③ 4의 네제곱근은 $x^4=4$를 만족하는 네 개의 근이고, 이 중 실수인 것이 두 개 있는데, 그 중 양수를 $\sqrt[4]{4}$, 음수를 $-\sqrt[4]{4}$로 나타낸다. (참)

④ n의 n제곱근은 $x^n=n$을 만족하는 n개의 근인데, n이 홀수일 때는 이 중 실수인 것이 단 하나 있고 이것을 $\sqrt[n]{n}$으로 나타낸다. (참)

⑤ $-n$의 n제곱근은 $x^n=-n$을 만족하는 n개의 근인데, n이 짝수일 때는 이 중 실수인 것이 없다. (거짓)

따라서 옳은 것은 ③, ④이다.

답 ③, ④

032

① $\sqrt[3]{27}=\sqrt[3]{3^3}=3$

② $\sqrt[4]{2}\sqrt[4]{8}=\sqrt[4]{16}=\sqrt[4]{2^4}=2$

③ $\sqrt{\sqrt{81}}=\sqrt[4]{81}=\sqrt[4]{3^4}=3$

④ $\dfrac{\sqrt[3]{250}}{\sqrt[3]{2}}=\sqrt[3]{125}=\sqrt[3]{5^3}=5$

⑤ $(\sqrt[4]{9})^2=\sqrt[4]{9^2}=\sqrt[4]{(3^2)^2}=\sqrt[4]{3^4}=3$

따라서 그 값이 가장 큰 것은 ④이다.

답 ④

033

2, 3, 6의 최소공배수인 6으로 근호 앞 수를 통일하면

$A=\sqrt{3}=\sqrt[6]{3^3}=\sqrt[6]{27}$

$B=\sqrt[3]{5}=\sqrt[6]{5^2}=\sqrt[6]{25}$

$C=\sqrt{\sqrt[3]{15}}=\sqrt[6]{15}$

이때 $\sqrt[6]{15}<\sqrt[6]{25}<\sqrt[6]{27}$ 이므로 $C<B<A$

답 ⑤

034

(1) (주어진 식) $=\left(\dfrac{9}{25}\right)^{\frac{5}{4}\times\frac{2}{5}}\times\left(\dfrac{1}{3}\right)^{-\frac{3}{2}\times\frac{4}{3}}$

$=\left(\dfrac{9}{25}\right)^{\frac{1}{2}}\times\left(\dfrac{1}{3}\right)^{-2}=\left\{\left(\dfrac{3}{5}\right)^2\right\}^{\frac{1}{2}}\times 3^2$

$=\dfrac{3}{5}\times 9=\dfrac{27}{5}$

(2) (주어진 식) $=(1-5^{\frac{1}{2}})(1+5^{\frac{1}{2}})(1+5)(1+5^2)$

$=(1-5)(1+5)(1+5^2)$

$=(1-5^2)(1+5^2)$

$=1-5^4=1-625=-624$

답 (1) $\dfrac{27}{5}$ (2) -624

035

(주어진 식) $=a^{\frac{3}{2}}\times a^{\frac{4}{3}}\times a^{\frac{1}{6}}\div a^{-\frac{3}{2}}$

$=a^{\frac{3}{2}+\frac{4}{3}+\frac{1}{6}-\left(-\frac{3}{2}\right)}=a^{\frac{9}{2}}$

따라서 $a^{\frac{9}{2}}=a^{\frac{n}{2}}$이므로 $n=9$

답 9

036

분모, 분자에 각각 a^x을 곱하면

(주어진 식) $=\dfrac{a^{4x}+a^{-2x}}{a^{2x}+1}$

$=\dfrac{(a^{2x})^2+(a^{2x})^{-1}}{a^{2x}+1}$ ← $a^{2x}=5$를 대입

$=\dfrac{5^2+\dfrac{1}{5}}{5+1}=\dfrac{21}{5}$

답 ⑤

038

(1) $\log_2 x=1.5$에서 $x=2^{1.5}=2^{\frac{3}{2}}=\sqrt{2^3}=2\sqrt{2}$

(2) $\log_{1000} x=\dfrac{2}{3}$에서

$x=1000^{\frac{2}{3}}=(10^3)^{\frac{2}{3}}=10^2=100$

(3) $\log_3\{\log_3(\log_3 x)\}=0$에서

$\log_3(\log_3 x)=3^0=1$

$\log_3(\log_3 x)=1$에서 $\log_3 x=3^1=3$

$\therefore x=3^3=27$

답 (1) $2\sqrt{2}$ (2) 100 (3) 27

040

(1) $\log_x 3=-3$에서 $x^{-3}=3$

양변에 $-\dfrac{1}{3}$제곱을 하면 $x=3^{-\frac{1}{3}}=\dfrac{1}{\sqrt[3]{3}}$

(2) $\log_x 27=\dfrac{3}{2}$에서 $x^{\frac{3}{2}}=27$

양변에 $\dfrac{2}{3}$제곱을 하면 $(x^{\frac{3}{2}})^{\frac{2}{3}}=27^{\frac{2}{3}}$

$\therefore x=27^{\frac{2}{3}}=(3^3)^{\frac{2}{3}}=3^2=9$

(3) $\log_x 32=-\dfrac{5}{2}$에서 $x^{-\frac{5}{2}}=32$

양변에 $-\dfrac{2}{5}$제곱을 하면 $(x^{-\frac{5}{2}})^{-\frac{2}{5}}=32^{-\frac{2}{5}}$

$\therefore x=32^{-\frac{2}{5}}=(2^5)^{-\frac{2}{5}}=2^{-2}=\dfrac{1}{4}$

답 (1) $\dfrac{1}{\sqrt[3]{3}}$ (2) 9 (3) $\dfrac{1}{4}$

042

(1) 밑의 조건에서 $4-x>0$, $4-x\neq 1$

$\therefore x<4$, $x\neq 3$ ······ ㉠

진수의 조건에서 $x-1>0$

$\therefore x>1$ $\qquad$ ⓛ

ⓐ, ⓛ의 공통부분을 구하면

$1<x<3$ 또는 $3<x<4$

(2) 밑의 조건에서 $x-3>0$, $x-3\neq1$

$\therefore x>3$, $x\neq4$ $\qquad$ ⓐ

진수의 조건에서 $-x^2+10x-16>0$

$x^2-10x+16<0$, $(x-2)(x-8)<0$

$\therefore 2<x<8$ $\qquad$ ⓛ

ⓐ, ⓛ의 공통부분을 구하면

$3<x<4$ 또는 $4<x<8$

답 (1) $1<x<3$ 또는 $3<x<4$

(2) $3<x<4$ 또는 $4<x<8$

044

(1) $\log_2 1=0$

(2) $\log_2 16=\log_2 2^4=4\log_2 2=4$

(3) $\log_2 \dfrac{1}{8}=\log_2 2^{-3}=-3\log_2 2=-3$

답 (1) 0 (2) 4 (3) -3

046

(1) (주어진 식)$=\log_{10} 2^3+\log_{10} 125$

$=\log_{10}(8\times125)$

$=\log_{10} 1000$

$=\log_{10} 10^3=3$

(2) (주어진 식)$=\log_3 \sqrt{15}-\log_3 \sqrt{5}=\log_3 \dfrac{\sqrt{15}}{\sqrt{5}}$

$=\log_3 \sqrt{3}=\log_3 3^{\frac{1}{2}}=\dfrac{1}{2}$

(3) (주어진 식)$=\log_{10}\left(\dfrac{1}{4}\div9\div\dfrac{25}{9}\right)$

$=\log_{10}\left(\dfrac{1}{4}\times\dfrac{1}{9}\times\dfrac{9}{25}\right)$

$=\log_{10}\dfrac{1}{100}=\log_{10} 10^{-2}=-2$

답 (1) 3 (2) $\dfrac{1}{2}$ (3) -2

048

(1) (주어진 식)$=\dfrac{\log_{10} 3}{\log_{10} 2}\cdot\dfrac{\log_{10} 4}{\log_{10} 3}\cdot\dfrac{\log_{10} 2}{\log_{10} 4}=1$

(2) (주어진 식)$=2\log_{3^2} 54-\log_3 6$

$=\dfrac{2}{2}\log_3 54-\log_3 6$

$=\log_3 54-\log_3 6=\log_3 \dfrac{54}{6}$

$=\log_3 9=\log_3 3^2=2$

(3) (주어진 식)$=\log_2 24-\log_2 6=\log_2 \dfrac{24}{6}$

$=\log_2 4=\log_2 2^2=2$

(4) (주어진 식)$=\log_{5^3} 5^2=\dfrac{2}{3}\cdot2\log_5 5=\dfrac{4}{3}$

(5) (주어진 식)$=\log_{3^2} 3^{-\frac{1}{2}}=\dfrac{1}{2}\cdot\left(-\dfrac{1}{2}\right)\log_3 3=-\dfrac{1}{4}$

답 (1) 1 (2) 2 (3) 2 (4) $\dfrac{4}{3}$ (5) $-\dfrac{1}{4}$

050

(1) $2^{\log_2 3}=3^{\log_2 2}=3$

(2) $4^{\log_2 3}=3^{\log_2 4}=3^{\log_2 2^2}=3^{2\log_2 2}=3^2=9$

(3) (지수)$=\log_7 4^2-\log_7 2^3=\log_7 \dfrac{4^2}{2^3}=\log_7 2$

$\therefore$ (주어진 식)$=7^{\log_7 2}=2^{\log_7 7}=2$

답 (1) 3 (2) 9 (3) 2

052

$\log_3 2=a$, $\log_3 7=b$일 때

(1) $\log_3 18=\log_3(2\times3^2)=\log_3 2+\log_3 3^2$

$=\log_3 2+2\log_3 3=a+2$

(2) $\log_3 42=\log_3(2\times3\times7)$

$=\log_3 2+\log_3 3+\log_3 7$

$=a+1+b=a+b+1$

(3) $\log_{56} 6=\dfrac{\log_3 6}{\log_3 56}=\dfrac{\log_3(2\times3)}{\log_3(2^3\times7)}$

$=\dfrac{\log_3 2+\log_3 3}{\log_3 2^3+\log_3 7}=\dfrac{\log_3 2+1}{3\log_3 2+\log_3 7}$

$=\dfrac{a+1}{3a+b}$

답 (1) $a+2$ (2) $a+b+1$ (3) $\dfrac{a+1}{3a+b}$

054

[1단계] 주어진 조건식의 로그의 밑을 3으로 통일한다.

$\log_7 3=\dfrac{1}{\log_3 7}=b$

$\therefore \log_3 7=\dfrac{1}{b}$

[2단계] 주어진 식의 로그의 밑을 3으로 통일한다.

$\log_{84} 126=\dfrac{\log_3 126}{\log_3 84}=\dfrac{\log_3(2\times3^2\times7)}{\log_3(2^2\times3\times7)}$

$=\dfrac{\log_3 2+2\log_3 3+\log_3 7}{2\log_3 2+\log_3 3+\log_3 7}$

$=\dfrac{a+2+\dfrac{1}{b}}{2a+1+\dfrac{1}{b}}$

$$= \frac{ab+2b+1}{2ab+b+1}$$

달 $\dfrac{ab+2b+1}{2ab+b+1}$

056

$10^x=a$, $10^y=b$, $10^z=c$에서

$x=\log_{10} a$, $y=\log_{10} b$, $z=\log_{10} c$

$\therefore \log_{ab} c^2 = \dfrac{\log_{10} c^2}{\log_{10} ab} = \dfrac{2\log_{10} c}{\log_{10} a + \log_{10} b}$

$$= \frac{2z}{x+y}$$

달 $\dfrac{2z}{x+y}$

▶ 다른 풀이

$\log_{ab} c^2 = \log_{10^x \times 10^y} (10^z)^2 = \log_{10^{x+y}} 10^{2z}$

$$= \frac{2z}{x+y} \log_{10} 10 = \frac{2z}{x+y}$$

058

$a^4=b^5$의 양변에 밑이 a인 로그를 취하면

$\log_a a^4 = \log_a b^5$, $4 = 5\log_a b$

$\therefore \log_a b = \dfrac{4}{5}$

$\therefore 20\log_a b = 20 \times \dfrac{4}{5} = 16$

달 16

060

$7^x=16$, $14^y=8$에서 $x=\log_7 16$, $y=\log_{14} 8$

$\therefore \dfrac{4}{x} - \dfrac{3}{y} = \dfrac{4}{\log_7 16} - \dfrac{3}{\log_{14} 8} = \dfrac{4}{\log_7 2^4} - \dfrac{3}{\log_{14} 2^3}$

$\qquad = \dfrac{4}{4\log_7 2} - \dfrac{3}{3\log_{14} 2} = \dfrac{1}{\log_7 2} - \dfrac{1}{\log_{14} 2}$

$\qquad = \log_2 7 - \log_2 14 = \log_2 \dfrac{7}{14} = \log_2 \dfrac{1}{2}$

$\qquad = \log_2 2^{-1} = -1$

달 -1

062

이차방정식의 근과 계수의 관계에 의하여

$\alpha + \beta = 6$, $\alpha\beta = 2$

$\therefore \log_3 (\alpha^{-1} + \beta^{-1}) = \log_3 \left(\dfrac{1}{\alpha} + \dfrac{1}{\beta} \right)$

$\qquad\qquad\qquad = \log_3 \dfrac{\alpha + \beta}{\alpha\beta}$

$$= \log_3 \frac{6}{2}$$

$$= \log_3 3 = 1$$

달 1

064

이차방정식의 근과 계수의 관계에 의하여

$\log_2 a + \log_2 b = 4$, $\log_2 a \cdot \log_2 b = 1$

$\therefore \log_a b + \log_b a$

$\quad = \dfrac{\log_2 b}{\log_2 a} + \dfrac{\log_2 a}{\log_2 b}$

$\quad = \dfrac{(\log_2 b)^2 + (\log_2 a)^2}{\log_2 a \cdot \log_2 b}$

$\quad = \dfrac{(\log_2 a + \log_2 b)^2 - 2\log_2 a \cdot \log_2 b}{\log_2 a \cdot \log_2 b}$

$\quad = \dfrac{4^2 - 2 \cdot 1}{1} = 14$

달 14

065

① $\log_2 \dfrac{1}{8} = \log_2 2^{-3} = -3\log_2 2 = -3$

② $\log_4 32 = \log_{2^2} 2^5 = \dfrac{5}{2}\log_2 2 = \dfrac{5}{2}$

③ $\log_{\sqrt 2} 4 = \log_{2^{\frac{1}{2}}} 2^2 = \dfrac{2}{\frac{1}{2}}\log_2 2 = 4$

④ $\log_8 \sqrt 2 = \log_{2^3} 2^{\frac{1}{2}} = \dfrac{\frac{1}{2}}{3}\log_2 2 = \dfrac{1}{6}$

⑤ $\log_{\frac{1}{25}} \dfrac{1}{5} = \log_{5^{-2}} 5^{-1} = \dfrac{-1}{-2}\log_5 5 = \dfrac{1}{2}$

따라서 옳지 않은 것은 ③이다.

달 ③

066

$\log_2 \{\log_3 (\log_4 x)\} = 0$에서

$\log_3 (\log_4 x) = 2^0 = 1$

$\log_4 x = 3^1 = 3$

$\therefore x = 4^3 = 64$

또 $\log_4 \{\log_3 (\log_2 y)\} = 0$에서

$\log_3 (\log_2 y) = 4^0 = 1$

$\log_2 y = 3^1 = 3$

$\therefore y = 2^3 = 8$

따라서 $x+y = 64+8 = 72$

달 72

067

(1) (주어진 식)

$$=\log_2\frac{72}{5}+\log_{2^{-1}}\frac{3}{80}-\log_{2^2}\left(\frac{3}{4}\right)^2$$

$$=\log_2\frac{72}{5}-\log_2\frac{3}{80}-\log_2\frac{3}{4}$$

$$=\log_2\left(\frac{72}{5}\div\frac{3}{80}\div\frac{3}{4}\right)$$

$$=\log_2\left(\frac{72}{5}\times\frac{80}{3}\times\frac{4}{3}\right)$$

$$=\log_2 512=\log_2 2^9=9\log_2 2=9$$

(2) (지수)$=\log_3 4^2+\log_3 5-\log_3 2^3$

$$=\log_3\frac{4^2\times5}{2^3}=\log_3 10$$

$$\therefore\ (주어진\ 식)=3^{\log_3 10}=10$$

달 (1) 9 (2) 10

068

주어진 식에서 밑과 진수를 바꾸면

$$\log_2 3+\log_2 5+\log_2 6=\log_2 k$$

$$\log_2(3\times5\times6)=\log_2 k$$

$$\therefore\ k=3\times5\times6=90$$

달 90

069

$10^a=2$, $10^b=3$에서 $a=\log_{10}2$, $b=\log_{10}3$

$$\therefore\ \log_5 6=\frac{\log_{10}6}{\log_{10}5}=\frac{\log_{10}(2\times3)}{\log_{10}\frac{10}{2}}$$

$$=\frac{\log_{10}2+\log_{10}3}{1-\log_{10}2}=\frac{a+b}{1-a}$$

달 $\dfrac{a+b}{1-a}$

070

이차방정식의 근과 계수의 관계에 의하여

$$\alpha+\beta=5,\ \alpha\beta=3$$

$$\therefore\ 3^\alpha\cdot3^\beta+\log_3\alpha+\log_3\beta=3^{\alpha+\beta}+\log_3\alpha\beta$$

$$=3^5+\log_3 3$$

$$=243+1=244$$

달 244

072

(1) $\log 1=\log_{10}1=0$

(2) $\log\dfrac{1}{100}=\log_{10}10^{-2}=-2$

(3) $\log 0.1=\log_{10}10^{-1}=-1$

(4) $\log\sqrt{1000}=\log_{10}10^{\frac{3}{2}}=\dfrac{3}{2}$

달 (1) 0 (2) -2 (3) -1 (4) $\dfrac{3}{2}$

074

(1) $\log 345=\log(3.45\times10^2)$

$$=\log 3.45+\log 10^2$$

$$=0.5378+2=2.5378$$

(2) $\log 345000=\log(3.45\times10^5)$

$$=\log 3.45+\log 10^5$$

$$=0.5378+5=5.5378$$

(3) $\log 0.345=\log(3.45\times10^{-1})$

$$=\log 3.45+\log 10^{-1}$$

$$=0.5378-1=-0.4622$$

(4) $\log 0.00345=\log(3.45\times10^{-3})$

$$=\log 3.45+\log 10^{-3}$$

$$=0.5378-3=-2.4622$$

달 (1) 2.5378 (2) 5.5378
(3) -0.4622 (4) -2.4622

076

(1) $\log 8=\log 2^3=3\log 2=0.9030$

(2) $\log 9=\log 3^2=2\log 3=0.9542$

(3) $\log 12=\log(2^2\times3)=\log 2^2+\log 3$

$$=2\log 2+\log 3=0.6020+0.4771$$

$$=1.0791$$

달 (1) 0.9030 (2) 0.9542 (3) 1.0791

078

[1단계] 2004년 말의 인구수를 a, 매년 인구 증가율을 r 라 하면

(ⅰ) 15년 동안 2배 증가하였으므로

$$a(1+r)^{15}=2a$$

$$\therefore\ (1+r)^{15}=2$$

(ⅱ) 6년 후인 2010년 말의 인구수는

$$a(1+r)^6=a\{(1+r)^{15}\}^{\frac{6}{15}}=2^{\frac{2}{5}}a$$

[2단계] $x=2^{\frac{2}{5}}$으로 놓고 양변에 상용로그를 취하면 주어진 상용로그표에서 $\log 2=0.30$이므로

$$\log x=\frac{2}{5}\log 2=\frac{2}{5}\times0.30=0.12$$

이때 상용로그표에서 $0.12=\log 1.32$이므로

$$x=1.32$$

따라서 2010년 말의 인구수는 $1.32a$이므로 2004년 말보다 32% 증가하였다.

탑 32%

080

현재의 국민 소득을 a라 하면 n년 후의 국민 소득은

$a(1+0.07)^n$

즉, $a(1+0.07)^n \geq 2a$를 만족하는 n을 구하라는 소리.

$1.07^n \geq 2$의 양변에 상용로그를 취하면

$\log 1.07^n \geq \log 2$

$n \log 1.07 \geq \log 2$, $n \times 0.0294 \geq 0.3010$

$\therefore n \geq 10.\times\times\times$

따라서 국민 소득이 현재의 2배 이상이 되는 것은 11년 후부터이다.

탑 11년 후

082

10분이 n번 지나면 10×2^n마리가 된다.

즉, $10 \times 2^n = 10^{10}$을 만족하는 n을 구하라는 소리.

$10 \times 2^n = 10^{10}$에서 $2^n = 10^9$

양변에 상용로그를 취하면 $n \log 2 = 9$

$0.3n = 9$ $\therefore n = \dfrac{9}{0.3} = 30$

따라서 10분을 30번 지나야 한다.

$\dfrac{10 \times 30}{60} = 5$

따라서 최소한 5시간이 걸린다.

탑 5시간

084

녹차의 처음 온도를 $T_0 \, ℃$, t분 후의 온도를 $T \, ℃$, 주위의 온도를 $T_s \, ℃$라 할 때,

$t = \dfrac{1}{k} \log_2 \dfrac{T - T_s}{T_0 - T_s}$이고, 주어진 조건에서

$T_s = 20$, $T_0 = 50$, $t = 5$, $T = 35$이므로

$5 = \dfrac{1}{k} \log_2 \dfrac{35 - 20}{50 - 20}$, $5 = \dfrac{1}{k} \log_2 \dfrac{1}{2}$

$5k = \log_2 2^{-1} = -1$ $\therefore k = -\dfrac{1}{5}$

탑 $-\dfrac{1}{5}$

086

(1) $\log 5^{100} = 100 \log 5 = 100 \log \dfrac{10}{2}$

$\qquad = 100(\log 10 - \log 2)$

$\qquad = 100 \times (1 - 0.3010) = 100 \times 0.6990$

$\qquad = 69.90$

정수 부분이 69이므로 70자리 정수이다.

(2) $\log \dfrac{3}{5} = \log \dfrac{6}{10} = \log 6 - \log 10$

$\qquad = (\log 2 + \log 3) - 1$

$\qquad = (0.3010 + 0.4771) - 1 = -0.2219$

$\therefore \log \left(\dfrac{3}{5}\right)^{10} = 10 \log \dfrac{3}{5} = -2.219$

$\qquad = -3 + 0.781$

정수 부분이 -3이므로 소수점 아래 셋째 자리에서 처음으로 0이 아닌 숫자가 나타난다.

(3) $\log (2^{20} \times 5^{10}) = \log 2^{20} + \log 5^{10}$

$\qquad = 20 \log 2 + 10 \log 5$

$\qquad = 20 \log 2 + 10 \log \dfrac{10}{2}$

$\qquad = 20 \times 0.3010 + 10 \times 0.6990$

$\qquad = 6.020 + 6.990 = 13.010$

정수 부분이 13이므로 14자리 정수이다.

탑 (1) 70자리 정수 (2) 소수점 아래 셋째 자리
(3) 14자리 정수

088

$\left(\dfrac{4}{3}\right)^{10}$의 최고 자리의 숫자를 구하므로 $\dfrac{4}{3}$에 로그를 취하면

$\log \dfrac{4}{3} = \log 4 - \log 3 = 2 \log 2 - \log 3$

$\qquad = 2 \times 0.3010 - 0.4771 = 0.1249$

$\therefore \log \left(\dfrac{4}{3}\right)^{10} = 10 \log \dfrac{4}{3} = 1.249$

이때 소수 부분은 0.249이고, 0.249는 $\log 1 = 0$과 $\log 2 = 0.3010$ 사이의 수이므로

$\log 1 <$ (소수 부분) $< \log 2$

따라서 최고 자리의 숫자는 1이다.

탑 1

090

$\log x$와 $\log \dfrac{1}{x}$의 소수 부분이 같다.

➡ $\log x - \log \dfrac{1}{x} = $ (정수) $\therefore 2 \log x = $ (정수)

$1 \leq x < 10$의 각 변에 상용로그를 취하면

$0 \leq \log x < 1$ $\therefore 0 \leq 2\log x < 2$

$2\log x$는 정수이므로

$2\log x = 0$ 또는 $2\log x = 1$

$2\log x = 0$일 때, $\log x = 0$에서 $x = 1$

$2\log x = 1$일 때, $\log x = \dfrac{1}{2}$에서 $x = 10^{\frac{1}{2}} = \sqrt{10}$

$\therefore x = 1$ 또는 $x = \sqrt{10}$

답 $x = 1$ 또는 $x = \sqrt{10}$

091

(1) $\log 70 = \log(10 \times 7) = \log 10 + \log 7$
$\qquad\qquad = 1 + 0.8451$
$\therefore n = 1$

(2) $\log 0.7 = \log(10^{-1} \times 7) = \log 10^{-1} + \log 7$
$\qquad\qquad = -1 + 0.8451$
$\therefore n = -1$

(3) $\log 700 = \log(10^2 \times 7) = \log 10^2 + \log 7$
$\qquad\qquad = 2 + 0.8451$
$\therefore n = 2$

(4) $\log 0.07 = \log(10^{-2} \times 7) = \log 10^{-2} + \log 7$
$\qquad\qquad = -2 + 0.8451$
$\therefore n = -2$

답 (1) 1 (2) -1 (3) 2 (4) -2

092

$\log x = 2.8820 = 0.8820 + 2$
$\qquad = \log 7.62 + \log 10^2$
$\qquad = \log(7.62 \times 10^2) = \log 762$
$\therefore x = 762$

답 762

093

[1단계] 100만 원에 구입한 골동품의 가격이 매년 $a\%$의
비율로 증가하여 14년 후에는 173만 원이 되었
으므로

$$100 \times \left(1 + \dfrac{a}{100}\right)^{14} = 173$$

$$\therefore \left(1 + \dfrac{a}{100}\right)^{14} = 1.73 \qquad \cdots\cdots \ \text{㉠}$$

[2단계] ㉠의 양변에 상용로그를 취하면 주어진 상용로
그표에서 $\log 1.73 = 0.238$이므로

$$14\log\left(1 + \dfrac{a}{100}\right) = \log 1.73 = 0.238$$

$$\therefore \log\left(1 + \dfrac{a}{100}\right) = 0.017$$

이때 상용로그표에서 $\log 1.04 = 0.017$이므로

$$1 + \dfrac{a}{100} = 1.04$$

$$\therefore a = 4$$

답 4

094

감소율을 r라 하면 n번 통과시킨 후의 농도는

$10(1 - 0.09)^n$

즉, $10(1 - 0.09)^n \leq 1$을 만족시키는 n을 구하라는 소리.

$10 \times 0.91^n \leq 1$의 양변에 상용로그를 취하면

$\log 10 + n\log 0.91 \leq \log 1 \qquad \cdots\cdots \ \text{㉠}$

이때

$\log 0.91 = \log \dfrac{9.1}{10} = \log 9.1 - \log 10$
$\qquad\qquad = 0.9590 - 1 = -0.041 \qquad \cdots\cdots \ \text{㉡}$

이므로 ㉡을 ㉠에 대입하면 $1 - 0.041n \leq 0$

$\therefore n \geq 24.\times\times\times$

따라서 적어도 25번 이상 통과시켜야 한다.

답 25번

095

주어진 관계식 $v = 100\log d + 75$에 주어진 값
$v = 275 \ (\text{km/시})$를 대입한다.

$v = 100\log d + 75$에서 $v = 275$이므로

$275 = 100\log d + 75$, $100\log d = 200$

$\log d = 2$ $\therefore d = 10^2 = 100 \ (\text{km})$

답 100 km

096

-27의 세제곱근은 방정식 $x^3 = -27$의 근이므로

$x^3 + 27 = 0$, $(x + 3)(x^2 - 3x + 9) = 0$

$\therefore x = -3$ 또는 $x = \dfrac{3 \pm 3\sqrt{3}i}{2}$

이 중에서 실수인 것은 -3이므로

$a = -3$

10000의 네제곱근은 방정식 $x^4 = 10000$의 근이므로

$x^4 - 10000 = 0$, $(x^2 - 100)(x^2 + 100) = 0$

$\therefore x = \pm 10$ 또는 $x = \pm 10i$

이 중에서 실수인 것은 ± 10이므로

$b = \pm 10$

$\therefore a + b^2 = -3 + 100 = 97$

답 97

097

$A=\sqrt{2\sqrt{2}}=\sqrt{\sqrt{2^2\cdot2}}=\sqrt[4]{8}$

$B=\sqrt[3]{2\sqrt{3}}=\sqrt[3]{\sqrt{2^2\cdot3}}=\sqrt[6]{12}$

$C=\sqrt[4]{3\sqrt[3]{2}}=\sqrt[4]{\sqrt[3]{3^3\cdot2}}=\sqrt[12]{54}$

4, 6, 12의 최소공배수인 12로 근호 앞의 수를 통일하면

$\sqrt[4]{8}=\sqrt[12]{8^3}=\sqrt[12]{512}$

$\sqrt[6]{12}=\sqrt[12]{12^2}=\sqrt[12]{144}$

$\sqrt[12]{54}<\sqrt[12]{144}<\sqrt[12]{512}$에서

$\sqrt[4]{3\sqrt[3]{2}}<\sqrt[3]{2\sqrt{3}}<\sqrt{2\sqrt{2}}$이므로

$C<B<A$ 　　　　　　　　　　　　　　　**답** ⑤

098

밑이 음수이고 지수가 분수일 때는 지수법칙을 쓸 수 없다. 따라서 ㈐의 $\{(-2)^2\}^{\frac{3}{2}}=(-2)^3$이 처음으로 잘못되었다.

　　　　　　　　　　　　　　　　　　답 ④

099

$\sqrt{a\sqrt[3]{a\sqrt[4]{a}}}=\sqrt{a}\times\sqrt[6]{a}\times\sqrt[24]{a}$

$=a^{\frac{1}{2}}\times a^{\frac{1}{6}}\times a^{\frac{1}{24}}$

$=a^{\frac{1}{2}+\frac{1}{6}+\frac{1}{24}}$

$=a^{\frac{12+4+1}{24}}=a^{\frac{17}{24}}$

따라서 $a^{\frac{17}{24}}=a^{\frac{n}{m}}$이므로 $m=24$, $n=17$

$\therefore m+n=41$ 　　　　　　　　　　　**답** 41

100

$a^{\frac{1}{2}}-a^{-\frac{1}{2}}=2$의 양변을 제곱하면

$a-2+a^{-1}=4$ 　　$\therefore a+a^{-1}=6$

$a+a^{-1}=6$의 양변을 제곱하면

$a^2+2+a^{-2}=36$ 　　$\therefore a^2+a^{-2}=34$

$\therefore \dfrac{a^2+a^{-2}-7}{a+a^{-1}-3}=\dfrac{34-7}{6-3}=\dfrac{27}{3}=9$

　　　　　　　　　　　　　　　　　　답 9

101

$\left(\dfrac{1}{4}\right)^{\frac{a}{2}-b}=(2^{-2})^{\frac{a}{2}-b}=2^{-a+2b}$

$=(2^a)^{-1}\times(2^b)^2$

$=c^{-1}\times d^2$ ◀ $2^a=c$, $2^b=d$를 대입

$=\dfrac{d^2}{c}$

　　　　　　　　　　　　　　　　　　답 ①

102

$\log_a\dfrac{1}{16}=4$에서 $a^4=\dfrac{1}{16}=\left(\dfrac{1}{2}\right)^4$

$\therefore a=\dfrac{1}{2}$ $(\because a>0)$

$\log_{\sqrt{2}}b=8$에서 $b=(\sqrt{2})^8=16$

$\therefore ab=\dfrac{1}{2}\times16=8$ 　　　　　　**답** ⑤

103

(i) 진수의 조건에서 부등식 $x^2+ax+a>0$이 모든 실수 x에 대하여 성립하려면 이차방정식 $x^2+ax+a=0$의 판별식을 D라 할 때 $D<0$이어야 한다.

$D=a^2-4a<0$에서 $a(a-4)<0$이므로

$0<a<4$ 　　　　　　……㉠

(ii) 밑의 조건에서 $a-2>0$, $a-2\neq1$

$\therefore a>2$, $a\neq3$ 　　　　……㉡

(i), (ii)에서 ㉠, ㉡의 공통부분을 구하면

$2<a<3$ 또는 $3<a<4$

　　　　　　　　답 $2<a<3$ 또는 $3<a<4$

104

(1) (주어진 식)

$=\log_2\dfrac{1}{2}+\log_2\dfrac{2}{3}+\log_2\dfrac{3}{4}+\cdots+\log_2\dfrac{63}{64}$

$=\log_2\left(\dfrac{1}{2}\times\dfrac{2}{3}\times\dfrac{3}{4}\times\cdots\times\dfrac{63}{64}\right)$

$=\log_2\dfrac{1}{64}=\log_2 2^{-6}=-6$

(2) (주어진 식)

$=\dfrac{\log_{10}3}{\log_{10}2}\times\dfrac{\log_{10}4}{\log_{10}3}\times\dfrac{\log_{10}5}{\log_{10}4}\times\dfrac{\log_{10}6}{\log_{10}5}$

$\qquad\qquad\times\dfrac{\log_{10}7}{\log_{10}6}\times\dfrac{\log_{10}8}{\log_{10}7}$

$=\dfrac{\log_{10}8}{\log_{10}2}=\log_2 8$

$=\log_2 2^3=3$

　　　　　　　　　　　답 (1) -6 　(2) 3

105

$x=\sqrt{a}$, $y=\sqrt[3]{a}$, $z=\sqrt[4]{a}$에서 $x=a^{\frac{1}{2}}$, $y=a^{\frac{1}{3}}$, $z=a^{\frac{1}{4}}$이므로

$\log_a x=\dfrac{1}{2}$, $\log_a y=\dfrac{1}{3}$, $\log_a z=\dfrac{1}{4}$

$\therefore \log_{xyz}a=\dfrac{\log_a a}{\log_a xyz}=\dfrac{1}{\log_a x+\log_a y+\log_a z}$

$$= \frac{1}{\frac{1}{2}+\frac{1}{3}+\frac{1}{4}} = \frac{1}{\frac{13}{12}}$$
$$= \frac{12}{13}$$

답 $\dfrac{12}{13}$

▶ 다른 풀이

$xyz = a^{\frac{1}{2}} \times a^{\frac{1}{3}} \times a^{\frac{1}{4}} = a^{\frac{1}{2}+\frac{1}{3}+\frac{1}{4}} = a^{\frac{13}{12}}$

$\therefore \log_{xyz} a = \dfrac{1}{\frac{13}{12}} \log_a a = \dfrac{12}{13}$

106

[1단계] 주어진 식을 정리하면

$$\frac{x+y}{xy} = \frac{1}{y} + \frac{1}{x} \qquad \cdots\cdots \ \textcircled{\scriptsize ㄱ}$$

[2단계] $20^x = 50^y = 100$에서 10의 100이 10의 거듭제곱

이므로 각 변에 밑이 10인 로그를 취하면

$\log_{10} 20^x = \log_{10} 50^y = \log_{10} 100$

$x\log_{10} 20 = y\log_{10} 50 = 2$

$$\therefore x = \frac{2}{\log_{10} 20}, \ y = \frac{2}{\log_{10} 50}$$

$$\therefore \frac{1}{x} = \frac{\log_{10} 20}{2}, \ \frac{1}{y} = \frac{\log_{10} 50}{2} \qquad \cdots\cdots \ \textcircled{\scriptsize ㄴ}$$

[3단계] $\textcircled{\scriptsize ㄴ}$을 $\textcircled{\scriptsize ㄱ}$에 대입하면

$$\frac{1}{y} + \frac{1}{x} = \frac{\log_{10} 50}{2} + \frac{\log_{10} 20}{2}$$
$$= \frac{\log_{10} 50 + \log_{10} 20}{2}$$
$$= \frac{\log_{10} 1000}{2} = \frac{3}{2}$$

답 $\dfrac{3}{2}$

107

$4 < 7 < 8$에서 $\log_2 4 < \log_2 7 < \log_2 8$

$2 < \log_2 7 < 3$

$\therefore \log_2 7 = 2.\times\times\times$

$\log_2 7$의 정수 부분은 2이므로

$a = 2$

$\log_2 7$의 소수 부분은 정수 부분을 뺀 수이므로

$$\log_2 7 - 2 = \log_2 7 - \log_2 4 = \log_2 \frac{7}{4}$$

$$\therefore b = \log_2 \frac{7}{4}$$

$$\therefore 3^a + 2^b = 3^2 + 2^{\log_2 \frac{7}{4}} = 9 + \frac{7}{4} = \frac{43}{4}$$

답 $\dfrac{43}{4}$

108

주어진 식의 분모, 분자에 각각 x^{22}을 곱하면

$$f(x) = \frac{1 + x + x^2 + \cdots + x^{20}}{x^{-2} + x^{-3} + \cdots + x^{-22}}$$
$$= \frac{x^{22}(1 + x + x^2 + \cdots + x^{20})}{x^{22}(x^{-2} + x^{-3} + \cdots + x^{-22})}$$
$$= \frac{x^{22}(1 + x + x^2 + \cdots + x^{20})}{x^{20} + x^{19} + \cdots + 1} = x^{22}$$

$\therefore f(\sqrt[44]{2}) = (\sqrt[44]{2})^{22} = \sqrt{2}$

답 $\sqrt{2}$

109

$$a^3 + a^{-3} = (a + a^{-1})^3 - 3(a + a^{-1}) \qquad \cdots\cdots \ \textcircled{\scriptsize ㄱ}$$

이고 $a^2 + a^{-2} = 3$이므로

$a^2 + a^{-2} = (a + a^{-1})^2 - 2 = 3$

$\therefore a + a^{-1} = \pm\sqrt{5}$

이때 $a > 0$이므로

$a + a^{-1} = \sqrt{5}$

이를 $\textcircled{\scriptsize ㄱ}$에 대입하면

$$a^3 + a^{-3} = (a + a^{-1})^3 - 3(a + a^{-1})$$
$$= 5\sqrt{5} - 3\sqrt{5}$$
$$= 2\sqrt{5}$$

답 $2\sqrt{5}$

110

ㄱ. $(a, b) = (a, \log_2 a)$에서 $b = \log_2 a$이므로

$\quad \log_2 2a = \log_2 a + \log_2 2 = \log_2 a + 1 = b + 1$

$\quad \therefore (2a, b+1) \in A$ (참)

ㄴ. $\left(\dfrac{a}{2}, b\right) = \left(\dfrac{a}{2}, \log_2 \dfrac{a}{2}\right)$에서 $b = \log_2 \dfrac{a}{2}$이므로

$\quad \log_2 a = \log_2 \left(\dfrac{a}{2} \times 2\right) = \log_2 \dfrac{a}{2} + \log_2 2 = b + 1$

$\quad \therefore (a, b+1) \in A$ (참)

ㄷ. $(a, b) = (a, \log_2 a)$에서 $b = \log_2 a$이고

$\quad (c, d) = (c, \log_2 c)$에서 $d = \log_2 c$이므로

$\quad \log_2 a^2 c = 2\log_2 a + \log_2 c = 2b + d$

$\quad \therefore (a^2 c, 2b + d) \in A$ (참)

따라서 옳은 것은 ㄱ, ㄴ, ㄷ이다.

답 ⑤

111

100개의 자료를 처리할 때의 시간복잡도 T_1은

$$\frac{T_1}{100} = \log 100 = 2$$

$\therefore T_1 = 200$

1000개의 자료를 처리할 때의 시간복잡도 T_2는

$$\frac{T_2}{1000} = \log 1000 = 3$$

$$\therefore T_2 = 3000$$

$$\therefore \frac{T_2}{T_1} = \frac{3000}{200} = 15$$

답 ①

112

이차방정식의 근과 계수의 관계에 의하여

$$\log_2 a + \log_2 b = 8, \ \log_2 a \cdot \log_2 b = 4$$

(ⅰ) $\log_a 4 + \log_b 4 = 2\log_a 2 + 2\log_b 2$

$$= \frac{2}{\log_2 a} + \frac{2}{\log_2 b}$$

$$= \frac{2(\log_2 a + \log_2 b)}{\log_2 a \cdot \log_2 b}$$

$$= \frac{2 \cdot 8}{4} = 4$$

(ⅱ) $\log_a 4 \cdot \log_b 4 = 2\log_a 2 \cdot 2\log_b 2$

$$= 4 \cdot \frac{1}{\log_2 a} \cdot \frac{1}{\log_2 b}$$

$$= 4 \cdot \frac{1}{4} = 1$$

따라서 구하는 이차방정식은 $x^2 - 4x + 1 = 0$이므로

$p = 4, \ q = 1$

$$\therefore pq = 4$$

답 ①

2 지수함수와 로그함수

114

(1) $y = \frac{1}{2^x} = 2^{-x}$이므로 $y = \frac{1}{2^x}$
의 그래프는 $y = 2^x$의 그래프
를 y축에 대하여 대칭이동한
것이다.
따라서 $y = \frac{1}{2^x}$의 그래프는
그림과 같다.

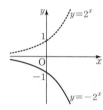

(2) $y = -2^x$에서 $-y = 2^x$이므
로 $y = -2^x$의 그래프는
$y = 2^x$의 그래프를 x축에 대
하여 대칭이동한 것이다.
따라서 $y = -2^x$의 그래프는
그림과 같다.

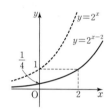

(3) $y = 2^{x-2}$의 그래프는 $y = 2^x$의
그래프를 x축의 방향으로
2만큼 평행이동한 것이다.
따라서 $y = 2^{x-2}$의 그래프는
그림과 같다.

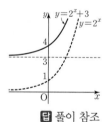

(4) $y = 2^x + 3$의 그래프는 $y = 2^x$
의 그래프를 y축의 방향으로
3만큼 평행이동한 것이다.
따라서 $y = 2^x + 3$의 그래프
는 그림과 같다.

답 풀이 참조

116

$y = \left(\frac{1}{3}\right)^{x+1} - 1$의 그래프
는 $y = \left(\frac{1}{3}\right)^{x}$의 그래프를
x축의 방향으로 -1만큼,
y축의 방향으로 -1만큼
평행이동한 것이므로 그
림과 같다.

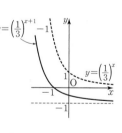

따라서 치역은 $\{y \mid y > -1\}$이고 점근선의 방정식은
$y = -1$이다.

답 풀이 참조

118

$y = \left(\frac{1}{2}\right)^{x}$의 그래프를 x축의 방향으로 m만큼, y축의

방향으로 n만큼 평행이동한 그래프의 식은

$$y=\left(\frac{1}{2}\right)^{x-m}+n \qquad \cdots\cdots \ \bigcirc$$

한편, $y=4\cdot\left(\frac{1}{2}\right)^{x}-\frac{1}{2}$에서

$$y=\left(\frac{1}{2}\right)^{-2}\cdot\left(\frac{1}{2}\right)^{x}-\frac{1}{2}=\left(\frac{1}{2}\right)^{x-2}-\frac{1}{2} \qquad \cdots\cdots \ \bigcirc$$

$\bigcirc$과 $\bigcirc$이 일치해야 하므로

$$m=2, \ n=-\frac{1}{2} \qquad \therefore \ mn=-1$$

$$\boxed{\textbf{답}} \ -1$$

120

ㄱ. 치역은 양의 실수 전체의 집합이다. (참)

ㄴ. $a^0=1$이므로 그래프는 점 $(0, 1)$을 지난다. (거짓)

ㄷ. 밑이 1보다 큰 지수함수는 x의 값이 커지면 y의 값도 커진다. (참)

따라서 옳은 것은 ㄱ, ㄷ이다.

$$\boxed{\textbf{답}} \ \text{ㄱ, ㄷ}$$

122

(1) $\sqrt[5]{3}$, $\left(\frac{1}{3}\right)^{0.5}$, $\sqrt[4]{9}$를 밑이 3인 거듭제곱 꼴로 나타내면 $\sqrt[5]{3}=3^{\frac{1}{5}}$, $\left(\frac{1}{3}\right)^{0.5}=3^{-\frac{1}{2}}$, $\sqrt[4]{9}=\sqrt[4]{3^2}=3^{\frac{2}{4}}=3^{\frac{1}{2}}$

$-\frac{1}{2}<\frac{1}{5}<\frac{1}{2}$이고 $y=3^{x}$은 x의 값이 커질 때 y의 값도 커지므로

$$3^{-\frac{1}{2}}<3^{\frac{1}{5}}<3^{\frac{1}{2}}$$

$$\therefore \ \left(\frac{1}{3}\right)^{0.5}<\sqrt[5]{3}<\sqrt[4]{9}$$

(2) 0.5^2, $\sqrt[9]{0.5^{10}}$, $\sqrt[6]{\dfrac{1}{16}}$을 밑이 0.5인 거듭제곱 꼴로 나타내면 0.5^2, $\sqrt[9]{0.5^{10}}=0.5^{\frac{10}{9}}$,

$$\sqrt[6]{\frac{1}{16}}=\sqrt[6]{\left(\frac{1}{2}\right)^4}=\sqrt[6]{0.5^4}=0.5^{\frac{2}{3}}$$

$\frac{2}{3}<\frac{10}{9}<2$이고 $y=0.5^{x}$은 x의 값이 커질 때 y의 값은 작아지므로

$$0.5^{\frac{2}{3}}>0.5^{\frac{10}{9}}>0.5^2$$

$$\therefore \ 0.5^2<\sqrt[9]{0.5^{10}}<\sqrt[6]{\frac{1}{16}}$$

$$\boxed{\textbf{답}} \ (1) \ \left(\frac{1}{3}\right)^{0.5}<\sqrt[5]{3}<\sqrt[4]{9}$$

$$(2) \ 0.5^2<\sqrt[9]{0.5^{10}}<\sqrt[6]{\frac{1}{16}}$$

124

(1) $y=2^{x+2}-1$에서 밑이 2이고 $2>1$이므로

$-2\le x\le 1$에서 함수 $y=2^{x+2}-1$은

$x=1$일 때 최대이고, 최댓값은

$$2^{1+2}-1=7$$

$x=-2$일 때 최소이고, 최솟값은

$$2^{-2+2}-1=0$$

(2) $y=\left(\frac{1}{3}\right)^{x-1}+2$에서 밑이 $\frac{1}{3}$이고 $0<\frac{1}{3}<1$이므로

$-1\le x\le 2$에서 함수 $y=\left(\frac{1}{3}\right)^{x-1}+2$는

$x=-1$일 때 최대이고, 최댓값은

$$\left(\frac{1}{3}\right)^{-1-1}+2=\left(\frac{1}{3}\right)^{-2}+2=9+2=11$$

$x=2$일 때 최소이고, 최솟값은

$$\left(\frac{1}{3}\right)^{2-1}+2=\frac{1}{3}+2=\frac{7}{3}$$

$$\boxed{\textbf{답}} \ (1) \ \text{최댓값}: 7, \ \text{최솟값}: 0$$

$$(2) \ \text{최댓값}: 11, \ \text{최솟값}: \frac{7}{3}$$

126

(1) $y=9^{x}-2\cdot3^{x}-3=(3^{x})^2-2\cdot3^{x}-3$이므로

$3^{x}=t \ (t>0)$로 치환하면

$$y=t^2-2t-3=(t-1)^2-4$$

이때 $0\le x\le 1$이고, $3>1$이므로

$$3^0\le 3^{x}\le 3^1$$

$$\therefore \ 1\le t\le 3$$

따라서 $1\le t\le 3$에서 함수 $y=(t-1)^2-4$는

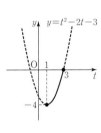

$t=3$일 때 최대이고, 최댓값은

$$(3-1)^2-4=0$$

$t=1$일 때 최소이고, 최솟값은

$$(1-1)^2-4=-4$$

(2) $y=\left(\frac{1}{4}\right)^{x}-\left(\frac{1}{2}\right)^{x-2}+5=\left\{\left(\frac{1}{2}\right)^{x}\right\}^2-4\cdot\left(\frac{1}{2}\right)^{x}+5$

이므로

$\left(\frac{1}{2}\right)^{x}=t \ (t>0)$로 치환하면

$$y=t^2-4t+5=(t-2)^2+1$$

이때 $-2\le x\le -1$이고,

$0<\frac{1}{2}<1$이므로

$$\left(\frac{1}{2}\right)^{-2}\ge\left(\frac{1}{2}\right)^{x}\ge\left(\frac{1}{2}\right)^{-1}$$

$$\therefore \ 2\le t\le 4$$

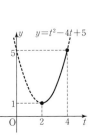

따라서 $2\le t\le 4$에서 함수 $y=(t-2)^2+1$은 $t=4$일 때

최대이고, 최댓값은

$(4-2)^2+1=5$

$t=2$일 때 최소이고, 최솟값은

$(2-2)^2+1=1$

답 (1) 최댓값: 0, 최솟값: -4

(2) 최댓값: 5, 최솟값: 1

128

함수 $y=2^{-x^2+4x-7}$에서 밑이 2이고 $2>1$이므로

$-x^2+4x-7$이 최대일 때 y도 최대,

$-x^2+4x-7$이 최소일 때 y도 최소가 된다.

$-x^2+4x-7=-(x-2)^2-3$이므로

$-x^2+4x-7$의 최댓값은 -3이고, 최솟값은 없다.

따라서 함수 $y=2^{-x^2+4x-7}$의 최댓값은 $x=2$일 때

$2^{-3}=\dfrac{1}{8}$이고, 최솟값은 없다.

답 최댓값: $\dfrac{1}{8}$, 최솟값: 없다.

130

(1) $4^x+2^y=2^{2x}+2^y$

$2^{2x}>0$, $2^y>0$이므로 산술평균과 기하평균의 대소 관계에 의하여

$2^{2x}+2^y \geq 2\sqrt{2^{2x}\cdot2^y}$

$\qquad\qquad =2\sqrt{2^{2x+y}}=2\sqrt{2^6}=2\cdot2^3=16$

(단, 등호는 $2^{2x}=2^y$, 즉 $2x=y$일 때 성립)

따라서 4^x+2^y의 최솟값은 16이다.

(2) $5^{a+x}>0$, $5^{a-x}>0$이므로 산술평균과 기하평균의 대소 관계에 의하여

$5^{a+x}+5^{a-x} \geq 2\sqrt{5^{a+x}\cdot5^{a-x}}$

$\qquad\qquad\qquad =2\sqrt{5^{2a}}=2\cdot5^a$

(단, 등호는 $5^{a+x}=5^{a-x}$, 즉 $x=0$일 때 성립)

따라서 함수 $y=5^{a+x}+5^{a-x}$의 최솟값은 $2\cdot5^a$이므로

$2\cdot5^a=10$, $5^a=5$ $\quad\therefore a=1$

답 (1) 16 (2) 1

131

ㄱ. $y=\dfrac{1}{16}\cdot2^x=2^{-4}\cdot2^x=2^{x-4}$의 그래프는 $y=2^x$의 그래프를 x축의 방향으로 4만큼 평행이동하여 포갤 수 있다.

ㄴ. $y=2^{3x}=8^x$은 $y=2^x$과 밑이 다르므로 $y=2^x$의 그래프를 평행이동 또는 대칭이동하여 포갤 수 없다.

ㄷ. $y=4(2^x-1)=2^2(2^x-1)=2^{x+2}-4$의 그래프는 $y=2^x$의 그래프를 x축의 방향으로 -2만큼, y축의 방향으로 -4만큼 평행이동하여 포갤 수 있다.

ㄹ. $y=\left(\dfrac{1}{2}\right)^{x+1}=2^{-(x+1)}$의 그래프는 $y=2^x$의 그래프를 y축에 대하여 대칭이동한 후 x축의 방향으로 -1만큼 평행이동하여 포갤 수 있다.

따라서 $y=2^x$의 그래프를 평행이동 또는 대칭이동하여 포갤 수 있는 것은 ㄱ, ㄷ, ㄹ이다.

답 ㄱ, ㄷ, ㄹ

132

$A=0.5^{-\frac{1}{2}}$, $B=4^{\frac{5}{6}}$, $C=2^{1.5}$을 밑이 2인 거듭제곱 꼴로 나타내면

$A=0.5^{-\frac{1}{2}}=\left(\dfrac{1}{2}\right)^{-\frac{1}{2}}=2^{\frac{1}{2}}$

$B=4^{\frac{5}{6}}=(2^2)^{\frac{5}{6}}=2^{\frac{5}{3}}$

$C=2^{1.5}=2^{\frac{3}{2}}$

이때 $\dfrac{1}{2}<\dfrac{3}{2}<\dfrac{5}{3}$이고 $y=2^x$은 x의 값이 커질 때 y의 값도 커지므로

$2^{\frac{1}{2}}<2^{\frac{3}{2}}<2^{\frac{5}{3}}$, 즉 $0.5^{-\frac{1}{2}}<2^{1.5}<4^{\frac{5}{6}}$

$\therefore A<C<B$

답 ②

133

$g(11)=a$ (a는 상수)라 하면

$g^{-1}(a)=f(a)=11$

$3^{a-1}+2=11$, $3^{a-1}=9=3^2$

따라서 $a-1=2$이므로 $a=3$

$\therefore g(11)=3$

답 3

134

$y=9^{-x}-4\cdot3^{-x}+a=\left\{\left(\dfrac{1}{3}\right)^x\right\}^2-4\cdot\left(\dfrac{1}{3}\right)^x+a$이므로

$\left(\dfrac{1}{3}\right)^x=t$ $(t>0)$로 치환하면

$y=t^2-4t+a=(t-2)^2+a-4$

이때 $-1\leq x\leq0$에서 $\left(\dfrac{1}{3}\right)^0\leq\left(\dfrac{1}{3}\right)^x\leq\left(\dfrac{1}{3}\right)^{-1}$

$\therefore 1\leq t\leq3$

따라서 $1\leq t\leq3$에서 함수 $y=(t-2)^2+a-4$의 그래

프는 그림과 같다.

즉, $t=2$일 때 y의 최솟값이 3
이므로

$a-4=3$ $\therefore a=7$

또 y의 값은 $t=1$ 또는 $t=3$일
때 최대이므로 최댓값은

$a-3=7-3=4$

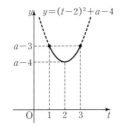

$y=(t-2)^2+a-4$

답 $a=7$, 최댓값: 4

135

(지수)$=-x^2+2x+3=-(x-1)^2+4$의 최솟값
은 알 수 없고 최댓값이 4이다. 이때 주어진 조건에서
$y=a^{-x^2+2x+3}$이 최댓값을 가지므로

$y=a^4=16$, $a^4-16=0$

$(a-2)(a+2)(a^2+4)=0$ $\therefore a=2$ ($\because a>0$)

답 2

137

(1) $8^x=\dfrac{1}{\sqrt{2}}$에서 $2^{3x}=2^{-\frac{1}{2}}$이므로

$3x=-\dfrac{1}{2}$ $\therefore x=-\dfrac{1}{6}$

(2) $\left(\dfrac{3}{5}\right)^{2x}=\left(\dfrac{5}{3}\right)^{-5x+6}$에서 $\left(\dfrac{3}{5}\right)^{2x}=\left(\dfrac{3}{5}\right)^{5x-6}$이므로

$2x=5x-6$, $3x=6$ $\therefore x=2$

답 (1) $x=-\dfrac{1}{6}$ (2) $x=2$

139

(1) $x^{2x-1}=x^{x+3}$에서

$2x-1=x+3$ $\therefore x=4$

또 $x=1$이면 주어진 방정식은 $1^1=1^4=1$이므로 등
식이 성립한다.

$\therefore x=1$ 또는 $x=4$

(2) $(x-2)^{x^2}=(x-2)^{5x}$에서 $x^2=5x$

$x^2-5x=0$, $x(x-5)=0$ $\therefore x=0$ 또는 $x=5$

그런데 $x>2$이므로 $x=5$

또 $x-2=1$, 즉 $x=3$이면 주어진 방정식은

$1^9=1^{15}=1$이므로 등식이 성립한다.

$\therefore x=3$ 또는 $x=5$

(3) $(x+1)^x=7^x$에서 $x+1=7$ $\therefore x=6$

또 $x=0$이면 주어진 방정식은 $1^0=7^0=1$이므로 등
식이 성립한다.

$\therefore x=0$ 또는 $x=6$

(4) $(2x-1)^{x-2}=(3x-4)^{x-2}$에서

$2x-1=3x-4$ $\therefore x=3$

또 $x-2=0$, 즉 $x=2$이면 주어진 방정식은
$3^0=2^0=1$이므로 등식이 성립한다.

$\therefore x=2$ 또는 $x=3$

답 (1) $x=1$ 또는 $x=4$ (2) $x=3$ 또는 $x=5$
(3) $x=0$ 또는 $x=6$ (4) $x=2$ 또는 $x=3$

141

(1) $9^x-2\cdot3^{x+1}-27=0$에서

$(3^x)^2-6\cdot3^x-27=0$

$3^x=t$ $(t>0)$로 치환하면

$t^2-6t-27=0$, $(t+3)(t-9)=0$

$\therefore t=-3$ 또는 $t=9$

이때 $t>0$이므로 $t=9$

따라서 $3^x=9$에서 $3^x=3^2$이므로

$x=2$

(2) $2-\sqrt{3}=\dfrac{1}{2+\sqrt{3}}$이므로

$(2+\sqrt{3})^x+(2-\sqrt{3})^x=4$에서

$(2+\sqrt{3})^x+\dfrac{1}{(2+\sqrt{3})^x}=4$

$(2+\sqrt{3})^x=t$ $(t>0)$로 치환하면 $t+\dfrac{1}{t}=4$

양변에 t를 곱하여 정리하면

$t^2-4t+1=0$ $\therefore t=2\pm\sqrt{3}$

(i) $t=2+\sqrt{3}$ 일 때

$(2+\sqrt{3})^x=2+\sqrt{3}$ $\therefore x=1$

(ii) $t=2-\sqrt{3}$ 일 때

$(2+\sqrt{3})^x=2-\sqrt{3}=(2+\sqrt{3})^{-1}$

$\therefore x=-1$

(i), (ii)에서 $x=-1$ 또는 $x=1$

답 (1) $x=2$ (2) $x=-1$ 또는 $x=1$

143

$4^x-3\cdot2^{x+2}+16=0$에서

$(2^x)^2-12\cdot2^x+16=0$

$2^x=t$ $(t>0)$로 치환하면

$t^2-12t+16=0$ ...... ㉠

방정식 $4^x-3\cdot2^{x+2}+16=0$의 두 근이 α, β이므로 ㉠
의 두 근은 2^α, 2^β이다.

따라서 이차방정식의 근과 계수의 관계에 의하여

$2^\alpha\times2^\beta=16$ $\therefore 2^{\alpha+\beta}=16$

답 16

145

25마리의 대장균이 20분 후에 150마리가 되므로

$25a^{20}=150$, $a^{20}=6$ $\therefore a=6^{\frac{1}{20}}$

따라서 한 마리의 대장균이 x분 후 $6^{\frac{x}{20}}$마리가 되므로

25마리였던 대장균이 5400마리가 되려면

$25\cdot6^{\frac{x}{20}}=5400$, $6^{\frac{x}{20}}=216=6^3$ $\therefore x=60$

즉, 60분 후에 5400마리가 된다.

답 60분 후

147

(1) $27^x<3^{2x+5}$에서 $3^{3x}<3^{2x+5}$

밑이 3이고 $3>1$이므로 부등호의 방향이 그대로이다.

따라서 $3x<2x+5$이므로 $x<5$

(2) $\left(\dfrac{5}{7}\right)^{-2x^2+x}\leq\left(\dfrac{7}{5}\right)^{x^2-2x}$에서 $\left(\dfrac{7}{5}\right)^{2x^2-x}\leq\left(\dfrac{7}{5}\right)^{x^2-2x}$

밑이 $\dfrac{7}{5}$이고 $\dfrac{7}{5}>1$이므로 부등호의 방향이 그대로이다.

따라서 $2x^2-x\leq x^2-2x$이므로 $x^2+x\leq0$

$x(x+1)\leq0$ $\therefore -1\leq x\leq0$

(3) $\left(\dfrac{1}{2}\right)^{x+1}<8\leq\left(\dfrac{1}{4}\right)^x$에서 $\left(\dfrac{1}{2}\right)^{x+1}<\left(\dfrac{1}{2}\right)^{-3}\leq\left(\dfrac{1}{2}\right)^{2x}$

밑이 $\dfrac{1}{2}$이고 $0<\dfrac{1}{2}<1$이므로 부등호의 방향이 바뀐다.

$\therefore x+1>-3\geq2x$

(i) $x+1>-3$일 때, $x>-4$

(ii) $-3\geq2x$일 때, $x\leq-\dfrac{3}{2}$

(i), (ii)에서 $-4<x\leq-\dfrac{3}{2}$

답 (1) $x<5$ (2) $-1\leq x\leq0$

(3) $-4<x\leq-\dfrac{3}{2}$

149

(1) (i) $x>1$일 때, 부등호의 방향이 그대로이므로

$2x-1>-x+5$, $3x>6$

$\therefore x>2$

그런데 $x>1$이므로 $x>2$

(ii) $0<x<1$일 때, 부등호의 방향이 바뀌므로

$2x-1<-x+5$, $3x<6$

$\therefore x<2$

그런데 $0<x<1$이므로 $0<x<1$

(iii) $x=1$일 때, (좌변)$=1^1=1$, (우변)$=1^4=1$이므로 주어진 부등식이 성립하지 않는다.

(i), (ii), (iii)에서 $0<x<1$ 또는 $x>2$

(2) (i) $x>1$일 때, 부등호의 방향이 그대로이므로

$x^2-4\leq3x$

$x^2-3x-4\leq0$, $(x+1)(x-4)\leq0$

$\therefore -1\leq x\leq4$

그런데 $x>1$이므로 $1<x\leq4$

(ii) $0<x<1$일 때, 부등호의 방향이 바뀌므로

$x^2-4\geq3x$

$x^2-3x-4\geq0$, $(x+1)(x-4)\geq0$

$\therefore x\leq-1$ 또는 $x\geq4$

그런데 $0<x<1$이므로 조건을 만족시키는 x의 값은 없다.

(iii) $x=1$일 때, (좌변)$=1^{-3}=1$, (우변)$=1^3=1$이므로 주어진 부등식이 성립한다.

$\therefore x=1$

(i), (ii), (iii)에서 $1\leq x\leq4$

답 (1) $0<x<1$ 또는 $x>2$ (2) $1\leq x\leq4$

151

(1) $\left(\dfrac{1}{25}\right)^x-21\cdot\left(\dfrac{1}{5}\right)^x-100\geq0$에서

$\left\{\left(\dfrac{1}{5}\right)^x\right\}^2-21\cdot\left(\dfrac{1}{5}\right)^x-100\geq0$

$\left(\dfrac{1}{5}\right)^x=t$ $(t>0)$로 치환하면

$t^2-21t-100\geq0$, $(t+4)(t-25)\geq0$

$\therefore t\leq-4$ 또는 $t\geq25$

이때 $t>0$이므로 $t\geq25$

따라서 $\left(\dfrac{1}{5}\right)^x\geq25$이므로 $\left(\dfrac{1}{5}\right)^x\geq\left(\dfrac{1}{5}\right)^{-2}$

밑이 $\dfrac{1}{5}$이고 $0<\dfrac{1}{5}<1$이므로

$x\leq-2$ ← 부등호 방향 반대로

(2) $2\cdot4^x-9\cdot2^x+4<0$에서

$2\cdot(2^x)^2-9\cdot2^x+4<0$

$2^x=t$ $(t>0)$로 치환하면

$2t^2-9t+4<0$, $(2t-1)(t-4)<0$

$\therefore \dfrac{1}{2}<t<4$

따라서 $\dfrac{1}{2}<2^x<4$이므로 $2^{-1}<2^x<2^2$

밑이 2이고 $2>1$이므로

$-1<x<2$ ← 부등호 방향 그대로

(3) $\left(\dfrac{1}{3}\right)^{2x}+8\cdot\left(\dfrac{1}{3}\right)^{x-1}-81>0$에서

$\left\{\left(\dfrac{1}{3}\right)^x\right\}^2+24\cdot\left(\dfrac{1}{3}\right)^x-81>0$

$\left(\dfrac{1}{3}\right)^x=t\ (t>0)$로 치환하면

$t^2+24t-81>0,\ (t+27)(t-3)>0$

$\therefore\ t<-27$ 또는 $t>3$

이때 $t>0$이므로 $t>3$

따라서 $\left(\dfrac{1}{3}\right)^x>3$이므로 $\left(\dfrac{1}{3}\right)^x>\left(\dfrac{1}{3}\right)^{-1}$

밑이 $\dfrac{1}{3}$이고 $0<\dfrac{1}{3}<1$이므로

$x<-1$ ← 부등호 방향 반대로

(4) $3^x-2\cdot3^{-x+1}-1\le0$에서

$3^x-6\cdot\dfrac{1}{3^x}-1\le0$

$3^x=t\ (t>0)$로 치환하면 $t-\dfrac{6}{t}-1\le0$

양변에 t를 곱하면 $t^2-t-6\le0$

$(t+2)(t-3)\le0$　　$\therefore\ -2\le t\le3$

이때 $t>0$이므로 $0<t\le3$

따라서 $0<3^x\le3$이므로 $0<3^x\le3^1$

밑이 3이고 $3>1$이므로

$x\le1$ ← 부등호 방향 그대로

답 (1) $x\le-2$ (2) $-1<x<2$ (3) $x<-1$ (4) $x\le1$

152

(1) $8^{x-3}=4^{x-2}$에서 $(2^3)^{x-3}=(2^2)^{x-2}$

$2^{3x-9}=2^{2x-4},\ 3x^2-9=2x-4$

$3x^2-2x-5=0,\ (x+1)(3x-5)=0$

$\therefore\ x=-1$ 또는 $x=\dfrac{5}{3}$

(2) $27^x-81\cdot\left(\dfrac{1}{3}\right)^{x^2}=0$에서 $3^{3x}=3^4\cdot3^{-x^2}$

$3^{3x}=3^{4-x^2},\ 3x=4-x^2$

$x^2+3x-4=0,\ (x+4)(x-1)=0$

$\therefore\ x=-4$ 또는 $x=1$

답 (1) $x=-1$ 또는 $x=\dfrac{5}{3}$ (2) $x=-4$ 또는 $x=1$

153

$(x^x)^5=x^{2x}\cdot x^9$에서 $x^{5x}=x^{2x+9}$

$5x=2x+9,\ 3x=9$　　$\therefore\ x=3$

또 $x=1$이면 주어진 방정식은 $1^5=1^2\cdot1^9=1$이므로 등식이 성립한다.

따라서 주어진 방정식의 모든 근의 합은

$3+1=4$

답 4

154

$25^x-7\cdot5^{x+1}+k=0$에서 $(5^x)^2-35\cdot5^x+k=0$

$5^x=t\ (t>0)$로 치환하면

$t^2-35t+k=0$　　　$\cdots\cdots$ ㉠

방정식 $25^x-7\cdot5^{x+1}+k=0$의 두 근을 α, β라 하면

$\alpha+\beta=2$이고, ㉠의 두 근은 5^α, 5^β이다.

따라서 이차방정식 ㉠의 근과 계수의 관계에 의하여

$k=5^\alpha\times5^\beta=5^{\alpha+\beta}=5^2=25$

답 25

155

(1) $0.25^{3x-1}\ge\left(\dfrac{1}{32}\right)^{x^2-x}$에서 $\left\{\left(\dfrac{1}{2}\right)^2\right\}^{3x-1}\ge\left\{\left(\dfrac{1}{2}\right)^5\right\}^{x^2-x}$

$\left(\dfrac{1}{2}\right)^{6x-2}\ge\left(\dfrac{1}{2}\right)^{5x^2-5x}$

밑이 $\dfrac{1}{2}$이고 $0<\dfrac{1}{2}<1$이므로

$6x-2\le5x^2-5x$ ← 부등호 방향 반대로

$5x^2-11x+2\ge0,\ (5x-1)(x-2)\ge0$

$\therefore\ x\le\dfrac{1}{5}$ 또는 $x\ge2$

(2) $\left(\dfrac{1}{5}\right)^{2x}<5\sqrt{5}<5^{-x+1}$에서 $5^{-2x}<5^{\frac{3}{2}}<5^{-x+1}$

밑이 5이고 $5>1$이므로

$-2x<\dfrac{3}{2}<-x+1$ ← 부등호 방향 그대로

(ⅰ) $-2x<\dfrac{3}{2}$일 때, $x>-\dfrac{3}{4}$

(ⅱ) $\dfrac{3}{2}<-x+1$일 때, $x<-\dfrac{1}{2}$

(ⅰ), (ⅱ)에서 $-\dfrac{3}{4}<x<-\dfrac{1}{2}$

답 (1) $x\le\dfrac{1}{5}$ 또는 $x\ge2$ (2) $-\dfrac{3}{4}<x<-\dfrac{1}{2}$

156

$\left(\dfrac{1}{27}\right)^{x^2-5}\ge\left(\dfrac{1}{9}\right)^{2x}$에서 $\left\{\left(\dfrac{1}{3}\right)^3\right\}^{x^2-5}\ge\left\{\left(\dfrac{1}{3}\right)^2\right\}^{2x}$

$\left(\dfrac{1}{3}\right)^{3x^2-15}\ge\left(\dfrac{1}{3}\right)^{4x}$

밑이 $\dfrac{1}{3}$이고 $0<\dfrac{1}{3}<1$이므로

$3x^2-15\le4x$ ← 부등호 방향 반대로

$3x^2-4x-15\le0,\ (3x+5)(x-3)\le0$

$$\therefore -\frac{5}{3} \le x \le 3$$

즉, $M=3$, $m=-\frac{5}{3}$이므로 $Mm=-5$

답 -5

157

$4^x - 18 \cdot 2^x + 32 < 0$에서 $(2^x)^2 - 18 \cdot 2^x + 32 < 0$

$2^x = t\ (t>0)$로 치환하면 $t^2 - 18t + 32 < 0$

$(t-2)(t-16) < 0$ $\therefore 2 < t < 16$

따라서 $2 < 2^x < 16$이므로 $2^1 < 2^x < 2^4$

밑이 2이고 $2>1$이므로

$1 < x < 4$ ← 부등호 방향 그대로

따라서 주어진 부등식을 만족시키는 정수 x는 2, 3이므로 그 합은 $2+3=5$

답 5

159

(1) $y=2^{3-x}$에서 x 대신 y, y 대신 x를 대입하면

$x = 2^{3-y}$, $3-y = \log_2 x$ $\therefore y = 3 - \log_2 x$

(2) $y = 1 - \log_{\frac{1}{3}}(1-x)$에서 x 대신 y, y 대신 x를 대입하면 $x = 1 - \log_{\frac{1}{3}}(1-y)$

$\log_{\frac{1}{3}}(1-y) = 1-x$

$1-y = \left(\frac{1}{3}\right)^{1-x}$ $\therefore y = 1 - \left(\frac{1}{3}\right)^{1-x}$

답 (1) $y = 3 - \log_2 x$ (2) $y = 1 - \left(\frac{1}{3}\right)^{1-x}$

161

(1) $y = \log_{\frac{1}{2}}(x+2)$의 그래프는 $y = \log_{\frac{1}{2}} x$의 그래프를 x축의 방향으로 -2만큼 평행이동한 것이다.

따라서 $y = \log_{\frac{1}{2}}(x+2)$의 그래프는 그림과 같다.

(2) $y = \log_{\frac{1}{2}} 8x = \log_{\frac{1}{2}} 8 + \log_{\frac{1}{2}} x$

$= \log_{\frac{1}{2}} \left(\frac{1}{2}\right)^{-3} + \log_{\frac{1}{2}} x$

$= -3 + \log_{\frac{1}{2}} x$

이므로 $y = \log_{\frac{1}{2}} 8x$의 그래프는 $y = \log_{\frac{1}{2}} x$의 그래프를 y축의 방향으로 -3만큼 평행이동한 것이다.

따라서 $y = \log_{\frac{1}{2}} 8x$의 그래프는 그림과 같다.

답 풀이 참조

163

(1) $y = \log_{\frac{1}{2}}(-x)$의 그래프는 $y = \log_{\frac{1}{2}} x$의 그래프를 y축에 대하여 대칭이동한 것이다.

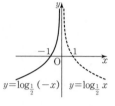

따라서 $y = \log_{\frac{1}{2}}(-x)$의 그래프는 그림과 같다.

(2) $y = \log_{\frac{1}{2}} \frac{1}{x} = \log_{\frac{1}{2}} x^{-1}$

$= -\log_{\frac{1}{2}} x$이므로

이므로 $y = \log_{\frac{1}{2}} \frac{1}{x}$의 그래프는 $y = \log_{\frac{1}{2}} x$의 그래프를 x축에 대하여 대칭이동한 것이다.

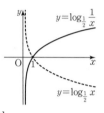

따라서 $y = \log_{\frac{1}{2}} \frac{1}{x}$의 그래프는 그림과 같다.

답 풀이 참조

165

(1) $y = \log_{\frac{1}{3}}(x+1) - 1$의 그래프는 $y = \log_{\frac{1}{3}} x$의 그래프를 x축의 방향으로 -1만큼, y축의 방향으로 -1만큼 평행이동한 것이므로 그림과 같

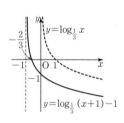

다. 따라서 정의역은 $\{x \mid x > -1\}$이고 점근선의 방정식은 $x = -1$이다.

(2) $y = \log_3(-x) - 1$의 그래프는 $y = \log_3 x$의 그래프를 y축에 대하여 대칭이동한 다음 y축의 방향으로 -1만큼 평행이동한 것이므로 그림과 같다. 따라서 정의역은 $\{x \mid x < 0\}$이고 점근선의 방정식은 $x = 0$이다.

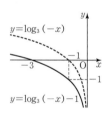

답 풀이 참조

167

$y = \log_{\frac{1}{2}} 2x = \log_{\frac{1}{2}} 2 + \log_{\frac{1}{2}} x = -1 + \log_{\frac{1}{2}} x$이므로

$y = \log_{\frac{1}{2}} 2x$의 그래프를 x축의 방향으로 m만큼, y축의 방향으로 n만큼 평행이동한 그래프의 식은

$y = \log_{\frac{1}{2}}(x-m) - 1 + n$ $\cdots\cdots$ ㉠

한편 $y=\log_{\frac{1}{2}}(4x-8)$에서

$y=\log_{\frac{1}{2}}(4x-8)$

$\quad=\log_{\frac{1}{2}}4(x-2)$

$\quad=\log_{\frac{1}{2}}4+\log_{\frac{1}{2}}(x-2)$

$\quad=\log_{\frac{1}{2}}\left(\frac{1}{2}\right)^{-2}+\log_{\frac{1}{2}}(x-2)$

$\quad=-2+\log_{\frac{1}{2}}(x-2)$ $\qquad\cdots\cdots$ ㉡

㉠과 ㉡이 일치해야 하므로

$m=2,\ -1+n=-2$

$\therefore\ m=2,\ n=-1$

따라서 $m+n=2+(-1)=1$

답 1

169

그림에서 $y=\log_2 x$의 그래프 위의 점 A의 y좌표가 1이므로

$\log_2 x=1$

$\therefore\ x=2$

즉, 점 A$(2,\ 1)$이므로 점 B의 좌표는 $(2,\ p)$

점 B는 $y=2^x$의 그래프 위의 점이므로

$p=2^2=4$

따라서 점 C$(q,\ 4)$이고 점 C는 $y=\log_2 x$의 그래프 위의 점이므로

$4=\log_2 q$ $\quad\therefore\ q=2^4=16$

따라서 $p+q=4+16=20$

답 20

171

(1) 밑을 3으로 통일시키면

$\log_3 2$

$\log_{\frac{1}{3}}0.2=\log_{3^{-1}}\frac{1}{5}=\log_{3^{-1}}5^{-1}=\log_3 5$

$1=\log_3 3$

$2<3<5$이고 로그함수 $y=\log_3 x$는 x의 값이 커질 때 y의 값도 커지므로

$\log_3 2<\log_3 3<\log_3 5$

$\therefore\ \log_3 2<1<\log_{\frac{1}{3}}0.2$

(2) 밑을 $\frac{1}{2}$로 통일시키면

$2\log_{\frac{1}{2}}3=\log_{\frac{1}{2}}3^2=\log_{\frac{1}{2}}9$

$\frac{1}{3}\log_{\frac{1}{2}}27=\log_{\frac{1}{2}}27^{\frac{1}{3}}=\log_{\frac{1}{2}}(3^3)^{\frac{1}{3}}=\log_{\frac{1}{2}}3$

$3\log_{\frac{1}{2}}2=\log_{\frac{1}{2}}2^3=\log_{\frac{1}{2}}8$

$3<8<9$이고 로그함수 $y=\log_{\frac{1}{2}}x$는 x의 값이 커질 때 y의 값은 작아지므로

$\log_{\frac{1}{2}}3>\log_{\frac{1}{2}}8>\log_{\frac{1}{2}}9$

$\therefore\ 2\log_{\frac{1}{2}}3<3\log_{\frac{1}{2}}2<\frac{1}{3}\log_{\frac{1}{2}}27$

답 (1) $\log_3 2<1<\log_{\frac{1}{3}}0.2$

(2) $2\log_{\frac{1}{2}}3<3\log_{\frac{1}{2}}2<\frac{1}{3}\log_{\frac{1}{2}}27$

173

(1) $y=\log_3(x+5)$에서 밑이 3이고 $3>1$이므로

$-2\leq x\leq4$에서 함수 $y=\log_3(x+5)$는

$x=4$일 때 최대이고, 최댓값은

$y=\log_3(4+5)=\log_3 9=\log_3 3^2=2$

$x=-2$일 때 최소이고, 최솟값은

$y=\log_3(-2+5)=\log_3 3=1$

(2) $y=\log_{\frac{1}{2}}(x-2)+1$에서 밑이 $\frac{1}{2}$이고 $0<\frac{1}{2}<1$이므로 구간 $3\leq x\leq6$에서 함수 $y=\log_{\frac{1}{2}}(x-2)+1$은 $x=3$일 때 최대이고, 최댓값은

$y=\log_{\frac{1}{2}}(3-2)+1=0+1=1$

$x=6$일 때 최소이고, 최솟값은

$\log_{\frac{1}{2}}(6-2)+1=\log_{\frac{1}{2}}4+1$

$\qquad=\log_{2^{-1}}2^2+1$

$\qquad=-2+1=-1$

답 (1) 최댓값: 2, 최솟값: 1

(2) 최댓값: 1, 최솟값: -1

175

함수 $y=\log_5(-x^2+6x+16)$에서 밑이 5이고 $5>1$이므로 $-x^2+6x+16$이 최대일 때 y는 최대가 된다.

$-x^2+6x+16=-(x-3)^2+25$이므로

$-x^2+6x+16$은 $x=3$일 때 최댓값 25를 갖는다.

따라서 함수 $y=\log_5(-x^2+6x+16)$의 최댓값은

$y=\log_5 25=\log_5 5^2=2\log_5 5=2$

답 2

177

(1) $y=(\log_{\frac{1}{3}}x)^2+4\log_{\frac{1}{3}}\sqrt{x}+2$

$\quad=(\log_{\frac{1}{3}}x)^2+4\log_{\frac{1}{3}}x^{\frac{1}{2}}+2$

$\quad=(\log_{\frac{1}{3}}x)^2+2\log_{\frac{1}{3}}x+2$

이므로 $\log_{\frac{1}{3}}x=t$로 치환하면

$y=t^2+2t+2=(t+1)^2+1$

이때 $3 \le x \le 27$이고, $0 < \dfrac{1}{3} < 1$이므로

$\log_{\frac{1}{3}} 27 \le \log_{\frac{1}{3}} x \le \log_{\frac{1}{3}} 3$

$\log_{\frac{1}{3}} \left(\dfrac{1}{3}\right)^{-3} \le \log_{\frac{1}{3}} x \le \log_{\frac{1}{3}} \left(\dfrac{1}{3}\right)^{-1}$

$\therefore -3 \le t \le -1$

따라서 $-3 \le t \le -1$에서 함수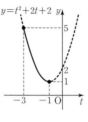

$y=(t+1)^2+1$은

$t=-3$일 때 최대이고,

최댓값은 $(-3+1)^2+1=5$

$t=-1$일 때 최소이고,

최솟값은 $(-1+1)^2+1=1$

(2) $y=\log_5 x \cdot \log_{\frac{1}{5}} x - 2\log_5 x + 5$

$\quad = \log_5 x \cdot \log_{5^{-1}} x - 2\log_5 x + 5$

$\quad = \log_5 x \cdot (-\log_5 x) - 2\log_5 x + 5$

$\quad = -(\log_5 x)^2 - 2\log_5 x + 5$

이므로 $\log_5 x = t$로 치환하면

$y=-t^2-2t+5=-(t+1)^2+6$

이때 $\dfrac{1}{25} \le x \le 5$이고, $5>1$이므로

$\log_5 \dfrac{1}{25} \le \log_5 x \le \log_5 5$

$\log_5 5^{-2} \le \log_5 x \le \log_5 5 \qquad \therefore -2 \le t \le 1$

따라서 $-2 \le t \le 1$에서 함수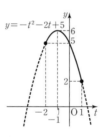

$y=-(t+1)^2+6$은

$t=-1$일 때 최대이고, 최댓

값은

$-(-1+1)^2+6=6$

$t=1$일 때 최소이고, 최솟값

은 $-(1+1)^2+6=2$

답 (1) 최댓값: 5, 최솟값: 1
　(2) 최댓값: 6, 최솟값: 2

179

$y=x^{\log_2 x} \div 4x^2$의 양변에 밑이 2인 로그를 취하면

$\log_2 y = \log_2 (x^{\log_2 x} \div 4x^2)$

$\qquad = \log_2 x^{\log_2 x} - \log_2 4x^2$

$\qquad = \log_2 x \cdot \log_2 x - (\log_2 4 + \log_2 x^2)$

$\qquad = (\log_2 x)^2 - 2\log_2 x - 2$

$\log_2 x = t$로 치환하면

$\log_2 y = t^2 - 2t - 2 = (t-1)^2 - 3$

이므로 $\log_2 y$의 최솟값은 $t=1$일 때, -3이다.

따라서 $\log_2 x = 1$일 때, $\log_2 y$의 최솟값은 -3이므로

$x=2$일 때, y의 최솟값은 $2^{-3} = \dfrac{1}{8}$이다.

따라서 $a=2$, $b=\dfrac{1}{8}$이므로 $ab = \dfrac{1}{4}$

답 $\dfrac{1}{4}$

181

$\log_{\frac{1}{5}} (2a+b) + \log_{\frac{1}{5}} \left(\dfrac{8}{a} + \dfrac{1}{b}\right)$

$= \log_{\frac{1}{5}} (2a+b)\left(\dfrac{8}{a} + \dfrac{1}{b}\right)$

$a>0$, $b>0$이므로 산술평균과 기하평균의 대소 관계에
의하여

$(2a+b)\left(\dfrac{8}{a} + \dfrac{1}{b}\right) = \dfrac{2a}{b} + \dfrac{8b}{a} + 17$

$\qquad\qquad\qquad \ge 2\sqrt{\dfrac{2a}{b} \cdot \dfrac{8b}{a}} + 17$

$\qquad\qquad\qquad = 2\sqrt{16} + 17 = 25$

$\left(\text{단, 등호는 } \dfrac{2a}{b} = \dfrac{8b}{a}, \text{ 즉 } a=2b\text{일 때 성립}\right)$

이때 $0 < \dfrac{1}{5} < 1$이므로

$\log_{\frac{1}{5}} (2a+b)\left(\dfrac{8}{a} + \dfrac{1}{b}\right) \le \log_{\frac{1}{5}} 25$

$\qquad\qquad\qquad\qquad = \log_{5^{-1}} 5^2 = -2$

따라서 구하는 최댓값은 -2이다.

답 -2

182

$y=10^{ax}$에서 x 대신 y, y 대신 x를 대입하면

$x=10^{ay}$

$ay = \log x \qquad \therefore y = \dfrac{1}{a} \log x$

이 식이 $y = \dfrac{a}{100} \log x$와 일치해야 하므로

$\dfrac{a}{100} = \dfrac{1}{a}$, $a^2 = 100 \qquad \therefore a=10 \ (\because a>0)$

답 10

183

함수 $y=\log_3 (x-2)+5$의
그래프는 함수 $y=\log_3 x$의
그래프를 평행이동시킨 것
으로 그림과 같다.

④ 점근선의 방정식은 $x=2$
이다.

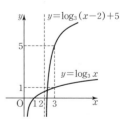

답 ④

184

$y=2^x$의 그래프를 직선 $y=x$에 대하여 대칭이동한 그래프의 식은

$x=2^y$ ∴ $y=\log_2 x$

따라서 $y=\log_2 x$의 그래프를 평행이동하였을 때 포갤 수 있으려면 그래프의 식이 $y=\log_2 (x-m)+n$ 꼴이어야 한다.

③ $y=\log_2 4x=\log_2 4+\log_2 x=2+\log_2 x$이므로
$y=\log_2 x$의 그래프를 y축의 방향으로 2만큼 평행이동한 것이다.

🔲 ③

185

$f^{-1}(-1)=a$ (a는 상수)라 하면 $f(a)=-1$

$\log_3 \dfrac{a}{a+1}=-1$에서 $\dfrac{a}{a+1}=3^{-1}$, $\dfrac{a}{a+1}=\dfrac{1}{3}$

$3a=a+1$ ∴ $a=\dfrac{1}{2}$

∴ $f^{-1}(-1)=\dfrac{1}{2}$

🔲 $\dfrac{1}{2}$

186

(i) $\overline{\text{AD}}=3$이므로 점 A의 y좌표는 3

$\log_2 x=3$에서 $x=2^3=8$이므로 점 A의 x좌표는 8

(ii) $\overline{\text{CD}}=3$이므로 점 C의 x좌표는 $8-3=5$

점 E의 x좌표가 5이므로 점 E의 y좌표는 $\log_2 5$

∴ $\overline{\text{CE}}=$ (점 E의 y좌표) $=\log_2 5$

🔲 $\log_2 5$

187

$y=\log_{\frac{1}{3}} (x+a)$에서 밑이 $\dfrac{1}{3}$이고 $0<\dfrac{1}{3}<1$이므로 $x=2$일 때 y는 최대이다. 이때 최댓값이 -2이므로

$\log_{\frac{1}{3}} (2+a)=-2$, $2+a=\left(\dfrac{1}{3}\right)^{-2}$

$2+a=9$ ∴ $a=7$

따라서 함수 $y=\log_{\frac{1}{3}} (x+7)$이고 $x=20$일 때 최소이므로 최솟값은 $\log_{\frac{1}{3}} 27=\log_{3^{-1}} 3^3=-3$

🔲 -3

189

(1) 로그의 진수 조건에서 $3-x>0$, $x-1>0$

∴ $1<x<3$ ...... ㉠

$\log_5 (3-x)=\log_{25} (x-1)$에서

$\log_{25} (3-x)^2=\log_{25} (x-1)$

따라서 $(3-x)^2=x-1$이므로

$x^2-7x+10=0$, $(x-2)(x-5)=0$

∴ $x=2$ 또는 $x=5$

그런데 ㉠에서 $1<x<3$이므로 $x=2$

(2) 로그의 밑 조건에서 $x-1>0$, $x-1\neq1$

∴ $x>1$, $x\neq2$

즉, $1<x<2$ 또는 $x>2$ ...... ㉠

$\log_{x-1} 9=2$에서 $(x-1)^2=9$

따라서 $x-1=\pm3$이므로 $x=-2$ 또는 $x=4$

그런데 ㉠에서 $1<x<2$ 또는 $x>2$이므로 $x=4$

(3) 로그의 진수 조건에서 $x>0$, $2x+3>0$, $x-2>0$

∴ $x>2$ ...... ㉠

$\log_{\sqrt{3}} x-\log_3 (2x+3)=\log_3 (x-2)$에서

$2\log_3 x=\log_3 (x-2)+\log_3 (2x+3)$

$\log_3 x^2=\log_3 (x-2)(2x+3)$

따라서 $x^2=(x-2)(2x+3)$이므로

$x^2-x-6=0$, $(x+2)(x-3)=0$

∴ $x=-2$ 또는 $x=3$

그런데 ㉠에서 $x>2$이므로 $x=3$

(4) 로그의 진수 조건에서 $x+3>0$, $x+6>0$

∴ $x>-3$ ...... ㉠

$\log_2 (x+3)=\dfrac{1}{2} \log_2 (x+6)+1$에서

$2\log_2 (x+3)=\log_2 (x+6)+2$

$\log_2 (x+3)^2=\log_2 4(x+6)$

따라서 $(x+3)^2=4(x+6)$이므로

$x^2+2x-15=0$, $(x+5)(x-3)=0$

∴ $x=-5$ 또는 $x=3$

그런데 ㉠에서 $x>-3$이므로 $x=3$

🔲 (1) $x=2$ (2) $x=4$ (3) $x=3$ (4) $x=3$

191

(1) 로그의 진수 조건에서 $x>0$, $x^2>0$

∴ $x>0$ ...... ㉠

주어진 방정식은 $(\log_3 x)^2+2\log_3 x-8=0$

$\log_3 x=t$로 치환하면 $t^2+2t-8=0$

$(t+4)(t-2)=0$　　$\therefore t=-4$ 또는 $t=2$

따라서 $\log_3 x=-4$ 또는 $\log_3 x=2$이고, ㉠에서 $x>0$이므로

$x=\dfrac{1}{81}$ 또는 $x=9$

(2) 로그의 진수와 밑 조건에서 $x>0$, $x\neq1$

$\therefore 0<x<1$ 또는 $x>1$　　　　　……㉠

주어진 방정식은 $\log_2 x-3\log_x 2=2$

$\log_2 x=t$로 치환하면 $t-\dfrac{3}{t}=2$

양변에 t를 곱하여 정리하면

$t^2-2t-3=0$, $(t+1)(t-3)=0$

$\therefore t=-1$ 또는 $t=3$

따라서 $\log_2 x=-1$ 또는 $\log_2 x=3$이고, ㉠에서 $0<x<1$ 또는 $x>1$이므로

$x=\dfrac{1}{2}$ 또는 $x=8$

(3) 로그의 진수 조건에서 $5x>0$, $\dfrac{x}{5}>0$

$\therefore x>0$　　　　　……㉠

주어진 방정식은

$(\log_5 5+\log_5 x)(\log_5 x-\log_5 5)=3$

$(1+\log_5 x)(\log_5 x-1)=3$

$\log_5 x=t$로 치환하면 $(1+t)(t-1)=3$

$t^2-1=3$, $t^2=4$

$\therefore t=-2$ 또는 $t=2$

따라서 $\log_5 x=-2$ 또는 $\log_5 x=2$이고, ㉠에서 $x>0$이므로

$x=\dfrac{1}{25}$ 또는 $x=25$

답 (1) $x=\dfrac{1}{81}$ 또는 $x=9$

(2) $x=\dfrac{1}{2}$ 또는 $x=8$

(3) $x=\dfrac{1}{25}$ 또는 $x=25$

193

(1) 로그의 진수 조건에서 $x>0$　　　　　……㉠

주어진 등식의 양변에 밑이 3인 로그를 취하면

$\log_3 x^{\log_3 x}=\log_3 \dfrac{81}{x^3}$

$(\log_3 x)^2=\log_3 81-\log_3 x^3$

$(\log_3 x)^2=\log_3 3^4-3\log_3 x$

$(\log_3 x)^2=4-3\log_3 x$

$\log_3 x=t$로 치환하면 $t^2=4-3t$

$t^2+3t-4=0$, $(t+4)(t-1)=0$

$\therefore t=-4$ 또는 $t=1$

따라서 $\log_3 x=-4$ 또는 $\log_3 x=1$이고, ㉠에서 $x>0$이므로 $x=\dfrac{1}{81}$ 또는 $x=3$

(2) 로그의 진수 조건에서 $x>0$　　　　　……㉠

$x^{\log 2}=2^{\log x}$이므로 주어진 방정식은

$2^{\log x}\cdot2^{\log x}=3(2^{\log x}+2^{\log x})-8$

$(2^{\log x})^2=6\cdot2^{\log x}-8$

$2^{\log x}=t\ (t>0)$로 치환하면 $t^2=6t-8$

$t^2-6t+8=0$, $(t-2)(t-4)=0$

$\therefore t=2$ 또는 $t=4\ (t>0)$

따라서 $2^{\log x}=2$ 또는 $2^{\log x}=4=2^2$이고, ㉠에서 $x>0$이므로

$\log x=1$ 또는 $\log x=2$

$\therefore x=10$ 또는 $x=100$

답 (1) $x=\dfrac{1}{81}$ 또는 $x=3$

(2) $x=10$ 또는 $x=100$

195

(1) 이차방정식 $x^2-2x\log_2 a+3\log_2 a+4=0$이 중근을 가지므로 이 이차방정식의 판별식을 D라 하면

$\dfrac{D}{4}=(-\log_2 a)^2-(3\log_2 a+4)=0$

$(\log_2 a)^2-3\log_2 a-4=0$

$\log_2 a=t$로 치환하면

$t^2-3t-4=0$, $(t+1)(t-4)=0$

$\therefore t=-1$ 또는 $t=4$

따라서 $\log_2 a=-1$ 또는 $\log_2 a=4$이므로

$a=\dfrac{1}{2}$ 또는 $a=16$

(2) $\log_3 x=t$로 치환하면 $t^2+2t-1=0$　　　……㉠

이때 방정식 $(\log_3 x)^2+2\log_3 x-1=0$의 두 근이 α, β이므로 ㉠의 두 근은 $\log_3 \alpha$, $\log_3 \beta$이다.

따라서 이차방정식의 근과 계수의 관계에 의하여

$\log_3 \alpha+\log_3 \beta=-2$, $\log_3 \alpha\beta=-2$

$\therefore \alpha\beta=3^{-2}=\dfrac{1}{9}$

답 (1) $a=\dfrac{1}{2}$ 또는 $a=16$ (2) $\dfrac{1}{9}$

197

사업을 시작할 때의 자본을 K원이라 하면 A회사의 자본은 매년 10%, B회사의 자본은 매년 15% 증가하므로

n년 후의 두 회사 A, B의 자본은 각각
$K(1+0.1)^n=K\times1.1^n$ (원),
$K(1+0.15)^n=K\times1.15^n$ (원)
n년 후의 B회사의 자본이 A회사의 자본의 10배가 된
다고 하면
$K\times1.15^n=10\times K\times1.1^n$, $1.15^n=10\times1.1^n$
양변에 상용로그를 취하면
$n\log1.15=\log10+n\log1.1$
$0.06n=1+0.04n$, $0.02n=1$ $\quad\therefore n=50$
따라서 사업을 시작한 지 50년 후에 B회사의 자본이 A
회사의 자본의 10배가 된다.

탑 50년 후

199

(1) 로그의 진수 조건에서 $x-2>0$, $8-x>0$
$\quad\therefore 2<x<8$ ...... ㉠
$\log_5(x-2)-\log_5(8-x)\le0$에서
$\log_5(x-2)\le\log_5(8-x)$
이때 밑이 5이고 $5>1$이므로
$x-2\le8-x$ ← 부등호 방향 그대로
$2x\le10$ $\quad\therefore x\le5$ ...... ㉡
㉠, ㉡의 공통 범위를 구하면 $2<x\le5$

(2) 로그의 진수 조건에서 $x+1>0$, $2x+5>0$
$\quad\therefore x>-1$ ...... ㉠
$2\log_{0.5}(x+1)>\log_{0.5}(2x+5)$에서
$\log_{0.5}(x+1)^2>\log_{0.5}(2x+5)$
이때 밑이 0.5이고 $0<0.5<1$이므로
$(x+1)^2<2x+5$ ← 부등호 방향 반대로
$x^2-4<0$, $(x+2)(x-2)<0$
$\quad\therefore -2<x<2$ ...... ㉡
㉠, ㉡의 공통 범위를 구하면 $-1<x<2$

(3) 로그의 진수 조건에서 $x>0$, $7-x>0$
$\quad\therefore 0<x<7$ ...... ㉠
$\log x+\log(7-x)<1$에서 $\log x(7-x)<\log10$
이때 밑이 10이고 $10>1$이므로
$x(7-x)<10$ ← 부등호 방향 그대로
$x^2-7x+10>0$, $(x-2)(x-5)>0$
$\quad\therefore x<2$ 또는 $x>5$ ...... ㉡
㉠, ㉡의 공통 범위를 구하면
$0<x<2$ 또는 $5<x<7$

(4) 로그의 진수 조건에서 $x-1>0$, $x+5>0$
$\quad\therefore x>1$ ...... ㉠

$\log_{\frac{1}{3}}(x-1)\ge\log_{\frac{1}{9}}(x+5)$에서
$\log_{(\frac{1}{3})^2}(x-1)^2\ge\log_{\frac{1}{9}}(x+5)$
$\log_{\frac{1}{9}}(x-1)^2\ge\log_{\frac{1}{9}}(x+5)$
이때 밑이 $\dfrac{1}{9}$이고 $0<\dfrac{1}{9}<1$이므로
$(x-1)^2\le x+5$ ← 부등호 방향 반대로
$x^2-3x-4\le0$, $(x+1)(x-4)\le0$
$\quad\therefore -1\le x\le4$ ...... ㉡
㉠, ㉡의 공통 범위를 구하면 $1<x\le4$

탑 (1) $2<x\le5$ (2) $-1<x<2$
(3) $0<x<2$ 또는 $5<x<7$
(4) $1<x\le4$

201

(1) 로그의 진수 조건에서 $x>0$, $100x^3>0$
$\quad\therefore x>0$ ...... ㉠
$(\log x)^2+\log100x^3<0$에서
$(\log x)^2+\log100+\log x^3<0$
$(\log x)^2+3\log x+2<0$
$\log x=t$로 치환하면
$t^2+3t+2<0$, $(t+2)(t+1)<0$
$\quad\therefore -2<t<-1$
따라서 $-2<\log x<-1$이므로
$\log10^{-2}<\log x<\log10^{-1}$
이때 밑이 10이고 $10>1$이므로
$10^{-2}<x<10^{-1}$ ← 부등호 방향 그대로
$\dfrac{1}{100}<x<\dfrac{1}{10}$ ...... ㉡
㉠, ㉡의 공통 범위를 구하면
$\dfrac{1}{100}<x<\dfrac{1}{10}$

(2) 로그의 진수 조건에서 $x>0$, $x^2>0$
$\quad\therefore x>0$ ...... ㉠
$(\log_3x)^2>\log_3x^2$에서 $(\log_3x)^2>2\log_3x$
$\log_3x=t$로 치환하면
$t^2>2t$, $t^2-2t>0$, $t(t-2)>0$
$\quad\therefore t<0$ 또는 $t>2$
따라서 $\log_3x<0$ 또는 $\log_3x>2$이므로
$\log_3x<\log_31$ 또는 $\log_3x>\log_33^2$
이때 밑이 3이고 $3>1$이므로
$x<1$ 또는 $x>9$ ← 부등호 방향 그대로 ...... ㉡
㉠, ㉡의 공통 범위를 구하면
$0<x<1$ 또는 $x>9$

(3) 로그의 진수 조건에서 $x>0$ $\qquad$ ······ ㉠

$(\log_{0.5} x)^2 - \log_{0.5} x - 2 \le 0$에서

$\log_{0.5} x = t$로 치환하면

$t^2 - t - 2 \le 0$, $(t+1)(t-2) \le 0$

$\therefore -1 \le t \le 2$

따라서 $-1 \le \log_{0.5} x \le 2$이므로

$\log_{0.5} 0.5^{-1} \le \log_{0.5} x \le \log_{0.5} 0.5^2$

이때 밑이 0.5이고 $0<0.5<1$이므로

$0.5^2 \le x \le 0.5^{-1}$ ← 부등호 방향 반대로

$\dfrac{1}{4} \le x \le 2$ $\qquad$ ······ ㉡

㉠, ㉡의 공통 범위를 구하면

$\dfrac{1}{4} \le x \le 2$

(4) 로그의 진수 조건에서 $2x>0$, $\dfrac{8}{x}>0$

$x>0$ $\qquad$ ······ ㉠

$\log_2 2x \cdot \log_2 \dfrac{8}{x} \ge -5$에서

$(\log_2 2 + \log_2 x)(\log_2 8 - \log_2 x) \ge -5$

$(1+\log_2 x)(3-\log_2 x) \ge -5$

$\log_2 x = t$로 치환하면

$(1+t)(3-t) \ge -5$

$t^2 - 2t - 8 \le 0$, $(t+2)(t-4) \le 0$

$\therefore -2 \le t \le 4$

따라서 $-2 \le \log_2 x \le 4$이므로

$\log_2 2^{-2} \le \log_2 x \le \log_2 2^4$

이때 밑이 2이고 $2>1$이므로

$2^{-2} \le x \le 2^4$ ← 부등호 방향 그대로

$\therefore \dfrac{1}{4} \le x \le 16$ $\qquad$ ······ ㉡

㉠, ㉡의 공통 범위를 구하면

$\dfrac{1}{4} \le x \le 16$

답 (1) $\dfrac{1}{100} < x < \dfrac{1}{10}$

(2) $0 < x < 1$ 또는 $x > 9$

(3) $\dfrac{1}{4} \le x \le 2$ (4) $\dfrac{1}{4} \le x \le 16$

203

(1) 로그의 진수 조건에서 $x>0$ $\qquad$ ······ ㉠

$x^{\log x} < 100x$의 양변에 상용로그를 취하면 밑이 10이고 $10>1$이므로

$\log x^{\log x} < \log 100x$ ← 부등호 방향 그대로

$(\log x)^2 < 2 + \log x$

$\log x = t$로 치환하면 $t^2 < 2 + t$

$t^2 - t - 2 < 0$, $(t+1)(t-2) < 0$

$\therefore -1 < t < 2$

따라서 $-1 < \log x < 2$이므로

$\log 10^{-1} < \log x < \log 10^2$

이때 밑이 10이고 $10>1$이므로

$10^{-1} < x < 10^2$ ← 부등호 방향 그대로

$\therefore \dfrac{1}{10} < x < 100$ $\qquad$ ······ ㉡

㉠, ㉡의 공통 범위를 구하면

$\dfrac{1}{10} < x < 100$

(2) 로그의 진수 조건에서 $x>0$ $\qquad$ ······ ㉠

$x^{\log_{\frac{1}{2}} x} > \dfrac{x^2}{8}$의 양변에 밑이 $\dfrac{1}{2}$인 로그를 취하면

$0 < \dfrac{1}{2} < 1$이므로

$\log_{\frac{1}{2}} x^{\log_{\frac{1}{2}} x} < \log_{\frac{1}{2}} \dfrac{x^2}{8}$ ← 부등호 방향 반대로

$(\log_{\frac{1}{2}} x)^2 < \log_{\frac{1}{2}} x^2 - \log_{\frac{1}{2}} 8$

$(\log_{\frac{1}{2}} x)^2 < 2\log_{\frac{1}{2}} x + 3$

$\log_{\frac{1}{2}} x = t$로 치환하면 $t^2 < 2t + 3$

$t^2 - 2t - 3 < 0$, $(t+1)(t-3) < 0$

$\therefore -1 < t < 3$

따라서 $-1 < \log_{\frac{1}{2}} x < 3$이므로

$\log_{\frac{1}{2}} \left(\dfrac{1}{2}\right)^{-1} < \log_{\frac{1}{2}} x < \log_{\frac{1}{2}} \left(\dfrac{1}{2}\right)^3$

이때 밑이 $\dfrac{1}{2}$이고 $0 < \dfrac{1}{2} < 1$이므로

$\left(\dfrac{1}{2}\right)^3 < x < \left(\dfrac{1}{2}\right)^{-1}$ ← 부등호 방향 반대로

$\therefore \dfrac{1}{8} < x < 2$ $\qquad$ ······ ㉡

㉠, ㉡의 공통 범위를 구하면

$\dfrac{1}{8} < x < 2$

답 (1) $\dfrac{1}{10} < x < 100$ (2) $\dfrac{1}{8} < x < 2$

205

로그의 진수 조건에서 $a>0$ $\qquad$ ······ ㉠

이차방정식 $f(x)=0$의 판별식을 D라 하자.

(1) 이차방정식 $f(x)=0$이 실근을 가지려면

$\dfrac{D}{4} = (1+\log a)^2 - 3(1+\log a) \ge 0$

$(\log a)^2 - \log a - 2 \ge 0$

$\log a = t$로 치환하면 $t^2 - t - 2 \geq 0$

$(t+1)(t-2) \geq 0$

$\therefore t \leq -1$ 또는 $t \geq 2$

따라서 $\log a \leq -1$ 또는 $\log a \geq 2$이므로

$\log a \leq \log 10^{-1}$ 또는 $\log a \geq \log 10^2$

이때 밑이 10이고 $10 > 1$이므로

$a \leq \dfrac{1}{10}$ 또는 $a \geq 100$ ◀ 부등호 방향 그대로   ······ ㉡

㉠, ㉡의 공통 범위를 구하면

$0 < a \leq \dfrac{1}{10}$ 또는 $a \geq 100$

(2) 이차부등식 $f(x) \geq 0$이 모든 실수 x에 대하여 항상 성립하려면

$\dfrac{D}{4} = (1 + \log a)^2 - 3(1 + \log a) \leq 0$

$(\log a)^2 - \log a - 2 \leq 0$

$\log a = t$로 치환하면 $t^2 - t - 2 \leq 0$

$(t+1)(t-2) \leq 0$

$\therefore -1 \leq t \leq 2$

따라서 $-1 \leq \log a \leq 2$이므로

$\log 10^{-1} \leq \log a \leq \log 10^2$

이때 밑이 10이고 $10 > 1$이므로

$\dfrac{1}{10} \leq a \leq 100$ ◀ 부등호 방향 그대로   ······ ㉡

㉠, ㉡의 공통 범위를 구하면

$\dfrac{1}{10} \leq a \leq 100$

답 (1) $0 < a \leq \dfrac{1}{10}$ 또는 $a \geq 100$

(2) $\dfrac{1}{10} \leq a \leq 100$

207

현재 8인 BOD가 매년 20 %씩 감소한다고 할 때, n년 후의 BOD는 $8(1-0.2)^n$이고 이것이 1 이하가 되도록 부등식을 세우면

$8(1-0.2)^n \leq 1$

즉, $\left(\dfrac{8}{10}\right)^n \leq \dfrac{1}{8}$이므로 양변에 상용로그를 취하면

밑이 10이고, $10 > 1$이므로

$\log \left(\dfrac{8}{10}\right)^n \leq \log \dfrac{1}{8}$ ◀ 부등호 방향 그대로

$n \log \left(\dfrac{8}{10}\right) \leq \log \dfrac{1}{8}$, $n(\log 8 - \log 10) \leq -\log 8$

$n(3 \log 2 - 1) \leq -3 \log 2$

이때 $3 \log 2 - 1 = -0.1 < 0$이므로

$n \geq \dfrac{-3 \log 2}{3 \log 2 - 1} = \dfrac{-3 \times 0.3}{3 \times 0.3 - 1} = \dfrac{-0.9}{-0.1} = 9$

따라서 BOD가 처음으로 1 이하가 되는 것은 9년 후 이다.

답 9년 후

209

$0 \leq \log_3 (\log_2 x) < 1$에서 $3^0 \leq \log_2 x < 3^1$

$\therefore 1 \leq \log_2 x < 3$

이때 밑이 2이고, $2 > 1$이므로

$2^1 \leq x < 2^3$ ◀ 부등호 방향 그대로

$\therefore 2 \leq x < 8$

답 $2 \leq x < 8$

210

(1) 로그의 진수 조건에서 $x + 2 > 0$, $x - 1 > 0$

$\therefore x > 1$ ······ ㉠

$\log_2 (x+2) = \log_4 (x-1) + 2$에서

$\log_4 (x+2)^2 = \log_4 (x-1) + \log_4 4^2$

$\log_4 (x+2)^2 = \log_4 16(x-1)$

따라서 $(x+2)^2 = 16(x-1)$이므로

$x^2 + 4x + 4 = 16x - 16$

$x^2 - 12x + 20 = 0$, $(x-2)(x-10) = 0$

$\therefore x = 2$ 또는 $x = 10$

그런데 ㉠에서 $x > 1$이므로

$x = 2$ 또는 $x = 10$

(2) 로그의 진수 조건에서 $\dfrac{3}{x} > 0$, $\dfrac{x}{9} > 0$

$\therefore x > 0$ ······ ㉠

$\log_3 \dfrac{3}{x} \cdot \log_3 \dfrac{x}{9} = -6$에서

$(\log_3 3 - \log_3 x)(\log_3 x - \log_3 3^2) = -6$

$(1 - \log_3 x)(\log_3 x - 2) = -6$

$(\log_3 x)^2 - 3 \log_3 x - 4 = 0$

$\log_3 x = t$로 치환하면 $t^2 - 3t - 4 = 0$

$(t+1)(t-4) = 0$ $\therefore t = -1$ 또는 $t = 4$

따라서 $\log_3 x = -1$ 또는 $\log_3 x = 4$이므로

$x = \dfrac{1}{3}$ 또는 $x = 81$

그런데 ㉠에서 $x > 0$이므로

$x = \dfrac{1}{3}$ 또는 $x = 81$

답 (1) $x = 2$ 또는 $x = 10$

(2) $x = \dfrac{1}{3}$ 또는 $x = 81$

211

로그의 진수와 밑 조건에서

$x > 0$, $x \neq 1$ ...... ㉠

$\log_5 x - \log_x 25 = 1$에서

$\log_5 x - 2 \log_x 5 = 1$

$\log_5 x = t$로 치환하면

$t - \dfrac{2}{t} = 1$

양변에 t를 곱하여 정리하면

$t^2 - t - 2 = 0$, $(t+1)(t-2) = 0$

$\therefore t = -1$ 또는 $t = 2$

따라서 $\log_5 x = -1$ 또는 $\log_5 x = 2$이고, ㉠에서

$x > 0$, $x \neq 1$이므로

$x = \dfrac{1}{5}$ 또는 $x = 25$

즉, $\alpha = \dfrac{1}{5}$, $\beta = 25$ 또는 $\alpha = 25$, $\beta = \dfrac{1}{5}$이므로

$\alpha\beta = 5$

답 5

212

로그의 진수 조건에서 $x > 0$ ...... ㉠

$8x^{\log_2 x} = x^4$의 양변에 밑이 2인 로그를 취하면

$\log_2 8x^{\log_2 x} = \log_2 x^4$

$\log_2 8 + \log_2 x^{\log_2 x} = 4 \log_2 x$

$(\log_2 x)^2 - 4 \log_2 x + 3 = 0$

$\log_2 x = t$로 치환하면

$t^2 - 4t + 3 = 0$, $(t-1)(t-3) = 0$

$\therefore t = 1$ 또는 $t = 3$

즉, $\log_2 x = 1$ 또는 $\log_2 x = 3$이고, ㉠에서 $x > 0$이므로

$x = 2$ 또는 $x = 8$

따라서 모든 근의 합은

$2 + 8 = 10$

답 10

213

주어진 방정식의 두 근을 α, β라 하면

$\alpha\beta = 16$

$(\log_2 x)^2 - 2k \log_2 x + 8 = 0$에서 $\log_2 x = t$로 치환하면

$t^2 - 2kt + 8 = 0$ ...... ㉠

㉠의 해가 $\log_2 \alpha$, $\log_2 \beta$이므로 이차방정식의 근과 계수의 관계에 의하여

$\log_2 \alpha + \log_2 \beta = 2k$, $\log_2 \alpha\beta = 2k$

이때 $\alpha\beta = 16$이므로 $\log_2 16 = 2k$, $4 = 2k$

$\therefore k = 2$

답 2

214

로그의 진수 조건에서 $x^2 - 4 > 0$이므로

$(x-2)(x+2) > 0$

$\therefore x < -2$ 또는 $x > 2$ ...... ㉠

$2 - x > 0$이므로 $x < 2$ ...... ㉡

㉠, ㉡에서 $x < -2$ ...... ㉢

$\log_{\frac{1}{3}} (x^2 - 4) - \log_{\frac{1}{3}} (2 - x) + 1 > 0$에서

$\log_{\frac{1}{3}} (x^2 - 4) > \log_{\frac{1}{3}} (2 - x) - 1$

$\log_{\frac{1}{3}} (x^2 - 4) > \log_{\frac{1}{3}} (2 - x) + \log_{\frac{1}{3}} 3$

$\log_{\frac{1}{3}} (x^2 - 4) > \log_{\frac{1}{3}} 3(2 - x)$

이때 밑이 $\dfrac{1}{3}$이고 $0 < \dfrac{1}{3} < 1$이므로

$x^2 - 4 < 3(2 - x)$ ← 부등호 방향 반대로

$x^2 + 3x - 10 < 0$, $(x+5)(x-2) < 0$

$\therefore -5 < x < 2$ ...... ㉣

㉢, ㉣의 공통 범위를 구하면

$-5 < x < -2$

따라서 $\alpha = -5$, $\beta = -2$이므로 $\alpha + \beta = -7$

답 -7

215

로그의 진수 조건에서 $\log_3 (\log_4 x) > 0$

$\log_3 (\log_4 x) > \log_3 1$에서 밑이 3이고, $3 > 1$이므로

$\log_4 x > 1$ ← 부등호 방향 그대로

또 $\log_4 x > \log_4 4$에서 밑이 4이고, $4 > 1$이므로

$x > 4$ ← 부등호 방향 그대로 ...... ㉠

$\log_2 \{\log_3 (\log_4 x)\} < 0$에서

$\log_2 \{\log_3 (\log_4 x)\} < \log_2 1$

밑이 2이고, $2 > 1$이므로

$\log_3 (\log_4 x) < 1$ ← 부등호 방향 그대로

$\log_3 (\log_4 x) < \log_3 3$에서 밑이 3이고, $3 > 1$이므로

$\log_4 x < 3$ ← 부등호 방향 그대로

$\log_4 x < \log_4 4^3$

$x < 4^3 = 64$ ← 부등호 방향 그대로 ...... ㉡

㉠, ㉡의 공통 범위를 구하면

$\therefore 4 < x < 64$

따라서 정수 x는 5, 6, 7, $\cdots$, 63의 59개이다.

답 59

216

주어진 이차방정식의 판별식을 D라 하면 실근을 갖지 않아야 하므로

$\dfrac{D}{4} = (1-\log_3 a)^2 - (5+\log_3 a) < 0$

$(\log_3 a)^2 - 3\log_3 a - 4 < 0$

$\log_3 a = t$로 치환하면 $t^2 - 3t - 4 < 0$

$(t+1)(t-4) < 0 \qquad \therefore \ -1 < t < 4$

따라서 $-1 < \log_3 a < 4$이므로

$\log_3 3^{-1} < \log_3 a < \log_3 3^4$

이때 밑이 3이고 $3 > 1$이므로

$3^{-1} < a < 3^4$ ← 부등호 방향 그대로

$\therefore \ \dfrac{1}{3} < a < 81$

답 $\dfrac{1}{3} < a < 81$

217

$y = 3^{1-x} - 1 = 3^{-(x-1)} - 1$

$\quad = \left(\dfrac{1}{3}\right)^{x-1} - 1$

이므로 그 그래프는 그림과 같다.

① 치역은 $\{y \,|\, y > -1\}$이다. (참)

② $x=1$일 때, $y = 3^{1-1} - 1 = 0$

  이므로 그래프는 점 $(1, 0)$을 지나고, 점근선의 방정식은 $y = -1$이다. (참)

③ x의 값이 증가하면 y의 값은 감소한다. (거짓)

④ 제3사분면은 지나지 않는다. (참)

⑤ 함수 $y = 3^x$의 그래프를 y축에 대하여 대칭이동한 그래프의 식은 $y = 3^{-x}$이고, 다시 $y = 3^{-x}$의 그래프를 x축의 방향으로 1만큼, y축의 방향으로 -1만큼 평행이동한 그래프의 식은

$y = 3^{-(x-1)} - 1 = 3^{1-x} - 1$ (참)

답 ③

218

$g(a) = 2$에서 $f(2) = a$이므로

$a = \left(\dfrac{1}{5}\right)^{2-2} + 3 = 1 + 3 = 4$

$g(8) = b$에서 $f(b) = 8$이므로

$\left(\dfrac{1}{5}\right)^{2-b} + 3 = 8, \ \left(\dfrac{1}{5}\right)^{2-b} = 5, \ 5^{b-2} = 5$

따라서 $b - 2 = 1$이므로 $b = 3$

$\therefore \ a + b = 4 + 3 = 7$

답 7

219

$f(x) = 3^{1-x} \cdot 5^{x+1} + 1 = \left(3 \cdot \dfrac{1}{3^x}\right) \cdot (5 \cdot 5^x) + 1$

$\qquad = 15 \cdot \left(\dfrac{5}{3}\right)^x + 1$

밑이 $\dfrac{5}{3}$이고 $\dfrac{5}{3} > 1$이므로 주어진 정의역 $-1 \le x \le 1$에서 $f(x)$는 $x=1$일 때 최대이고, 최댓값은

$M = 15 \cdot \dfrac{5}{3} + 1 = 26$

$x = -1$일 때 최소이고, 최솟값은

$m = 15 \cdot \dfrac{3}{5} + 1 = 10$

$\therefore \ M - m = 16$

답 16

220

$y = 4^x + 4^{-x} - 6(2^x + 2^{-x}) + 5$

$\quad = (2^x + 2^{-x})^2 - 2 \cdot 2^x \cdot 2^{-x} - 6(2^x + 2^{-x}) + 5$

$\quad = (2^x + 2^{-x})^2 - 6(2^x + 2^{-x}) + 3$

$2^x + 2^{-x} = t$로 치환하면

$y = t^2 - 6t + 3 = (t-3)^2 - 6 \qquad \cdots\cdots \ \text{㉠}$

이때 $2^x > 0$, $2^{-x} > 0$이므로 산술평균과 기하평균의 대소 관계에 의하여

$t = 2^x + 2^{-x} \ge 2\sqrt{2^x \cdot 2^{-x}} = 2$

$\qquad$ (단, 등호는 $2^x = 2^{-x}$, 즉 $x = 0$일 때 성립)

따라서 ㉠은 $t = 3$일 때 최소이고, 최솟값은 -6이다.

답 -6

221

$4^x - k \cdot 2^{x+2} - 3k + 10 = 0$에서

$(2^x)^2 - 4k \cdot 2^x - 3k + 10 = 0$

$2^x = t \ (t > 0)$로 치환하면

$t^2 - 4kt - 3k + 10 = 0 \qquad \cdots\cdots \ \text{㉠}$

주어진 방정식이 서로 다른 두 실근을 가지려면 이차방정식 ㉠이 서로 다른 두 양의 실근을 가져야 한다.

(i) 이차방정식 ㉠의 판별식을 D라 하면

$\quad \dfrac{D}{4} = (-2k)^2 - (-3k+10) > 0$

$\quad 4k^2 + 3k - 10 > 0, \ (k+2)(4k-5) > 0$

$\quad \therefore \ k < -2 \ \text{또는} \ k > \dfrac{5}{4}$

(ii) (두 근의 합) $= 4k > 0$에서 $k > 0$

(iii) (두 근의 곱) $= -3k + 10 > 0$에서 $k < \dfrac{10}{3}$

(i), (ii), (iii)을 동시에 만족시키는 k의 값의 범위는

$\dfrac{5}{4}<k<\dfrac{10}{3}$

답 $\dfrac{5}{4}<k<\dfrac{10}{3}$

222

$9^x-2\cdot3^{x+1}+5k-6\geq0$에서

$(3^x)^2-6\cdot3^x+5k-6\geq0$

$3^x=t\ (t>0)$로 치환하면

$t^2-6t+5k-6\geq0$ ...... ㉠

$f(t)=t^2-6t+5k-6$

$\qquad=(t-3)^2+5k-15$

라 하고, $t>0$에서 이차부등식 ㉠이 항상 성립하려면 함수 $y=f(t)$의 최솟값이 0 이상이어야 하므로

$5k-15\geq0$ $\therefore k\geq3$

따라서 $t=3$, 즉 $x=1$일 때 k의 최솟값은 3이다.

답 3

223

구입한 지 n년 후의 기계 설비의 가치는

$6400\cdot\left(\dfrac{3}{4}\right)^n$ 만 원이므로

$6400\cdot\left(\dfrac{3}{4}\right)^n\leq2700$, $\left(\dfrac{3}{4}\right)^n\leq\dfrac{2700}{6400}=\left(\dfrac{3}{4}\right)^3$

밑이 $\dfrac{3}{4}$이고 $0<\dfrac{3}{4}<1$이므로 부등호의 방향이 바뀐다.

$\therefore n\geq3$

따라서 구입한 지 3년 후에 이 기계 설비의 가치가 처음으로 2700만 원 이하가 된다.

답 3년 후

224

로그함수 $y=\log_2 x$의 그래프를 x축의 방향으로 m만큼 평행이동한 그래프의 식은

$y=\log_2(x-m)$

이 그래프가 점 $(10,\ 3)$을 지나므로

$3=\log_2(10-m)$, $10-m=2^3=8$ $\therefore m=2$

또 함수 $y=\log x+n$의 그래프가 점 $(10,\ 3)$을 지나므로

$3=\log 10+n$, $3=1+n$ $\therefore n=2$

$\therefore mn=2\cdot2=4$

답 4

225

$3<x<9$의 각 변에 밑이 3인 로그를 취하면

$\log_3 3<\log_3 x<\log_3 9$

$\therefore 1<\log_3 x<2$ ...... ㉠

(i) ㉠에서 $1^2<(\log_3 x)^2<2^2$ $\therefore 1<A<4$

(ii) ㉠의 각 변에 밑이 3인 로그를 취하면

$\log_3 1<\log_3(\log_3 x)<\log_3 2$

$\therefore 0<B<\log_3 2$

(iii) $A-C=(\log_3 x)^2-\log_3 x^2$

$\qquad\quad=(\log_3 x)^2-2\log_3 x$

$\qquad\quad=\log_3 x(\log_3 x-2)<0\ (\because ㉠)$

$\therefore A<C$

이상에서 $B<A<C$

답 ③

226

$\log_2 c=b$, $\log_2 d=c$이므로

$c-b=\log_2 d-\log_2 c$

$\qquad=\log_2\dfrac{d}{c}$

$\therefore \left(\dfrac{1}{2}\right)^{c-b}=2^{b-c}=2^{-\log_2\frac{d}{c}}$

$\qquad\qquad\qquad\quad=2^{\log_2\frac{c}{d}}=\dfrac{c}{d}$

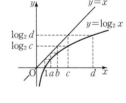

답 ⑤

227

로그의 진수 조건에서 $x>0$, $y>0$

$\log_2 x=X$, $\log_3 y=Y$로 치환하면 주어진 연립방정식은

$\begin{cases}X+Y=5\\XY=4\end{cases}$ ➡ 더해서 5, 곱해서 4인 두 수는 1, 4

따라서 $X=1$, $Y=4$ 또는 $X=4$, $Y=1$

(i) $X=1$, $Y=4$일 때

$\log_2 x=1$, $\log_3 y=4$

$\therefore x=2$, $y=81$, 즉 $\alpha=2$, $\beta=81$

(ii) $X=4$, $Y=1$일 때,

$\log_2 x=4$, $\log_3 y=1$

$\therefore x=16$, $y=3$, 즉 $\alpha=16$, $\beta=3$

이때 $\alpha>\beta$이므로 $\alpha=16$, $\beta=3$

$\therefore \alpha-\beta=13$

답 13

228

$\log_5 x \cdot \log_5 \dfrac{25}{x} = -1$에서

$(\log_5 x)(\log_5 25 - \log_5 x) = -1$

$(\log_5 x)(2 - \log_5 x) = -1$

$\log_5 x = t$로 치환하면 $t(2-t) = -1$

$\therefore\ t^2 - 2t - 1 = 0$

이차방정식의 두 근이 $\log_5 \alpha$, $\log_5 \beta$이므로 이차방정식의 근과 계수의 관계에 의하여

$\log_5 \alpha + \log_5 \beta = 2$, $\log_5 \alpha \cdot \log_5 \beta = -1$

$\therefore\ \log_\alpha 5 + \log_\beta 5 = \dfrac{1}{\log_5 \alpha} + \dfrac{1}{\log_5 \beta}$

$\qquad\qquad\qquad\quad = \dfrac{\log_5 \alpha + \log_5 \beta}{\log_5 \alpha \cdot \log_5 \beta}$

$\qquad\qquad\qquad\quad = \dfrac{2}{-1} = -2$

🅓 -2

229

$\log_3 x = t$로 치환하면 $t^2 + at + b < 0$ ⋯⋯ ㉠

한편, $\dfrac{1}{9} < x < 27$에서

$\log_3 \dfrac{1}{9} < \log_3 x < \log_3 27$, $-2 < \log_3 x < 3$

$\therefore\ -2 < t < 3$

해가 $-2 < t < 3$이고 t^2의 계수가 1인 이차부등식은

$(t+2)(t-3) < 0$ $\qquad\therefore\ t^2 - t - 6 < 0$ ⋯⋯ ㉡

㉠과 ㉡이 일치해야 하므로 $a = -1$, $b = -6$

$\therefore\ ab = (-1)\cdot(-6) = 6$

🅓 6

230

로그의 진수 조건에서 $a > 0$ ⋯⋯ ㉠

이차방정식 $x^2 - 2(1 - \log a)x + 1 - (\log a)^2 = 0$의 판별식을 D라 할 때, 두 근이 모두 양수이므로

(i) $\dfrac{D}{4} = (\log a - 1)^2 - \{1 - (\log a)^2\} \geq 0$

$\quad$ $\log a = t$로 치환하면

$\quad$ $(t-1)^2 - (1-t^2) \geq 0$

$\quad$ $t^2 - t \geq 0$, $t(t-1) \geq 0$

$\quad$ $\therefore\ t \leq 0$ 또는 $t \geq 1$

$\quad$ 즉, $\log a \leq 0$ 또는 $\log a \geq 1$이므로

$\quad$ $a \leq 1$ 또는 $a \geq 10$

$\quad$ 이때 ㉠에서 $a > 0$이므로 $0 < a \leq 1$ 또는 $a \geq 10$

(ii) (두 근의 합) > 0이어야 하므로

$2(1 - \log a) > 0$, $\log a < 1$ $\qquad\therefore\ a < 10$

이때 ㉠에서 $a > 0$이므로 $0 < a < 10$

(iii) (두 근의 곱) > 0이어야 하므로

$\quad$ $1 - (\log a)^2 > 0$

$\quad$ $\log a = t$로 치환하면 $1 - t^2 > 0$

$\quad$ $(t+1)(t-1) < 0$ $\qquad\therefore\ -1 < t < 1$

$\quad$ 즉 $-1 < \log a < 1$이므로 $\dfrac{1}{10} < a < 10$

$\quad$ 이때 ㉠에서 $a > 0$이므로 $\dfrac{1}{10} < a < 10$

(i), (ii), (iii)의 공통 범위를 구하면

$\dfrac{1}{10} < a \leq 1$

🅓 $\dfrac{1}{10} < a \leq 1$

231

(i) $x < 0$일 때, $f(x) = -2x$이므로

$\quad$ $y = 2^{f(x)} = 2^{-2x} = \left(\dfrac{1}{4}\right)^x$

(ii) $x \geq 0$일 때, $f(x) = 2x$이므로

$\quad$ $y = 2^{f(x)} = 2^{2x} = 4^x$

따라서 구하는 그래프는 그림과 같다.

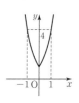

🅓 ③

232

$f(x+y) = f(x)f(y)$ ⋯⋯ ㉠

ㄱ. ㉠의 양변에 $x = 0$, $y = 0$을 대입하면

$\quad$ $f(0) = f(0)f(0)$

$\quad$ $f(x) > 0$이므로 양변을 $f(0)$으로 나누면

$\quad$ $f(0) = 1$ (참)

ㄴ. ㉠의 양변에 $x = 1$, $y = 1$을 대입하면

$\quad$ $f(2) = f(1)f(1) = \{f(1)\}^2$

$\quad$ 다시 ㉠의 양변에 $x = 1$, $y = 2$를 대입하면

$\quad$ $f(3) = f(1)f(2) = f(1)\{f(1)\}^2 = \{f(1)\}^3$

$\quad$ 같은 방법으로 반복하면 $f(n) = \{f(1)\}^n$

$\quad$ $\therefore\ f(10) = \{f(1)\}^{10}$ (참)

ㄷ. ㉠의 양변에 $y = -x$를 대입하면

$\quad$ $f(0) = f(x)f(-x)$

$\quad$ ㄱ에서 $f(0) = 1$이므로

$\quad$ $f(-x) = \dfrac{1}{f(x)}$ (거짓)

따라서 옳은 것은 ㄱ, ㄴ이다.

🅓 ③

233

$4^{f(x)} - 3 \cdot 2^{1+f(x)} < 16$에서 $2^{2f(x)} - 6 \cdot 2^{f(x)} - 16 < 0$

$2^{f(x)} = t \ (t > 0)$로 치환하면

$t^2 - 6t - 16 < 0$, $(t-8)(t+2) < 0$, $-2 < t < 8$

$t > 0$이므로 $0 < t < 8$

즉, $0 < 2^{f(x)} < 2^3$이고 밑이 $2 > 1$이므로 $f(x) < 3$

$f(x) = x^2 - 3x - 1$에서

$x^2 - 3x - 1 < 3$, $x^2 - 3x - 4 < 0$

$(x-4)(x+1) < 0$ $\therefore -1 < x < 4$

따라서 주어진 부등식을 만족시키는 정수 x의 개수는 0, 1, 2, 3의 4이다.

답 4

234

$f(x) = 2^{x-2} + 1$, $g(x) = \log_2 (x-1) + 2$에서

ㄱ. $f^{-1}(5) = k$라 하면 $f(k) = 5$이므로

$\quad f(k) = 2^{k-2} + 1 = 5$

$\quad 2^{k-2} = 2^2$, $k - 2 = 2$ $\therefore k = 4$

$\quad g(5) = \log_2 (5-1) + 2 = 2 + 2 = 4$

$\quad \therefore f^{-1}(5) \cdot \{g(5) + 1\} = 4(4+1) = 20$ (참)

ㄴ. 함수 $f(x) = 2^{x-2} + 1$에서 $y = 2^{x-2} + 1$로 놓고 역함수를 구하면

$\quad x = 2^{y-2} + 1$, $2^{y-2} = x - 1$

$\quad y - 2 = \log_2 (x-1)$ $\therefore y = \log_2 (x-1) + 2$

따라서 함수 $g(x) = \log_2 (x-1) + 2$는 함수 $f(x)$의 역함수이므로 두 함수 $y = f(x)$, $y = g(x)$의 그래프는 직선 $y = x$에 대하여 대칭이다. (참)

ㄷ. 함수 $y = f(x)$의 그래프는 함수 $y = 2^x$의 그래프를 x축의 방향으로 2만큼, y축의 방향으로 1만큼 평행이동한 것이다.

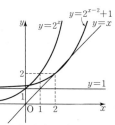

이때 함수 $y = 2^x$의 그래프 위의 점 $(0, 1)$은 이 평행이동에 의하여 함수 $y = f(x)$의 그래프 위의 점 $(2, 2)$로 평행이동하며, 점 $(2, 2)$는 직선 $y = x$ 위의 점이므로 함수 $y = f(x)$의 그래프와 직선 $y = x$는 만난다.

따라서 직선 $y = x$에 대칭인 두 함수 $y = f(x)$, $y = g(x)$의 그래프는 점 $(2, 2)$에서 만난다. (거짓)

따라서 옳은 것은 ㄱ, ㄴ이다.

답 ③

235

현재 중금속의 농도가 10 ppm이고 숯가루 여과기를 한 번 통과할 때마다 중금속의 농도가 9 %씩 감소하므로 n번 통과시킨 후의 중금속의 농도는

$10(1 - 0.09)^n \%$

중금속의 농도가 0.2 ppm 이하가 되려면

$10(1 - 0.09)^n \leq 0.2$

즉, $0.91^n \leq 0.02$이므로 양변에 상용로그를 취하면

$\log 0.91^n \leq \log 0.02$

$n \log \dfrac{9.1}{10} \leq \log \dfrac{2}{100}$

$n(\log 9.1 - 1) \leq \log 2 - 2$

$\therefore n \geq \dfrac{\log 2 - 2}{\log 9.1 - 1} = \dfrac{0.3010 - 2}{0.9590 - 1} = 41. \times \times \times$

따라서 중금속의 농도를 0.2 ppm 이하로 정수하여 음용하려면 숯가루 여과기에 적어도 42번 이상 통과시켜야 한다.

답 42번

II 삼각함수

1 삼각함수의 뜻

237

$420° = 360° + 60°$이므로 $360° \times n + 60°$ (단, n은 정수)
꼴로 나타낼 수 있는 각과 동경이 일치한다.

ㄱ. $60° = 360° \times 0 + 60°$이므로 일치한다.

ㄴ. $-60° = 360° \times (-1) + 300°$이므로 일치하지 않는다.

ㄷ. $300° = 360° \times 0 + 300°$이므로 일치하지 않는다.

ㄹ. $-300° = 360° \times (-1) + 60°$이므로 일치한다.

ㅁ. $390° = 360° + 30°$이므로 일치하지 않는다.

따라서 동경이 일치하는 것은 ㄱ, ㄹ이다.

달 ㄱ, ㄹ

239

(1) $960° = 360° \times 2 + 240°$ ➡ 제3사분면의 각

(2) $1400° = 360° \times 3 + 320°$ ➡ 제4사분면의 각

(3) $-600° = 360° \times (-2) + 120°$ ➡ 제2사분면의 각

달 (1) 제3사분면 (2) 제4사분면 (3) 제2사분면

241

θ가 제3사분면의 각이므로

$360° \times n + 180° < \theta < 360° \times n + 270°$ (단, n은 정수)

$\therefore 180° \times n + 90° < \dfrac{\theta}{2} < 180° \times n + 135°$

(i) $n = 0$일 때, $90° < \dfrac{\theta}{2} < 135°$ ➡ 제2사분면의 각

(ii) $n = 1$일 때, $270° < \dfrac{\theta}{2} < 315°$ ➡ 제4사분면의 각

$n = 2, 3, 4, \cdots$에 대해서도 동경의 위치가 제2사분면과 제4사분면으로 반복된다.

따라서 $\dfrac{\theta}{2}$를 나타내는 동경이 존재하는 사분면은 제2사면, 제4사분면이다.

달 제2, 4사분면

243

(1) 각 θ를 나타내는 동경과 각 6θ를 나타내는 동경이 일직선 위에 있고 방향이 반대이므로

$6\theta - \theta = 360° \times n + 180°$ (단, n은 정수)

$5\theta = 360° \times n + 180°$, 즉 $\theta = 72° \times n + 36°$

$\therefore \theta = 36°, 108°, 180°, \cdots$

이때 $0° < \theta < 90°$이므로 $\theta = 36°$

(2) 각 2θ를 나타내는 동경과 각 4θ를 나타내는 동경이 x축에 대하여 대칭이므로

$2\theta + 4\theta = 360° \times n$ (단, n은 정수)

$6\theta = 360° \times n$, 즉 $\theta = 60° \times n$

$\therefore \theta = 60°, 120°, 180°, \cdots$

이때 $90° < \theta < 180°$이므로

$\theta = 120°$

달 (1) $36°$ (2) $120°$

245

(1) $\dfrac{3}{5}\pi = \dfrac{3}{5} \times 180° = 108°$

(2) $180 = 180 \times \dfrac{180°}{\pi} = \dfrac{32400°}{\pi}$

(3) $\pi° = \pi \times \dfrac{\pi}{180} = \dfrac{\pi^2}{180}$

(4) $15° = 15 \times \dfrac{\pi}{180} = \dfrac{\pi}{12}$

달 (1) $108°$ (2) $\dfrac{32400°}{\pi}$

(3) $\dfrac{\pi^2}{180}$ (4) $\dfrac{\pi}{12}$

247

(1) $\dfrac{9}{2}\pi = 2\pi \cdot 2 + \dfrac{\pi}{2}$

$\therefore \theta = 2n\pi + \dfrac{\pi}{2}$ (단, n은 정수)

(2) $-\dfrac{10}{3}\pi = 2\pi \cdot (-2) + \dfrac{2}{3}\pi$

$\therefore \theta = 2n\pi + \dfrac{2}{3}\pi$ (단, n은 정수)

달 (1) $\theta = 2n\pi + \dfrac{\pi}{2}$ (단, n은 정수)

(2) $\theta = 2n\pi + \dfrac{2}{3}\pi$ (단, n은 정수)

249

부채꼴의 반지름의 길이를 r, 중심각의 크기를 θ, 호의 길이를 l, 넓이를 S라 하면

(1) $r = 4$, $S = 10\pi$이므로 $S = \dfrac{1}{2}rl$에서

$10\pi = \dfrac{1}{2} \times 4 \times l$ $\therefore l = 5\pi$

$l = r\theta$에서 $5\pi = 4\theta$ $\therefore \theta = \dfrac{5}{4}\pi$

(2) $l=2\pi$, $S=3\pi$이므로 $S=\dfrac{1}{2}rl$에서

$\qquad 3\pi=\dfrac{1}{2}\times r\times2\pi$ $\qquad\therefore r=3$

$\qquad l=r\theta$에서 $2\pi=3\theta$ $\qquad\therefore \theta=\dfrac{2}{3}\pi$

$\qquad$ **답** (1) 중심각의 크기: $\dfrac{5}{4}\pi$, 호의 길이: 5π

$\qquad\qquad$ (2) 반지름의 길이: 3, 중심각의 크기: $\dfrac{2}{3}\pi$

251

부채꼴의 반지름의 길이를 r, 호의 길이를 l이라 하면 둘레의 길이가 20이므로

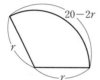

$2r+l=20$

$\therefore l=20-2r$

이때 $20-2r>0$, $r>0$이므로

$0<r<10$

부채꼴의 넓이를 S라 하면

$S=\dfrac{1}{2}rl=\dfrac{1}{2}r(20-2r)=-r^2+10r$

$\quad=-(r-5)^2+25$

따라서 $r=5$, 즉 반지름의 길이가 5일 때, 부채꼴의 넓이는 최대가 되고 그때의 넓이는 25이다.

$\qquad$ **답** 25

252

① $-240°=360°\times(-1)+120°$ ➡ 제2사분면의 각

② $-120°=360°\times(-1)+240°$ ➡ 제3사분면의 각

③ $120°$ ➡ 제2사분면의 각

④ $480°=360°\times1+120°$ ➡ 제2사분면의 각

⑤ $820°=360°\times2+100°$ ➡ 제2사분면의 각

따라서 나머지 넷과 다른 것은 ②이다.

$\qquad$ **답** ②

253

각 3θ를 나타내는 동경과 각 5θ를 나타내는 동경이 y축에 대하여 대칭이므로

$3\theta+5\theta=360°\times n+180°$ (단, n은 정수)

$8\theta=360°\times n+180°$, 즉 $\theta=45°\times n+22.5°$

$\therefore \theta=22.5°,\ 67.5°,\ 112.5°,\ \cdots$

이 중에서 예각은 $22.5°$, $67.5°$이므로 구하는 합은

$22.5°+67.5°=90°$

$\qquad$ **답** $90°$

254

① $30°=30\times\dfrac{\pi}{180}=\dfrac{\pi}{6}$

② $108°=108\times\dfrac{\pi}{180}=\dfrac{3}{5}\pi$

③ $200°=200\times\dfrac{\pi}{180}=\dfrac{10}{9}\pi$

④ $\dfrac{3}{4}\pi=\dfrac{3}{4}\times180°=135°$

⑤ $\dfrac{5}{3}\pi=\dfrac{5}{3}\times180°=300°$

따라서 옳지 않은 것은 ⑤이다.

$\qquad$ **답** ⑤

255

부채꼴의 반지름의 길이를 r, 호의 길이를 l, 중심각의 크기를 θ라 하자.

둘레의 길이가 14이므로 $2r+l=14$ $\qquad$ ······ ㉠

$\theta=\dfrac{1}{3}$이므로 $l=r\theta$에서 $l=\dfrac{1}{3}r$ $\qquad$ ······ ㉡

㉡을 ㉠에 대입하면

$2r+\dfrac{1}{3}r=14$, $\dfrac{7}{3}r=14$ $\qquad\therefore r=6$

$\therefore S=\dfrac{1}{2}r^2\theta=\dfrac{1}{2}\times6^2\times\dfrac{1}{3}=6$

$\qquad$ **답** 6

256

반지름의 길이가 6, 중심각의 크기가 $\dfrac{\pi}{3}$인 부채꼴의 넓이는 $\dfrac{1}{2}\times6^2\times\dfrac{\pi}{3}=6\pi$

반지름의 길이가 r, 호의 길이가 3π인 부채꼴의 넓이는

$\dfrac{1}{2}\times r\times3\pi=\dfrac{3}{2}\pi r$

두 부채꼴의 넓이가 같으므로

$6\pi=\dfrac{3}{2}\pi r$ $\qquad\therefore r=4$

$\qquad$ **답** 4

258

$\triangle ADC$는 세 변의 길이의 비가 $\sqrt{2}:1:1$인 직각삼각형이다.

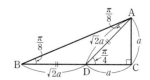

또 $\angle ADC = \angle ABD + \angle BAD$이므로

$$\angle BAD = \angle ADC - \angle ABD = \frac{\pi}{4} - \frac{\pi}{8} = \frac{\pi}{8}$$

즉, $\triangle ABD$는 $\overline{AD} = \overline{BD}$인 이등변삼각형이다.

따라서 $\triangle ABC$에서

$$\tan\frac{\pi}{8} = \frac{\overline{AC}}{\overline{BC}} = \frac{a}{\sqrt{2}\,a + a} = \frac{1}{\sqrt{2}+1} = \sqrt{2}-1$$

답 $\sqrt{2}-1$

260

$855° = 360° \times 2 + 135°$이므로 두 바퀴 돌린 후 $135°$만큼 더 돌리면 된다.

그림과 같이 동경에서 x축에 수선을 그어 직각삼각형 하나를 만든다.

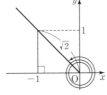

이 직각삼각형으로부터

$$\sin 855° = \frac{y}{r} = \frac{1}{\sqrt{2}}$$

$$\cos 855° = \frac{x}{r} = -\frac{1}{\sqrt{2}}, \quad \tan 855° = \frac{y}{x} = -1$$

답 $\sin 855° = \dfrac{1}{\sqrt{2}}$, $\cos 855° = -\dfrac{1}{\sqrt{2}}$, $\tan 855° = -1$

262

$\overline{OP} = \sqrt{12^2 + (-5)^2} = 13$이므로

$$\sin\theta = \frac{y}{r} = -\frac{5}{13},$$

$$\cos\theta = \frac{x}{r} = \frac{12}{13},$$

$$\tan\theta = \frac{y}{x} = -\frac{5}{12}$$

답 $\sin\theta = -\dfrac{5}{13}$, $\cos\theta = \dfrac{12}{13}$, $\tan\theta = -\dfrac{5}{12}$

264

그림과 같이 반지름의 길이가 1인 원에서 $\theta = \frac{7}{6}\pi$의 동경과 이 원의 교점을 P, 점 P에서 x축에 내린 수선의 발을 H라 하면 직각삼각형 POH에서

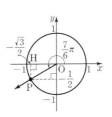

$\angle POH = \frac{\pi}{6}$이므로 점 P의 좌표는 $\left(-\dfrac{\sqrt{3}}{2}, -\dfrac{1}{2}\right)$이다.

$$\therefore \sin\theta = -\frac{1}{2}, \quad \cos\theta = -\frac{\sqrt{3}}{2}, \quad \tan\theta = \frac{\sqrt{3}}{3}$$

답 $\sin\theta = -\dfrac{1}{2}$, $\cos\theta = -\dfrac{\sqrt{3}}{2}$, $\tan\theta = \dfrac{\sqrt{3}}{3}$

266

(i) $\dfrac{\cos\theta}{\sin\theta} > 0$에서

$\cos\theta > 0$, $\sin\theta > 0$ 또는

$\cos\theta < 0$, $\sin\theta < 0$

이므로 θ는 제1사분면 또는 제3사분면의 각이다.

(ii) $\dfrac{\cos\theta}{\tan\theta} < 0$에서

$\cos\theta > 0$, $\tan\theta < 0$ 또는

$\cos\theta < 0$, $\tan\theta > 0$

이므로 θ는 제4사분면 또는 제3사분면의 각이다.

(i), (ii)에서 θ는 제3사분면의 각이다.

답 제3사분면

268

$90° < \theta < 180°$에서 θ는 제2사분면의 각

➡ 제2사분면은 사인 동네 ➡ 사인만 양수

즉, $\sin\theta > 0$, $\cos\theta < 0$, $\tan\theta < 0$이므로

$\tan\theta - \sin\theta < 0$

$\therefore$ (주어진 식)

$= -\cos\theta + (\tan\theta - \sin\theta) - (\tan\theta - \cos\theta)$

$= -\sin\theta$

답 $-\sin\theta$

270

(주어진 식) $= \dfrac{\cos^2\theta(1+\sin\theta) + \cos^2\theta(1-\sin\theta)}{(1-\sin\theta)(1+\sin\theta)}$

$= \dfrac{2\cos^2\theta}{1-\sin^2\theta} = \dfrac{2\cos^2\theta}{\cos^2\theta} = 2$

답 2

272

$\cos\theta = \dfrac{12}{13}$이므로

$$\sin^2\theta = 1 - \cos^2\theta = 1 - \left(\frac{12}{13}\right)^2 = \frac{25}{169}$$

$$\therefore \sin\theta = \pm\frac{5}{13}$$

그런데 θ는 제4사분면의 각이므로 $\sin\theta < 0$

$$\therefore \sin\theta = -\frac{5}{13}$$

$$\therefore \tan\theta = \frac{\sin\theta}{\cos\theta} = \frac{-\dfrac{5}{13}}{\dfrac{12}{13}} = -\frac{5}{12}$$

답 $\sin\theta = -\dfrac{5}{13}$, $\tan\theta = -\dfrac{5}{12}$

▶ 다른 풀이

θ를 예각 x로 가정하면
$\cos\theta=\dfrac{12}{13}$를 만족시키
는 직각삼각형은 그림과
같다.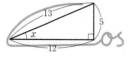

이 직각삼각형에서
$\sin x=\dfrac{5}{13}$, $\tan x=\dfrac{5}{12}$

그런데 θ는 제4사분면의 각이므로 $\cos$만 양수이다.

$\therefore \sin\theta=-\dfrac{5}{13}$, $\tan\theta=-\dfrac{5}{12}$

274

(1) $\sin\theta-\cos\theta=\dfrac{1}{2}$의 양변을 제곱하면

$\sin^2\theta-2\sin\theta\cos\theta+\cos^2\theta=\dfrac{1}{4}$

$1-2\sin\theta\cos\theta=\dfrac{1}{4}$ $\quad\therefore \sin\theta\cos\theta=\dfrac{3}{8}$

(2) $(\sin\theta+\cos\theta)^2=1+2\sin\theta\cos\theta$

$\qquad\qquad\qquad =1+2\cdot\dfrac{3}{8}=\dfrac{7}{4}$ ⬅ (1)

$\therefore \sin\theta+\cos\theta=\pm\dfrac{\sqrt{7}}{2}$

(3) $\sin^3\theta-\cos^3\theta$

$=(\sin\theta-\cos\theta)(\sin^2\theta+\sin\theta\cos\theta+\cos^2\theta)$

$=\dfrac{1}{2}\cdot\left(1+\dfrac{3}{8}\right)=\dfrac{11}{16}$ ⬅ (1)

답 (1) $\dfrac{3}{8}$ (2) $\pm\dfrac{\sqrt{7}}{2}$ (3) $\dfrac{11}{16}$

276

이차방정식 $2x^2-(\sqrt{3}+1)x+a=0$의 두 근이
$\sin\theta$, $\cos\theta$이므로 근과 계수의 관계에 의하여

$\sin\theta+\cos\theta=\dfrac{\sqrt{3}+1}{2}$ $\quad\cdots\cdots$ ㉠

$\sin\theta\cos\theta=\dfrac{a}{2}$ $\quad\cdots\cdots$ ㉡

㉠의 양변을 제곱하면

$\sin^2\theta+2\sin\theta\cos\theta+\cos^2\theta=\dfrac{4+2\sqrt{3}}{4}$

$1+2\sin\theta\cos\theta=\dfrac{2+\sqrt{3}}{2}$

㉡을 이 식에 대입하면

$1+2\cdot\dfrac{a}{2}=\dfrac{2+\sqrt{3}}{2}$ $\quad\therefore a=\dfrac{\sqrt{3}}{2}$

답 $\dfrac{\sqrt{3}}{2}$

277

$\overline{\text{OP}}=\sqrt{(-4)^2+(-3)^2}=5$
이므로

$\sin\theta=\dfrac{y}{r}=-\dfrac{3}{5}$,

$\cos\theta=\dfrac{x}{r}=-\dfrac{4}{5}$,

$\tan\theta=\dfrac{y}{x}=\dfrac{3}{4}$

$\therefore \dfrac{4\tan\theta}{\sin\theta-\cos\theta}=\dfrac{4\cdot\dfrac{3}{4}}{-\dfrac{3}{5}-\left(-\dfrac{4}{5}\right)}=15$

답 15

278

제2사분면은 사인네 동네 ➡ 사인만 양수

① $\sin\theta<0$, $\cos\theta<0$이므로 제3사분면의 각
② $\sin\theta<0$, $\cos\theta>0$이므로 제4사분면의 각
③ $\sin\theta>0$, $\tan\theta>0$이므로 제1사분면의 각
④ $\sin\theta>0$, $\tan\theta<0$이므로 제2사분면의 각
⑤ $\cos\theta>0$, $\tan\theta<0$이므로 제4사분면의 각

답 ④

279

$\dfrac{1+\cos\theta}{1-\cos\theta}=4$에서

$1+\cos\theta=4(1-\cos\theta)$

$1+\cos\theta=4-4\cos\theta$

$5\cos\theta=3$ $\quad\therefore \cos\theta=\dfrac{3}{5}$

$\sin^2\theta=1-\cos^2\theta$

$\qquad =1-\left(\dfrac{3}{5}\right)^2=\dfrac{16}{25}$

$\therefore \sin\theta=\pm\dfrac{4}{5}$

그런데 θ가 제4사분면의 각이므로 $\sin\theta<0$

$\therefore \sin\theta=-\dfrac{4}{5}$

따라서 $\tan\theta=\dfrac{\sin\theta}{\cos\theta}=-\dfrac{4}{3}$이므로

$10\cos\theta-9\tan\theta=10\cdot\dfrac{3}{5}-9\cdot\left(-\dfrac{4}{3}\right)=18$

답 18

280

(1) $(\sin\theta+\cos\theta)^2=1+2\sin\theta\cos\theta$

$\qquad\qquad\qquad =1+2\cdot\dfrac{1}{4}=\dfrac{3}{2}$

$$\therefore \sin\theta+\cos\theta=\pm\sqrt{\frac{3}{2}}=\pm\frac{\sqrt{6}}{2}$$

(2) $(\sin\theta-\cos\theta)^2=1-2\sin\theta\cos\theta$

$$=1-2\cdot\frac{1}{4}=\frac{1}{2}$$

$$\therefore \sin\theta-\cos\theta=\pm\sqrt{\frac{1}{2}}=\pm\frac{\sqrt{2}}{2}$$

(3) (주어진 식)$=\dfrac{\cos^4\theta+\sin^4\theta}{\sin^2\theta\cos^2\theta}$

$$=\frac{(\sin^2\theta+\cos^2\theta)^2-2\sin^2\theta\cos^2\theta}{\sin^2\theta\cos^2\theta}$$

$$=\frac{1}{(\sin\theta\cos\theta)^2}-2$$

$$=\frac{1}{\left(\frac{1}{4}\right)^2}-2=14$$

답 (1) $\pm\dfrac{\sqrt{6}}{2}$ (2) $\pm\dfrac{\sqrt{2}}{2}$ (3) 14

281

이차방정식 $5x^2-7x+a=0$의 두 근이 $\sin\theta$, $\cos\theta$이
므로 이차방정식의 근과 계수의 관계에 의하여

$$\sin\theta+\cos\theta=\frac{7}{5} \quad\cdots\cdots\ \text{㉠}$$

$$\sin\theta\cos\theta=\frac{a}{5} \quad\cdots\cdots\ \text{㉡}$$

㉠의 양변을 제곱하면

$$\sin^2\theta+\cos^2\theta+2\sin\theta\cos\theta=\frac{49}{25}$$

$$1+2\sin\theta\cos\theta=\frac{49}{25}$$

$$\therefore \sin\theta\cos\theta=\frac{12}{25}$$

따라서 ㉡에서 $\dfrac{a}{5}=\dfrac{12}{25}$이므로 $a=\dfrac{12}{5}$

$(\sin\theta-\cos\theta)^2=\sin^2\theta+\cos^2\theta-2\sin\theta\cos\theta$

$$=1-2\cdot\frac{12}{25}=\frac{1}{25}$$

이므로 $\sin\theta-\cos\theta=\pm\dfrac{1}{5}$

그런데 $\sin\theta>\cos\theta$이므로 $\sin\theta-\cos\theta>0$

$$\therefore \sin\theta-\cos\theta=\frac{1}{5}$$

$$\therefore \frac{a}{\sin\theta-\cos\theta}=\frac{\frac{12}{5}}{\frac{1}{5}}=12$$

답 12

282

각 θ를 나타내는 동경과 각 5θ를 나타내는 동경이 x축

에 대하여 대칭이므로

$$\theta+5\theta=360°\times n \text{ (단, } n\text{은 정수)}$$

$$6\theta=360°\times n \quad\therefore \theta=60°\times n$$

이때 $0°<\theta<180°$이므로 $\theta=60°$ 또는 $\theta=120°$

$$\therefore \sin\theta=\sin60°=\sin120°=\frac{\sqrt{3}}{2}$$

답 $\dfrac{\sqrt{3}}{2}$

283

원의 둘레의 길이는 $2\pi r$이고, 호의 길이는 중심각의 크
기에 비례하므로

$$l:a°=2\pi r:360°$$

$$\frac{l}{\boxed{2\pi r}}=\frac{a°}{360°}$$

이때 $l=r$이면

$$\frac{r}{2\pi r}=\frac{a°}{360°},\ \frac{1}{2\pi}=\frac{a°}{360°}$$

$$\therefore a°=\frac{360°}{2\pi}=\boxed{\frac{180°}{\pi}}$$

따라서 ㈎, ㈏에 알맞은 것은 각각 $2\pi r$, $\dfrac{180°}{\pi}$이다.

답 ㈎ $2\pi r$, ㈏ $\dfrac{180°}{\pi}$

284

부채꼴의 반지름의 길이를 r, 중심각의 크기를 θ라 하면

$$r=2, \theta=360°-60°=2\pi-\frac{\pi}{3}=\frac{5}{3}\pi$$

(1) 호의 길이 l은

$$l=r\theta=2\cdot\frac{5}{3}\pi=\frac{10}{3}\pi$$

$$\therefore \text{(부채꼴의 둘레의 길이)}=l+2r=\frac{10}{3}\pi+4$$

(2) (부채꼴의 넓이)$=\dfrac{1}{2}r^2\theta$

$$=\frac{1}{2}\cdot2^2\cdot\frac{5}{3}\pi=\frac{10}{3}\pi$$

답 (1) $\dfrac{10}{3}\pi+4$ (2) $\dfrac{10}{3}\pi$

285

주어진 부채꼴의 호의 길이와 넓이는 각각

$$l=r\theta, S=\frac{1}{2}r^2\theta\text{이고,}$$

θ를 $\dfrac{1}{2}$배 하면 $\dfrac{1}{2}\theta$, r를 4배 하면 $4r$이다.

변화된 부채꼴의 호의 길이와 넓이를 각각 l', S'이라 하면

$l'=(4r)\cdot\left(\dfrac{1}{2}\theta\right)=2r\theta=2l$

$S'=\dfrac{1}{2}(4r)^2\cdot\left(\dfrac{1}{2}\theta\right)=8\cdot\dfrac{1}{2}r^2\theta=8S$

따라서 호의 길이는 2배가 되고, 넓이는 8배가 된다.

답 ⑤

286

$\cos\theta\neq0$이고, $\sqrt{\dfrac{\sin\theta}{\cos\theta}}=-\dfrac{\sqrt{\sin\theta}}{\sqrt{\cos\theta}}$이므로

$\sin\theta>0$, $\cos\theta<0$

즉, θ는 제2사분면의 각이므로

$\sin\theta-\tan\theta>0$, $\cos\theta-\sin\theta<0$, $\tan\theta<0$

$\therefore\sqrt{(\sin\theta-\tan\theta)^2}-|\cos\theta-\sin\theta|-\sqrt{\tan^2\theta}$

$=(\sin\theta-\tan\theta)+(\cos\theta-\sin\theta)+\tan\theta$

$=\cos\theta$

답 $\cos\theta$

287

$\sin\theta+\cos\theta=\sqrt{2}$의 양변을 제곱하면

$\sin^2\theta+2\sin\theta\cos\theta+\cos^2\theta=2$

$1+2\sin\theta\cos\theta=2$

$\therefore\sin\theta\cos\theta=\dfrac{1}{2}$

답 $\dfrac{1}{2}$

288

$2x^2-kx+1=0$의 두 근이 $\sin\theta$, $\cos\theta$이므로

$\sin\theta+\cos\theta=\dfrac{k}{2}$ ...... ㉠

$\sin\theta\cos\theta=\dfrac{1}{2}$ ...... ㉡

㉠의 양변을 제곱하면

$\sin^2\theta+2\sin\theta\cos\theta+\cos^2\theta=\dfrac{k^2}{4}$

$1+2\sin\theta\cos\theta=\dfrac{k^2}{4}$

㉡을 이 식에 대입하면

$2=\dfrac{k^2}{4}$ $\therefore k^2=8$

답 8

289

직선 $y=x$가 x축의 양의 방향과 이루는 각의 크기를 θ라 하면

$\tan\theta=1$ $\therefore\theta=45°$

$a>b>0$일 때, 직선 $y=x$에 대하여 대칭인 두 직선 $y=ax$, $y=bx$가 이루는 각의 크기가 30°인 경우는 그림과 같다.

두 직선 $y=ax$, $y=bx$가 x축의 양의 방향과 이루는 각의 크기는 각각 60°, 30°이므로

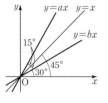

$a=\tan60°=\sqrt{3}$

$b=\tan30°=\dfrac{\sqrt{3}}{3}$

$\therefore3(a^2+b^2)=3\left(3+\dfrac{1}{3}\right)=10$

답 10

290

부채꼴의 반지름의 길이를 r, 호의 길이를 l이라 하면 부채꼴의 넓이가 9이므로

$9=\dfrac{1}{2}rl$ $\therefore l=\dfrac{18}{r}$

따라서 부채꼴의 둘레의 길이는

$2r+l=2r+\dfrac{18}{r}$

이때 $2r>0$, $\dfrac{18}{r}>0$이므로

산술평균과 기하평균의 대소 관계에 의하여

$2r+\dfrac{18}{r}\geq2\sqrt{2r\cdot\dfrac{18}{r}}=2\cdot6=12$

(단, 등호는 $2r=\dfrac{18}{r}$, 즉 $r=3$일 때 성립)

따라서 부채꼴의 둘레의 길이의 최솟값은 12이다.

답 12

291

$\overline{OA}=\overline{OB}=1$이므로 삼각함수의 정의를 이용하여 세 선분 OQ, AP, BQ의 길이를 각각 θ로 나타내면

$\overline{OQ}=\dfrac{\overline{OQ}}{\overline{OB}}=\cos\theta$

$\overline{AP}=\dfrac{\overline{AP}}{\overline{OA}}=\tan\theta$

$\overline{BQ}=\dfrac{\overline{BQ}}{\overline{OB}}=\sin\theta$

$\overline{OQ}=2\overline{AP}\cdot\overline{BQ}$에서

$\cos\theta=2\tan\theta\sin\theta$, $\cos\theta=2\times\dfrac{\sin\theta}{\cos\theta}\times\sin\theta$

$\therefore\cos^2\theta=2\sin^2\theta$

$\sin^2\theta+\cos^2\theta=1$이므로

$1-\sin^2\theta=2\sin^2\theta$, $3\sin^2\theta=1$

$\therefore\sin^2\theta=\dfrac{1}{3}$

답 $\dfrac{1}{3}$

2 삼각함수의 그래프

293

(1) 최댓값: 4, 최솟값: -4, 주기: $\dfrac{2\pi}{\frac{1}{2}}=4\pi$

$y=4\sin\dfrac{1}{2}x$의 그래프는 $y=\sin x$의 그래프를 y축의 방향으로 4배, x축의 방향으로 2배한 것이므로 그림과 같다.

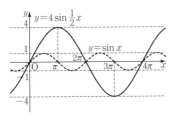

(2) 최댓값: 1, 최솟값: -1, 주기: $\dfrac{2\pi}{2}=\pi$

$y=\cos 2x$의 그래프는 $y=\cos x$의 그래프를 x축의 방향으로 $\dfrac{1}{2}$배한 것이므로 그림과 같다.

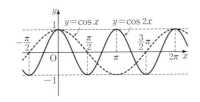

(3) 최댓값, 최솟값: 없다., 주기: $\dfrac{\pi}{2}$

$y=2\tan 2x$의 그래프는 $y=\tan x$의 그래프를 y축의 방향으로 2배, x축의 방향으로 $\dfrac{1}{2}$배한 것이므로 그림과 같다.

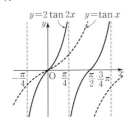

답 풀이 참조

295

(1) $y=-2\sin 4x+1$의 그래프는 $y=\sin x$의 그래프를 x축에 대하여 대칭이동한 후 y축의 방향으로 2배, x축의 방향으로 $\dfrac{1}{4}$배한 다음 y축의 방향으로 1만큼 평행이동한 것이다.

따라서 그래프는 그림과 같고,
최댓값은 $2+1=3$, 최솟값은 $-2+1=-1$,

주기는 $\dfrac{2\pi}{4}=\dfrac{\pi}{2}$이다.

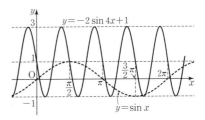

(2) $y=\cos(3x-\pi)+2=\cos 3\left(x-\dfrac{\pi}{3}\right)+2$의 그래프는 $y=\cos x$의 그래프를 x축의 방향으로 $\dfrac{1}{3}$배한 후 x축의 방향으로 $\dfrac{\pi}{3}$만큼, y축의 방향으로 2만큼 평행이동한 것이다.

따라서 그래프는 그림과 같고,
최댓값은 $1+2=3$, 최솟값은 $-1+2=1$,

주기는 $\dfrac{2\pi}{3}$이다.

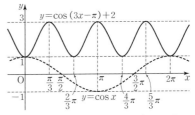

(3) $y=\dfrac{1}{2}\tan\left(2x-\dfrac{\pi}{2}\right)=\dfrac{1}{2}\tan 2\left(x-\dfrac{\pi}{4}\right)$의 그래프는 $y=\tan x$의 그래프를 y축의 방향으로 $\dfrac{1}{2}$배, x축의 방향으로 $\dfrac{1}{2}$배한 후 x축의 방향으로 $\dfrac{\pi}{4}$만큼 평행이동한 것이다.

따라서 그래프는 다음 그림과 같고,
최댓값, 최솟값은 없고,

주기는 $\dfrac{\pi}{2}$이다.

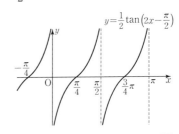

답 풀이 참조

297

최댓값이 $\dfrac{9}{2}$이고 $a>0$이므로

$a-c=\dfrac{9}{2}$ ...... ㉠

주기가 π이고 $b>0$이므로

$\dfrac{2\pi}{b}=\pi$ ∴ $b=2$

∴ $f(x)=a\cos(2x+\pi)-c$

$f\left(-\dfrac{\pi}{3}\right)=2$이므로 $a\cos\left(-\dfrac{2}{3}\pi+\pi\right)-c=2$

$a\cos\dfrac{\pi}{3}-c=2$, $\dfrac{a}{2}-c=2$

∴ $a-2c=4$ ...... ㉡

㉠, ㉡을 연립하여 풀면 $a=5$, $c=\dfrac{1}{2}$

> 답 $a=5$, $b=2$, $c=\dfrac{1}{2}$

299

최댓값이 3, 최솟값이 -3이고 $a>0$이므로 $a=3$

주기가 $\dfrac{13}{6}\pi-\dfrac{\pi}{6}=2\pi$이고 $b>0$이므로

$\dfrac{2\pi}{b}=2\pi$ ∴ $b=1$

따라서 $y=3\cos(x-c)$이고 주어진 그래프는

$y=3\cos x$의 그래프를 x축의 방향으로 $\dfrac{\pi}{6}$만큼 평행이

동한 것이므로 $c=\dfrac{\pi}{6}$

> 답 $a=3$, $b=1$, $c=\dfrac{\pi}{6}$

301

(1) $y=3|\sin x|-1$의 그래프는 $y=3\sin x$의 그래프를 그린 후 x축의 아랫부분을 x축에 대하여 대칭이동한 다음 y축의 방향으로 -1만큼 평행이동한 것이다. 따라서 그래프는 그림과 같고, 최댓값은 2, 최솟값은 -1, 주기는 π이다.

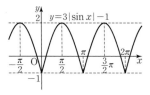

(2) $y=|2\cos 2x|$의 그래프는 $y=2\cos 2x$의 그래프를 그린 후 x축의 아랫부분을 x축에 대하여 대칭이동한 것이다.

따라서 그래프는 그림과 같고, 최댓값은 2, 최솟값은 0, 주기는 $\dfrac{\pi}{2}$이다.

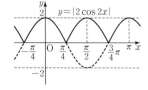

(3) $y=\left|\tan\dfrac{1}{2}x\right|+1$

의 그래프는

$y=\tan\dfrac{1}{2}x$의 그래프를 그린 후 x축의 아랫부분을 x축에 대하여 대칭이동한

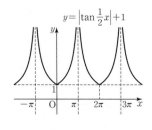

다음 y축의 방향으로 1만큼 평행이동한 것이다. 따라서 그래프는 그림과 같고, 최댓값은 없고, 최솟값은 1, 주기는 2π이다.

> 답 풀이 참조

303

(1) $\sin\dfrac{7}{3}\pi=\sin\left(2\pi+\dfrac{\pi}{3}\right)=\sin\dfrac{\pi}{3}=\dfrac{\sqrt{3}}{2}$

(2) $\cos(-405°)=\cos405°=\cos(360°+45°)$

$\qquad\qquad\qquad=\cos45°=\dfrac{\sqrt{2}}{2}$

(3) $\tan\left(-\dfrac{13}{6}\pi\right)=-\tan\dfrac{13}{6}\pi=-\tan\left(2\pi+\dfrac{\pi}{6}\right)$

$\qquad\qquad\qquad=-\tan\dfrac{\pi}{6}=-\dfrac{\sqrt{3}}{3}$

> 답 (1) $\dfrac{\sqrt{3}}{2}$ (2) $\dfrac{\sqrt{2}}{2}$ (3) $-\dfrac{\sqrt{3}}{3}$

305

(1) $\sin\left(-\dfrac{2}{3}\pi\right)=-\sin\dfrac{2}{3}\pi=-\sin\left(\pi-\dfrac{\pi}{3}\right)$

$\qquad\qquad\qquad=-\sin\dfrac{\pi}{3}=-\dfrac{\sqrt{3}}{2}$

(2) $\cos\dfrac{3}{4}\pi=\cos\left(\pi-\dfrac{\pi}{4}\right)=-\cos\dfrac{\pi}{4}=-\dfrac{\sqrt{2}}{2}$

(3) $\tan210°=\tan(180°+30°)=\tan30°=\dfrac{\sqrt{3}}{3}$

> 답 (1) $-\dfrac{\sqrt{3}}{2}$ (2) $-\dfrac{\sqrt{2}}{2}$ (3) $\dfrac{\sqrt{3}}{3}$

307

(1) $\sin\dfrac{5}{6}\pi=\sin\left(\pi-\dfrac{\pi}{6}\right)=\sin\dfrac{\pi}{6}=\dfrac{1}{2}$

$\tan\dfrac{7}{4}\pi=\tan\left(2\pi-\dfrac{\pi}{4}\right)=\tan\left(-\dfrac{\pi}{4}\right)$

$\qquad\qquad=-\tan\dfrac{\pi}{4}=-1$

$\cos\left(-\dfrac{13}{3}\pi\right)=\cos\dfrac{13}{3}\pi=\cos\left(2\pi\times2+\dfrac{\pi}{3}\right)$

$\qquad\qquad\qquad=\cos\dfrac{\pi}{3}=\dfrac{1}{2}$

∴ (주어진 식) $=\dfrac{1}{2}-(-1)+\dfrac{1}{2}=2$

(2) $\tan 390° = \tan(360° + 30°) = \tan 30° = \dfrac{\sqrt{3}}{3}$

$\sin 840° = \sin(360° \times 2 + 120°) = \sin 120°$

$\qquad = \sin(180° - 60°) = \sin 60° = \dfrac{\sqrt{3}}{2}$

$\cos(-210°) = \cos 210° = \cos(180° + 30°)$

$\qquad = -\cos 30° = -\dfrac{\sqrt{3}}{2}$

$\tan(-600°) = -\tan 600° = -\tan(360° + 240°)$

$\qquad = -\tan 240° = -\tan(180° + 60°)$

$\qquad = -\tan 60° = -\sqrt{3}$

$\therefore$ (주어진 식) $= \dfrac{\sqrt{3}}{3} \cdot \dfrac{\sqrt{3}}{2} - \left(-\dfrac{\sqrt{3}}{2}\right) \cdot (-\sqrt{3}) = -1$

답 (1) 2 (2) -1

309

$\sin\left(\dfrac{\pi}{2} - \theta\right) = \cos\theta$, $\sin\left(\dfrac{\pi}{2} + \theta\right) = \cos\theta$

$\sin(\pi + \theta) = -\sin\theta$, $\sin(\pi - \theta) = \sin\theta$

$\therefore$ (주어진 식)

$= \dfrac{\cos\theta}{1 - \sin\theta} + \dfrac{\cos\theta}{1 + \sin\theta}$

$= \dfrac{\cos\theta(1 + \sin\theta) + \cos\theta(1 - \sin\theta)}{(1 - \sin\theta)(1 + \sin\theta)}$

$= \dfrac{2\cos\theta}{1 - \sin^2\theta} = \dfrac{2\cos\theta}{\cos^2\theta} = \dfrac{2}{\cos\theta}$

답 $\dfrac{2}{\cos\theta}$

311

(1) $70° = 90° - 20°$이므로 각을 20°로 통일하면

$\cos 70° = \cos(90° - 20°) = \sin 20°$

$\therefore$ (주어진 식) $= \cos^2 20° + \sin^2 20° = 1$

(2) 각의 합이 90°인 항끼리 둘씩 짝을 지어 계산한다.

$\therefore$ (주어진 식)

$= (\sin^2 1° + \sin^2 89°) + (\sin^2 2° + \sin^2 88°)$

$\qquad + \cdots + (\sin^2 44° + \sin^2 46°) + \sin^2 45°$

$= (\sin^2 1° + \cos^2 1°) + (\sin^2 2° + \cos^2 2°)$

$\qquad + \cdots + (\sin^2 44° \cos^2 44°) + \sin^2 45°$

$= \underbrace{1 + 1 + \cdots + 1}_{44개} + \left(\dfrac{\sqrt{2}}{2}\right)^2 = 44 + \dfrac{1}{2} = \dfrac{89}{2}$

답 (1) 1 (2) $\dfrac{89}{2}$

313

(1) $\sin 23° + \cos 21° = 0.3907 + 0.9336 = 1.3243$

(2) $\cos 24° - \tan 25° = 0.9135 - 0.4663 = 0.4472$

답 (1) 1.3243 (2) 0.4472

314

④ $y = \tan x$의 정의역은 $n\pi + \dfrac{\pi}{2}$ (n은 정수)를 제외한 실수 전체의 집합이다.

답 ④

315

각 함수의 주기는 다음과 같다.

① 2π ② $\dfrac{2\pi}{4} = \dfrac{\pi}{2}$ ③ $\dfrac{\pi}{2}$

④ $\dfrac{2\pi}{\frac{1}{3}} = 6\pi$ ⑤ $\dfrac{2\pi}{\frac{1}{2}} = 4\pi$

따라서 주기가 가장 큰 것은 ④이다.

답 ④

316

① 최댓값은 $4 - 1 = 3$이다. (참)

② 최솟값은 $-4 - 1 = -5$이다. (참)

③ 주기는 $\dfrac{2\pi}{2} = \pi$이다. (참)

④ $x = 0$을 대입하면

$y = 4\sin\dfrac{\pi}{6} - 1 = 4 \cdot \dfrac{1}{2} - 1 = 1$

이므로 그래프는 점 $(0, 1)$을 지난다. (참)

⑤ $y = 4\sin\left(2x + \dfrac{\pi}{6}\right) - 1 = 4\sin 2\left(x + \dfrac{\pi}{12}\right) - 1$이므로

함수 $y = 4\sin 2x$의 그래프를 x축의 방향으로 $-\dfrac{\pi}{12}$

만큼, y축의 방향으로 -1만큼 평행이동한 것이다.

(거짓)

답 ⑤

317

$\sin\dfrac{10}{3}\pi = \sin\left(2\pi + \dfrac{4}{3}\pi\right) = \sin\dfrac{4}{3}\pi$

$\qquad = \sin\left(\pi + \dfrac{\pi}{3}\right) = -\sin\dfrac{\pi}{3} = -\dfrac{\sqrt{3}}{2}$

$\tan\dfrac{5}{3}\pi = \tan\left(2\pi - \dfrac{\pi}{3}\right) = \tan\left(-\dfrac{\pi}{3}\right)$

$\qquad = -\tan\dfrac{\pi}{3} = -\sqrt{3}$

$\cos\dfrac{3}{4}\pi = \cos\left(\pi - \dfrac{\pi}{4}\right) = -\cos\dfrac{\pi}{4} = -\dfrac{\sqrt{2}}{2}$

$\cos\left(-\dfrac{7}{3}\pi\right) = \cos\dfrac{7}{3}\pi = \cos\left(2\pi + \dfrac{\pi}{3}\right) = \cos\dfrac{\pi}{3} = \dfrac{1}{2}$

$$\therefore \text{(주어진 식)} = \left(-\frac{\sqrt{3}}{2}\right) \cdot (-\sqrt{3}) \cdot \left(-\frac{\sqrt{2}}{2}\right)^2 - \frac{1}{2}$$
$$= \frac{3}{4} - \frac{1}{2} = \frac{1}{4}$$

답 $\dfrac{1}{4}$

318

ㄱ. $\sin\left(\dfrac{\pi}{2}-\theta\right)=\cos\theta$ 이므로

$\sin^2\theta + \sin^2\left(\dfrac{\pi}{2}-\theta\right) = \sin^2\theta + \cos^2\theta = 1$

ㄴ. $\cos\left(\dfrac{\pi}{2}-\theta\right)=\sin\theta$ 이므로

$\cos^2\theta + \cos^2\left(\dfrac{\pi}{2}-\theta\right) = \cos^2\theta + \sin^2\theta = 1$

ㄷ. $\sin\left(\dfrac{\pi}{2}-\theta\right)=\cos\theta$ 이므로

$\sin\theta\sin\left(\dfrac{\pi}{2}-\theta\right) = \sin\theta\cos\theta$

따라서 옳지 않은 것은 ㄷ이다.

답 ㄷ

320

$y = \sin\left(\dfrac{\pi}{2}+x\right) - 3\cos(x+\pi) + 2$

$= \cos x - 3 \cdot (-\cos x) + 2 = 4\cos x + 2$

이때 $-1 \le \cos x \le 1$ 이므로 $-4 \le 4\cos x \le 4$

$\therefore -2 \le 4\cos x + 2 \le 6$

따라서 구하는 최댓값은 6, 최솟값은 -2이다.

답 최댓값: 6, 최솟값: -2

322

(1) $y = |\sin x + 2| - 5$에서

$\sin x = t$로 치환하면

$y = |t+2| - 5$

(단, $-1 \le t \le 1$)

따라서 함수의 그래프는

그림과 같으므로

$t=1$일 때 최댓값은 -2,

$t=-1$일 때 최솟값은 -4

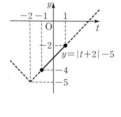

(2) $y = -|\cos x - 3| + 2$에서

$\cos x = t$로 치환하면

$y = -|t-3| + 2$

(단, $-1 \le t \le 1$)

따라서 함수의 그래프는 그

림과 같으므로

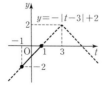

$t=1$일 때 최댓값은 0, $t=-1$일 때 최솟값은 -2

답 (1) 최댓값: -2, 최솟값: -4

(2) 최댓값: 0, 최솟값: -2

▶ 다른 풀이

(1) $-1 \le \sin x \le 1$이므로 $1 \le \sin x + 2 \le 3$

$1 \le |\sin x + 2| \le 3$

$\therefore -4 \le |\sin x + 2| - 5 \le -2$

따라서 구하는 최댓값은 -2, 최솟값은 -4이다.

(2) $-1 \le \cos x \le 1$이므로 $-4 \le \cos x - 3 \le -2$

$2 \le |\cos x - 3| \le 4$, $-4 \le -|\cos x - 3| \le -2$

$\therefore -2 \le -|\cos x - 3| + 2 \le 0$

따라서 구하는 최댓값은 0, 최솟값은 -2이다.

324

(1) $y = -\sin^2 x - 4\cos x + 6$

$= -(1 - \cos^2 x) - 4\cos x + 6$

$= \cos^2 x - 4\cos x + 5$

$\cos x = t$로 치환하면

$y = t^2 - 4t + 5 = (t-2)^2 + 1$

(단, $-1 \le t \le 1$)

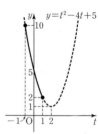

따라서 함수의 그래프는 그

림과 같으므로

$t=-1$일 때 최댓값은 10,

$t=1$일 때 최솟값은 2

(2) $\sin\left(x+\dfrac{\pi}{2}\right) = \cos x$이므로

$y = 2\sin^2\left(x+\dfrac{\pi}{2}\right) - 4\sin x - 5$

$= 2\cos^2 x - 4\sin x - 5$

$= 2(1 - \sin^2 x) - 4\sin x - 5$

$= -2\sin^2 x - 4\sin x - 3$

$\sin x = t$로 치환하면

$y = -2t^2 - 4t - 3 = -2(t+1)^2 - 1$

(단, $-1 \le t \le 1$)

따라서 함수의 그래프는

그림과 같으므로

$t=-1$일 때 최댓값은 -1,

$t=1$일 때 최솟값은 -9

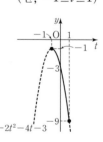

답 (1) 최댓값: 10, 최솟값: 2

(2) 최댓값: -1, 최솟값: -9

326

(1) $\sin x = t$로 치환하면 주어진 함수는

$$y = -\frac{t-1}{t+3} = -\frac{(t+3)-4}{t+3} = -1 + \frac{4}{t+3}$$

$$(단, \ -1 \le t \le 1)$$

따라서 함수의 그래프는
그림과 같으므로
$t=-1$일 때 최댓값은
1, $t=1$일 때 최솟값은 0

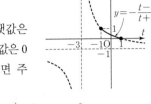

(2) $\cos x = t$로 놓으면 주어진 함수는

$$y = \frac{2t+1}{t+2} = \frac{2(t+2)-3}{t+2} = 2 - \frac{3}{t+2}$$

$$(단, \ -1 \le t \le 1)$$

따라서 함수의 그래프는
그림과 같으므로
$t=1$일 때 최댓값은 1,
$t=-1$일 때 최솟값은 -1

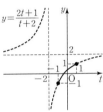

답 (1) 최댓값: 1, 최솟값: 0
(2) 최댓값: 1, 최솟값: -1

▶ **다른 풀이**

(1) $y = -\dfrac{\sin x - 1}{\sin x + 3} = -\dfrac{(\sin x + 3) - 4}{\sin x + 3}$

$\qquad = -1 + \dfrac{4}{\sin x + 3}$

$-1 \le \sin x \le 1$이므로 $2 \le \sin x + 3 \le 4$

$1 \le \dfrac{4}{\sin x + 3} \le 2$

$\therefore \ 0 \le -1 + \dfrac{4}{\sin x + 3} \le 1$

따라서 구하는 최댓값은 1, 최솟값은 0이다.

(2) $y = \dfrac{2\cos x + 1}{\cos x + 2} = \dfrac{2(\cos x + 2) - 3}{\cos x + 2}$

$\qquad = 2 - \dfrac{3}{\cos x + 2}$

$-1 \le \cos x \le 1$이므로 $1 \le \cos x + 2 \le 3$

$\dfrac{1}{3} \le \dfrac{1}{\cos x + 2} \le 1, \ -3 \le -\dfrac{3}{\cos x + 2} \le -1$

$\therefore \ -1 \le 2 - \dfrac{3}{\cos x + 2} \le 1$

따라서 구하는 최댓값은 1, 최솟값은 -1이다.

328

$0 \le x < 2\pi$에서 함수 $y = \sin x$의 그래프와 직선 $y = \dfrac{\sqrt{2}}{2}$

의 교점의 x좌표는
$\sin x = \dfrac{\sqrt{2}}{2}$를 만족하는
예각인 $\dfrac{\pi}{4}$ 또는
$\pi - \dfrac{\pi}{4} = \dfrac{3}{4}\pi$이다.

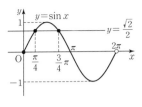

(1) 주어진 방정식의 해는 교점의 x좌표와 같으므로

$$x = \frac{\pi}{4} \ \text{또는} \ x = \frac{3}{4}\pi$$

(2) 주어진 부등식의 해는 함수 $y = \sin x$의 그래프가

직선 $y = \dfrac{\sqrt{2}}{2}$보다 위쪽에 있는 부분의 x의 값의 범위

이므로 $\dfrac{\pi}{4} \le x \le \dfrac{3}{4}\pi$

(3) 주어진 부등식의 해는 함수 $y = \sin x$의 그래프가 직

선 $y = \dfrac{\sqrt{2}}{2}$보다 아래쪽에 있는 부분의 x의 값의 범위

이므로 $0 \le x \le \dfrac{\pi}{4}$ 또는 $\dfrac{3}{4}\pi \le x < 2\pi$

답 (1) $x = \dfrac{\pi}{4}$ 또는 $x = \dfrac{3}{4}\pi$ (2) $\dfrac{\pi}{4} \le x \le \dfrac{3}{4}\pi$

(3) $0 \le x \le \dfrac{\pi}{4}$ 또는 $\dfrac{3}{4}\pi \le x < 2\pi$

330

(1) $\sin x = -\dfrac{\sqrt{3}}{2}$의 해
는 $0 \le x < 2\pi$에서
함수 $y = \sin x$의 그
래프와 직선
$y = -\dfrac{\sqrt{3}}{2}$의 교점의
x좌표와 같다.
$\therefore \ x = \dfrac{4}{3}\pi$ 또는 $x = \dfrac{5}{3}\pi$

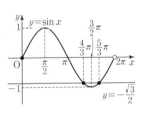

(2) $\sqrt{2}\cos x = 1$에서
$\cos x = \dfrac{1}{\sqrt{2}}$
주어진 방정식의
해는 $0 \le x < 2\pi$에
서 함수
$y = \cos x$의 그래프와 직선 $y = \dfrac{1}{\sqrt{2}}$의 교점의 x좌표
와 같다.
따라서 $x = \dfrac{\pi}{4}$ 또는 $x = \dfrac{7}{4}\pi$

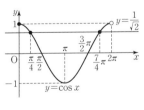

(3) $\tan x + 1 = 0$에서 $\tan x = -1$
주어진 방정식의 해는 $0 \le x < 2\pi$에서 함수 $y = \tan x$

의 그래프와 직선 $y=-1$의 교점의 x 좌표와 같다.

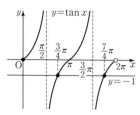

$\therefore x=\dfrac{3}{4}\pi$ 또는

$x=\dfrac{7}{4}\pi$

답 (1) $x=\dfrac{4}{3}\pi$ 또는 $x=\dfrac{5}{3}\pi$

(2) $x=\dfrac{\pi}{4}$ 또는 $x=\dfrac{7}{4}\pi$

(3) $x=\dfrac{3}{4}\pi$ 또는 $x=\dfrac{7}{4}\pi$

▶ **다른 풀이**

(1) 직선 $y=-\dfrac{\sqrt{3}}{2}$과 원 $x^2+y^2=1$의 교점 P, Q에 대하여 동경 OP, OQ가 나타내는 각을 구하면

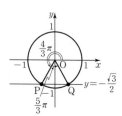

$x=\dfrac{4}{3}\pi$ 또는 $x=\dfrac{5}{3}\pi$

(2) 직선 $x=\dfrac{1}{\sqrt{2}}$과 원 $x^2+y^2=1$의 교점 P, Q에 대하여 동경 OP, OQ가 나타내는 각을 구하면

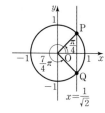

$x=\dfrac{\pi}{4}$ 또는 $x=\dfrac{7}{4}\pi$

(3) 원점과 점 $(1, -1)$을 지나는 직선과 원 $x^2+y^2=1$의 교점 P, Q에 대하여 동경 OP, OQ가 나타내는 각을 구하면

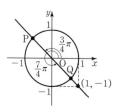

$x=\dfrac{3}{4}\pi$ 또는 $x=\dfrac{7}{4}\pi$

332

[1단계] (i) $\cos\left(2x-\dfrac{\pi}{3}\right)=\dfrac{\sqrt{3}}{2}$에서 $2x-\dfrac{\pi}{3}=\theta$로 치환하면 $\cos\theta=\dfrac{\sqrt{3}}{2}$

(ii) $0\le x\le\pi$의 각 변에 2를 곱하고 $\dfrac{\pi}{3}$를 빼면

$-\dfrac{\pi}{3}\le 2x-\dfrac{\pi}{3}\le 2\pi-\dfrac{\pi}{3}$, 즉

$-\dfrac{\pi}{3}\le\theta\le\dfrac{5}{3}\pi$

[2단계] $-\dfrac{\pi}{3}\le\theta\le\dfrac{5}{3}\pi$일 때, $\cos\theta=\dfrac{\sqrt{3}}{2}$의 해를 구하면

그림에서 $\theta=-\dfrac{\pi}{6}$ 또는 $\theta=\dfrac{\pi}{6}$

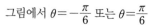
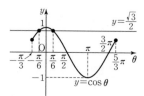

[3단계] $2x-\dfrac{\pi}{3}=\theta$이므로

$2x-\dfrac{\pi}{3}=-\dfrac{\pi}{6}$ 또는 $2x-\dfrac{\pi}{3}=\dfrac{\pi}{6}$

$\therefore x=\dfrac{\pi}{12}$ 또는 $x=\dfrac{\pi}{4}$

답 $x=\dfrac{\pi}{12}$ 또는 $x=\dfrac{\pi}{4}$

334

(1) $2\cos^2 x+\sin x-1=0$에서

$2(1-\sin^2 x)+\sin x-1=0$

$2\sin^2 x-\sin x-1=0$

$(2\sin x+1)(\sin x-1)=0$

$\therefore \sin x=-\dfrac{1}{2}$ 또는 $\sin x=1$

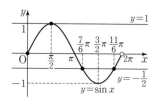

따라서 $0\le x<2\pi$에서 그림과 같이

(i) $\sin x=-\dfrac{1}{2}$의 해는 $x=\dfrac{7}{6}\pi$ 또는 $x=\dfrac{11}{6}\pi$

(ii) $\sin x=1$의 해는 $x=\dfrac{\pi}{2}$

(i), (ii)에서 $x=\dfrac{\pi}{2}$ 또는 $x=\dfrac{7}{6}\pi$ 또는 $x=\dfrac{11}{6}\pi$

(2) $\tan x+\dfrac{1}{\tan x}=2$의 양변에 $\tan x$를 곱하면

$\tan^2 x-2\tan x+1=0$

$(\tan x-1)^2=0$

$\therefore \tan x=1$

따라서 $0\le x<2\pi$에서 그림과 같이

$x=\dfrac{\pi}{4}$ 또는 $x=\dfrac{5}{4}\pi$

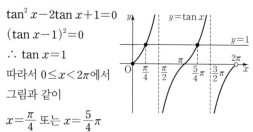

답 (1) $x=\dfrac{\pi}{2}$ 또는 $x=\dfrac{7}{6}\pi$ 또는 $x=\dfrac{11}{6}\pi$

(2) $x=\dfrac{\pi}{4}$ 또는 $x=\dfrac{5}{4}\pi$

336

(1) 부등식

$\sin x \leq -\dfrac{1}{2}$의 해

는 $0 \leq x < 2\pi$에서

함수 $y = \sin x$의

그래프가 직선

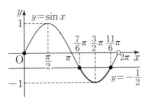

$y = -\dfrac{1}{2}$보다 아래쪽(경계선 포함)에 있는 부분의 x

의 값의 범위이므로

$\dfrac{7}{6}\pi \leq x \leq \dfrac{11}{6}\pi$

(2) $\sqrt{3}\tan x > -1$에서

$\tan x > -\dfrac{1}{\sqrt{3}}$

따라서 $0 \leq x < 2\pi$에

서 부등식의 해는 함

수 $y = \tan x$의 그래

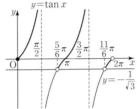

프가 직선 $y = -\dfrac{1}{\sqrt{3}}$보다 위쪽에 있는 부분의 x의

값의 범위이므로

$0 \leq x < \dfrac{\pi}{2}$ 또는 $\dfrac{5}{6}\pi < x < \dfrac{3}{2}\pi$ 또는 $\dfrac{11}{6}\pi < x < 2\pi$

(3) [1단계] (i) $\cos\left(3x - \dfrac{\pi}{2}\right) \leq -\dfrac{\sqrt{2}}{2}$에서 $3x - \dfrac{\pi}{2} = \theta$로

치환하면 $\cos\theta \leq -\dfrac{\sqrt{2}}{2}$

(ii) $0 \leq x \leq \pi$의 각 변에 3을 곱하고 $\dfrac{\pi}{2}$를 빼면

$-\dfrac{\pi}{2} \leq 3x - \dfrac{\pi}{2} \leq 3\pi - \dfrac{\pi}{2}$, $-\dfrac{\pi}{2} \leq \theta \leq \dfrac{5}{2}\pi$

[2단계] $-\dfrac{\pi}{2} \leq \theta \leq \dfrac{5}{2}\pi$일 때, $\cos\theta \leq -\dfrac{\sqrt{2}}{2}$의 해는

함수 $y = \cos\theta$의 그래프가 직선 $y = -\dfrac{\sqrt{2}}{2}$보

다 아래쪽(경계선 포함)에 있는 부분의 θ의 값

의 범위이므로 그림에서 $\dfrac{3}{4}\pi \leq \theta \leq \dfrac{5}{4}\pi$

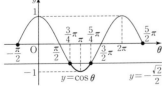

[3단계] $3x - \dfrac{\pi}{2} = \theta$이므로

$\dfrac{3}{4}\pi \leq 3x - \dfrac{\pi}{2} \leq \dfrac{5}{4}\pi$, $\dfrac{5}{4}\pi \leq 3x \leq \dfrac{7}{4}\pi$

$\therefore \dfrac{5}{12}\pi \leq x \leq \dfrac{7}{12}\pi$

답 (1) $\dfrac{7}{6}\pi \leq x \leq \dfrac{11}{6}\pi$

(2) $0 \leq x < \dfrac{\pi}{2}$ 또는 $\dfrac{5}{6}\pi < x < \dfrac{3}{2}\pi$

또는 $\dfrac{11}{6}\pi < x < 2\pi$

(3) $\dfrac{5}{12}\pi \leq x \leq \dfrac{7}{12}\pi$

338

(1) $\tan^2 x > (\sqrt{3}+1)\tan x - \sqrt{3}$에서

$\tan^2 x - (\sqrt{3}+1)\tan x + \sqrt{3} > 0$

$(\tan x - 1)(\tan x - \sqrt{3}) > 0$

$\therefore \tan x < 1$ 또는 $\tan x > \sqrt{3}$

따라서 $0 \leq x < \pi$에서 부

등식의 해는

$0 \leq x < \dfrac{\pi}{4}$

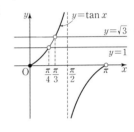

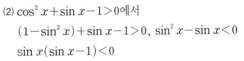

또는 $\dfrac{\pi}{3} < x < \dfrac{\pi}{2}$

또는 $\dfrac{\pi}{2} < x < \pi$

(2) $\cos^2 x + \sin x - 1 > 0$에서

$(1 - \sin^2 x) + \sin x - 1 > 0$, $\sin^2 x - \sin x < 0$

$\sin x(\sin x - 1) < 0$

$\therefore 0 < \sin x < 1$

따라서 $0 \leq x < 2\pi$에

서 부등식의 해는

$0 < x < \dfrac{\pi}{2}$

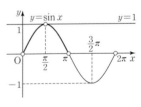

또는 $\dfrac{\pi}{2} < x < \pi$

답 (1) $0 \leq x < \dfrac{\pi}{4}$ 또는 $\dfrac{\pi}{3} < x < \dfrac{\pi}{2}$ 또는 $\dfrac{\pi}{2} < x < \pi$

(2) $0 < x < \dfrac{\pi}{2}$ 또는 $\dfrac{\pi}{2} < x < \pi$

340

이차방정식 $f(x) = x^2 + (2\sin\theta + 1)x + 1 = 0$의 판별

식을 D라 하면

$D = (2\sin\theta + 1)^2 - 4 = 4\sin^2\theta + 4\sin\theta - 3$

(1) 이차방정식 $f(x) = 0$이 중근을 가지므로

$D = 4\sin^2\theta + 4\sin\theta - 3 = 0$

$(2\sin\theta+3)(2\sin\theta-1)=0$

이때 $-1\le\sin\theta\le1$에서 $2\sin\theta+3>0$이므로

$2\sin\theta-1=0$

$\therefore\sin\theta=\dfrac{1}{2}$

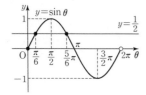

따라서 $0\le\theta<2\pi$에서 θ의 값은

$\theta=\dfrac{\pi}{6}$ 또는 $\theta=\dfrac{5}{6}\pi$

(2) 이차부등식 $f(x)\ge0$이 모든 실수 x에 대하여 항상 성립하므로

$D=4\sin^2\theta+4\sin\theta-3\le0$

$(2\sin\theta+3)(2\sin\theta-1)\le0$

이때 $2\sin\theta+3>0$이므로

$2\sin\theta-1\le0$

$\therefore\sin\theta\le\dfrac{1}{2}$

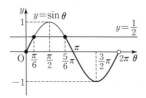

따라서 $0\le\theta<2\pi$에서 θ의 값의 범위는

$0\le\theta\le\dfrac{\pi}{6}$ 또는 $\dfrac{5}{6}\pi\le\theta<2\pi$

(3) 이차함수 $y=f(x)$의 그래프가 x축과 서로 다른 두 점에서 만나므로

$D=4\sin^2\theta+4\sin\theta-3>0$

$(2\sin\theta+3)(2\sin\theta-1)>0$

이때 $2\sin\theta+3>0$이므로 $2\sin\theta-1>0$

$\therefore\sin\theta>\dfrac{1}{2}$

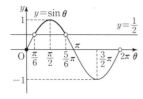

따라서 $0\le\theta<2\pi$에서 θ의 값의 범위는

$\dfrac{\pi}{6}<\theta<\dfrac{5}{6}\pi$

답 (1) $\theta=\dfrac{\pi}{6}$ 또는 $\theta=\dfrac{5}{6}\pi$

(2) $0\le\theta\le\dfrac{\pi}{6}$ 또는 $\dfrac{5}{6}\pi\le\theta<2\pi$

(3) $\dfrac{\pi}{6}<\theta<\dfrac{5}{6}\pi$

341

$y=2\cos^2 x-4\sin(\pi+x)+3$

$\quad=2(1-\sin^2 x)+4\sin x+3$

$\quad=-2\sin^2 x+4\sin x+5$

$\sin x=t$로 치환하면

$y=-2t^2+4t+5=-2(t-1)^2+7$

$\qquad$ (단, $-1\le t\le1$)

따라서 함수의 그래프는 그림과 같으므로

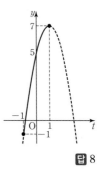

$t=1$일 때 최댓값은 7,

$t=-1$일 때 최솟값은 -1

즉, $M=7$, $m=-1$이므로

$M-m=8$

답 8

342

$\cos x=t$로 치환하면

$y=a-|t+3|$

$\qquad$ (단, $-1\le t\le1$)

따라서 함수의 그래프의 개형은 그림과 같으므로

$t=-1$일 때 최댓값은 $a-2$,

$t=1$일 때 최솟값은 $a-4$

최댓값과 최솟값의 합이 1이므로

$(a-2)+(a-4)=1 \qquad \therefore a=\dfrac{7}{2}$

답 $\dfrac{7}{2}$

343

$\sqrt{3}\sin x=\cos x$의 양변을 $\cos x$로 나누면

$\sqrt{3}\cdot\dfrac{\sin x}{\cos x}=1$

$\therefore \tan x=\dfrac{1}{\sqrt{3}}$

따라서 $0\le x<2\pi$에서 구하는 방정식의 해는 함수

$y=\tan x$의 그래프와 직선 $y=\dfrac{1}{\sqrt{3}}$의 교점의 x좌표와

같으므로

$x=\dfrac{\pi}{6}$ 또는 $x=\dfrac{7}{6}\pi$

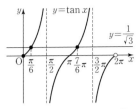

답 $x=\dfrac{\pi}{6}$ 또는 $x=\dfrac{7}{6}\pi$

344

$2\cos^2 x-\sin x-1=0$에서

$2(1-\sin^2 x)-\sin x-1=0$, $2\sin^2 x+\sin x-1=0$

$(2\sin x-1)(\sin x+1)=0$

$\therefore \sin x=\dfrac{1}{2}$ 또는 $\sin x=-1$

따라서 $0\le x<2\pi$에서

(i) $\sin x=\dfrac{1}{2}$의 해는

    $x=\dfrac{\pi}{6}$ 또는 $x=\dfrac{5}{6}\pi$

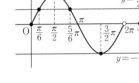

(ii) $\sin x=-1$의 해는

    $x=\dfrac{3}{2}\pi$

(i), (ii)에서 모든 근의 합은

$\dfrac{\pi}{6}+\dfrac{5}{6}\pi+\dfrac{3}{2}\pi=\dfrac{5}{2}\pi$

답 $\dfrac{5}{2}\pi$

345

[1단계] (i) $\cos\left(2x+\dfrac{\pi}{2}\right)>\dfrac{1}{2}$에서 $2x+\dfrac{\pi}{2}=\theta$로 치환

      하면 $\cos\theta>\dfrac{1}{2}$

    (ii) $0\le x<\pi$의 각 변에 2를 곱하고 $\dfrac{\pi}{2}$를 더하면

        $\dfrac{\pi}{2}\le 2x+\dfrac{\pi}{2}<\dfrac{5}{2}\pi$, 즉 $\dfrac{\pi}{2}\le\theta<\dfrac{5}{2}\pi$

[2단계] $\dfrac{\pi}{2}\le\theta<\dfrac{5}{2}\pi$일 때, $\cos\theta>\dfrac{1}{2}$의 해는

    $y=\cos\theta$의 그

    래프가 직선

    $y=\dfrac{1}{2}$보다 위쪽

    에 있는 부분의

    θ의 값의 범위이므로

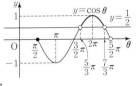

    $\dfrac{5}{3}\pi<\theta<\dfrac{7}{3}\pi$

[3단계] $2x+\dfrac{\pi}{2}=\theta$이므로

$\dfrac{5}{3}\pi<2x+\dfrac{\pi}{2}<\dfrac{7}{3}\pi$

$\therefore \dfrac{7}{12}\pi<x<\dfrac{11}{12}\pi$

따라서 주어진 부등식의 해가 될 수 있는 것은

⑤ $\dfrac{2}{3}\pi$이다.

답 ⑤

346

$0\le x<2\pi$에서 부등식

$\sin x>\cos x$의 해는

$y=\sin x$의 그래프가

$y=\cos x$의 그래프보

다 위쪽에 있는 부분의

x의 값의 범위이므로

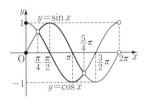

$\dfrac{\pi}{4}<x<\dfrac{5}{4}\pi$

따라서 $a=\dfrac{\pi}{4}$, $b=\dfrac{5}{4}\pi$이므로

$a+b=\dfrac{\pi}{4}+\dfrac{5}{4}\pi=\dfrac{3}{2}\pi$

답 $\dfrac{3}{2}\pi$

347

함수 $f(x)=a\sin bx+c$ $(a>0,\ b>0)$에서

최솟값이 0이고 $a>0$이므로

$-a+c=0$ $\cdots\cdots$ ㉠

주기가 $\dfrac{\pi}{2}$이고 $b>0$이므로

$\dfrac{2\pi}{b}=\dfrac{\pi}{2}$ $\therefore b=4$

$\therefore f(x)=a\sin 4x+c$

$f\left(\dfrac{\pi}{8}\right)=4$이므로 $a\sin\dfrac{\pi}{2}+c=4$

$\therefore a+c=4$ $\cdots\cdots$ ㉡

㉠, ㉡을 연립하여 풀면

$a=2$, $c=2$

$\therefore a+b+c=2+4+2=8$

답 8

348

함수 $y=a\cos bx+c$ $(a>0,\ b>0)$에서

최댓값이 5이고 $a>0$이므로 $a+c=5$ $\cdots\cdots$ ㉠

최솟값이 -3이고 $a>0$이므로

$-a+c=-3$ $\cdots\cdots$ ㉡

$\bigcirc$, $\bigcirc$을 연립하여 풀면 $a=4$, $c=1$

또 주기가 $\frac{5}{6}\pi-\left(-\frac{\pi}{6}\right)=\pi$이고 $b>0$이므로

$\dfrac{2\pi}{b}=\pi$ $\therefore b=2$

$\therefore abc=4\cdot2\cdot1=8$

🔲 8

349

$y=|\sin ax|$의 주기는 $\dfrac{\pi}{|a|}$이고 $a>0$이므로

$\dfrac{\pi}{a}=2\pi$ $\therefore a=\dfrac{1}{2}$

🔲 $\dfrac{1}{2}$

350

$\sin70°=\sin(90°-20°)=\cos20°$,

$\cos70°=\cos(90°-20°)=\sin20°$

$\therefore$ (주어진 식)

$=\left(1+\dfrac{1}{\sin20°}\right)\left(1+\dfrac{1}{\cos20°}\right)$

$\qquad\times\left(1-\dfrac{1}{\cos20°}\right)\left(1-\dfrac{1}{\sin20°}\right)$

$=\left(1+\dfrac{1}{\sin20°}\right)\left(1-\dfrac{1}{\sin20°}\right)$

$\qquad\times\left(1+\dfrac{1}{\cos20°}\right)\left(1-\dfrac{1}{\cos20°}\right)$

$=\left(1-\dfrac{1}{\sin^220°}\right)\left(1-\dfrac{1}{\cos^220°}\right)$

$=\dfrac{\sin^220°-1}{\sin^220°}\cdot\dfrac{\cos^220°-1}{\cos^220°}$

← $\sin^220°+\cos^220°=1$

$=\dfrac{-\cos^220°}{\sin^220°}\cdot\dfrac{-\sin^220°}{\cos^220°}=1$

🔲 1

351

ㄱ. $\sin\left(\dfrac{\pi}{2}+\theta\right)=\cos\theta$, $\cos(\pi+\theta)=-\cos\theta$이므로

$\sin\left(\dfrac{\pi}{2}+\theta\right)\neq\cos(\pi+\theta)$ (거짓)

ㄴ. $\cos\left(\dfrac{\pi}{2}-\theta\right)=\sin\theta$, $\sin(\pi-\theta)=\sin\theta$이므로

$\cos\left(\dfrac{\pi}{2}-\theta\right)=\sin(\pi-\theta)$ (참)

ㄷ. $\tan(\pi-\theta)=-\tan\theta$, $\tan(2\pi+\theta)=\tan\theta$이므로

$\tan(\pi-\theta)\neq\tan(2\pi+\theta)$ (거짓)

따라서 옳은 것은 ㄴ이다.

🔲 ②

352

[1단계] (i) $\cos(\pi\sin x)=0$에서 $\pi\sin x=\theta$로 치환하

면 $\cos\theta=0$

(ii) $-1\le\sin x\le1$이므로

$-\pi\le\pi\sin x\le\pi$, 즉 $-\pi\le\theta\le\pi$

[2단계] $-\pi\le\theta\le\pi$일 때,

$\cos\theta=0$의 해는 그림

에서

$\theta=-\dfrac{\pi}{2}$ 또는 $\theta=\dfrac{\pi}{2}$

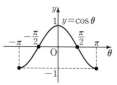

[3단계] $\pi\sin x=\theta$이므로

$\pi\sin x=-\dfrac{\pi}{2}$ 또는 $\pi\sin x=\dfrac{\pi}{2}$

$\therefore \sin x=-\dfrac{1}{2}$ 또는 $\sin x=\dfrac{1}{2}$

따라서 그림에서

$\sin x=\dfrac{1}{2}$일 때,

$x=\dfrac{\pi}{6}$

또는 $x=\dfrac{5}{6}\pi$

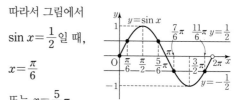

$\sin x=-\dfrac{1}{2}$일 때,

$x=\dfrac{7}{6}\pi$ 또는 $x=\dfrac{11}{6}\pi$

[4단계] 따라서 구하는 모든 근의 합은

$\dfrac{\pi}{6}+\dfrac{5}{6}\pi+\dfrac{7}{6}\pi+\dfrac{11}{6}\pi=4\pi$

🔲 4π

353

$0\le x\le4\pi$에서 함수 $y=\cos x$의 그래프와 직선 $y=\dfrac{1}{4}$

의 교점의 x좌표를 작은 것부터 a, b, c, d라 하면 다음 그림과 같다.

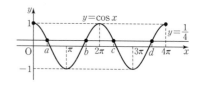

이때 $\cos x = \dfrac{1}{4}$을 만족시키는 예각을 θ라 하면

$a = \theta$, $b = 2\pi - \theta$, $c = 2\pi + \theta$, $d = 4\pi - \theta$

따라서 구하는 모든 근의 합은

$a + b + c + d = \theta + (2\pi - \theta) + (2\pi + \theta) + (4\pi - \theta)$
$\qquad\qquad\qquad = 8\pi$

답 8π

354

$y = \sin \pi x$는 주기가 $\dfrac{2\pi}{\pi} = 2$인 주기함수이고, 직선

$y = \dfrac{1}{3}x$는 원점과 점 $(3, 1)$을 지나는 직선이므로 그림과 같다.

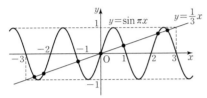

따라서 두 그래프는 7개의 교점을 가지므로 구하는 실근의 개수는 7이다.

답 7

355

$\cos^2 \theta - 3\cos \theta - a + 9 \geq 0$에서

$\cos \theta = x$로 치환하면

$x^2 - 3x - a + 9 \geq 0$ (단, $-1 \leq x \leq 1$)

이제 이차부등식 문제로 변신했다.

$f(x) = x^2 - 3x - a + 9$라 하고 모든 실수 x에 대하여 항상 $f(x) \geq 0$이 성립하려면

함수 $y = f(x)$의 그래프가

$-1 \leq x \leq 1$에서 x축보다 위쪽

(x축 포함)에 있어야 한다.

$f(x) = \left(x - \dfrac{3}{2}\right)^2 - a + \dfrac{27}{4}$이므로

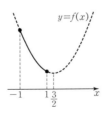

그림에서 $f(1) \geq 0$이어야 한다.

$f(1) = 1 - 3 - a + 9 \geq 0$

$\therefore a \leq 7$

답 $a \leq 7$

356

조건 (가)에 의하여

$f\left(\dfrac{100}{3}\right) = f\left(33 + \dfrac{1}{3}\right) = f\left(\dfrac{1}{3}\right)$

조건 (나)에 의하여

$f\left(\dfrac{1}{3}\right) = \cos\dfrac{\pi}{3} = \dfrac{1}{2}$

$\therefore f\left(\dfrac{100}{3}\right) = f\left(\dfrac{1}{3}\right) = \dfrac{1}{2}$

답 $\dfrac{1}{2}$

357

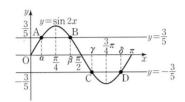

$0 \leq x \leq \pi$에서 $\sin 2x = \dfrac{3}{5}$을 만족시키는 예각을 θ라 하면

$\alpha = \theta$, $\beta = \dfrac{\pi}{2} - \theta$, $\gamma = \dfrac{\pi}{2} + \theta$, $\delta = \pi - \theta$

이므로

$\alpha + 2\beta + 2\gamma + \delta = \theta + 2\left(\dfrac{\pi}{2} - \theta\right) + 2\left(\dfrac{\pi}{2} + \theta\right) + (\pi - \theta)$
$\qquad\qquad\qquad = \theta + \pi - 2\theta + \pi + 2\theta + \pi - \theta$
$\qquad\qquad\qquad = 3\pi$

답 ③

358

$\triangle ABC$는 $\overline{AB} = \overline{AC}$인 이등변삼각형이므로

$A + B + C = \pi$, $B = C$

ㄱ. $A + 2B = \pi$이므로

$A = \pi - 2B$

$\therefore \sin\dfrac{A}{2} = \sin\left(\dfrac{\pi}{2} - B\right)$
$\qquad\quad = \cos B$ (참)

ㄴ. $A + 2C = \pi$이므로

$A = \pi - 2C$

$\therefore \cos A = \cos(\pi - 2C)$
$\qquad\quad = -\cos 2C$ (거짓)

ㄷ. $A + 2C = \pi$이므로

$A = \pi - 2C$

$\therefore \tan A = \tan(\pi - 2C)$
$\qquad\quad = -\tan 2C$ (거짓)

따라서 옳은 것은 ㄱ이다.

답 ①

359

$5\theta = \pi$이므로

$\sin\theta + \sin 2\theta + \sin 3\theta + \cdots + \sin 10\theta$

$= \sin\theta + \sin 2\theta + \sin 3\theta + \sin 4\theta + \sin 5\theta$
$\quad + \sin(5\theta+\theta) + \sin(5\theta+2\theta) + \sin(5\theta+3\theta)$
$\qquad\qquad + \sin(5\theta+4\theta) + \sin(5\theta+5\theta)$

$= \sin\theta + \sin 2\theta + \sin 3\theta + \sin 4\theta + \sin 5\theta$
$\quad + \sin(\pi+\theta) + \sin(\pi+2\theta) + \sin(\pi+3\theta)$
$\qquad\qquad + \sin(\pi+4\theta) + \sin(\pi+5\theta)$

$= \sin\theta + \sin 2\theta + \sin 3\theta + \sin 4\theta + \sin 5\theta$
$\quad - \sin\theta - \sin 2\theta - \sin 3\theta - \sin 4\theta - \sin 5\theta$

$= 0$

답 0

360

$y = \sin^2\left(\dfrac{3}{2}\pi + x\right) + 2\sin x + a$

$= \cos^2 x + 2\sin x + a$

$= (1 - \sin^2 x) + 2\sin x + a$

$= -\sin^2 x + 2\sin x + a + 1$

$\sin x = t$로 치환하면 $(-\pi \le x \le \pi)$

$y = -t^2 + 2t + a + 1$

$= -(t-1)^2 + a + 2$ (단, $-1 \le t \le 1$)

따라서 함수의 그래프는 그림
과 같으므로 $t = 1$일 때 최댓값
$a+2$를 갖는다.

따라서 최댓값을 갖는 x의 값은
$\sin x = 1$에서

$x = \dfrac{\pi}{2}$ $(\because -\pi \le x \le \pi)$

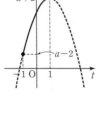

따라서 $b = \dfrac{\pi}{2}$이고

이때의 최댓값이 5이므로

$a + 2 = 5$ $\therefore a = 3$

$\therefore ab = 3 \cdot \dfrac{\pi}{2} = \dfrac{3}{2}\pi$

답 $\dfrac{3}{2}\pi$

361

$y = x^2 - 2x\cos\theta - \sin^2\theta$

$= (x^2 - 2x\cos\theta + \cos^2\theta) - \cos^2\theta - \sin^2\theta$

$= (x - \cos\theta)^2 - (\sin^2\theta + \cos^2\theta)$

$= (x - \cos\theta)^2 - 1$

따라서 포물선의 꼭짓점의 좌표는 $(\cos\theta, -1)$이고,

이 꼭짓점이 직선 $y = 2x$ 위의 점이므로

$-1 = 2\cos\theta$ $\therefore \cos\theta = -\dfrac{1}{2}$

$0 < \theta \le \pi$이므로 $\theta = \dfrac{2}{3}\pi$

답 $\dfrac{2}{3}\pi$

362

$-\pi \le x \le 0$에서
두 함수 $y = |\cos x|$,
$y = \sin|x|$의 그래프는 그
림과 같다.

$-\pi \le x \le 0$에서
$|\cos x| < \sin|x|$인 x의 값의 범위는

$-\dfrac{3}{4}\pi < x < -\dfrac{\pi}{4}$이다.

답 $-\dfrac{3}{4}\pi < x < -\dfrac{\pi}{4}$

3 삼각형에의 응용

364

(1) 사인법칙에 의하여 $\dfrac{a}{\sin A}=\dfrac{b}{\sin B}$

$\dfrac{a}{\sin 30°}=\dfrac{10}{\sin 45°}$, $a \sin 45°=10 \sin 30°$

$a \times \dfrac{\sqrt{2}}{2}=10 \times \dfrac{1}{2}$

$\therefore a=5\sqrt{2}$

(2) 사인법칙에 의하여 $\dfrac{a}{\sin A}=\dfrac{c}{\sin C}$

$\dfrac{\sqrt{3}}{\sin 30°}=\dfrac{3}{\sin C}$, $\sqrt{3} \sin C=3 \sin 30°$

$\sqrt{3} \sin C=3 \times \dfrac{1}{2}$

$\therefore \sin C=\dfrac{\sqrt{3}}{2}$

이때 $0°<C<180°$이므로

$C=60°$ 또는 $C=120°$

답 (1) $5\sqrt{2}$ (2) $60°$ 또는 $120°$

366

삼각형 ABC에서

$C=180°-(A+B)$
$\quad=180°-(105°+30°)$
$\quad=45°$

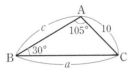

따라서 사인법칙에서 $\dfrac{b}{\sin B}=\dfrac{c}{\sin C}=2R$이므로

(i) $\dfrac{10}{\sin 30°}=\dfrac{c}{\sin 45°}$에서

$10 \sin 45°=c \sin 30°$

$10 \times \dfrac{\sqrt{2}}{2}=c \times \dfrac{1}{2}$

$\therefore c=2 \times 10 \times \dfrac{\sqrt{2}}{2}=10\sqrt{2}$

(ii) $\dfrac{10}{\sin 30°}=2R$에서 $\dfrac{10}{\frac{1}{2}}=2R$

$2R=20$

$\therefore R=10$

(i), (ii)에서 $cR=100\sqrt{2}$

답 $100\sqrt{2}$

368

(1) $ab:bc:ca$

$=\left(ab \times \dfrac{1}{abc}\right):\left(bc \times \dfrac{1}{abc}\right):\left(ca \times \dfrac{1}{abc}\right)$

$=\dfrac{1}{c}:\dfrac{1}{a}:\dfrac{1}{b}$

이므로 $ab:bc:ca=4:5:10$에서

$\dfrac{1}{c}:\dfrac{1}{a}:\dfrac{1}{b}=4:5:10$

$\therefore a:b:c=\dfrac{1}{5}:\dfrac{1}{10}:\dfrac{1}{4}=4:2:5$

이때 사인법칙에 의하여

$\sin A:\sin B:\sin C=a:b:c=4:2:5$

따라서 $\sin A=4k$, $\sin B=2k$, $\sin C=5k$로

$(k \neq 0)$ 놓으면

$\dfrac{\sin B \cdot \sin C}{\sin^2 A}=\dfrac{2k \cdot 5k}{(4k)^2}=\dfrac{5}{8}$

(2) $A+B+C=180°$이고,

$A:B:C=1:1:2$이므로

$A=180° \times \dfrac{1}{4}=45°$

$B=180° \times \dfrac{1}{4}=45°$

$C=180° \times \dfrac{2}{4}=90°$

$\therefore \sin A:\sin B:\sin C$

$\quad=\sin 45°:\sin 45°:\sin 90°$

$\quad=\dfrac{1}{\sqrt{2}}:\dfrac{1}{\sqrt{2}}:1=1:1:\sqrt{2}$

이때 사인법칙에 의하여

$\sin A:\sin B:\sin C=a:b:c=1:1:\sqrt{2}$

따라서 $a=k$, $b=k$, $c=\sqrt{2}k$ $(k \neq 0)$로 놓으면

$\dfrac{a^2-b^2-c^2}{(a-b-c)^2}=\dfrac{k^2-k^2-(\sqrt{2}k)^2}{(k-k-\sqrt{2}k)^2}=-1$

답 (1) $\dfrac{5}{8}$ (2) -1

370

두 변의 길이와 그 끼인각이 주어졌으므로 코사인법칙을 이용하여 b^2의 값을 구하면

$b^2=c^2+a^2-2ca \cos B$

$\quad=(2\sqrt{2})^2+3^2-2 \cdot 2\sqrt{2} \cdot 3 \cdot \cos 45°$

$\quad=8+9-2 \cdot 2\sqrt{2} \cdot 3 \cdot \dfrac{\sqrt{2}}{2}=5$

$b>0$이므로 $b=\sqrt{5}$

답 $\sqrt{5}$

372

삼각형 ABC에서 세 변의 길이가 주어졌으므로 코사인법칙의 변형 공식에 의하여 $\cos C$의 값을 구하면

$$\cos C = \frac{a^2+b^2-c^2}{2ab} = \frac{3^2+5^2-7^2}{2 \cdot 3 \cdot 5} = -\frac{1}{2}$$

$0° < C < 180°$이므로 $C = 120°$

답 $120°$

374

(1) 세 변이 주어졌으니 코사인법칙의 변형 공식을 쓴다.

$a = \sqrt{6}$, $b = \sqrt{3}-1$, $c = 2$이므로

$$\cos A = \frac{b^2+c^2-a^2}{2bc} = \frac{(\sqrt{3}-1)^2+2^2-(\sqrt{6})^2}{2 \cdot (\sqrt{3}-1) \cdot 2}$$

$$= -\frac{1}{2}$$

$$\cos B = \frac{c^2+a^2-b^2}{2ca} = \frac{2^2+(\sqrt{6})^2-(\sqrt{3}-1)^2}{2 \cdot 2 \cdot \sqrt{6}}$$

$$= \frac{\sqrt{2}+\sqrt{6}}{4}$$

$$\cos C = \frac{a^2+b^2-c^2}{2ab} = \frac{(\sqrt{6})^2+(\sqrt{3}-1)^2-2^2}{2 \cdot \sqrt{6} \cdot (\sqrt{3}-1)}$$

$$= \frac{\sqrt{2}}{2}$$

이때 B는 알 수 없지만 $A = 120°$, $C = 45°$임을 알 수 있다.

그런데 $A+B+C = 180°$이므로 $B = 15°$

∴ $A = 120°$, $B = 15°$, $C = 45°$

(2) [1단계] 두 변과 그 끼인각이 주어졌으므로 코사인법칙을 쓴다.

$a = 2$, $b = \sqrt{3}-1$, $C = 30°$이므로

$$c^2 = a^2+b^2-2ab \cos C$$

$$= 2^2+(\sqrt{3}-1)^2-2 \cdot 2(\sqrt{3}-1)\cos 30°$$

$$= 2$$

∴ $c = \sqrt{2}$

[2단계] 이제 세 변의 길이를 구했으므로 코사인법칙의 변형 공식을 쓴다. 이때 A를 먼저 구한 후 B의 값은 $A+B+C = 180°$임을 이용한다.

$$\cos A = \frac{b^2+c^2-a^2}{2bc}$$

$$= \frac{(\sqrt{3}-1)^2+(\sqrt{2})^2-2^2}{2 \cdot (\sqrt{3}-1) \cdot \sqrt{2}}$$

$$= -\frac{\sqrt{2}}{2}$$

∴ $A = 135°$

$A+B+C = 180°$이므로 $B = 15°$

∴ $c = \sqrt{2}$, $A = 135°$, $B = 15°$

답 (1) $A = 120°$, $B = 15°$, $C = 45°$
(2) $c = \sqrt{2}$, $A = 135°$, $B = 15°$

376

$6 \sin A = 2\sqrt{3} \sin B = 3 \sin C$의 각 변을 $6\sqrt{3}$으로 나누면

$$\frac{\sin A}{\sqrt{3}} = \frac{\sin B}{3} = \frac{\sin C}{2\sqrt{3}}$$

이때 사인법칙에 의하여

$\sin A : \sin B : \sin C = a : b : c = \sqrt{3} : 3 : 2\sqrt{3}$

이제 그림과 같은 △ABC에서 A를 구하는 문제로 변신했다.

코사인법칙에 의하여

$$\cos A = \frac{b^2+c^2-a^2}{2bc}$$

$$= \frac{3^2+(2\sqrt{3})^2-(\sqrt{3})^2}{2 \times 3 \times 2\sqrt{3}} = \frac{\sqrt{3}}{2}$$

$0° < A < 180°$이므로 $A = 30°$

답 $30°$

378

$a = \sqrt{6}$, $b = 2$, $c = \sqrt{3}+1$이라 하면 가장 작은 각은 변 $b = 2$의 대각이다.

코사인법칙에 의하여

$$\cos B = \frac{c^2+a^2-b^2}{2ca}$$

$$= \frac{(\sqrt{3}+1)^2+(\sqrt{6})^2-2^2}{2 \cdot (\sqrt{3}+1) \cdot \sqrt{6}}$$

$$= \frac{\sqrt{2}}{2}$$

∴ $B = 45°$

답 $45°$

380

(1) $\cos^2 \theta = 1-\sin^2 \theta$임을 이용해 사인에 관한 식으로 고치면

$$\sin^2 A + (1-\sin^2 B) + (1-\sin^2 C) = 2$$

∴ $\sin^2 A = \sin^2 B + \sin^2 C$

이 식에 $\sin A = \dfrac{a}{2R}$, $\sin B = \dfrac{b}{2R}$, $\sin C = \dfrac{c}{2R}$를 대입하면

$$\left(\frac{a}{2R}\right)^2 = \left(\frac{b}{2R}\right)^2 + \left(\frac{c}{2R}\right)^2 \qquad ∴ a^2 = b^2+c^2$$

따라서 삼각형 ABC는 $A = 90°$인 직각삼각형이다.

(2) $\cos A : \cos B = a : b$에서 $a \cos B = b \cos A$

이 식에 $\cos B = \dfrac{c^2+a^2-b^2}{2ca}$,

$\cos A = \dfrac{b^2+c^2-a^2}{2bc}$을 대입하면

$$a \times \frac{c^2+a^2-b^2}{2ca} = b \times \frac{b^2+c^2-a^2}{2bc}$$
$$c^2+a^2-b^2=b^2+c^2-a^2$$
$$a^2=b^2 \qquad \therefore a=b$$
따라서 삼각형 ABC는 $a=b$인 이등변삼각형이다.

답 (1) $A=90°$인 직각삼각형
(2) $a=b$인 이등변삼각형

382

그림과 같은 삼각형
ABC에 코사인법칙을 적용하면
$$\cos\theta = \frac{100^2+60^2-140^2}{2 \cdot 100 \cdot 60}$$
$$= -\frac{1}{2}$$
$0°<\theta<180°$이므로 $\theta=120°$

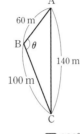

답 $120°$

384

그림에서 $\overline{CD}$의 길이를
구하려면 $\overline{CD}$를 포함한
삼각형 ACD에서 코사
인법칙을 적용해야 하므
로 두 변과 끼인각을 알
아야 한다.

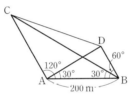

끼인각, 즉 $\angle CAD$의 크기는 $120°-30°=90°$
이제 $\overline{AC}$와 $\overline{AD}$의 길이를 구한다.
(i) $\overline{AC}$를 포함한 $\triangle ABC$는 $\angle ACB = \angle ABC = 30°$
인 이등변삼각형이므로
$$\overline{AC}=200 \text{ (m)}$$
(ii) $\overline{AD}$를 포함한 $\triangle ABD$는 세 변의 길이비가
$2:1:\sqrt{3}$인 직각삼각형이므로
$$200:\overline{AD}=2:\sqrt{3} \qquad \therefore \overline{AD}=100\sqrt{3} \text{ (m)}$$
$\triangle ACD$에 코사인법칙을 적용하면
$$\overline{CD}^2 = \overline{AC}^2 + \overline{AD}^2 - 2 \times \overline{AC} \times \overline{AD} \times \cos 90°$$
$$= (200)^2 + (100\sqrt{3})^2 - 2 \times 200 \times 100\sqrt{3} \times 0$$
$$= 70000$$
$$\therefore \overline{CD}=100\sqrt{7} \text{ (m)}$$

답 $100\sqrt{7} \text{ m}$

385

$\dfrac{a}{\sin A}=2R$에서 $\dfrac{2}{\sin 45°}=2R$

$$\therefore R = \frac{1}{\sin 45°} = \frac{1}{\frac{\sqrt{2}}{2}} = \sqrt{2}$$

답 $\sqrt{2}$

386

$(b+c):(c+a):(a+b)=5:6:7$이므로
비례상수 k $(k\neq 0)$를 이용하여 나타내면
$$b+c=5k \qquad \cdots\cdots \text{㉠}$$
$$c+a=6k \qquad \cdots\cdots \text{㉡}$$
$$a+b=7k \qquad \cdots\cdots \text{㉢}$$
㉠+㉡+㉢을 하면 $2(a+b+c)=18k$
$$\therefore a+b+c=9k \qquad \cdots\cdots \text{㉣}$$
㉣-㉠, ㉣-㉡, ㉣-㉢을 하면
$$\therefore a=4k, b=3k, c=2k$$
따라서 세 변의 길이가 주어졌으므로 코사인법칙의 변
형 공식을 이용하여 $\cos A$의 값을 구하면
$$\cos A = \frac{b^2+c^2-a^2}{2bc}$$
$$= \frac{(3k)^2+(2k)^2-(4k)^2}{2 \times 3k \times 2k} = -\frac{1}{4}$$

답 $-\dfrac{1}{4}$

387

$\overline{BC}=a$라 하고,
$\overline{AB}=2\sqrt{5}$, $\overline{CA}=2\sqrt{2}$,
$C=45°$를 나타내면 그림과
같다.

이때 $\triangle ABC$에서 코사인법칙에 의하여
$$(2\sqrt{5})^2 = (2\sqrt{2})^2 + a^2 - 4\sqrt{2}a \cos 45°$$
$$20 = 8 + a^2 - 4\sqrt{2}a \times \frac{1}{\sqrt{2}}$$
$$a^2-4a-12=0, (a+2)(a-6)=0$$
$$\therefore a=6 \quad (\because a>0)$$
따라서 $\triangle ABC$에서 사인법칙에 의하여
$$\frac{6}{\sin A} = \frac{2\sqrt{5}}{\sin 45°}, \sqrt{5}\sin A = 3\sin 45°$$
$$\therefore \sin A = 3 \times \frac{\sqrt{2}}{2} \times \frac{1}{\sqrt{5}} = \frac{3\sqrt{10}}{10}$$

답 $\dfrac{3\sqrt{10}}{10}$

388

$\dfrac{7}{\sin A} = \dfrac{8}{\sin B} = \dfrac{13}{\sin C}$에서

$\sin A : \sin B : \sin C = 7 : 8 : 13$

사인법칙에 의하여

$\sin A : \sin B : \sin C = a : b : c$이므로

$a : b : c = 7 : 8 : 13$

이때, $a = 7l$, $b = 8l$, $c = 13l$로 놓으면

대변의 길이가 최대일 때, 각의 크기가 가장 크므로 가장 큰 각은 C이다.

코사인법칙의 변형 공식에 의하여 $\cos C$의 값을 구하면

$\cos C = \dfrac{a^2 + b^2 - c^2}{2ab} = \dfrac{(7l)^2 + (8l)^2 - (13l)^2}{2 \times 7l \times 8l} = -\dfrac{1}{2}$

$0° < C < 180°$이므로 $C = 120°$

답 $120°$

389

㈎ $a^2 = b^2 + c^2 - bc$를 코사인법칙

$a^2 = b^2 + c^2 - 2bc \cos A$와 비교하면

$2\cos A = 1$

$\therefore \cos A = \dfrac{1}{2}$

$0° < A < 180°$이므로 $A = 60°$ ...... ㉠

㈏ 주어진 식에 $\sin A = \dfrac{a}{2R}$, $\sin C = \dfrac{c}{2R}$,

$\cos B = \dfrac{c^2 + a^2 - b^2}{2ca}$ 을 대입하면

$\dfrac{a}{2R} = 2 \times \dfrac{c}{2R} \times \dfrac{c^2 + a^2 - b^2}{2ac}$

$a^2 = a^2 + c^2 - b^2$, $b^2 = c^2$

$\therefore b = c$

즉, $\triangle ABC$는 $b = c$인 이등변 삼각형이다. ...... ㉡

따라서 ㉠, ㉡에 의하여 $\triangle ABC$ 는 그림과 같은 정삼각형이다.

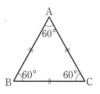

답 정삼각형

390

두 홀 A, B 사이의 거리를 x (m)라 하면 사인법칙에 의해

$\dfrac{x}{\sin 60°} = \dfrac{250}{\sin 45°}$

$x \sin 45° = 250 \sin 60°$

$\dfrac{1}{\sqrt{2}} x = \dfrac{250\sqrt{3}}{2}$

$\therefore x = 125\sqrt{6}$ (m)

답 $125\sqrt{6}$ m

392

$S = \dfrac{1}{2} bc \sin A$

$= \dfrac{1}{2} \times 8 \times 6 \times \sin 135°$

$= \dfrac{1}{2} \times 8 \times 6 \times \dfrac{\sqrt{2}}{2} = 12\sqrt{2}$

답 $12\sqrt{2}$

394

세 변의 길이 $a = 5$, $b = 7$, $c = 8$이므로 s의 값을 구하면

$s = \dfrac{5 + 7 + 8}{2} = 10$

따라서 $\triangle ABC$의 넓이를 S라 하면

$S = \sqrt{10(10-5)(10-7)(10-8)}$

$= \sqrt{10 \times 5 \times 3 \times 2} = 10\sqrt{3}$

답 $10\sqrt{3}$

396

$\triangle ABC$에서 코사인법칙에 의하여

$\overline{AC}^2 = (2\sqrt{2})^2 + 6^2 - 2 \cdot 2\sqrt{2} \cdot 6 \cdot \cos 45°$

$= 8 + 36 - 2 \cdot 2\sqrt{2} \cdot 6 \cdot \dfrac{\sqrt{2}}{2} = 20$

$\therefore \overline{AC} = 2\sqrt{5}$

사각형 ABCD의 넓이를 S라 하면 S는 삼각형 ABC 의 넓이와 삼각형 ACD의 넓이의 합이므로

$S = \dfrac{1}{2} \cdot 2\sqrt{2} \cdot 6 \cdot \sin 45° + \dfrac{1}{2} \cdot 2\sqrt{5} \cdot 4 \cdot \sin 30°$

$= \dfrac{1}{2} \cdot 2\sqrt{2} \cdot 6 \cdot \dfrac{1}{\sqrt{2}} + \dfrac{1}{2} \cdot 2\sqrt{5} \cdot 4 \cdot \dfrac{1}{2}$

$= 6 + 2\sqrt{5}$

답 $6 + 2\sqrt{5}$

398

$\overline{AD} = x$로 놓고, 끼인각 공식을 쓰면

$\dfrac{1}{2} \cdot 8 \cdot 4 \cdot \sin 120° = \dfrac{1}{2} \cdot 8 \cdot x \cdot \sin 60° + \dfrac{1}{2} \cdot 4 \cdot x \cdot \sin 60°$

$8\sqrt{3} = 2\sqrt{3} x + \sqrt{3} x$ $\therefore x = \dfrac{8}{3}$

답 $\dfrac{8}{3}$

400

평행사변형의 성질에 의하여 두 밑각의 합은 180°이므로 $B + C = 180°$

$\therefore B = 180° - C = 180° - 135° = 45°$

따라서 평행사변형 ABCD의 넓이를 S라 하면
$S=\overline{AB}\times\overline{BC}\times\sin B=4\cdot6\cdot\sin 45°=12\sqrt2$

답 $12\sqrt2$

402

주어진 조건을 그림으로 나타내면 그림과 같다.
따라서 □ABCD의 넓이를 S라 하면

$S=\dfrac{1}{2}\times\overline{AC}\times\overline{BD}\times\sin 45°$

$=\dfrac{1}{2}\times6\times8\times\dfrac{\sqrt2}{2}=12\sqrt2$

답 $12\sqrt2$

403

[1단계] c를 먼저 구한다.

삼각형 ABC의 넓이를 S라 하면

$S=\dfrac{1}{2}\cdot6\cdot c\sin 120°$

$=\dfrac{1}{2}\cdot6\cdot c\cdot\dfrac{\sqrt3}{2}=15\sqrt3$

$\therefore c=10$

[2단계] 코사인법칙에 의하여

$b^2=10^2+6^2-2\cdot10\cdot6\cdot\cos 120°$

$=100+36-2\cdot10\cdot6\cdot\left(-\dfrac{1}{2}\right)$

$=196$

$b>0$이므로 $b=14$

답 14

404

원 O의 반지름의 길이를 r라 하면
$\pi r^2=5\pi$이므로 $r^2=5$
$\overline{OA}=\overline{OC}$에서 삼각형 OAC는 이등변삼각형이므로
$\angle OAC=60°$이고 $\angle AOB$는 삼각형 AOC의 외각이므로 $\angle AOB=120°$
따라서 삼각형 ABO의 넓이를 S라 하면

$S=\dfrac{1}{2}\cdot\overline{AO}\cdot\overline{BO}\cdot\sin 120°$

$=\dfrac{1}{2}r^2\sin 60°$

$=\dfrac{1}{2}\times5\times\dfrac{\sqrt3}{2}=\dfrac{5\sqrt3}{4}$

답 $\dfrac{5\sqrt3}{4}$

405

주어진 조건을 그림으로 나타내면 그림과 같다.
이때 평행사변형의 넓이를 S라 하면

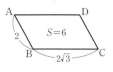

$S=\overline{AB}\times\overline{BC}\times\sin B$이므로

$6=2\times2\sqrt3\times\sin B$ $\therefore \sin B=\dfrac{\sqrt3}{2}$

B는 0°와 180° 사이의 각이므로
$B=60°$ 또는 $B=120°$
평행사변형의 성질에 의하여 두 밑각의 합은 180°이므로 $A+B=180°$
$\therefore A=120°, B=60°$ 또는 $A=60°, B=120°$
이때 $0°<A<90°$이므로 $A=60°$

답 $60°$

406

그림과 같이 대각선 $\overline{AC}$를 연결하여 두 개의 삼각형으로 나누면

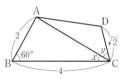

△ABC

$=\dfrac{1}{2}\times2\times4\times\sin 60°=2\sqrt3$

또 △ABC에 코사인법칙을 적용하면
$\overline{AC}^2=2^2+4^2-2\cdot2\cdot4\cdot\cos 60°=12$
$\therefore \overline{AC}=2\sqrt3\ (\because \overline{AC}>0)$
이때 △ABC에 사인법칙을 적용하면

$\dfrac{2\sqrt3}{\sin 60°}=\dfrac{2}{\sin x}$ $\therefore \sin x=\dfrac{1}{2}$

$0°<x<75°$이므로 $x=30°$
$x+y=75°$이므로 $y=45°$

$\therefore △ACD=\dfrac{1}{2}\times\sqrt2\times2\sqrt3\times\sin 45°=\sqrt3$

$\therefore □ABCD=△ABC+△ACD$
$=2\sqrt3+\sqrt3=3\sqrt3$

답 $3\sqrt3$

407

[1단계] △ABD에서
$\angle ABD=50°$,
$\angle ADB=40°$이므로
$\angle BAD=90°$이다.
즉, △ABD는 직각삼각형이다.

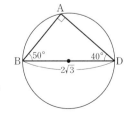

이때 지름의 원주각이 직각이므로 $\overline{BD}$는 외접원의 지름이다. $\triangle ABD$의 외접원의 반지름의 길이를 R라 하면

$$\overline{BD}=2R=2\sqrt{3}$$

$$\therefore R=\sqrt{3}$$

[2단계] $\triangle ABC$에 사인법칙을 적용하면

$\dfrac{\overline{AC}}{\sin B}=2R$에서

$$\dfrac{\overline{AC}}{\sin 120°}=2\sqrt{3}$$

$$\therefore \overline{AC}=2\sqrt{3}\sin 120°$$

$$=2\sqrt{3}\cdot\dfrac{\sqrt{3}}{2}=3$$

目 3

408

$\triangle ABC$에서 $A+B+C=180°$이므로

$$B+C=180°-A$$

$$\therefore \cos(B+C)=\cos(180°-A)$$

$$=-\cos A$$

이를 $2\cos(B+C)\cos A=-1$에 대입하면

$$-2\cos^2 A=-1,\ \cos^2 A=\dfrac{1}{2}$$

$$\therefore \cos A=\dfrac{\sqrt{2}}{2}$$

$0°<A<90°$이므로 $A=45°$

따라서 $\sin A$의 값을 구하면

$$\sin A=\sin 45°=\dfrac{\sqrt{2}}{2}$$

즉, $\sin A=\dfrac{\sqrt{2}}{2}$이므로 $\triangle ABC$의 외접원의 반지름의 길이를 R라 하면 사인법칙에 의하여

$\dfrac{\overline{BC}}{\sin A}=2R$

$$\therefore \overline{BC}=2R\sin A$$

$$=2\cdot 4\cdot\dfrac{\sqrt{2}}{2}=4\sqrt{2}$$

目 $4\sqrt{2}$

409

$\triangle ABC$에서 외접원의 반지름의 길이를 R라 하면 사인법칙에 의하여

$$\sin A=\dfrac{a}{2R},\ \sin B=\dfrac{b}{2R},\ \sin C=\dfrac{c}{2R}$$

이를 $a\sin A=b\sin B+c\sin C$에 대입하면

$$a\cdot\dfrac{a}{2R}=b\cdot\dfrac{b}{2R}+c\cdot\dfrac{c}{2R}$$

$$a^2=b^2+c^2$$

따라서 $\triangle ABC$는 $A=90°$인 직각삼각형이다.

目 $A=90°$인 직각삼각형

410

코사인법칙의 변형 공식에 의하여

$$\cos A=\dfrac{b^2+c^2-a^2}{2bc} \qquad \cdots\cdots ㉠$$

주어진 조건 $a^2=b^2+bc+c^2$에서

$$b^2+c^2=a^2-bc$$

이를 ㉠에 대입하면

$$\cos A=\dfrac{b^2+c^2-a^2}{2bc}$$

$$=-\dfrac{bc}{2bc}=-\dfrac{1}{2}$$

$0°<A<180°$이므로 $A=120°$

目 $120°$

411

[1단계] $\square ABCD$

$=\triangle ABE+\triangle ADF$

$+\triangle FEC+\triangle AEF$

이므로 삼각형의 넓이를 구하면

$$\triangle ABE=\dfrac{1}{2}\cdot 2\cdot 6$$

$$=6$$

$$\triangle ADF=\dfrac{1}{2}\cdot 6\cdot 3=9$$

$$\triangle FEC=\dfrac{1}{2}\cdot 4\cdot 3=6$$

[2단계] $\triangle AEF$의 넓이를 구하려면 $\overline{AE},\ \overline{AF}$를 알아야 한다.

피타고라스 정리에 의하여

$$\overline{AE}=\sqrt{2^2+6^2}=\sqrt{40}=2\sqrt{10}$$

$$\overline{AF}=\sqrt{3^2+6^2}=\sqrt{45}=3\sqrt{5}$$

[3단계] $\square ABCD=6\cdot 6=36$이고

$\triangle AEF=36-6-6-9=15$이므로

$$15=\dfrac{1}{2}\cdot 2\sqrt{10}\cdot 3\sqrt{5}\cdot\sin\theta$$

$$\therefore \sin\theta=\dfrac{\sqrt{2}}{2}$$

目 $\dfrac{\sqrt{2}}{2}$

▶다른 풀이

피타고라스 정리에 의하여

$\overline{AE}=\sqrt{36+4}=\sqrt{40}=2\sqrt{10}$

$\overline{AF}=\sqrt{36+9}=\sqrt{45}=3\sqrt{5}$

$\overline{EF}=\sqrt{16+9}=\sqrt{25}=5$

코사인법칙의 변형 공식에 의하여

$\triangle$AEF에서

$\cos\theta=\dfrac{(2\sqrt{10})^2+(3\sqrt{5})^2-5^2}{2\cdot2\sqrt{10}\cdot3\sqrt{5}}$

$\qquad=\dfrac{40+45-25}{60\sqrt{2}}=\dfrac{1}{\sqrt{2}}$

$0°<\theta<90°$이므로 $\theta=45°$

$\therefore \sin\theta=\sin45°=\dfrac{\sqrt{2}}{2}$

412

그림과 같이 늘이기 전의 한 변의 길이를 a, 줄이기 전의 한 변의 길이를 b, 두 변 사이의 끼인각의 크기를 θ, 처음 삼각형의 넓이를 S라 하면

$S=\dfrac{1}{2}ab\sin\theta$　　……㉠

10% 늘어난 변의 길이는 ➡ $a+\dfrac{10}{100}a=1.1a$

10% 줄어든 변의 길이는 ➡ $b-\dfrac{10}{100}b=0.9b$

따라서 새로운 삼각형의 넓이를 S'이라 하면

$S'=\dfrac{1}{2}\times1.1a\times0.9b\sin\theta$

$\quad=0.99\times\left(\dfrac{1}{2}ab\sin\theta\right)=0.99S\ (\because㉠)$

따라서 새로운 삼각형의 넓이는 원래 삼각형의 넓이보다 1% 감소한다.

답 ①

413

등변사다리꼴이므로 두 대각선의 길이가 같다.

대각선의 길이, 즉 $\overline{AC}=\overline{BD}=x$라 하면

$\square ABCD=\dfrac{1}{2}\cdot\overline{AC}\cdot\overline{BD}\cdot\sin135°$

$\qquad\qquad=\dfrac{1}{2}\cdot\dfrac{\sqrt{2}}{2}x^2=\dfrac{\sqrt{2}}{4}x^2$

$\dfrac{\sqrt{2}}{4}x^2=25\sqrt{2}$에서 $x^2=100$

$\therefore x=10\ (\because x>0)$

답 10

414

외접원에 내접하는 사각형의 한 각의 크기가 θ이면 대각의 크기는 $180°-\theta$이므로 B의 대각인 D의 크기는 $180°-60°=120°$이다.

이제, 그림과 같이 대각선 AC를 연결하여 두 개의 삼각형으로 나누면

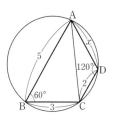

$\triangle ABC=\dfrac{1}{2}\cdot3\cdot5\cdot\sin60°$

$\qquad\quad=\dfrac{15\sqrt{3}}{4}$

또 $\triangle$ABC에 코사인법칙을 적용하면

$\overline{AC}^2=3^2+5^2-2\cdot3\cdot5\cdot\cos60°=9+25-15=19$

$\therefore \overline{AC}=\sqrt{19}$

이때 $\triangle$ACD에 코사인법칙을 적용하면

$(\sqrt{19})^2=x^2+2^2-2\cdot x\cdot2\cdot\cos120°,\ 19=x^2+4+2x$

$x^2+2x-15=0,\ (x-3)(x+5)=0$

$x>0$이므로 $x=3$

$\therefore \triangle ACD=\dfrac{1}{2}\cdot2\cdot3\cdot\sin120°=\dfrac{3\sqrt{3}}{2}$

$\therefore \square ABCD=\triangle ABC+\triangle ACD$

$\qquad\qquad=\dfrac{15\sqrt{3}}{4}+\dfrac{3\sqrt{3}}{2}=\dfrac{21\sqrt{3}}{4}$

답 $\dfrac{21\sqrt{3}}{4}$

415

$\triangle$ABQ에서 $A+B+Q=180°$이므로

$Q=180°-(A+B)=180°-(75°+45°)=60°$

따라서 $\triangle$ABQ에서 사인법칙에 의하여

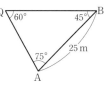

$\dfrac{25}{\sin60°}=\dfrac{\overline{AQ}}{\sin45°}$

$25\cdot\sin45°=\overline{AQ}\sin60°$

$25\cdot\dfrac{\sqrt{2}}{2}=\overline{AQ}\cdot\dfrac{\sqrt{3}}{2}$

$\therefore \overline{AQ}=25\cdot\dfrac{\sqrt{2}}{2}\cdot\dfrac{2}{\sqrt{3}}=\dfrac{25\sqrt{6}}{3}$　　……㉠

$\triangle$PQA에서

$A=30°$이므로

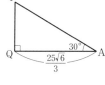

$\overline{PQ}=\dfrac{25\sqrt{6}}{3}\tan30°$

$\qquad=\dfrac{25\sqrt{6}}{3}\cdot\dfrac{1}{\sqrt{3}}=\dfrac{25\sqrt{2}}{3}$

따라서 나무의 높이는 $\dfrac{25\sqrt{2}}{3}$ m이다.

답 $\dfrac{25\sqrt{2}}{3}$ m

416

(1) 깨어진 접시 위의 삼각형 ABC에서 코사인법칙에 의하여

$$\cos A = \frac{14^2 + 6^2 - 10^2}{2 \cdot 14 \cdot 6} = \frac{11}{14}$$

$$\therefore \sin A = \sqrt{1 - \cos^2 A}$$
$$= \sqrt{1 - \left(\frac{11}{14}\right)^2}$$
$$= \frac{5\sqrt{3}}{14}$$

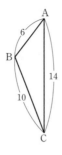

$\dfrac{a}{\sin A} = 2R$에서

$$\frac{10}{\frac{5\sqrt{3}}{14}} = 2R$$

$$\therefore R = \frac{14\sqrt{3}}{3}$$

(2) 그림과 같이 꼭짓점과 내접원의 중심을 연결해 세 개의 삼각형으로 나누면 $S = S_1 + S_2 + S_3$에서

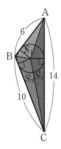

$$S = \frac{1}{2} \times 6 \times 14 \times \sin A$$
$$= \frac{1}{2} \times 6 \times 14 \times \frac{5\sqrt{3}}{14}$$
$$= 15\sqrt{3}$$

$$15\sqrt{3} = \frac{1}{2} \cdot 6 \cdot r + \frac{1}{2} \cdot 10 \cdot r + \frac{1}{2} \cdot 14 \times r$$

$$15\sqrt{3} = 15r$$

$$\therefore r = \sqrt{3}$$

달 (1) $\dfrac{14\sqrt{3}}{3}$ (2) $\sqrt{3}$

▶ 다른 풀이

(2) $s = \dfrac{a+b+c}{2} = \dfrac{6+10+14}{2} = 15$이므로 헤론의 공식에 의하여 △ABC의 넓이 S는

$$S = \sqrt{s(s-a)(s-b)(s-c)}$$
$$= \sqrt{15 \times 9 \times 5 \times 1} = 15\sqrt{3}$$

$S = sr$에서 $15\sqrt{3} = 15r$ $\therefore r = \sqrt{3}$

417

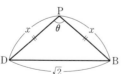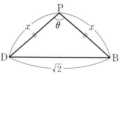

$\overline{BD} = \sqrt{2}$이므로

$\overline{BP} = \overline{DP} = x$로 놓으면 코사인법칙에 의하여

$$\cos \theta = \frac{x^2 + x^2 - (\sqrt{2})^2}{2 \cdot x \cdot x}$$
$$= \frac{2x^2 - 2}{2x^2}$$
$$= 1 - \frac{1}{x^2}$$

그런데 $\dfrac{\sqrt{3}}{2} \le \overline{BP} \le 1$, 즉 $\dfrac{\sqrt{3}}{2} \le x \le 1$이므로

$$\frac{3}{4} \le x^2 \le 1, \ 1 \le \frac{1}{x^2} \le \frac{4}{3}$$

$$-\frac{4}{3} \le -\frac{1}{x^2} \le -1$$

$$\therefore -\frac{1}{3} \le 1 - \frac{1}{x^2} \le 0$$

즉, $-\dfrac{1}{3} \le \cos \theta \le 0$

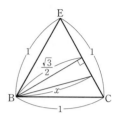

따라서 $\cos \theta$의 최댓값은 0이고, 최솟값은 $-\dfrac{1}{3}$이므로 그 합은 $-\dfrac{1}{3}$이다.

달 $-\dfrac{1}{3}$

418

△ABC는 $\overline{AB} = \overline{AC}$인 이등변삼각형이므로 $B = C = 30°$

이때 $\overline{CP} = x$라 하고 주어진 조건을 그림으로 나타내면 그림과 같다.

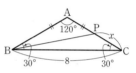

△PBC에서 코사인법칙을 이용하여 $\overline{BP}^2$의 값을 구하면

$$\overline{BP}^2 = \overline{PC}^2 + \overline{BC}^2 - 2 \times \overline{PC} \cdot \overline{BC} \cdot \cos C$$
$$= x^2 + 8^2 - 2 \cdot x \cdot 8 \cdot \cos 30°$$
$$= x^2 - 8\sqrt{3}x + 64$$

$$\overline{BP}^2 + \overline{CP}^2 = x^2 - 8\sqrt{3}x + 64 + x^2 = 2x^2 - 8\sqrt{3}x + 64$$
$$= 2(x - 2\sqrt{3})^2 + 40$$

따라서 $x = 2\sqrt{3}$일 때, $\overline{BP}^2 + \overline{CP}^2$의 값이 최소이고, 그 최솟값은 40이다.

달 40

419

[1단계] 그림과 같이 한 변의 길이가 2인 정육각형 ABCDEF에서

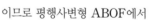

$A = B = C = D = E$
$= F = 120°$

이므로 평행사변형 ABOF에서

$\angle FAB + \angle AFO = 180°$

$\therefore \angle AFO = 180° - \angle FAB$
$= 180° - 120° = 60°$

따라서 △AOF는 정삼각형이다. 마찬가지 방법으로 하면 △ABO, △BCO, △OCD, △ODE, △OEF는 모두 정삼각형이다.

$$\therefore \overline{AD}=\overline{BE}=\overline{CF}=4$$

[2단계] $\triangle ABF$에서 코사인법칙에 의하여

$$\overline{BF}^2=\overline{AB}^2+\overline{AF}^2-2\overline{AB}\cdot\overline{AF}\cdot\cos(\angle BAF)$$
$$=2^2+2^2-2\cdot2\cdot2\cdot\cos120°$$
$$=8-8\cdot\left(-\frac{1}{2}\right)=12$$
$$\therefore \overline{BF}=2\sqrt{3}\ (\because \overline{BF}>0)$$
$$\therefore \overline{AC}=\overline{BD}=\overline{CE}=\overline{DF}=\overline{EA}=\overline{FB}=2\sqrt{3}$$

따라서 한 변의 길이가 2인 정육각형에서 모든 대각선의 길이의 합은

$$3\cdot4+6\cdot2\sqrt{3}=12(1+\sqrt{3})$$

답 $12(1+\sqrt{3})$

420

$\triangle ABC$에서 사인법칙에 의하여

$$\dfrac{\overline{AC}}{\sin45°}=\dfrac{\overline{AB}}{\sin60°}$$이므로

$$\dfrac{\overline{AC}}{\sin45°}=\dfrac{\sqrt{3}}{\sin60°},\ \overline{AC}\sin60°=\sqrt{3}\sin45°$$

$$\overline{AC}\cdot\dfrac{\sqrt{3}}{2}=\sqrt{3}\cdot\dfrac{\sqrt{2}}{2}$$

$$\therefore \overline{AC}=\sqrt{3}\cdot\dfrac{\sqrt{2}}{2}\cdot\dfrac{2}{\sqrt{3}}=\sqrt{2}$$

$\overline{AC}=\overline{CD}$이므로 $\overline{CD}=\sqrt{2}$

따라서 그림과 같이
$\triangle ACD$는 $\overline{AC}=\overline{CD}=\sqrt{2}$
이고 $\angle ACD=120°$인 이
등변삼각형이다.

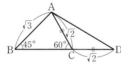

$\triangle ACD$에서 코사인법칙에 의하여

$$\overline{AD}^2=\overline{AC}^2+\overline{CD}^2-2\cdot\overline{AC}\cdot\overline{CD}\cdot\cos(\angle ACD)$$
$$=(\sqrt{2})^2+(\sqrt{2})^2-2\cdot\sqrt{2}\cdot\sqrt{2}\cdot\cos120°$$
$$=2+2-4\cdot\left(-\frac{1}{2}\right)=6$$

답 6

421

$\overline{AP}=x,\ \overline{AQ}=y$라 하면

$\triangle APQ=\dfrac{1}{4}\cdot\triangle ABC$에서

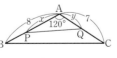

$$\frac{1}{2}xy\sin120°=\frac{1}{4}\times\left(\frac{1}{2}\cdot8\cdot7\cdot\sin120°\right)$$

$$\therefore xy=14$$

(1) $x>0,\ y>0$이므로 산술평균과 기하평균의 관계에
의하여

$$\frac{x+y}{2}\geq\sqrt{xy}=\sqrt{14}$$

$$\therefore x+y\geq2\sqrt{14}\ (단,\ 등호는\ x=y일\ 때\ 성립)$$

따라서 $\overline{AP}+\overline{AQ}$의 최솟값은 $2\sqrt{14}$

(2) $\triangle APQ$에 코사인법칙을 적용하면

$$\overline{PQ}^2=x^2+y^2-2xy\cos120°$$
$$=x^2+y^2-2\cdot14\cdot\left(-\frac{1}{2}\right)$$
$$=x^2+y^2+14$$

이때 $x^2>0,\ y^2>0$이므로 산술평균과 기하평균의 관
계에 의하여

$$\frac{x^2+y^2}{2}\geq\sqrt{x^2y^2}=xy=14$$

$$\therefore x^2+y^2\geq28\ (단,\ 등호는\ x=y일\ 때\ 성립)$$

따라서 $\overline{PQ}^2=x^2+y^2+14\geq28+14=42$이므로

$$\overline{PQ}\geq\sqrt{42}$$

따라서 $\overline{PQ}$의 최솟값은 $\sqrt{42}$

답 (1) $2\sqrt{14}$ (2) $\sqrt{42}$

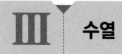

III 수열

1 등차수열과 등비수열

423

(1) 첫째항은 $a=1$, 공차는 $d=a_2-a_1=4-1=3$

$\therefore a_n=a+(n-1)d$

$\quad\quad =1+(n-1)\cdot 3$

$\quad\quad =3n-2$

(2) 첫째항은 $a=-2$,

공차는 $d=a_2-a_1=-7-(-2)=-5$

$\therefore a_n=a+(n-1)d$

$\quad\quad =-2+(n-1)\cdot(-5)$

$\quad\quad =-5n+3$

답 (1) $a_n=3n-2$ (2) $a_n=-5n+3$

425

$a_n=2n-5$에서 $a_{n+1}=2(n+1)-5=2n-3$

$\therefore a_{n+1}-a_n=(2n-3)-(2n-5)=2$ ⬅ 공차

또 $a_1=2\cdot 1-5=-3$이다. ⬅ 첫째항

따라서 수열 $\{a_n\}$은 첫째항이 -3, 공차가 2인 등차수열이다.

답 $a_{n+1}-a_n=2$, 첫째항: -3, 공차: 2

427

등차수열의 첫째항을 a, 공차를 d, 일반항을 a_n이라 하면

$a_n=a+(n-1)d$

$a_3=4$이므로 $a+2d=4$ ······ ㉠

$a_7=-4$이므로 $a+6d=-4$ ······ ㉡

㉠, ㉡을 연립하여 풀면 $a=8$, $d=-2$

$\therefore a_{10}=a+9d=8+9\cdot(-2)=-10$

답 -10

429

등차수열의 첫째항을 a, 공차를 d, 일반항을 a_n이라 하면

$a_n=a+(n-1)d$

제2항과 제5항은 절댓값이 같고 부호가 반대이므로

$a_2=-a_5$, $a_2+a_5=0$, $(a+d)+(a+4d)=0$

$\therefore 2a+5d=0$ ······ ㉠

제3항이 1이므로 $a_3=1$

$\therefore a+2d=1$ ······ ㉡

㉠, ㉡을 연립하여 풀면 $a=5$, $d=-2$

즉, 주어진 수열의 첫째항은 5, 공차는 -2이다.

답 첫째항: 5, 공차: -2

431

[1단계] 첫째항이 -53, 공차가 5인 등차수열의 일반항을 a_n이라 하면

$a_n=-53+(n-1)\cdot 5=5n-58$

[2단계] 제n항이 양수인 항이라 하면

$5n-58>0$ $\therefore n>\dfrac{58}{5}=11.6$

이때 n은 자연수이므로 제12항에서 처음으로 양수가 된다.

답 제12항

433

등차수열의 첫째항이 10, 제5항이 -2이므로 공차를 d, 일반항을 a_n이라 하면 $a_n=10+(n-1)d$

$a_5=10+4d=-2$ $\therefore d=-3$

10에서 출발해 -2까지 공차 -3씩 더해 가면

10, 7, 4, 1, -2

따라서 구하는 세 수는 차례로 7, 4, 1이다.

답 7, 4, 1

435

세 수 $2x-3$, x^2-1, $2x+1$이 이 순서로 등차수열을 이루므로

$2(x^2-1)=(2x-3)+(2x+1)$, $2x^2-4x=0$

$x^2-2x=0$, $x(x-2)=0$

$\therefore x=0$ 또는 $x=2$

답 $x=0$ 또는 $x=2$

437

등차수열을 이루는 세 수를 $a-d$, a, $a+d$로 놓으면

세 수의 합이 6이므로 $(a-d)+a+(a+d)=6$

$3a=6$ $\therefore a=2$ ······ ㉠

세 수의 제곱의 합이 14이므로

$(a-d)^2+a^2+(a+d)^2=14$

$\therefore 3a^2+2d^2=14$ ······ ㉡

㉠을 ㉡에 대입하면

$12+2d^2=14$, $d^2=1$ $\therefore d=\pm 1$

(ⅰ) $a=2$, $d=1$일 때, 세 수는 1, 2, 3이다.

(ⅱ) $a=2$, $d=-1$일 때, 세 수는 3, 2, 1이다.

따라서 구하는 세 수는 1, 2, 3이다.

답 1, 2, 3

439

(1) 끝항이 주어졌다. ➡ 끝항 킬러 공식

첫째항이 3, 끝항이 21, 항수가 10이므로

$$S_{10}=\frac{10(3+21)}{2}=10\times12=120$$

(2) 공차가 주어졌다. ➡ 공차 킬러 공식

첫째항이 10, 공차가 -2, 항수가 10이므로

$$S_{10}=\frac{10\{2\cdot10+(10-1)\cdot(-2)\}}{2}=\frac{10\times2}{2}=10$$

답 (1) 120 (2) 10

441

등차수열의 첫째항이 5, 공차가 $1-5=-4$이므로 첫째항부터 제n항까지의 합을 S_n이라 하면 공차 킬러 공식에 의하여

$$S_{10}=\frac{10\{2\cdot5+(10-1)\cdot(-4)\}}{2}=-130$$

답 -130

443

등차수열의 첫째항이 5, 공차가 $8-5=3$이므로 끝항 62를 제n항이라 하면

$$5+(n-1)\cdot3=62, \quad 3n+2=62$$

$$3n=60 \quad \therefore n=20$$

따라서 항수는 20이므로 첫째항부터 제20항까지의 합 S_{20}은 끝항 킬러 공식에 의하여

$$S_{20}=\frac{20(5+62)}{2}=670$$

답 670

445

등차수열의 첫째항을 a, 공차를 d, 첫째항부터 제n항까지의 합을 S_n이라 하면

$$S_{10}=\frac{10\{2a+(10-1)d\}}{2}=100$$

$$\therefore 2a+9d=20 \qquad \cdots\cdots \text{㉠}$$

$$S_{20}=\frac{10\{2a+(20-1)d\}}{2}=400$$

$$\therefore 2a+19d=40 \qquad \cdots\cdots \text{㉡}$$

㉠, ㉡을 연립하여 풀면 $a=1$, $d=2$

$$\therefore a_n=1+(n-1)\cdot2=2n-1$$

답 $a_n=2n-1$

447

첫째항이 -15, 공차가 2인 등차수열의 일반항 a_n은

$$a_n=-15+(n-1)\cdot2=2n-17$$

$a_n>0$인 경우는 $2n-17>0$에서

$$n>\frac{17}{2}=8.5$$

따라서 제8항까지는 음수이고, 제9항부터는 양수이므로 첫째항부터 제8항까지의 합이 최소가 된다.

이때 첫째항부터 제n항까지의 합을 S_n이라 하면 구하는 최솟값은

$$S_8=\frac{8\{2\cdot(-15)+(8-1)\cdot2\}}{2}=-64$$

답 -64

449

첫째항이 4, 끝항이 31, 항수가 $n+2$인 등차수열의 합이 175이므로

$4, a_1, a_2, \cdots, a_n, 31$

$\underbrace{}_{n\text{개}}$

$\underbrace{}_{(n+2)\text{개}}$

$$\frac{(n+2)(4+31)}{2}=175$$

$$n+2=10 \quad \therefore n=8$$

따라서 31이 제10항이므로 $a_n=4+(n-1)d$에서

$$4+9d=31 \quad \therefore d=3$$

답 $n=8$, $d=3$

451

50과 100 사이에 있는 3의 배수는

$$51, 54, 57, \cdots, 99$$

이때 $51=3\cdot17$, $99=3\cdot33$이므로 항수는

$$33-17+1=17$$

따라서 구하는 총합은 첫째항이 51, 끝항이 99, 항수가 17인 등차수열의 합이므로

$$\frac{17(51+99)}{2}=1275$$

답 1275

453

(1) (ⅰ) $n=1$일 때, $a_1=S_1=1$

(ⅱ) $n\geq2$일 때,

$$a_n=S_n-S_{n-1}$$

$$=n^2-(n-1)^2$$
$$=n^2-(n^2-2n+1)$$
$$=2n-1 \qquad \cdots\cdots \text{㉠}$$

그런데 $a_1=1$은 ㉠에 $n=1$을 대입한 값과 같으므로
$$a_n=2n-1 \ (n\geq1)$$
(2)(i) $n=1$일 때, $a_1=S_1=1+1=2$
　(ii) $n\geq2$일 때,
$$a_n=S_n-S_{n-1}$$
$$=(n^2+1)-\{(n-1)^2+1\}$$
$$=(n^2+1)-(n^2-2n+2)$$
$$=2n-1 \qquad \cdots\cdots \text{㉠}$$

그런데 $a_1=2$는 ㉠에 $n=1$을 대입한 값과 다르므로
$$a_1=2, \ a_n=2n-1 \ (n\geq2)$$
답 (1) $a_n=2n-1 \ (n\geq1)$
　　(2) $a_1=2, \ a_n=2n-1 \ (n\geq2)$

454
$a_n=4n+5$에서
$$a_{n+1}=4(n+1)+5=4n+9$$
$$\therefore a_{n+1}-a_n=(4n+9)-(4n+5)=4 \ \Leftarrow 공차 \ d$$
또 $a_1=4\cdot1+5=9$이다. $\Leftarrow$ 첫째항 a
따라서 수열 $\{a_n\}$은 첫째항 a가 9, 공차 d가 4인 등차수열이므로
$$2a+d=2\cdot9+4=22$$
답 22

455
[1단계] 첫째항이 -2000, 공차가 6인 등차수열의 일반항을 a_n이라 하면
$$a_n=-2000+(n-1)\cdot6=6n-2006$$
[2단계] 제 n항이 양수인 항이라 하면
$$6n-2006>0 \qquad \therefore n>\frac{2006}{6}=334.33\cdots$$
이때 n은 자연수이므로 제335항에서 처음으로 양수가 된다.
답 제335항

456
첫째항이 10, 공차가 5인 등차수열의 일반항 a_n은
$$a_n=10+(n-1)\cdot5$$
제 $(n+2)$항이 100이므로
$$10+(n+1)\cdot5=100, \ 5n+15=100$$
$$\therefore n=17$$
답 17

457
$a=\dfrac{2+8}{2}=5, \ b=\dfrac{10+2}{2}=6$이므로
$$x^2-5x+6=0$$
$$(x-2)(x-3)=0$$
$$\therefore x=2 \ 또는 \ x=3$$
답 $x=2$ 또는 $x=3$

458
첫째항을 a, 공차를 d, 첫째항부터 제 n항까지의 합을 S_n이라 하면
$$S_{10}=\frac{10(2a+9d)}{2}=5$$
$$\therefore 2a+9d=1 \qquad \cdots\cdots \text{㉠}$$
$$S_{20}=\frac{20(2a+19d)}{2}=20$$
$$\therefore 2a+19d=2 \qquad \cdots\cdots \text{㉡}$$
㉠, ㉡을 연립하여 풀면
$$a=\frac{1}{20}, \ d=\frac{1}{10}$$
따라서 첫째항부터 제30항까지의 합은
$$S_{30}=\frac{30(2a+29d)}{2}$$
$$=15(2a+29d)$$
$$=15\left(2\times\frac{1}{20}+29\times\frac{1}{10}\right)=45$$
답 45

459
등차수열 $\{a_n\}$의 첫째항을 a, 공차를 d, 첫째항부터 제 n항까지의 합을 S_n이라 하면
$$S_5=\frac{5(2a+4d)}{2}=20$$
$$\therefore a+2d=4 \qquad \cdots\cdots \text{㉠}$$
$$S_{10}=\frac{10(2a+9d)}{2}=20+120=140$$
$$\therefore 2a+9d=28 \qquad \cdots\cdots \text{㉡}$$
㉠, ㉡을 연립하여 풀면
$$a=-4, \ d=4$$
$a_n=-4+(n-1)\cdot4$에서
$$a_{11}=-4+10\cdot4=36$$
$$a_{14}=-4+13\cdot4=48$$
$$\therefore a_{11}+a_{12}+a_{13}+a_{14}=\frac{4(36+48)}{2}=168$$
답 168

460

$S_n = n^2 + 3n + 1$이므로

$a_1 = S_1 = 1 + 3 + 1 = 5$

$a_{10} = S_{10} - S_9 = 131 - 109 = 22$

$\therefore a_1 + a_{10} = 5 + 22 = 27$

답 27

462

(1) 첫째항은 $a = 3$, 공비는 $r = \dfrac{6}{3} = 2$이므로

$\quad a_n = 3 \cdot 2^{n-1}$

(2) 첫째항은 $a = 4$, 공비는 $r = \dfrac{-2}{4} = -\dfrac{1}{2}$이므로

$\quad a_n = 4 \cdot \left(-\dfrac{1}{2}\right)^{n-1} = \left(-\dfrac{1}{2}\right)^{n-3}$

답 (1) $a_n = 3 \cdot 2^{n-1}$ (2) $a_n = \left(-\dfrac{1}{2}\right)^{n-3}$

464

(1) 첫째항이 4, 공비가 $\dfrac{-12}{4} = -3$이므로 등비수열의

일반항은 $a_n = 4 \cdot (-3)^{n-1}$

-972가 제 n항이라 하면

$4 \cdot (-3)^{n-1} = -972$, $(-3)^{n-1} = -243$

$(-3)^{n-1} = (-3)^5$, $n - 1 = 5$

$\therefore n = 6$

따라서 -972는 제 6항이다.

(2) $a_1 = 2 \cdot 3^{2 \cdot 1 - 1} = 6$, $a_2 = 2 \cdot 3^{2 \cdot 2 - 1} = 54$이므로

$\quad \dfrac{a_2}{a_1} = \dfrac{54}{6} = 9$

따라서 주어진 등비수열의 첫째항은 6, 공비는 9이다.

답 (1) 제 6항 (2) 첫째항: 6, 공비: 9

466

등비수열의 첫째항이 2, 제 5항이 162이므로 공비를 r,

일반항을 a_n이라 하면

$a_n = 2 \cdot r^{n-1}$

$a_5 = 2 \cdot r^4 = 162$에서 $r^4 = 81$

$\therefore r = 3 \ (\because r > 0)$

2에서 출발해 162까지 공비 3씩 곱해 가면

$2, 6, 18, 54, 162$

따라서 구하는 세 수는 차례로 $6, 18, 54$이다.

답 $6, 18, 54$

468

첫째항이 2, 공비가 2인 등비수열의 일반항 a_n은

$a_n = 2 \cdot 2^{n-1} = 2^n$

제 n항에서 처음으로 1000보다 커진다고 하면

$2^n > 1000$

이때 $2^9 = 512$, $2^{10} = 1024$이므로 $n \geq 10$

따라서 제 10항이다.

답 제 10항

470

등비수열의 첫째항을 a, 공비를 r, 일반항을 a_n이라 하면

$a_n = ar^{n-1}$

$a_2 = 6$이므로 $ar = 6$ ...... ㉠

$a_5 = 48$이므로 $ar^4 = 48$ ...... ㉡

$\dfrac{㉡}{㉠}$에서 $\dfrac{ar^4}{ar} = \dfrac{48}{6} = 8$ $\therefore r^3 = 8$

이때 r는 실수이므로 $r = 2$

이 값을 ㉠에 대입하면 $2a = 6$ $\therefore a = 3$

$\therefore a_n = 3 \cdot 2^{n-1}$

답 $a_n = 3 \cdot 2^{n-1}$

472

등비수열의 첫째항을 a, 공비를 r, 일반항을 a_n이라 하면

$a_n = ar^{n-1}$

$a_1 + a_3 = 30$이므로 $a + ar^2 = 30$

$\therefore a(1 + r^2) = 30$ ...... ㉠

$a_2 + a_4 = 90$이므로 $ar + ar^3 = 90$

$\therefore ar(1 + r^2) = 90$ ...... ㉡

$\dfrac{㉡}{㉠}$에서 $\dfrac{ar(1 + r^2)}{a(1 + r^2)} = \dfrac{90}{30}$ $\therefore r = 3$

이 값을 ㉠에 대입하면

$10a = 30$ $\therefore a = 3$

따라서 주어진 등비수열의 첫째항은 3, 공비는 3이다.

답 첫째항: 3, 공비: 3

474

한 번 시행할 때마다 선분의 개수는 2배가 되고, 선분 1

개의 길이는 $\dfrac{1}{3}$배가 된다. 따라서 한 번 시행할 때 마다

총 길이는 $\dfrac{2}{3}$배가 되므로 공비가 $\dfrac{2}{3}$인 등비수열이다.

1회 시행 후 남은 선분의 길이의 합은 $7 \times \dfrac{2}{3}$

2회 시행 후 남은 선분의 길이의 합은 $7 \times \left(\dfrac{2}{3}\right)^2$

따라서 20회 시행 후 남은 선분의 길이의 합은

$7 \times \left(\dfrac{2}{3}\right)^{20}$

답 $7 \times \left(\dfrac{2}{3}\right)^{20}$

476

세 수 $a-1$, $a+1$, $a+2$가 이 순서로 등비수열을 이루므로 $(a+1)^2=(a-1)(a+2)$에서

$a^2+2a+1=a^2+a-2$

$\therefore a=-3$

답 -3

478

세 수를 a, ar, ar^2으로 놓으면

세 수의 합이 -3이므로 $a+ar+ar^2=-3$

$\therefore a(1+r+r^2)=-3$ ...... ㉠

세 수의 곱이 8이므로 $a \cdot ar \cdot ar^2=8$, $(ar)^3=8$

$\therefore ar=2$ ($\because ar$는 실수) ...... ㉡

$\dfrac{㉠}{㉡}$에서 $\dfrac{1+r+r^2}{r}=-\dfrac{3}{2}$, $2+2r+2r^2=-3r$

$2r^2+5r+2=0$, $(r+2)(2r+1)=0$

$\therefore r=-2$ 또는 $r=-\dfrac{1}{2}$

이 값을 ㉡에 대입하면

(ⅰ) $r=-2$일 때,

　$a=-1$이므로 세 수는 -1, 2, -4이다.

(ⅱ) $r=-\dfrac{1}{2}$일 때,

　$a=-4$이므로 세 수는 -4, 2, -1이다.

따라서 구하는 세 수는 -1, 2, -4이다.

답 -1, 2, -4

480

(1) 첫째항이 1, 공비가 2이므로

$S_n=\dfrac{1 \cdot (2^n-1)}{2-1}=2^n-1$

(2) 첫째항이 8, 공비가 $\dfrac{1}{2}$이므로

$S_n=\dfrac{8 \cdot \left\{1-\left(\dfrac{1}{2}\right)^n\right\}}{1-\dfrac{1}{2}}=16\left\{1-\left(\dfrac{1}{2}\right)^n\right\}$

(3) 첫째항이 1, 공비가 -2이므로

$S_n=\dfrac{1 \cdot \left\{1-(-2)^n\right\}}{1-(-2)}=\dfrac{1}{3}\left\{1-(-2)^n\right\}$

답 (1) 2^n-1 (2) $16\left\{1-\left(\dfrac{1}{2}\right)^n\right\}$
(3) $\dfrac{1}{3}\left\{1-(-2)^n\right\}$

482

486을 제n항이라 하면 첫째항이 2, 공비가 3이므로

$2 \cdot 3^{n-1}=486$에서 $3^{n-1}=243$

$3^{n-1}=3^5$, $n-1=5$ $\therefore n=6$

첫째항부터 제n항까지의 합을 S_n이라 하면

$S_6=\dfrac{2 \cdot (3^6-1)}{3-1}=728$

답 728

484

첫째항을 a, 공비를 r, 일반항을 a_n, 첫째항부터 제n항까지의 합을 S_n이라 하면

$a_1+a_3=10$이므로 $a+ar^2=10$

$\therefore a(1+r^2)=10$ ...... ㉠

$a_3+a_5=90$이므로 $ar^2+ar^4=90$

$\therefore ar^2(1+r^2)=90$ ...... ㉡

$\dfrac{㉡}{㉠}$에서 $r^2=9$ $\therefore r=3$ ($\because r>0$)

이 값을 ㉠에 대입하면

$10a=10$ $\therefore a=1$

$\therefore S_4=\dfrac{1 \cdot (3^4-1)}{3-1}=40$

답 40

486

첫째항을 a, 공비를 r, 첫째항부터 제n항까지의 합을 S_n이라 하면

$S_5=11$이므로 $\dfrac{a(1-r^5)}{1-r}=11$ ...... ㉠

$S_{10}=-341$이므로 $\dfrac{a(1-r^{10})}{1-r}=-341$

$\therefore \dfrac{a(1-r^5)(1+r^5)}{1-r}=-341$ ...... ㉡

㉠을 ㉡에 대입하면

$11(1+r^5)=-341$, $r^5=-32$

이때 r는 실수이므로 $r=-2$

이 값을 ㉠에 대입하면

$11a=11$ $\therefore a=1$

$\therefore a_n=(-2)^{n-1}$

답 $a_n=(-2)^{n-1}$

488

첫째항이 x, 공비가 $(x-1)^2$이고 $x>2$이므로

$(x-1)^2 \neq 1$

첫째항부터 제n항까지의 합을 S_n이라 하면

$$S_n = \frac{x\{((x-1)^2)^n - 1\}}{(x-1)^2 - 1}$$

$$= \frac{x\{(x-1)^{2n} - 1\}}{x^2 - 2x}$$

$$= \frac{(x-1)^{2n} - 1}{x - 2}$$

답 $\dfrac{(x-1)^{2n} - 1}{x - 2}$

490

$S_n = 2^n - 1$에서

(i) $n=1$일 때,

$\quad a_1 = S_1 = 2 - 1 = 1$

(iii) $n \geq 2$일 때,

$\quad a_n = S_n - S_{n-1} = (2^n - 1) - (2^{n-1} - 1)$

$\quad\quad = 2 \cdot 2^{n-1} - 2^{n-1} = 2^{n-1}$ $\quad\cdots\cdots$ ㉠

그런데 $a_1 = 1$은 ㉠에 $n=1$을 대입한 값과 같으므로

$a_n = 2^{n-1}$ $(n \geq 1)$

답 $a_n = 2^{n-1}$ $(n \geq 1)$

492

$S_n = 6 \cdot 5^n + k$에서

(i) $n=1$일 때,

$\quad a_1 = S_1 = 6 \cdot 5 + k = 30 + k$ $\quad\cdots\cdots$ ㉠

(iii) $n \geq 2$일 때,

$\quad a_n = S_n - S_{n-1}$

$\quad\quad = (6 \cdot 5^n + k) - (6 \cdot 5^{n-1} + k)$

$\quad\quad = 24 \cdot 5^{n-1}$ $\quad\cdots\cdots$ ㉡

첫째항부터 등비수열을 이루려면 ㉡에 $n=1$을 대입한

값이 ㉠과 같아야 하므로

$24 \cdot 5^{1-1} = 30 + k$, $24 = 30 + k$

$\therefore k = -6$

답 -6

494

1년 초 2년 초 $\cdots$ 9년 초 10년 초 10년 말

$20 \quad 20 \quad\quad 20 \quad 20 \rightarrow 20(1+0.1)^1$

$\rightarrow 20(1+0.1)^2$

$\vdots$

$\rightarrow 20(1+0.1)^9$

$\rightarrow 20(1+0.1)^{10}$

10년 후의 원리합계를 S라 하면

$S = 20 \times 1.1 + 20 \times 1.1^2 + \cdots + 20 \times 1.1^{10}$

$$= \frac{20 \times 1.1(1.1^{10} - 1)}{1.1 - 1}$$

$$= \frac{20 \times 1.1(2.6 - 1)}{0.1}$$

$$= 352 \text{ (만 원)}$$

답 352만 원

496

1년 초 1년 말 2년 말 $\cdots$ 9년 말 10년 말

$30 \quad 30 \quad\quad 30 \quad 30 \quad 30$

$\rightarrow 30(1+0.06)^1$

$\vdots$

$\rightarrow 30(1+0.06)^8$

$\rightarrow 30(1+0.06)^9$

10년 후의 원리합계를 S라 하면

$S = 30 + 30 \times 1.06 + 30 \times 1.06^2 + \cdots + 30 \times 1.06^9$

$$= \frac{30(1.06^{10} - 1)}{1.06 - 1}$$

$$= \frac{30(1.8 - 1)}{0.06}$$

$$= 400 \text{ (만 원)}$$

답 400만 원

497

등비수열 $\{a_n\}$을 나열해 보면 4, 8, 16, 32, $\cdots$

수열 $\left\{\dfrac{1}{a_n}\right\}$을 나열해 보면 $\dfrac{1}{4}$, $\dfrac{1}{8}$, $\dfrac{1}{16}$, $\dfrac{1}{32}$, $\cdots$

따라서 수열 $\left\{\dfrac{1}{a_n}\right\}$은 첫째항이 $\dfrac{1}{4}$, 공비가 $\dfrac{1}{2}$인 등비수

열이므로 $a = \dfrac{1}{4}$, $r = \dfrac{1}{2}$

$\therefore 8ar = 8 \cdot \dfrac{1}{4} \cdot \dfrac{1}{2} = 1$

답 1

498

세 수 1, x, y가 이 순서로 등비수열을 이루므로

$x^2 = 1 \cdot y$ $\quad \therefore x^2 = y$ $\quad\cdots\cdots$ ㉠

또 세 수 1, $2x$, $4y$가 이 순서로 등차수열을 이루므로

$2 \cdot 2x = 1 + 4y$ $\quad \therefore 4x = 1 + 4y$ $\quad\cdots\cdots$ ㉡

㉠을 ㉡에 대입하면 $4x = 1 + 4x^2$

$4x^2 - 4x + 1 = 0$, $(2x - 1)^2 = 0$ $\quad \therefore x = \dfrac{1}{2}$

이 값을 ㉠에 대입하면 $y = \dfrac{1}{4}$

$\therefore x + y = \dfrac{1}{2} + \dfrac{1}{4} = \dfrac{3}{4}$

답 $\dfrac{3}{4}$

499

첫째항이 5, 공비가 2인 등비수열의 일반항을 a_n이라 하면

$a_n = 5 \cdot 2^{n-1}$

처음으로 1000 이상이 되는 항은 $a_n \geq 1000$을 만족시키는 최초의 항이므로

$5 \cdot 2^{n-1} \geq 1000$, $2^{n-1} \geq 200$

이때 $2^7 = 128$, $2^8 = 256$이므로

$n-1 \geq 8$ $\quad \therefore n \geq 9$

따라서 처음으로 1000 이상이 되는 항은 제9항이다.

답 제9항

500

등비수열의 첫째항을 a, 공비를 r, 첫째항부터 제n항까지의 합을 S_n이라 하면

$S_3 = 21$이므로 $\dfrac{a(1-r^3)}{1-r} = 21$ $\quad\quad$ ······ ㉠

$S_6 = 189$이므로 $\dfrac{a(1-r^6)}{1-r} = 189$

$\therefore \dfrac{a(1-r^3)(1+r^3)}{1-r} = 189$ $\quad\quad$ ······ ㉡

㉠을 ㉡에 대입하면 $21(1+r^3) = 189$

$1+r^3 = 9$, $r^3 = 8$

이때 r는 실수이므로 $r = 2$

이 값을 ㉠에 대입하면

$7a = 21$ $\quad \therefore a = 3$

따라서 첫째항부터 제8항까지의 합은

$S_8 = \dfrac{3 \cdot (2^8 - 1)}{2-1} = 765$

답 765

501

$S_n = 5^n - 1$이므로 $a_1 = S_1 = 5^1 - 1 = 4$

$a_3 = S_3 - S_2 = (5^3 - 1) - (5^2 - 1) = 100$

$\therefore a_1 + a_3 = 4 + 100 = 104$

답 104

502

등비수열의 첫째항을 a, 공비를 r $(r > 0)$라 하면 일반항 a_n은

$a_n = ar^{n-1}$

$a_2 + a_4 = 5$이므로 $ar + ar^3 = 5$

$\therefore ar(1+r^2) = 5$ $\quad\quad$ ······ ㉠

$a_4 + a_6 = 20$이므로 $ar^3 + ar^5 = 20$

$\therefore ar^3(1+r^2) = 20$ $\quad\quad$ ······ ㉡

$\dfrac{㉡}{㉠}$에서 $\dfrac{ar^3(1+r^2)}{ar(1+r^2)} = \dfrac{20}{5}$, $r^2 = 4$

이때 r는 양수이므로 $r = 2$

이 값을 ㉠에 대입하면 $2a \cdot 5 = 5$ $\quad \therefore a = \dfrac{1}{2}$

따라서 첫째항부터 제10항까지의 합은

$\dfrac{\dfrac{1}{2}(2^{10} - 1)}{2-1} = \dfrac{1023}{2}$

답 $\dfrac{1023}{2}$

503

등차수열 $\{a_n\}$의 첫째항을 a, 공차를 d라 하면

$a_n = a + (n-1)d$

$a_1 + a_2 = 8$이므로 $a + (a+d) = 8$

$\therefore 2a + d = 8$ $\quad\quad$ ······ ㉠

$a_3 + a_4 = 24$이므로 $(a+2d) + (a+3d) = 24$

$\therefore 2a + 5d = 24$ $\quad\quad$ ······ ㉡

㉠, ㉡을 연립하여 풀면 $a = 2$, $d = 4$

$\therefore a_n = 2 + (n-1) \cdot 4 = 4n - 2$

따라서 $a_k = 198$이므로 $4k - 2 = 198$

$4k = 200$ $\quad \therefore k = 50$

답 50

504

$f(x) = x^2 + ax + 2$라 하면

$x-1$, $x-2$, $x-4$로 나누었을 때의 나머지는 각각

$f(1) = a+3$, $f(2) = 2a+6$, $f(4) = 4a+18$

위의 순서로 등차수열을 이루므로

$2(2a+6) = (a+3) + (4a+18)$

$4a + 12 = 5a + 21$ $\quad \therefore a = -9$

답 -9

505

삼차방정식의 세 근을 $a-d$, a, $a+d$로 놓으면 삼차방정식의 근과 계수의 관계에 의하여

$(a-d) + a + (a+d) = 3$, $3a = 3$

$\therefore a = 1$ $\quad\quad$ ······ ㉠

$(a-d) \times a \times (a+d) = -3$, $a^3 - ad^2 = -3$

㉠을 위의 식에 대입하면 $1 - d^2 = -3$

$\therefore d^2 = 4$ $\quad\quad$ ······ ㉡

$(a-d)a + a(a+d) + (a-d)(a+d) = k$이므로

㉠, ㉡에서 $(1-d) + (1+d) + (1-d)(1+d) = k$

$\therefore k = 3 - d^2 = 3 - 4 = -1$

답 -1

506

등차수열 $\{a_n\}$의 첫째항을 a, 공차를 d라 하면

$a_3 = a + 2d = 11$, $a_{10} = a + 9d = -3$

위의 식을 연립하여 풀면 $a = 15$, $d = -2$

$\therefore a_n = 15 + (n-1) \cdot (-2) = -2n + 17$

$a_n < 0$인 경우는 $-2n + 17 < 0$에서

$n > \dfrac{17}{2} = 8.5$

따라서 수열 $\{a_n\}$은 제8항까지는 양수이고, 제9항부터는 음수이므로 첫째항부터 제8항까지의 합이 최대가 된다.

따라서 구하는 최댓값은

$S_8 = \dfrac{8\{2 \cdot 15 + (8-1) \cdot (-2)\}}{2} = 64$

🔲 64

507

첫째항이 -3, 끝항이 33, 항수가 30인 등차수열의 합은

$\dfrac{30(-3+33)}{2} = 450$

따라서 넣은 28개의 수의 합은

$450 - \{(-3) + 33\} = 420$

🔲 420

508

$S_n = 2n^2 - 2n$에서

$S_n = 1$일 때, $a_1 = S_1 = 2 - 2 = 0$

(ⅰ) $n = 1$일 때, $a_1 = S_1 = 2 - 2 = 0$

(ⅱ) $n \geq 2$일 때,

$\begin{aligned} a_n &= S_n - S_{n-1} \\ &= (2n^2 - 2n) - \{2(n-1)^2 - 2(n-1)\} \\ &= (2n^2 - 2n) - (2n^2 - 6n + 4) \\ &= 4n - 4 \end{aligned}$ ...... ㉠

그런데 $a_1 = 0$은 ㉠에 $n = 1$을 대입한 값과 같으므로

$a_n = 4n - 4 \ (n \geq 1)$

따라서 $a_k = 4k - 4 = 48$이므로

$4k = 52$ $\therefore k = 13$

🔲 13

509

등비수열 $\{a_n\}$의 첫째항을 a, 공비를 r라 하면 $a_n = ar^{n-1}$

$a_3 = 24$이므로 $ar^2 = 24$ ...... ㉠

$a_6 = -192$이므로 $ar^5 = -192$ ...... ㉡

$\dfrac{㉡}{㉠}$에서 $\dfrac{ar^5}{ar^2} = \dfrac{-192}{24}$, $r^3 = -8$

이때 r는 실수이므로 $r = -2$

이 값을 ㉠에 대입하면 $4a = 24$ $\therefore a = 6$

$\therefore a + r = 6 + (-2) = 4$

🔲 4

510

등비수열 $\{a_n\}$의 첫째항을 a, 공비를 r라 하면

$a_1 + a_2 = \dfrac{5}{8}$이므로 $a + ar = \dfrac{5}{8}$ ...... ㉠

$a_1 a_2 a_3 = \dfrac{1}{8}$이므로 $a \cdot ar \cdot ar^2 = \dfrac{1}{8}$

$(ar)^3 = \dfrac{1}{8}$ $\therefore ar = \dfrac{1}{2}$ ...... ㉡

㉡을 ㉠에 대입하면

$a + \dfrac{1}{2} = \dfrac{5}{8}$ $\therefore a = \dfrac{1}{8}$

🔲 $\dfrac{1}{8}$

511

삼차방정식의 세 근을 a, ar, ar^2으로 놓으면 삼차방정식의 근과 계수의 관계에 의하여

$a + ar + ar^2 = 3$ ...... ㉠

$a \cdot ar + ar \cdot ar^2 + ar^2 \cdot a = -6$ ...... ㉡

$a \cdot ar \cdot ar^2 = -k$ ...... ㉢

㉡에서 $ar(a + ar + ar^2) = -6$이므로

이 식에 ㉠을 대입하면 $3ar = -6$ $\therefore ar = -2$

㉢에서 $(ar)^3 = -k$이므로

$k = -(ar)^3 = -(-2)^3 = 8$

🔲 8

512

등비수열 $\{a_n\}$의 첫째항을 a, 공비를 r, 첫째항부터 제 n항까지의 합을 S_n이라 하면

$S_5 = 55$이므로 $\dfrac{a(1 - r^5)}{1 - r} = 55$ ...... ㉠

$S_{10} = 55 + (-1760) = -1705$이므로

$\dfrac{a(1 - r^{10})}{1 - r} = -1705$

$\therefore \dfrac{a(1 - r^5)(1 + r^5)}{1 - r} = -1705$ ...... ㉡

㉠을 ㉡에 대입하면

$55(1 + r^5) = -1705$, $r^5 = -32$

이때 r는 실수이므로 $r = -2$

이 값을 ㉠에 대입하면

$11a=55$ ∴ $a=5$

∴ $a+r=5+(-2)=3$

답 3

513

세 수 $a+3$, 3, b가 이 순서로 등차수열을 이루므로

$2\cdot3=a+3+b$, $a+b=3$

∴ $b=3-a$ ······ ㉠

또 세 수 $\dfrac{2}{b}$, 1, $\dfrac{2}{a+3}$가 이 순서로 등비수열을 이루므로

$1^2=\dfrac{2}{b}\cdot\dfrac{2}{a+3}$

∴ $(a+3)b=4$ ······ ㉡

㉠을 ㉡에 대입하면

$(a+3)(3-a)=4$, $9-a^2=4$

∴ $a^2=5$

$a>0$이므로 $a=\sqrt{5}$

이것을 ㉠에 대입하면 $b=3-\sqrt{5}$

∴ $b-a=(3-\sqrt{5})-\sqrt{5}=3-2\sqrt{5}$

답 ⑤

514

1개월 초 2개월 초 ··· 23개월 초 24개월 초 24개월 말

2년, 즉 24개월 후의 원리합계를 S라 하면

$S=1\times1.01+1\times1.01^2+1\times1.01^3+\cdots+1\times1.01^{24}$

$=\dfrac{1.01(1.01^{24}-1)}{1.01-1}=\dfrac{1.01^{25}-1.01}{0.01}$

$=\dfrac{1.282-1.01}{0.01}=27.2$ (만 원)

따라서 원리합계는 272000원이다.

답 272000원

515

이차방정식 $x^2-6x+3=0$의 두 근을 α, β라 하면 근과 계수의 관계에 의하여

$\alpha+\beta=6$, $\alpha\beta=3$

∴ $A=\dfrac{\alpha+\beta}{2}=\dfrac{6}{2}=3$, $G=\pm\sqrt{\alpha\beta}=\pm\sqrt{3}$

$A^2=9$, $G^2=3$이므로 A^2과 G^2을 두 근으로 하고 x^2의 계수가 1인 이차방정식은

$(x-9)(x-3)=0$, $x^2-12x+27=0$

따라서 $a=-12$, $b=27$이므로

$a+b=15$

답 15

516

가로줄과 세로줄에 있는 세 수가 각각 등차수열을 이루므로

(ⅰ) 가로줄에서

 A, 11, B ➡ $22=A+B$ ······ ㉠

 1, C, D ➡ $2C=1+D$ ······ ㉡

 E, F, 77 ➡ $2F=E+77$

(ⅱ) 세로줄에서

 A, 1, E ➡ $2=A+E$ ······ ㉢

 11, C, F ➡ $2C=11+F$ ······ ㉣

 B, D, 77 ➡ $2D=B+77$

㉠-㉢에서 $20=B-E$

㉡-㉣에서 $0=-10+(D-F)$ ∴ $D-F=10$

∴ $(B-E)+(D-F)=20+10=30$

답 30

517

처음 나무통의 높이를 a, 원판 1개의 높이를 h라 하면 $\{h_n\}$은 첫째항이 $a+h$, 공차가 h인 등차수열이므로

$h_n=(a+h)+(n-1)h=a+nh$

$h_5+h_{13}+h_{17}+h_{25}$

$=(a+5h)+(a+13h)+(a+17h)+(a+25h)$

$=4a+60h=4(a+15h)=4h_{15}$

$h_{15}=6$이므로 구하는 값은

$4h_{15}=4\cdot6=24$

답 24

518

한 번 시행할 때마다 정사각형의 개수는 8배가 되고, 정사각형 1개의 넓이는 $\dfrac{1}{9}$배가 되므로 한 번 시행할 때마다 총 넓이는 $\dfrac{8}{9}$배가 된다.

따라서 구하는 넓이는 첫째항이 $7\times\dfrac{8}{9}$이고 공비가 $\dfrac{8}{9}$인 등비수열이다.

따라서 n번째 시행 후 넓이는 $7\times\left(\dfrac{8}{9}\right)^n$

답 ③

2 수열의 합

520

(1) $5i$의 i에 1부터 10까지 대입하여 더한 것이므로

$$\sum_{k=1}^{10} 5i = 5+10+15+\cdots+50$$

(2) $\dfrac{i}{i+1}$의 i에 2부터 n까지 대입하여 더한 것이므로

$$\sum_{i=2}^{n} \frac{i}{i+1} = \frac{2}{3}+\frac{3}{4}+\frac{4}{5}+\cdots+\frac{n}{n+1}$$

답 (1) $5+10+15+\cdots+50$

(2) $\dfrac{2}{3}+\dfrac{3}{4}+\dfrac{4}{5}+\cdots+\dfrac{n}{n+1}$

522

(1) 2^k의 k에 1부터 10까지 대입하여 더한 것이므로

$$2+2^2+2^3+\cdots+2^{10}=\sum_{k=1}^{10} 2^k$$

(2) $2k-1$의 k에 1부터 n까지 대입하여 더한 것이므로

$$1+3+5+\cdots+(2n-1)=\sum_{k=1}^{n}(2k-1)$$

답 (1) $\displaystyle\sum_{k=1}^{10} 2^k$ (2) $\displaystyle\sum_{k=1}^{n}(2k-1)$

524

$$\sum_{k=1}^{10}(2a_k+3b_k-5)=2\sum_{k=1}^{10}a_k+3\sum_{k=1}^{10}b_k-\sum_{k=1}^{10}5$$
$$=2\cdot30+3\cdot20-5\cdot10$$
$$=70$$

답 70

526

(1) $\displaystyle\sum_{k=1}^{10}(k^2+3)-\sum_{k=1}^{10}(k^2-2)=\sum_{k=1}^{10}\{(k^2+3)-(k^2-2)\}$
$$=\sum_{k=1}^{10}5=5\cdot10$$
$$=50$$

(2) $\displaystyle\sum_{k=1}^{10}(k^2+5)-\sum_{k=1}^{9}(k^2+5)=\sum_{k=10}^{10}(k^2+5)$
$$=10^2+5=105$$

답 (1) 50 (2) 105

528

(1) $\displaystyle\sum_{k=1}^{10}(2k+3)=\sum_{k=1}^{n}2k+\sum_{k=1}^{n}3=2\sum_{k=1}^{n}k+3n$
$$=2\cdot\frac{n(n+1)}{2}+3n$$
$$=n^2+4n$$

(2) $\displaystyle\sum_{k=1}^{10}k(k^2+2)=\sum_{k=1}^{10}(k^3+2k)$
$$=\sum_{k=1}^{10}k^3+2\sum_{k=1}^{10}k$$
$$=\left(\frac{10\cdot11}{2}\right)^2+2\cdot\frac{10\cdot11}{2}$$
$$=3135$$

(3) $\displaystyle\sum_{k=10}^{20}k=\sum_{k=1}^{20}k-\sum_{k=1}^{9}k=\frac{20\cdot21}{2}-\frac{9\cdot10}{2}=165$

답 (1) n^2+4n (2) 3135 (3) 165

530

(1) $\displaystyle\sum_{k=1}^{5}(2^k-4k)=\sum_{k=1}^{5}2^k-4\sum_{k=1}^{5}k$
$$=(2^1+2^2+\cdots+2^5)-4\cdot\frac{5\cdot6}{2}$$
$$=\frac{2(2^5-1)}{2-1}-60=2$$

(2) $\displaystyle\sum_{k=1}^{6}(3^{k-1}+5)=\sum_{k=1}^{6}3^{k-1}+\sum_{k=1}^{6}5$
$$=(1+3^1+3^2+\cdots+3^5)+5\cdot6$$
$$=\frac{1\cdot(3^6-1)}{3-1}+30=394$$

답 (1) 2 (2) 394

532

(1) [1단계] $1\cdot2,\ 2\cdot3,\ 3\cdot4,\ \cdots$에서 세 k항은

$$a_k=k(k+1)=k^2+k$$

[2단계] $\displaystyle S_n=\sum_{k=1}^{n}(k^2+k)$
$$=\sum_{k=1}^{n}k^2+\sum_{k=1}^{n}k$$
$$=\frac{n(n+1)(2n+1)}{6}+\frac{n(n+1)}{2}$$
$$=\frac{n(n+1)(n+2)}{3}$$

(2) [1단계] $3^2,\ 5^2,\ 7^2,\ \cdots$에서 제 k항은

$$a_k=(2k+1)^2=4k^2+4k+1$$

[2단계] $\displaystyle S_n=\sum_{k=1}^{n}(4k^2+4k+1)$
$$=4\sum_{k=1}^{n}k^2+4\sum_{k=1}^{n}k+\sum_{k=1}^{n}1$$
$$=4\cdot\frac{n(n+1)(2n+1)}{6}$$
$$+4\cdot\frac{n(n+1)}{2}+n$$
$$=\frac{n(4n^2+12n+11)}{3}$$

답 (1) $\dfrac{n(n+1)(n+2)}{3}$ (2) $\dfrac{n(4n^2+12n+11)}{3}$

534

[1단계] $1, 1+2, 1+2+2^2, \cdots$에서 제k항은

$$a_k = 1+2+2^2+\cdots+2^{k-1}$$
$$= \frac{1 \cdot (2^k-1)}{2-1}$$
$$= 2^k-1$$

[2단계] $S_n = \sum_{k=1}^{n}(2^k-1) = \sum_{k=1}^{n}2^k - \sum_{k=1}^{n}1$

$$= \frac{2(2^n-1)}{2-1} - n$$
$$= 2^{n+1}-2-n$$

답 $2^{n+1}-n-2$

536

[1단계] 수열 $\{a_n\}$의 첫째항부터 제n항까지의 합 S_n이

$S_n = n^2+n$이므로

(i) $n \geq 2$일 때,

$$a_n = S_n - S_{n-1}$$
$$= (n^2+n) - \{(n-1)^2+(n-1)\}$$
$$= 2n \qquad \cdots\cdots \text{㉠}$$

(ii) $n=1$일 때,

$$a_1 = S_1 = 1+1 = 2$$

그런데 이것은 ㉠에 $n=1$을 대입한 값과 같다.

$$\therefore a_n = 2n \ (n \geq 1)$$

[2단계] $a_{2k-1} = 2(2k-1) = 4k-2$이므로

$$\sum_{k=1}^{10}a_{2k-1} = \sum_{k=1}^{10}(4k-2)$$
$$= 4\sum_{k=1}^{10}k - \sum_{k=1}^{10}2$$
$$= 4 \cdot \frac{10 \cdot 11}{2} - 2 \cdot 10$$
$$= 200$$

답 200

538

(1) $\sum_{j=1}^{4}(i \cdot j^3) = i\sum_{j=1}^{4}j^3 = i \cdot \left(\frac{4 \cdot 5}{2}\right)^2 = 100i$

$$\therefore \text{(주어진 식)} = \sum_{i=1}^{10}100i = 100\sum_{i=1}^{10}i$$
$$= 100 \cdot \frac{10 \cdot 11}{2} = 5500$$

(2) $\sum_{n=1}^{5}(m-n) = \sum_{n=1}^{5}m - \sum_{n=1}^{5}n$

$$= 5m - \frac{5 \cdot 6}{2}$$
$$= 5m-15$$

$$\therefore \sum_{m=1}^{5}\left\{\sum_{n=1}^{5}(m-n)\right\} = \sum_{m=1}^{5}(5m-15)$$
$$= 5\sum_{m=1}^{5}m - 15 \cdot 5$$
$$= 5 \cdot \frac{5 \cdot 6}{2} - 75 = 75-75 = 0$$

(3) $\sum_{k=1}^{j}6 = 6j$이므로

$$\sum_{j=1}^{i}\left(\sum_{k=1}^{j}6\right) = \sum_{j=1}^{i}6j = 6\sum_{j=1}^{i}j$$
$$= 6 \cdot \frac{i(i+1)}{2} = 3(i^2+i)$$

$$\therefore \sum_{i=1}^{6}\left\{\sum_{j=1}^{i}\left(\sum_{k=1}^{j}6\right)\right\} = \sum_{i=1}^{6}3(i^2+i) = 3\left(\sum_{i=1}^{6}i^2 + \sum_{i=1}^{6}i\right)$$
$$= 3\left(\frac{6 \cdot 7 \cdot 13}{6} + \frac{6 \cdot 7}{2}\right) = 336$$

답 (1) 5500 (2) 0 (3) 336

539

ㄱ. $\sum_{k=1}^{n}k^2 = 1^2+2^2+3^2+\cdots+n^2$

$\sum_{k=0}^{n}k^2 = 0^2+1^2+2^2+3^2+\cdots+n^2$

$\therefore \sum_{k=1}^{n}k^2 = \sum_{k=0}^{n}k^2$ (참)

ㄴ. $\sum_{k=1}^{n}2^k = 2^1+2^2+2^3+\cdots+2^n$

$\sum_{k=0}^{n}2^k = 1+2^1+2^2+2^3+\cdots+2^n$

$\therefore \sum_{k=1}^{n}2^k \neq \sum_{k=0}^{n}2^k$ (거짓)

ㄷ. $\sum_{i=1}^{m}a_i + \sum_{j=m+1}^{n}a_j$

$= (a_1+a_2+a_3+\cdots+a_m)$
$\qquad + (a_{m+1}+a_{m+2}+a_{m+3}+\cdots+a_n)$

$= \sum_{k=1}^{n}a^k$ (참)

ㄹ. $\sum_{k=1}^{n}(a_{2k-1}+a_{2k})$

$= (a_1+a_2)+(a_3+a_4)+(a_5+a_6)$
$\qquad + \cdots + (a_{2n-1}+a_{2n})$

$= \sum_{k=1}^{2n}a_k$ (참)

따라서 옳은 것은 ㄱ, ㄷ, ㄹ이다.

답 ④

540

$$\sum_{k=1}^{10}(a_k+1)^2 = \sum_{k=1}^{10}(a_k^2+2a_k+1)$$
$$= \sum_{k=1}^{10}a_k^2 + 2\sum_{k=1}^{10}a_k + \sum_{k=1}^{10}1$$
$$= \sum_{k=1}^{10}a_k^2 + 2 \cdot 10 + 10$$
$$= \sum_{k=1}^{10}a_k^2 + 30 = 80$$

$$\therefore \sum_{k=1}^{10} a_k{}^2 = 80 - 30 = 50$$

답 50

541

$$\sum_{k=1}^{10}(k+5)(k-2) - \sum_{k=1}^{10}(k-5)(k+2)$$
$$= \sum_{k=1}^{10}(k^2+3k-10) - \sum_{k=1}^{10}(k^2-3k-10)$$
$$= \sum_{k=1}^{10}\{(k^2+3k-10) - (k^2-3k-10)\}$$
$$= \sum_{k=1}^{10} 6k = 6\sum_{k=1}^{10} k$$
$$= 6 \cdot \frac{10 \cdot 11}{2} = 330$$

답 330

542

$1 \cdot 3 + 2 \cdot 5 + 3 \cdot 7 + \cdots + 12 \cdot 25$에서 제$k$항은
$$a_k = k(2k+1) = 2k^2 + k$$
$$\therefore \sum_{k=1}^{12} a_k = \sum_{k=1}^{12}(2k^2+k)$$
$$= 2\sum_{k=1}^{12} k^2 + \sum_{k=1}^{12} k$$
$$= 2 \cdot \frac{12 \cdot 13 \cdot 25}{6} + \frac{12 \cdot 13}{2}$$
$$= 1300 + 78 = 1378$$

답 1378

543

[1단계] 수열 $\{a_n\}$의 첫째항부터 제n항까지의 합 S_n이
$$S_n = 2^{n+1} - 2$$이므로

(i) $n \ge 2$일 때,
$$a_n = S_n - S_{n-1}$$
$$= (2^{n+1}-2) - (2^n-2)$$
$$= 2^n \qquad \cdots\cdots \text{㉠}$$

(ii) $n=1$일 때,
$$a_1 = S_1 = 4 - 2 = 2$$

그런데 이것은 ㉠에 $n=1$을 대입한 값과 같다.
$$\therefore a_n = 2^n \ (n \ge 1)$$

[2단계] $a_k{}^2 = 2^{2k}$이므로
$$\sum_{k=1}^{4} a_k{}^2 = \sum_{k=1}^{4} 2^{2k} = \sum_{k=1}^{4} 4^k$$
$$= \frac{4(4^4-1)}{4-1}$$
$$= \frac{4 \cdot 255}{3}$$
$$= 340$$

답 340

544

$$\sum_{m=1}^{n} mn = n\sum_{m=1}^{n} m = n \cdot \frac{n(n+1)}{2} = \frac{1}{2}(n^3+n^2)$$
$$\therefore \sum_{n=1}^{4}\left(\sum_{m=1}^{n} mn\right) = \sum_{n=1}^{4} \frac{1}{2}(n^3+n^2)$$
$$= \frac{1}{2}\left(\sum_{n=1}^{4} n^3 + \sum_{n=1}^{4} n^2\right)$$
$$= \frac{1}{2}\left\{\left(\frac{4 \cdot 5}{2}\right)^2 + \frac{4 \cdot 5 \cdot 9}{6}\right\}$$
$$= 65$$

답 65

546

(1) 제k항 a_k를 구하여 부분분수로 변형하면
$$a_k = \frac{1}{k(k+1)} = \frac{1}{k} - \frac{1}{k+1}$$
$$\therefore \sum_{k=1}^{n} a_k = \sum_{k=1}^{n}\left(\frac{1}{k} - \frac{1}{k+1}\right)$$
$$= \left(1 - \frac{1}{2}\right) + \left(\frac{1}{2} - \frac{1}{3}\right) + \left(\frac{1}{3} - \frac{1}{4}\right)$$
$$\qquad + \cdots + \left(\frac{1}{n} - \frac{1}{n+1}\right)$$
$$= 1 - \frac{1}{n+1} = \frac{n}{n+1}$$

(2) 제k항 a_k를 구하여 부분분수로 변형하면
$$a_k = \frac{1}{(2k+1)^2 - 1}$$
$$= \frac{1}{\{(2k+1)-1\}\{(2k+1)+1\}}$$
$$= \frac{1}{2k(2k+2)}$$
$$= \frac{1}{4k(k+1)}$$
$$= \frac{1}{4}\left(\frac{1}{k} - \frac{1}{k+1}\right)$$
$$\therefore \sum_{k=1}^{n} a_k = \frac{1}{4}\sum_{k=1}^{n}\left(\frac{1}{k} - \frac{1}{k+1}\right)$$
$$= \frac{1}{4}\left\{\left(1-\frac{1}{2}\right) + \left(\frac{1}{2}-\frac{1}{3}\right) + \left(\frac{1}{3}-\frac{1}{4}\right)\right.$$
$$\left. + \cdots + \left(\frac{1}{n}-\frac{1}{n+1}\right)\right\}$$
$$= \frac{1}{4}\left(1 - \frac{1}{n+1}\right)$$
$$= \frac{n}{4(n+1)}$$

답 (1) $\dfrac{n}{n+1}$　(2) $\dfrac{n}{4(n+1)}$

548

제k항 a_k를 구하여 분모를 유리화하면

$$a_k = \frac{1}{\sqrt{k+1}+\sqrt{k+2}}$$
$$= \frac{\sqrt{k+1}-\sqrt{k+2}}{(\sqrt{k+1}+\sqrt{k+2})(\sqrt{k+1}-\sqrt{k+2})}$$
$$= -(\sqrt{k+1}-\sqrt{k+2})$$
$$\therefore \sum_{k=1}^{47} a_k = -\sum_{k=1}^{47}(\sqrt{k+1}-\sqrt{k+2})$$
$$= -\{(\sqrt{2}-\sqrt{3})+(\sqrt{3}-\sqrt{4})$$
$$+(\sqrt{4}-\sqrt{5})+\cdots+(\sqrt{48}-\sqrt{49})\}$$
$$= -(\sqrt{2}-\sqrt{49}) = 7-\sqrt{2}$$

답 $7-\sqrt{2}$

550

(1) [1단계] 진수를 정리하면 $1-\dfrac{1}{k}=\dfrac{k-1}{k}$

[2단계] $\sum\limits_{k=2}^{10} \log\left(1-\dfrac{1}{k}\right)$
$$= \sum_{k=2}^{10} \log \frac{k-1}{k}$$
$$= \log \frac{1}{2} + \log \frac{2}{3} + \log \frac{3}{4} + \cdots + \log \frac{9}{10}$$
$$= \log\left(\frac{1}{2} \times \frac{2}{3} \times \frac{3}{4} \times \cdots \times \frac{9}{10}\right)$$
$$= \log \frac{1}{10} = -1$$

(2) [1단계] 진수를 정리하면 $\dfrac{k^2}{k^2-1}=\dfrac{k \cdot k}{(k-1)(k+1)}$

[2단계] $\sum\limits_{k=2}^{15} \log \dfrac{k^2}{k^2-1}$
$$= \sum_{k=2}^{15} \log \frac{k \cdot k}{(k-1)(k+1)}$$
$$= \log \frac{2 \cdot 2}{1 \cdot 3} + \log \frac{3 \cdot 3}{2 \cdot 4} + \cdots + \log \frac{15 \cdot 15}{14 \cdot 16}$$
$$= \log\left(\frac{2 \cdot 2}{1 \cdot 3} \times \frac{3 \cdot 3}{2 \cdot 4} \times \cdots \times \frac{15 \cdot 15}{14 \cdot 16}\right)$$
$$= \log \frac{2 \cdot 15}{1 \cdot 16} = \log \frac{15}{8}$$

답 (1) -1 (2) $\log \dfrac{15}{8}$

552

[1단계] $S_n = \sum\limits_{k=1}^{n} a_k = \dfrac{1}{3}n(n+1)(n+2)$ 이므로

(i) $n \geq 2$ 일 때,
$$a_n = S_n - S_{n-1}$$
$$= \frac{1}{3}n(n+1)(n+2)$$
$$\qquad\qquad -\frac{1}{3}n(n-1)(n+1)$$
$$= \frac{1}{3}n(n+1)\{(n+2)-(n-1)\}$$
$$= n(n+1) \qquad\qquad \cdots\cdots \text{㉠}$$

(ii) $n=1$ 일 때,
$$a_1 = S_1 = \frac{1}{3} \cdot 1 \cdot 2 \cdot 3 = 2$$

그런데 $a_1=2$는 ㉠에 $n=1$을 대입한 값과 같으므로 $a_n = n(n+1)$ $(n \geq 1)$

[2단계] $a_k = k(k+1)$ 에서
$$\frac{1}{a_k} = \frac{1}{k(k+1)} = \frac{1}{k} - \frac{1}{k+1}$$
$$\therefore \sum_{k=1}^{n} \frac{1}{a_k} = \sum_{k=1}^{n}\left(\frac{1}{k} - \frac{1}{k+1}\right)$$
$$= \left(1-\frac{1}{2}\right) + \left(\frac{1}{2}-\frac{1}{3}\right) + \left(\frac{1}{3}-\frac{1}{4}\right)$$
$$+ \cdots + \left(\frac{1}{n}-\frac{1}{n+1}\right)$$
$$= 1 - \frac{1}{n+1} = \frac{n}{n+1}$$

답 $\dfrac{n}{n+1}$

554

주어진 식의 양변에 2를 곱하여 변끼리 빼면
$$S = 1 \cdot 2 + 2 \cdot 2^2 + 3 \cdot 2^3 + \cdots + 10 \cdot 2^{10}$$
$$\underline{-)\ 2S = \qquad 1 \cdot 2^2 + 2 \cdot 2^3 + \cdots + 9 \cdot 2^{10} + 10 \cdot 2^{11}}$$
$$-S = (2+2^2+2^3+\cdots+2^{10}) - 10 \cdot 2^{11}$$
$$= \frac{2(2^{10}-1)}{2-1} - 10 \cdot 2^{11} = 2^{11} - 2 - 10 \cdot 2^{11}$$
$$= -9 \cdot 2^{11} - 2$$
$$\therefore S = 9 \cdot 2^{11} + 2$$

답 $9 \cdot 2^{11}+2$

555

제 k 항 a_k를 구하여 부분분수로 변형하면
$$a_k = \frac{1}{(2k)^2-1} = \frac{1}{(2k-1)(2k+1)}$$
$$= \frac{1}{2}\left(\frac{1}{2k-1} - \frac{1}{2k+1}\right)$$

주어진 식은 첫째항부터 제 10 항까지의 합이므로
$$\sum_{k=1}^{10} a_k = \sum_{k=1}^{10} \frac{1}{2}\left(\frac{1}{2k-1} - \frac{1}{2k+1}\right)$$
$$= \frac{1}{2}\sum_{k=1}^{10}\left(\frac{1}{2k-1} - \frac{1}{2k+1}\right)$$
$$= \frac{1}{2}\left\{\left(\frac{1}{1}-\frac{1}{3}\right) + \left(\frac{1}{3}-\frac{1}{5}\right) + \left(\frac{1}{5}-\frac{1}{7}\right)\right.$$
$$\left. + \cdots + \left(\frac{1}{19}-\frac{1}{21}\right)\right\}$$
$$= \frac{1}{2}\left(1-\frac{1}{21}\right) = \frac{10}{21}$$

답 $\dfrac{10}{21}$

556

제 k항 a_k를 구하여 분모를 유리화하면

$$a_k = \frac{2}{\sqrt{2k+2}+\sqrt{2k}}$$

$$= \frac{2(\sqrt{2k+2}-\sqrt{2k})}{(\sqrt{2k+2}+\sqrt{2k})(\sqrt{2k+2}-\sqrt{2k})}$$

$$= \frac{2(\sqrt{2k+2}-\sqrt{2k})}{2}$$

$$= \sqrt{2k+2}-\sqrt{2k}$$

주어진 식은 첫째항부터 제 17 항까지의 합이므로

$$\sum_{k=1}^{17} a_k = \sum_{k=1}^{17} (\sqrt{2k+2}-\sqrt{2k})$$

$$= (\sqrt{4}-\sqrt{2})+(\sqrt{6}-\sqrt{4})+(\sqrt{8}-\sqrt{6})$$

$$\qquad +\cdots+(\sqrt{36}-\sqrt{34})$$

$$= \sqrt{36}-\sqrt{2}=6-\sqrt{2}$$

답 $6-\sqrt{2}$

557

로그의 진수를 정리하면

$$\frac{1}{k+3}+1=\frac{k+4}{k+3}$$

$$\sum_{k=1}^{60} \log_2\left(\frac{1}{k+3}+1\right)$$

$$= \sum_{k=1}^{60} \log_2 \frac{k+4}{k+3}$$

$$= \log_2 \frac{5}{4}+\log_2 \frac{6}{5}+\log_2 \frac{7}{6}+\cdots+\log_2 \frac{64}{63}$$

$$= \log_2\left(\frac{5}{4}\times\frac{6}{5}\times\frac{7}{6}\times\cdots\times\frac{64}{63}\right)$$

$$= \log_2 \frac{64}{4}=\log_2 2^4=4$$

답 4

558

$$\sum_{k=1}^{n} \frac{2}{\sqrt{k}+\sqrt{k+1}}$$

$$= \sum_{k=1}^{n} \frac{2(\sqrt{k}-\sqrt{k+1})}{(\sqrt{k}+\sqrt{k+1})(\sqrt{k}-\sqrt{k+1})}$$

$$= 2\sum_{k=1}^{n} (\sqrt{k+1}-\sqrt{k})$$

$$= 2\{(\sqrt{2}-1)+(\sqrt{3}-\sqrt{2})+\cdots+(\sqrt{n+1}-\sqrt{n})\}$$

$$= 2(\sqrt{n+1}-1)$$

$2(\sqrt{n+1}-1)=10$이므로

$$\sqrt{n+1}=6,\ n+1=36$$

$$\therefore n=35$$

답 35

559

[1단계] $\sum_{k=2}^{n} \log\left(1-\frac{1}{k^2}\right)$

$$= \sum_{k=2}^{n} \log \frac{k^2-1}{k^2}=\sum_{k=2}^{n} \log \frac{(k-1)(k+1)}{k\cdot k}$$

$$= \log \frac{1\cdot 3}{2\cdot 2}+\log \frac{2\cdot 4}{3\cdot 3}+\log \frac{3\cdot 5}{4\cdot 4}$$

$$\qquad +\cdots+\log \frac{(n-1)(n+1)}{n\cdot n}$$

$$= \log\left\{\frac{1\cdot 3}{2\cdot 2}\times\frac{2\cdot 4}{3\cdot 3}\times\frac{3\cdot 5}{4\cdot 4}\right.$$

$$\qquad\qquad \left.\times\cdots\times\frac{(n-1)(n+1)}{n\cdot n}\right\}$$

$$= \log\left(\frac{1}{2}\times\frac{n+1}{n}\right)=\log \frac{n+1}{2n}$$

[2단계] $\sum_{k=2}^{n} \log\left(1-\frac{1}{k^2}\right)=\log \frac{5}{9}$에서 $\log \frac{n+1}{2n}=\log \frac{5}{9}$

$$\frac{n+1}{2n}=\frac{5}{9},\ 9n+9=10n \qquad \therefore n=9$$

답 9

560

[1단계] 수열 $\{a_n\}$의 첫째항부터 제 n항까지의 합 S_n이

$$S_n=2n^2+n$$이므로

(i) $n\geq 2$일 때,

$$a_n=S_n-S_{n-1}$$

$$= 2n^2+n-\{2(n-1)^2+(n-1)\}$$

$$= 2n^2+n-(2n^2-3n+1)$$

$$= 4n-1 \qquad \cdots\cdots \text{㉠}$$

(ii) $n=1$일 때,

$$a_1=S_1=2+1=3$$

그런데 이것은 ㉠에 $n=1$을 대입한 값과 같다.

$$\therefore a_n=4n-1\ (n\geq 1)$$

[2단계] $\dfrac{1}{a_k a_{k+1}}=\dfrac{1}{(4k-1)(4k+3)}$

$$= \frac{1}{4}\left(\frac{1}{4k-1}-\frac{1}{4k+3}\right)$$

$$\therefore \sum_{k=1}^{10} \frac{1}{a_k a_{k+1}}$$

$$= \frac{1}{4}\sum_{k=1}^{10}\left(\frac{1}{4k-1}-\frac{1}{4k+3}\right)$$

$$= \frac{1}{4}\left\{\left(\frac{1}{3}-\frac{1}{7}\right)+\left(\frac{1}{7}-\frac{1}{11}\right)\right.$$

$$\qquad \left.+\left(\frac{1}{11}-\frac{1}{15}\right)+\cdots+\left(\frac{1}{39}-\frac{1}{43}\right)\right\}$$

$$= \frac{1}{4}\left(\frac{1}{3}-\frac{1}{43}\right)=\frac{10}{129}$$

답 $\dfrac{10}{129}$

561

[1단계] 처음 몇 항을 구해 규칙성을 찾는다.

8^1의 일의 자리 수는 8 $\quad \therefore a_1 = 8$

$8 \times 8 = 64$이므로

8^2의 일의 자리 수는 4 $\quad \therefore a_2 = 4$

$4 \times 8 = 32$이므로

8^3의 일의 자리 수는 2 $\quad \therefore a_3 = 2$

$2 \times 8 = 16$이므로

8^4의 일의 자리 수는 6 $\quad \therefore a_4 = 6$

$6 \times 8 = 48$이므로

8^5의 일의 자리 수는 8 $\quad \therefore a_5 = 8$

[2단계] 8, 4, 2, 6이 반복되므로

$$\sum_{n=1}^{100} a_n = \underbrace{(8+4+2+6)+\cdots+(8+4+2+6)}_{25번}$$

$$= (8+4+2+6) \times 25 = 500$$

답 500

562

$$\sum_{k=1}^{n}(k^2+2) - \sum_{k=1}^{n-1}(k^2+3)$$

$$= \left(\sum_{k=1}^{n} k^2 + \sum_{k=1}^{n} 2\right) - \left(\sum_{k=1}^{n-1} k^2 + \sum_{k=1}^{n-1} 3\right)$$

$$= \left(\sum_{k=1}^{n} k^2 - \sum_{k=1}^{n-1} k^2\right) + 2n - 3(n-1)$$

$$= n^2 + 2n - 3n + 3 = n^2 - n + 3$$

따라서 $n^2 - n + 3 = 59$이므로

$n^2 - n - 56 = 0$, $(n-8)(n+7) = 0$

이때 n은 자연수이므로 $n = 8$

답 8

563

$$\sum_{k=1}^{10} a_k = a_1 + a_2 + \cdots + a_9 + a_{10}$$

$$= (a_1 + a_2) + \cdots + (a_9 + a_{10})$$

$$= \sum_{k=1}^{5}(a_{2k-1} + a_{2k})$$

$$= 5^2 = 25$$

답 25

564

$$\sum_{k=1}^{10}(k^2 + ak) = \sum_{k=1}^{10} k^2 + a\sum_{k=1}^{10} k$$

$$= \frac{10 \cdot 11 \cdot 21}{6} + a\left(\frac{10 \cdot 11}{2}\right)$$

$$= 385 + 55a = 495$$

$55a = 110 \quad \therefore a = 2$

답 2

565

$$f(a) = \sum_{k=1}^{9}(k^2 - 2ak + a^2)$$

$$= \sum_{k=1}^{9} k^2 - 2a\sum_{k=1}^{9} k + \sum_{k=1}^{9} a^2$$

$$= \frac{9 \cdot 10 \cdot 19}{6} - 2a \cdot \frac{9 \cdot 10}{2} + 9a^2$$

$$= 9a^2 - 90a + 285$$

$$= 9(a-5)^2 + 60$$

따라서 이차함수 $f(a)$는 $a = 5$에서 최솟값을 가지므로 $f(a)$를 최소로 하는 상수 a의 값은 5이다.

답 ①

566

이차방정식의 근과 계수의 관계에 의하여

$m + n = 16$, $mn = 10$ $\quad\cdots\cdots$ ㉠

$$\sum_{j=1}^{n}(i+j) = \sum_{j=1}^{n} i + \sum_{j=1}^{n} j = ni + \frac{n(n+1)}{2}$$

$$\therefore \sum_{i=1}^{m}\left\{\sum_{j=1}^{n}(i+j)\right\} = \sum_{i=1}^{m}\left\{ni + \frac{n(n+1)}{2}\right\}$$

$$= n\sum_{i=1}^{m} i + \frac{mn(n+1)}{2}$$

$$= n \cdot \frac{m(m+1)}{2} + \frac{mn(n+1)}{2}$$

$$= \frac{mn(m+n+2)}{2}$$

$$= \frac{10(16+2)}{2} \quad (\because ㉠)$$

$$= 90$$

답 90

567

[1단계] 수열 $\{a_n\}$의 첫째항부터 제n항까지의 합 S_n이

$S_n = n^2 + 4n$이므로

(i) $n \geq 2$일 때,

$$a_n = S_n - S_{n-1}$$

$$= n^2 + 4n - \{(n-1)^2 + 4(n-1)\}$$

$$= 2n + 3 \quad\cdots\cdots ㉠$$

(ii) $n = 1$일 때, $a_1 = S_1 = 1 + 4 = 5$

그런데 이것은 ㉠에 $n=1$을 대입한 값과 같다.

$\therefore a_n = 2n + 3 \ (n \geq 1)$

[2단계] $a_{2k} = 2 \cdot 2k + 3 = 4k + 3$이므로

$$\sum_{k=1}^{10} a_{2k} = \sum_{k=1}^{10}(4k+3) = 4\sum_{k=1}^{10} k + 3 \cdot 10$$

$$= 4 \cdot \frac{10 \cdot 11}{2} + 30 = 250$$

답 250

568

주어진 조건에서 $S_n=2^{n+1}+3$이므로

$$\begin{cases} a_1=S_1=7 & \cdots\cdots\ \text{㉠} \\ a_n=S_n-S_{n-1}=(2^{n+1}+3)-(2^n+3)=2^n\ (n\geq2) \end{cases}$$

이때 $a_n=2^n$에 $n=1$을 대입하면 $a_1=2$로 ㉠의 값과 일치하지 않는다.

$\therefore a_1=7,\ a_n=2^n\ (n\geq2)$

$a_n=2^n$에서 $a_{2k-1}=2^{2k-1}=\dfrac{1}{2}\cdot4^k$이고

$\displaystyle\sum_{k=1}^{5}a_{2k-1}=a_1+a_3+a_5+a_7+a_9$이므로

$$\begin{aligned}\sum_{k=1}^{5}a_{2k-1}&=7+\sum_{k=2}^{5}\frac{1}{2}\cdot4^k \\ &=7+\frac{1}{2}\sum_{k=2}^{5}4^k=7+\frac{1}{2}\cdot\frac{16(4^4-1)}{4-1} \\ &=7+\frac{8\cdot255}{3}=7+680=687\end{aligned}$$

답 687

569

[1단계] 제 k항 a_k는

$$\begin{aligned}a_k&=\frac{1}{\dfrac{k(k+1)}{2}}=\frac{2}{k(k+1)} \\ &=2\left(\frac{1}{k}-\frac{1}{k+1}\right)\end{aligned}$$

[2단계] $\displaystyle\sum_{k=1}^{100}2\left(\frac{1}{k}-\frac{1}{k+1}\right)$

$$\begin{aligned}&=2\left\{\left(\frac{1}{1}-\frac{1}{2}\right)+\left(\frac{1}{2}-\frac{1}{3}\right)+\left(\frac{1}{3}-\frac{1}{4}\right)+\cdots \\ &\qquad\qquad\qquad\qquad\qquad+\left(\frac{1}{100}-\frac{1}{101}\right)\right\} \\ &=2\left(1-\frac{1}{101}\right)=\frac{200}{101}\end{aligned}$$

답 $\dfrac{200}{101}$

570

$(A-B)(A^2+AB+B^2)=A^3-B^3$이므로

$\sqrt[3]{k}=A,\ \sqrt[3]{k+1}=B$로 놓고 분모, 분자에 $A-B$를 곱하면

$$\begin{aligned}&\frac{1}{\sqrt[3]{k^2}+\sqrt[3]{k(k+1)}+\sqrt[3]{(k+1)^2}} \\ &=\frac{1}{A^2+AB+B^2} \\ &=\frac{A-B}{(A^2+AB+B^2)(A-B)}=\frac{A-B}{A^3-B^3} \\ &=\frac{\sqrt[3]{k}-\sqrt[3]{k+1}}{k-(k+1)}=-(\sqrt[3]{k}-\sqrt[3]{k+1})\end{aligned}$$

$$\begin{aligned}\therefore\ (\text{주어진 식})&=\sum_{k=1}^{7}\{-(\sqrt[3]{k}-\sqrt[3]{k+1})\} \\ &=-\{(\sqrt[3]{1}-\sqrt[3]{2})+(\sqrt[3]{2}-\sqrt[3]{3})+\cdots \\ &\qquad\qquad\qquad\qquad+(\sqrt[3]{7}-\sqrt[3]{8})\} \\ &=-(\sqrt[3]{1}-\sqrt[3]{8})=2-1=1\end{aligned}$$

답 1

571

로그의 기본 성질에 의하여

$$\log_3(k+1)-\log_3k=\log_3\frac{k+1}{k}$$

$$\begin{aligned}\therefore\ \sum_{k=1}^{80}&\{\log_3(k+1)-\log_3k\} \\ &=\sum_{k=1}^{80}\log_3\frac{k+1}{k} \\ &=\log_3\frac{2}{1}+\log_3\frac{3}{2}+\log_3\frac{4}{3}+\cdots+\log_3\frac{80}{79}+\log_3\frac{81}{80} \\ &=\log_3\left(\frac{2}{1}\cdot\frac{3}{2}\cdot\frac{4}{3}\cdot\cdots\cdot\frac{80}{79}\cdot\frac{81}{80}\right) \\ &=\log_381=4\end{aligned}$$

답 ②

572

$$f(2)=1+3\cdot2+5\cdot2^2+\cdots+19\cdot2^9+21\cdot2^{10} \quad\cdots\cdots\ \text{㉠}$$

㉠의 양변에 2를 곱하여 빼면

$$\begin{array}{r}f(2)=1+3\cdot2+5\cdot2^2+\cdots+19\cdot2^9+21\cdot2^{10} \\ -)\ 2f(2)=\ \ \ \ 1\cdot2+3\cdot2^2+\cdots+17\cdot2^9+19\cdot2^{10}+21\cdot2^{11} \\ \hline -f(2)=1+2\cdot2+2\cdot2^2+\cdots+2\cdot2^9+2\cdot2^{10}-21\cdot2^{11}\end{array}$$

$$\begin{aligned}&=1+2(2+2^2+\cdots+2^{10})-21\cdot2^{11} \\ &=1+2\cdot\frac{2(2^{10}-1)}{2-1}-21\cdot2^{11} \\ &=1+2\cdot2^{11}-4-21\cdot2^{11} \\ &=-19\cdot2^{11}-3\end{aligned}$$

$\therefore f(2)=19\cdot2^{11}+3$

답 ②

573

양의 약수의 개수가 홀수인 수는 완전제곱수뿐이므로 100부터 400까지의 자연수 중 완전제곱수들의 총합을 구한다.

$100=10^2,\ 11^2,\ 12^2,\ \cdots,\ 20^2=400$의 총합은

$$\begin{aligned}\sum_{k=10}^{20}k^2&=\sum_{k=1}^{20}k^2-\sum_{k=1}^{9}k^2 \\ &=\frac{20\cdot21\cdot41}{6}-\frac{9\cdot10\cdot19}{6}=2585\end{aligned}$$

답 2585

574

일의 자리 또는 나머지 문제는 처음 몇 항을 구하여 규칙성을 찾는다. 1부터 n까지의 합을 S_n이라 하면

$S_n = \dfrac{n(n+1)}{2}$이므로

$n=1$일 때 $S_1=1$ ➡ $1 \div 1 = 1$ $\qquad \therefore a_1=0$

$n=2$일 때 $S_2=3$ ➡ $3 \div 2 = 1 \cdots 1$ $\quad \therefore a_2=1$

$n=3$일 때 $S_3=6$ ➡ $6 \div 3 = 2$ $\qquad \therefore a_3=0$

$n=4$일 때 $S_4=10$ ➡ $10 \div 4 = 2 \cdots 2$ $\quad \therefore a_4=2$

$n=5$일 때 $S_5=15$ ➡ $15 \div 5 = 3$ $\qquad \therefore a_5=0$

$n=6$일 때 $S_6=21$ ➡ $21 \div 6 = 3 \cdots 3$ $\quad \therefore a_6=3$

$n=7$일 때 $S_7=28$ ➡ $28 \div 7 = 4$ $\qquad \therefore a_7=0$

$n=8$일 때 $S_8=36$ ➡ $36 \div 8 = 4 \cdots 4$ $\quad \therefore a_8=4$

$\{a_n\}$은 $0,\ 1,\ 0,\ 2,\ 0,\ 3,\ 0,\ 4,\ \cdots$이므로

$\displaystyle\sum_{n=1}^{100} a_n = 0+1+0+2+0+3+0+4+\cdots+0+50$

$\qquad\qquad = 1+2+3+\cdots+50 = \dfrac{50 \cdot 51}{2} = 1275$

탑 1275

575

$\displaystyle\sum_{k=1}^{n} k = \dfrac{n(n+1)}{2} = \dfrac{n^2+n}{2}$에서 $n^2+n = 2\displaystyle\sum_{k=1}^{n} k$이므로

$\displaystyle\sum_{k=1}^{n} b_k = 2\sum_{k=1}^{n} k = \sum_{k=1}^{n} 2k$

$\therefore b_k = 2k$

$\dfrac{n^2(n+1)^2}{2} = 2 \cdot \dfrac{n^2(n+1)^2}{4} = 2\left\{\dfrac{n(n+1)}{2}\right\}^2$

$\qquad\qquad = 2\displaystyle\sum_{k=1}^{n} k^3 = \sum_{k=1}^{n} 2k^3$

이므로

$\displaystyle\sum_{k=1}^{n} a_k b_k - 5\sum_{k=1}^{n} b_k = \sum_{k=1}^{n} (a_k-5)b_k = \sum_{k=1}^{n} 2k^3$

이때 $b_k = 2k$를 대입하면

$(a_k-5)2k = 2k^3$

$a_k - 5 = k^2$ $\qquad \therefore a_k = k^2+5$

$\therefore a_{10} = 10^2 + 5 = 105$

탑 105

576

한 변에 놓인 성냥개비의 개수가 n인 정사각형을 만들 때 필요한 성냥개비의 개수를 a_n이라 하면

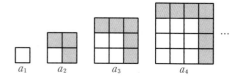

577

7번째 행 1번째 열의 수에 1을 더하면 7번째 행 2번째 열의 수이므로 먼저 7번째 행 1번째 열의 수를 구한다.

1번째 열의 수를 나열하면

$1,\ 1+1,\ 1+(1+3),\ 1+(1+3+5),\ \cdots$

$\therefore a_n = 1 + \displaystyle\sum_{k=1}^{n-1} (2k-1)$

$\qquad = 1 + 2\displaystyle\sum_{k=1}^{n-1} k - (n-1) = 2 \cdot \dfrac{(n-1)n}{2} - n + 2$

$\qquad = n^2 - 2n + 2$

즉, 7번째 행 1번째 열의 수는 $a_7 = 7^2 - 2 \cdot 7 + 2 = 37$

따라서 7번째 행 2번째 열인 곳에 오는 수는

$37 + 1 = 38$

탑 38

$a_1 = 4$

$a_2 = 4+8$

$a_3 = 4+8+12$

$a_4 = 4+8+12+16$

$\qquad \vdots$

$a_{10} = 4 \cdot 1 + 4 \cdot 2 + 4 \cdot 3 + 4 \cdot 4 + \cdots + 4 \cdot 9 + 4 \cdot 10$

$\qquad = \displaystyle\sum_{k=1}^{10} 4k = 4 \cdot \dfrac{10 \cdot 11}{2}$

$\qquad = 220$

탑 220

3 수학적 귀납법

579

(1) 첫째항이 1, 공차가 2인 등차수열이므로
$$a_n = 1 + (n-1) \cdot 2 = 2n - 1$$

(2) 첫째항이 1, 공비가 2인 등비수열이므로
$$a_n = 1 \cdot 2^{n-1} = 2^{n-1}$$

(3) $a_1 = 2$, $a_2 = 5$인 등차수열이므로
공차: $a_2 - a_1 = 3$
$$\therefore a_n = 2 + (n-1) \cdot 3 = 3n - 1$$

(4) $a_1 = 2$, $a_2 = 4$인 등비수열이므로
공비: $a_2 \div a_1 = 2$ $\quad \therefore a_n = 2 \cdot 2^{n-1} = 2^n$

답 (1) $a_n = 2n - 1$ (2) $a_n = 2^{n-1}$
(3) $a_n = 3n - 1$ (4) $a_n = 2^n$

581

$a_{n+1} = a_n + 4n$의 n에 $1, 2, 3, \cdots, n-1$을 차례로 대입하여 변끼리 더하면

$$\begin{aligned}
\not{a_2} &= a_1 + 4 \cdot 1 \\
\not{a_3} &= \not{a_2} + 4 \cdot 2 \\
\not{a_4} &= \not{a_3} + 4 \cdot 3 \\
&\vdots \\
+ \ \big) \ a_n &= a_{n-1} + 4(n-1)
\end{aligned}$$

$$\begin{aligned}
a_n &= 1 + 4\{1 + 2 + 3 + \cdots + (n-1)\} \\
&= 1 + 4\sum_{k=1}^{n-1} k = 1 + 4 \times \frac{(n-1)n}{2} \\
&= 2n^2 - 2n + 1
\end{aligned}$$

답 $a_n = 2n^2 - 2n + 1$

583

$a_{n+1} = \dfrac{n}{n+1} a_n$의 n에 $1, 2, 3, \cdots, n-1$을 차례로 대입하여 변끼리 곱하면

$$\begin{aligned}
\not{a_2} &= \frac{1}{2} a_1 \\
\not{a_3} &= \frac{2}{3} \not{a_2} \\
\not{a_4} &= \frac{3}{4} \not{a_3} \\
&\vdots \\
\times \ \big) \ a_n &= \frac{n-1}{n} \not{a_{n-1}}
\end{aligned}$$

$$a_n = a_1 \times \frac{1}{\not{2}} \times \frac{\not{2}}{\not{3}} \times \frac{\not{3}}{\not{4}} \times \cdots \times \frac{\not{n-1}}{n} = a_1 \times \frac{1}{n}$$

$a_1 = 5$이므로 $a_n = 5 \times \dfrac{1}{n} = \dfrac{5}{n}$

답 $a_n = \dfrac{5}{n}$

585

(1) 올해의 씨앗 10개 중 20%는 죽고, 나머지는 각각 5배씩 씨앗을 내게 되므로
$$\left(10 - 10 \times \frac{20}{100} \right) \times 5 = 40 \qquad \cdots\cdots \ ㉠$$

(2) $(n+1)$년 후가 되면 n년 후의 씨앗 중 20%는 죽고, 나머지는 각각 5배씩 씨앗을 내게 되므로
$$a_{n+1} = \left(a_n - a_n \times \frac{20}{100} \right) \times 5$$
$$\therefore a_{n+1} = 4a_n \qquad \cdots\cdots \ ㉡$$

(3) ㉠에서 $a_1 = 40$이므로 ㉡에 $n = 1, 2, 3, 4$를 차례로 대입하면
$$\begin{aligned}
a_2 &= 4a_1 = 4 \times 40 \\
&= 160 \\
a_3 &= 4a_2 = 4 \times 160 \\
&= 640 \\
a_4 &= 4a_3 = 4 \times 640 \\
&= 2560 \\
a_5 &= 4a_4 = 4 \times 2560 \\
&= 10240
\end{aligned}$$

따라서 5년 후에 뿌릴 씨앗의 개수는 10240이다.

답 (1) 40 (2) $a_{n+1} = 4a_n$ (3) 10240

▶ 다른 풀이

(3) ㉠, ㉡에서 수열 $\{a_n\}$은 첫째항이 40이고 공비가 4인 등비수열이므로
$$a_n = 40 \times 4^{n-1}$$
$$\therefore a_5 = 40 \times 4^4 = 10240$$

따라서 5년 후에 뿌릴 씨앗의 개수는 10240이다.

587

[1단계] $a_n = S_n - S_{n-1}$을 $S_n = n^2 a_n$에 대입하면
$$S_n = n^2 (S_n - S_{n-1})$$
$$\begin{aligned}
\therefore S_n &= \frac{n^2}{n^2 - 1} S_{n-1} \\
&= \frac{n \cdot n}{(n-1)(n+1)} S_{n-1} \ (n \geq 2)
\end{aligned}$$

[2단계] $S_n = \dfrac{n \cdot n}{(n-1)(n+1)} S_{n-1}$은 대입하여 곱하면 소거되는 대표적인 유형!
n에 $2, 3, 4, \cdots, n$을 차례로 대입하여 변끼리 곱한다.

$$S_2 = \frac{2 \cdot 2}{1 \cdot 3} S_1$$

$$S_3 = \frac{3 \cdot 3}{2 \cdot 4} S_2$$

$$S_4 = \frac{4 \cdot 4}{3 \cdot 5} S_3$$

$$\vdots$$

$$\times \bigg) \, S_n = \frac{n \cdot n}{(n-1)(n+1)} S_{n-1}$$

$$S_n = S_1 \times \frac{2 \cdot 2}{1 \cdot 3} \times \frac{3 \cdot 3}{2 \cdot 4} \times \cdots$$

$$\times \frac{n \cdot n}{(n-1)(n+1)}$$

$$= 3 \times \frac{2}{1} \times \frac{n}{n+1} \quad \Leftarrow S_1 = a_1 = 3$$

$$= \frac{6n}{n+1} \; (n \geq 2)$$

이 식은 $n=1$일 때도 성립하므로

$$S_n = \frac{6n}{n+1}$$

답 $\dfrac{6n}{n+1}$

590

$a_n = 3n - 5$에서 $a_1 = -2$, $a_2 = 1$

따라서 $a_2 - a_1 = 1 - (-2) = 3$이므로

$\alpha = -2$, $\beta = 3$

답 $\alpha = -2$, $\beta = 3$

591

$a_1 = 1$, $a_{n+1} = 2a_n$에서 $\dfrac{a_{n+1}}{a_n} = 2$이므로 수열 $\{a_n\}$은 첫

째항이 1, 공비가 2인 등비수열이다.

따라서 $a_n = 1 \cdot 2^{n-1} = 2^{n-1}$이므로 $a_{10} = 2^9 = 512$

답 512

592

$a_1 = 2$, $a_{n+1} = a_n + 5$에서 $a_{n+1} - a_n = 5$이므로 수열 $\{a_n\}$은

첫째항이 2, 공차가 5인 등차수열이다.

$\therefore a_n = 2 + (n-1) \cdot 5 = 5n - 3$

이때 $a_k = 47$이므로

$5k - 3 = 47$, $5k = 50$ $\quad \therefore k = 10$

답 10

593

$a_{n+1} = a_n + n - 1$의 n에 1, 2, 3, $\cdots$, $n-1$을 차례로

대입하여 변끼리 더하면

$$a_2 = a_1 + 1 - 1$$

$$a_3 = a_2 + 2 - 1$$

$$a_4 = a_3 + 3 - 1$$

$$\vdots$$

$$+ \bigg) \, a_n = a_{n-1} + (n-1) - 1$$

$$a_n = a_1 + 1 + 2 + \cdots + (n-1) - 1 \cdot (n-1)$$

$$= 1 + 1 + 2 + 3 + \cdots + (n-2)$$

$$= 1 + \frac{(n-2)(n-1)}{2}$$

$$\therefore a_{12} = 1 + \frac{(12-2)(12-1)}{2}$$

$$= 1 + \frac{10 \cdot 11}{2} = 56$$

답 56

594

[1단계] $1 - \dfrac{1}{n^2} = \dfrac{n^2-1}{n^2} = \dfrac{(n-1)(n+1)}{n \cdot n}$

[2단계] $a_n = \left(1 - \dfrac{1}{n^2}\right) a_{n-1}$의 n에 2, 3, $\cdots$, $n-1$을 차

례로 대입하여 변끼리 곱하면

$$a_2 = \frac{1 \cdot 3}{2 \cdot 2} a_1$$

$$a_3 = \frac{2 \cdot 4}{3 \cdot 3} a_2$$

$$a_4 = \frac{3 \cdot 5}{4 \cdot 4} a_3$$

$$\vdots$$

$$\times \bigg) \, a_n = \frac{(n-1)(n+1)}{n \cdot n} a_{n-1}$$

$$a_n = a_1 \times \frac{1 \cdot 3}{2 \cdot 2} \times \frac{2 \cdot 4}{3 \cdot 3} \times \cdots$$

$$\times \frac{(n-1)(n+1)}{n \cdot n}$$

$$= 1 \times \left(\frac{1}{2} \times \frac{n+1}{n}\right) = \frac{n+1}{2n}$$

$$\therefore a_{20} = \frac{21}{40}$$

답 $\dfrac{21}{40}$

595

[1단계] a_n의 관계식을 구하기 위하여 $2S_n = (n+1)a_n$의

n에 $(n-1)$을 대입하여 변끼리 뺀다.

$$2S_n = (n+1)a_n$$

$$- \bigg) \, 2S_{n-1} = \qquad n \, a_{n-1}$$

$$2a_n = (n+1)a_n - na_{n-1} \quad \Leftarrow S_n - S_{n-1} = a_n$$

$$\therefore a_n = \frac{n}{n-1} a_{n-1} \; (n \geq 2)$$

[2단계] $a_n = \dfrac{n}{n-1}a_{n-1}$은 대입하여 곱하면 소거되는 대표적인 유형!

n에 2, 3, 4, $\cdots$, n을 차례로 대입하여 변끼리 곱한다.

$$\require{cancel}\cancel{a_2} = \frac{2}{1}a_1$$

$$\cancel{a_3} = \frac{3}{2}\cancel{a_2}$$

$$\cancel{a_4} = \frac{4}{3}\cancel{a_3}$$

$$\vdots$$

$$\times \left) \; a_n = \frac{n}{n-1}\cancel{a_{n-1}} \right.$$

$$\overline{\qquad\qquad\qquad\qquad\qquad}$$

$$a_n = a_1 \times \frac{2}{1} \times \frac{3}{2} \times \frac{4}{3} \times \cdots \times \frac{n}{n-1}$$

$$= 3 \times \frac{n}{1} = 3n \; (n \geq 2)$$

이 식은 $n=1$일 때도 성립한다.

$$\therefore \; a_n = 3n$$

🔑 $a_n = 3n$

597

(ii) $n=k$일 때 주어진 등식이 성립한다고 가정하면

$$1^2 + 2^2 + 3^2 + \cdots + k^2 = \frac{k(k+1)(2k+1)}{6}$$

양변에 $\boxed{(k+1)^2}$을 더하면

$$1^2 + 2^2 + 3^2 + \cdots + k^2 + (k+1)^2$$

$$= \frac{k(k+1)(2k+1)}{6} + (k+1)^2$$

$$= \frac{k+1}{6}\{k(2k+1) + 6(k+1)\}$$

$$= \frac{k+1}{6}(2k^2 + 7k + 6)$$

$$= \frac{(k+1)(k+2)(2k+3)}{6}$$

$$= \boxed{\frac{(k+1)\{(k+1)+1\}\{2(k+1)+1\}}{6}}$$

따라서 $n=k+1$일 때도 주어진 등식이 성립한다.

🔑 (1) $(k+1)^2$

(2) $\dfrac{(k+1)\{(k+1)+1\}\{2(k+1)+1\}}{6}$

599

(1) (i) $n=2$일 때,

$$(좌변) = (1-h)^2 = 1 - 2h + h^2$$

$$(우변) = 1 - 2h$$

즉, (좌변) > (우변)이므로 주어진 부등식이 성립한다.

(ii) $n=k \; (k \geq 2)$일 때 주어진 부등식이 성립한다고 가정하면

$$(1-h)^k > 1 - kh$$

양변에 $1-h$를 곱하면 $0 < 1-h < 1$이므로

$$(1-h)^{k+1} > (1-kh)(1-h)$$

$$= 1 - (k+1)h + kh^2$$

$$> 1 - (k+1)h$$

따라서 $n=k+1$일 때도 주어진 부등식이 성립한다.

(i), (ii)에 의하여 2 이상의 모든 자연수 n에 대하여 주어진 부등식이 성립한다.

(2) (i) $n=2$일 때,

$$(좌변) = 1 + \frac{1}{2} = \frac{3}{2}$$

$$(우변) = \frac{2 \cdot 2}{2+1} = \frac{4}{3}$$

즉, (좌변) > (우변)이므로 주어진 부등식이 성립한다.

(ii) $n=k \; (k \geq 2)$일 때 주어진 부등식이 성립한다고 가정하면

$$1 + \frac{1}{2} + \frac{1}{3} + \cdots + \frac{1}{k} > \frac{2k}{k+1}$$

양변에 $\dfrac{1}{k+1}$을 더하면

$$1 + \frac{1}{2} + \cdots + \frac{1}{k} + \frac{1}{k+1} > \frac{2k}{k+1} + \frac{1}{k+1}$$

$$= \frac{2k+1}{k+1}$$

이때 $\dfrac{2k+1}{k+1}$과 $\dfrac{2(k+1)}{(k+1)+1}$의 크기를 비교하면

$$\frac{2k+1}{k+1} - \frac{2(k+1)}{(k+1)+1}$$

$$= \frac{(2k+1)(k+2) - 2(k+1)^2}{(k+1)(k+2)}$$

$$= \frac{(2k^2+5k+2) - 2(k^2+2k+1)}{(k+1)(k+2)}$$

$$= \frac{k}{(k+1)(k+2)} > 0 \Leftarrow k \geq 2$$

이므로 $\dfrac{2k+1}{k+1} > \dfrac{2(k+1)}{(k+1)+1}$

$$\therefore \; 1 + \frac{1}{2} + \frac{1}{3} + \cdots + \frac{1}{k} + \frac{1}{k+1} > \frac{2k+1}{k+1}$$

$$> \frac{2(k+1)}{(k+1)+1}$$

따라서 $n=k+1$일 때도 주어진 부등식이 성립한다.

(i), (ii)에 의하여 2 이상의 모든 자연수 n에 대하여
주어진 부등식이 성립한다.

답 풀이 참조

600

$p(n)$이 참이면 $p(n+2)$도 참

➡ 한 다리 건너 넘어간다.

$1 \to 3 \to 5 \to 7 \to \cdots$

$2 \to 4 \to 6 \to 8 \to \cdots$

1이 넘어가면 3, 5, 7, …이 넘어간다.

2가 넘어가면 4, 6, 8, …이 넘어간다.

따라서 1과 2가 넘어가면 3, 4, 5, 6, 7, 8, …이 넘어
간다.

따라서 옳은 것은 ㄴ, ㄷ이다.

답 ㄴ, ㄷ

601

㈏는 다음과 같이 (i)과 (ii)로 분석할 수 있다.

> (i) $p(n)$이 참이면 $p(n+2)$도 참이다.
> (ii) $p(n+1)$이 참이면 $p(n+2)$도 참이다.

$p(1)$이 참이므로 (i)로부터

$1 \to 3 \to 5 \to 7 \to \cdots$

$p(3)$이 참임을 알았으므로 (ii)로부터

$3 \to 4 \to 5 \to \cdots$

즉, 2를 제외한 모든 자연수에서 참이다.

따라서 구하는 명제는 ①이다.

답 ①

602

(ii) $n=\boxed{k}$일 때 주어진 등식이 성립한다고 가정하면

$1+2+2^2+\cdots+2^{k-1}=2^k-1$ ······ ㉠

㉠의 양변에 $\boxed{2^k}$을 더하면

$1+2+2^2+\cdots+2^{k-1}+\boxed{2^k}=2^k-1+\boxed{2^k}$

$=2 \cdot 2^k-1$

$=\boxed{2^{k+1}-1}$

따라서 $n=k+1$일 때도 주어진 등식이 성립한다.

그러므로 ㈎, ㈏, ㈐에 알맞은 것은 각각
k, 2^k, $2^{k+1}-1$이다.

답 ③

603

$a_{n+1}=\dfrac{2n-1}{2n+1}a_n$에 $n=1, 2, 3$을 차례로 대입하면

$a_2=\dfrac{1}{3}a_1=\dfrac{1}{3}$

$a_3=\dfrac{3}{5}a_2=\dfrac{3}{5} \cdot \dfrac{1}{3}=\dfrac{1}{5}$

$a_4=\dfrac{5}{7}a_3=\dfrac{5}{7} \cdot \dfrac{1}{5}=\dfrac{1}{7}$

답 ⑤

604

$\dfrac{a_{n+2}}{a_{n+1}}=\dfrac{a_{n+1}}{a_n}$이므로 수열 $\{a_n\}$은 등비수열이다.

$a_1=2$이므로 공비를 r라 하면

$a_n=2 \cdot r^{n-1}$

이때 $a_3=2r^2=50$이므로 $r^2=25$

각 항이 양수이므로 $r=5$

따라서 $a_n=2 \cdot 5^{n-1}$이므로

$\dfrac{a_{11}}{a_8}=\dfrac{2 \cdot 5^{10}}{2 \cdot 5^7}=5^3=125$

답 125

605

[1단계] $a_{n+1}=\dfrac{2a_n}{2+a_n}$의 역수를 취하면

$\dfrac{1}{a_{n+1}}=\dfrac{2+a_n}{2a_n}$

$\therefore \dfrac{1}{a_{n+1}}=\dfrac{1}{a_n}+\dfrac{1}{2}$

$\dfrac{1}{a_n}=b_n$으로 치환하면

$\dfrac{1}{a_{n+1}}=b_{n+1}$

$\therefore b_{n+1}=b_n+\dfrac{1}{2}$

[2단계] 수열 $\{b_n\}$은 첫째항이 $b_1=\dfrac{1}{a_1}=\dfrac{1}{3}$, 공차가 $\dfrac{1}{2}$

인 등차수열이므로 일반항을 구하면

$b_n=\dfrac{1}{3}+(n-1) \cdot \dfrac{1}{2}$

$=\dfrac{3n-1}{6}$

$\dfrac{1}{a_n}=\dfrac{3n-1}{6}$에서

$a_n=\dfrac{6}{3n-1}$

따라서 $a_{15}=\dfrac{6}{3 \cdot 15-1}=\dfrac{6}{44}=\dfrac{3}{22}$

답 $\dfrac{3}{22}$

606

(ii) $n=k$ ($k \geq 5$)일 때 주어진 부등식이 성립한다고 가
정하면 $2^k > k^2$ ...... ㉠

㉠의 양변에 2를 곱하면 $2^{k+1} > 2k^2$

이때 $k \geq 5$이면

$k^2 - 2k - 1 = \boxed{(k-1)^2} - 2 > 0$

이므로 $k^2 > 2k + 1$

$\therefore \ 2^{k+1} > 2k^2 = k^2 + k^2$
$> k^2 + 2k + 1 = \boxed{(k+1)^2}$

따라서 $n = k+1$일 때도 성립한다.

그러므로 (가), (나)에 알맞은 식은 각각

$f(k) = (k-1)^2$, $g(k) = (k+1)^2$

$\therefore f(2) + 3g(3) = (2-1)^2 + 3(3+1)^2 = 49$

답 ④

607

(나)는 다음과 같이 (i)과 (ii)로 분석할 수 있다.

> (i) $p(n)$이 참이면 $p(2n)$도 참이다.
> (ii) $p(n)$이 참이면 $p(3n)$도 참이다.

$p(1)$이 참이므로

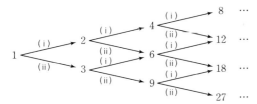

따라서 반드시 참이라고 할 수 없는 명제는 ④이다.

답 ④

608

$a_n - a_{n-1} = \dfrac{1}{n(n+1)}$의 n에 $2, 3, \cdots, n$을 차례로 대
입하여 변끼리 더하면

$a_2 = a_1 + \dfrac{1}{2 \cdot 3}$

$a_3 = a_2 + \dfrac{1}{3 \cdot 4}$

$a_4 = a_3 + \dfrac{1}{4 \cdot 5}$

$\vdots$

$+ \ ) \ a_n = a_{n-1} + \dfrac{1}{n(n+1)}$

$\overline{\quad a_n = a_1 + \dfrac{1}{2 \cdot 3} + \dfrac{1}{3 \cdot 4} + \cdots + \dfrac{1}{n(n+1)} \quad}$

$= 1 + \left(\dfrac{1}{2} - \dfrac{1}{3} \right) + \left(\dfrac{1}{3} - \dfrac{1}{4} \right) + \cdots$
$+ \left\{ \dfrac{1}{n} - \dfrac{1}{(n+1)} \right\}$

$= 1 + \dfrac{1}{2} - \dfrac{1}{n+1}$

$= \dfrac{3}{2} - \dfrac{1}{n+1}$

$\therefore a_{20} = \dfrac{3}{2} - \dfrac{1}{21} = \dfrac{63-2}{42} = \dfrac{61}{42}$

따라서 $p = 61$, $q = 42$이므로

$p - q = 61 - 42 = 19$

답 19

609

주어진 식의 n에 $1, 2, 3, \cdots, (n-1)$을 차례로 대입
하면

$a_1 = 1$

$a_2 = 2$

$a_3 = a_2 + 2a_1 = 2 + 2 \cdot 1 = 4$

$a_4 = a_3 + 2a_2 = 4 + 2 \cdot 2 = 8$

$a_5 = a_4 + 2a_3 = 8 + 2 \cdot 4 = 16$

$\vdots$

수열 ➡ $1, 2, 4, 8, 16, 32, 64, 128, \cdots$

5로 나눈 나머지 ➡ $1, 2, 4, 3, 1, 2, 4, 3, \cdots$

따라서 4개 항을 주기로 같은 수가 반복된다.

$2019 = 4 \times 504 + 3$이므로 구하는 수는 $1, 2, 4, 3$의 세
번째 수인 4이다.

답 4

610

[단계 2] 에서 3개의 원을 그리면 접점이 6개 늘어나고,

[단계 3] 에서 4개의 원을 그리면 접점이 9개 늘어나므로

항과 항 사이의 관계식을 구하면

$a_n - a_{n-1} = 3 \times n$

구한 식의 n에 $2, 3, \cdots, n$을 차례로 대입하여 변끼리
더하면

$a_2 - a_1 = 3 \times 2$

$a_3 - a_2 = 3 \times 3$

$a_4 - a_3 = 3 \times 4$

$\vdots$

$+ \ ) \ a_n - a_{n-1} = 3 \times n$

$\overline{\quad a_n - a_1 = 3(2 + 3 + \cdots + n) \quad}$

$$a_n = a_1 + \sum_{k=1}^{n-1} 3(k+1)$$
$$\quad = 3 + 3\sum_{k=1}^{n-1}(k+1)$$
$$\quad = 3 + 3 \cdot \frac{(n-1)n}{2} + 3(n-1)$$
$$\quad = \frac{3n(n+1)}{2}$$
$$\therefore a_{10} = \frac{3 \cdot 10 \cdot 11}{2} = 165$$

답 165

611

처음 몇 항을 구해 규칙성을 찾으면

1원을 넣는 방법 ➡ 1

2원을 넣는 방법 ➡ 1+1, 2

3원을 넣는 방법 ➡ 1+1+1, 1+2, 2+1

4원을 넣는 방법 ➡ 1+1+1+1, 1+1+2,
　　　　　　　　　 1+2+1, 2+1+1, 2+2

따라서 1, 2, 3, 5, …가 나왔다.

바로 피보나치수열.

$\therefore a_{n+2} = a_{n+1} + a_n$

$a_5 = a_3 + a_4 = 3 + 5 = 8$

$a_6 = a_4 + a_5 = 5 + 8 = 13$

$a_7 = a_5 + a_6 = 8 + 13 = 21$

답 21

지학사

풍산자
장학생 선발

총 장학금 1,200만 원

지학사에서는 학생 여러분의 꿈을 응원하기 위해
2007년부터 매년 풍산자 장학생을 선발하고 있습니다.
풍산자로 공부한 학생이라면 누.구.나 도전해 보세요.

*연간 장학생 40명 기준

✦ 선발 대상

풍산자 수학 시리즈로 공부한 전국의 중·고등학생 중 성적 향상 및 우수자

조금만 노력하면 누구나 지원 가능!	수학 성적이 잘 나왔다면?
성적 향상 장학생(10명)	**성적 우수 장학생(10명)**
중학 ┃ 수학 점수가 10점 이상 향상된 학생	**중학 ┃** 수학 점수가 90점 이상인 학생
고등 ┃ 수학 내신 성적이 한 등급 이상 향상된 학생	**고등 ┃** 수학 내신 성적이 2등급 이상인 학생

✦ 혜택

장학금 30만 원 및 장학 증서
*장학금 및 장학 증서는 각 학교로 전달합니다.

신청자 전원 '풍산자 시리즈'
교재 중 1권 제공

✦ 모집 일정

매년 2월, 7월 (총 2회)
*공식 홈페이지 및 SNS를 통해 소식을 받으실 수 있습니다.

풍산자 서포터즈

풍산자 시리즈로 공부하고 싶은 학생들 모두 주목!
매년 2월과 7월에 서포터즈를 모집합니다.
리뷰 작성 및 SNS 홍보 활동을 통해 공부 실력 향상은 물론,
문화 상품권과 미션 선물을 받을 수 있어요!

자세한 내용은 풍산자 홈페이지
(www.pungsanja.com)을 통해
확인해 주세요.

장학 수기)

"풍산자와 기적의 상승곡선 5 ➡ 1등급!" _이○원(해송고)

"수학 A로 가는 모험의 필수 아이템!" _김○은(지도중)

"수학 66점에서 100점으로 향상하다!" _구○경(한영중)

장학 수기
더 보러 가기